DERECHO ITALIANO DE SOCIEDADES
(MANUAL BREVE)

N. Abriani - L. Calvosa - G. Ferri jr. - G. Giannelli
F. Guerrera - G. Guizzi - C. Motti - M. Notari - A. Paciello
D. Regoli - G. A. Rescio - R. Rosapepe - M. Stella Richter jr.
A. Toffoletto

DERECHO ITALIANO DE SOCIEDADES

(MANUAL BREVE)

Introducción de

BERARDINO LIBONATI

Traducción:

NURIA LATORRE CHINER

Profª Titular de Derecho Mercantil
Universidad de Valencia

VANESSA MARTÍ MOYA

Profª Ayudante de Derecho Mercantil
Universidad de Murcia

Prólogo a la edicición española

JOSÉ MIGUEL EMBID IRUJO

Catedrático de Derecho Mercantil
Universidad de Valencia

UNIVERSITAT DE VALÈNCIA
Departamento de Derecho Mercantil
«Manuel Broseta Pont»

tırant lo blanch
Valencia, 2008

La presente traducción ha sido realizada en el marco de la Acción integrada Ita- lia-España 2006 (HI2005-0231), y en los Programas de I+D "Nueva etapa en la modernización del Derecho de sociedades europeo" (SEJ2007-62969/JURI) y "Ac- tividades de empresas y entidades sin fin de lucro (fundaciones y asociaciones) (SEJ 2007-62414), financiados ambos por el Ministerio de Educación y Ciencia.

La obra se publica con la contribución de la Università degli Studi di Foggia - PAR 2005. Dipartimento delle scienze giuridiche privatistiche.

Edición en castellano:
© TIRANT LO BLANCH
EDITA TIRANT LO BLANCH
C/ Artes Gráficas, 14 - 46010 - Valencia
TELFS.: 96/361 00 48 - 50
FAX: 96/369 41 51
Email:tlb@tirant.com
http://www.tirant.com
Librería virtual: http://www.tirant.es
DEPOSITO LEGAL: V-4064-2008
I S B N: 978-84-9876-309-6
IMPRIME: PMc Media

En recuerdo de Ariberto Mignoli

ÍNDICE

PRIMERA PARTE
EL FENÓMENO SOCIETARIO Y LAS SOCIEDADES PERSONALISTAS

CAPÍTULO I
CARACTERÍSTICAS GENERALES, CONCEPTO Y TIPOS

CAPÍTULO II
LA ORGANIZACIÓN DE LAS SOCIEDADES PERSONALISTAS
(Duccio Regoli)

CAPÍTULO III
LAS INCIDENCIAS DE LAS SOCIEDADES PERSONALISTAS
(Cinzia Motti)

SEGUNDA PARTE
LOS MODELOS ORGANIZATIVOS DE LAS SOCIEDADES DE CAPITAL

CAPÍTULO IV
PATRIMONIO, CAPITAL Y BALANCE
(Giuseppe Ferri JR)

CAPÍTULO V
LAS SOCIEDADES ACCIONARIALES

Secc. 1. Disposiciones Generales. Aportaciones. Acciones
(MARIO NOTARI)

Secc. 2. Obligaciones. Instrumentos financieros participativos. Patrimonios
destinados
(GIANVITO GIANNELLI)

Secc. 3. Junta general de socios. Pactos parasociales
(GIUSEPPE A. RESCIO)

Secc. 4. *Administración y controles*
(ALBERTO TOFFOLETTO)

Secc. 5. *La sociedad comanditaria por acciones*
(NICCOLÒ ABRIANI)

CAPÍTULO VI
LA SOCIEDAD DE RESPONSABILIDAD LIMITADA

Secc. 1. Disposiciones Generales. Aportaciones. Participaciones
(Mario Stella Richter jr)

Secc. 2. Decisiones de los socios. Administración y control
(Niccolò Abriani)

CAPÍTULO VII
PARTICIPACIONES CUALIFICADAS Y GRUPOS DE SOCIEDADES
(Giuseppe Guizzi)

TERCERA PARTE
LAS MODIFICACIONES DE LA ORGANIZACIÓN
DE LAS SOCIEDADES DE CAPITAL

CAPÍTULO VIII
CONSTITUCIÓN
(Lucia Calvosa)

CAPÍTULO IX
MODIFICACIONES ESTATUTARIAS Y DERECHO DE SEPARACIÓN
(Roberto Rosapepe)

CAPÍTULO X
TRANSFORMACIÓN, FUSIÓN Y ESCISIÓN
(Fabrizio Guerrera)

CAPÍTULO XI
DISOLUCIÓN Y LIQUIDACIÓN
(ANDREA PACIELLO)

CUARTA PARTE
LAS SOCIEDADES COOPERATIVAS

CAPÍTULO XII
LAS SOCIEDADES COOPERATIVAS
(ANDREA PACIELLO)

PRÓLOGO A LA EDICIÓN ESPAÑOLA

1. Entre la amplísima bibliografía suscitada por la todavía reciente reforma del Derecho de sociedades en Italia, merece ser destacada la publicación de un libro titulado, a la sazón, *Diritto delle Società [Manuale breve]*, que en seguida alcanzó el favor del público. Dicho libro, concebido como una auténtica obra colectiva, aspiraba a presentar, con claridad, orden sistemático y rigor doctrinal, los perfiles de esa importante reforma, sin alcanzar la dimensión de un tratado, pero, a la vez, sin incurrir en la acumulación de detalles minuciosos, más propios de una monografía especializada; un manual, por tanto, en el más certero sentido de la palabra. La exactitud de este propósito aparecía confirmada en los diversos apartados de la obra que, no obstante la pluralidad de sus autores, mostró desde su aparición una notable coherencia en su ordenación interna y una excelente coordinación entre las diversas aportaciones. Puede explicarse, por ello, su ya mencionado éxito de público —plasmado en una renovada sucesión de ediciones—, así como su difusión más allá del país transalpino para servir de «embajador» autorizado de las principales características del nuevo Derecho italiano de sociedades.

En una época, como la actual, en la que las reformas legislativas en Derecho de sociedades se han convertido, más allá de su verdadera necesidad, en un motivo constante de inquietud desde el punto de vista de la práctica empresarial y de los operadores jurídicos, resulta de singular utilidad disponer de una obra, como el *Manuale breve*, que traza un cuadro nítido y completo de uno de los cambios normativos en dicha materia más relevantes de los últimos años en Europa. Al margen de los aciertos o errores de la reforma, su conocimiento detallado puede servir a otros países, acuciados por la «tentación» de la modificación normativa, para apreciar el alcance y la profundidad de los cambios introducidos en el Derecho italiano. Por otro lado, y desde la perspectiva específica del ordenamiento español, llama la atención el hecho de que el legislador italiano haya sido capaz de llevar al *Codice civile* el grueso del Derecho de sociedades, tanto en su vertiente general, como en lo que se refiere a los tipos societarios más relevantes. Frente a la dispersión característica del Derecho español en la materia, hoy por hoy sin visos de modificación, debe destacarse el significado, tanto teórico como práctico, de esta especie de «principio de concentración legislativa», tan favorable para el conocimiento y la interpretación del Derecho positivo. Sin desconocer, desde luego, la existencia de muchas otras normas relevantes para el Derecho de sociedades de Italia, es indudable que el *Codice civile* sigue manteniendo, e incluso acrecentando, la posición central que, desde su promulgación, le ha caracterizado.

2. Hace un momento me refería al hecho de que el *Manuale breve* es una auténtica obra colectiva; interesa destacar este extremo, pues el amplio elenco de sus autores no ha alterado el sentido, esencialmente unitario, de la obra, transformándola en una heterogénea recopilación de breves monografías. No parece fácil que esto suceda en un trabajo de semejantes características, tan acostumbrados como estamos a la proliferación de publicaciones de similar hechura carentes de la debida coordinación y, por ello mismo, limitadas en cuanto a su utilidad como instrumentos al servicio de la interpretación y aplicación del Derecho positivo. Siendo acertado este hecho, resulta más significativo, si cabe, en cuanto que el *Manuale breve* no puede ser considerado una obra de «escuela». Así lo demuestra la amplia nómina de sus autores que, más allá de intrincadas genealogías académicas, han decidido de común acuerdo establecer unos fundamentos sólidos para el mejor conocimiento del actual Derecho italiano de sociedades. Quede aquí constancia de sus nombres: Niccolò Abriani, de la Universidad de Firenze; Lucia Calvosa, Universidad de Pisa; Giuseppe Ferri jr., Universidad de Roma «Tor Vergata»; Gianvito Giannelli, Universidad de Bari; Fabrizio Guerrera, Universidad de Messina; Giuseppe Guizzi, Universidad de Nápoles «Federico II»; Cinzia Motti, Universidad de Foggia; Mario Notari, Universidad de Brescia; Andrea Paciello, Segunda Universidad de Nápoles; Duccio Regoli, Universidad Católica de Milán; Giuseppe A. Rescio, Universidad Católica de Milán; Roberto Rosapepe, Universidad de Salerno; Mario Stella Richter jr., Universidad de Roma «Tor Vergata»; Alberto Toffoletto, Universidad de Milán. Toda Italia, la del norte y la del sur, junto con el centro romano, está representada en este conjunto de profesores universitarios, de cuya *gesamte Hand* ha brotado esta importante obra.

3. Las características distintivas del *Manuale breve*, además de útiles para convertirlo en un libro de referencia sobre el Derecho italiano de

sociedades, lo hacen especialmente idóneo para la empresa, no siempre de fácil factura, de la traducción. Aun siendo bien notorio el parentesco lingüístico entre el italiano y el español —circunstancia ésta que, desde hace años, ha servido para «hibernar» bastantes propósitos de traducción de textos jurídicos italianos a nuestro idioma—, parecía conveniente, por muchos motivos, traducir dicho libro, con el objetivo de facilitar el acceso a tan valiosa aportación doctrinal a los muchos interesados en el mejor conocimiento del Derecho italiano de sociedades. El impulso definitivo para llevar a cabo la traducción del *Manuale breve* ha venido finalmente de la colaboración establecida entre un buen número de sus autores, coordinados por el profesor Abriani, y el Departamento de Derecho Mercantil «Manuel Broseta Pont» de la Universidad de Valencia, que se ha manifestado en varios encuentros académicos del mayor interés y del que esperamos ver pronto publicadas las aportaciones científicas en ellos presentadas. Asumida, por tanto, la empresa de la traducción, han sido las profesoras Nuria Latorre y Vanessa Martí quienes la han llevado a cabo en su totalidad. De su labor, minuciosa y paciente, cabe destacar ahora la fidelidad al texto italiano original, así como su plasmación en una expresión castellana sobria y transparente. Gracias a las dos.

Además de desear el mayor éxito a esta nueva publicación, los autores del *Manuale breve* me van a permitir que, para terminar este ya largo prólogo, les invite a perseverar en el espíritu que dio origen a su obra. O, dicho de otro modo, que su *Diritto delle società*, siga siendo *Manuale* y, por supuesto, *breve*; que no cedan, por tanto, a las continuas asechanzas legislativas, puestas de manifiesto en leyes sucesivas, cada vez más complejas y no siempre necesarias, de un lado, y que, de otro, resistan a la tentación de ser categóricos (sé que no lo son, desde luego), evitando el estilo dogmático y la retórica interminable, a la que tan aficionados son algunos universitarios. En el mantenimiento de las indicadas pautas ha residido, en mi opinión, el éxito del libro, y sobre la base de ellas mantendrá en el futuro, a buen seguro, su calidad y su atractivo para el lector.

José Miguel Embid Irujo
Universidad de Valencia

AUTORES

Niccolò Abriani	Universidad de Florencia
Lucia Calvosa	Universidad de Pisa
Giuseppe Ferri jr.	Universidad de Roma «Tor Vergata»
Gianvito Giannelli	Universidad de Bari
Fabrizio Guerrera	Universidad de Messina
Giuseppe Guizzi	Universidad de Nápoles «Federico II»
Cintia Motti	Universidad de Foggia
Mario Notari	Universidad de Brescia
Andrea Paciello	Segunda Universidad de Nápoles
Duccio Regoli	Universidad Católica de Milán
Giuseppe A. Rescio	Universidad Católica de Milán
Roberto Rosapepe	Universidad de Salerno
Mario Stella Richter jr.	Universidad de Roma «Tor Vergata»
Alberto Toffoletto	Universidad de Milán

ADVERTENCIA

Las citas de números de artículos sin indicación del contexto normativo han de entenderse hechas al *codice civile*. Las restantes fuentes normativas se citan con indicación del número de disposición y el año de promulgación, con las siguientes abreviaturas:

Cost	Costituzione della Repubblica Italiana
cod. ass.	codice delle assicurazioni private (d.lgs. 209/2005)
d.lgs.	decreto legislativo
d.p.r.	decreto del Presidente della Repubblica
del. Consob	deliberazione Consob
dir. CE	direttiva della Comunità Europea
disp. att.	disposizioni per l'attuazione del codice civile
l.	legge
l.fall	legge fallimentare (r.d. 267/1942)
r.d.	regio decreto
reg. CE	regolamento della Comunità Europea
Relazione	Relazione illustrativa al d.lgs. 6/2003
Relazione al codice civile	Relazione al Re del Ministro Guardasigilli (Roma, 1942)
Tratt. CE	Trattato di Roma del 25 marzo 1957
T.U.B.	Testo unico delle leggi in materia bancaria e creditizia (d.lgs. 385/1993)
T.U.F.	Testo unico delle disposizioni in materia di intermediazione finanziaria (d.lgs. 58/1998)

La última revisión del Manual es de mayo de 2008.

El *Manuale* se cita: AA.VV., *Diritto delle società. Manuale breve*, Milano, 2008 (precedido, en su caso, de la indicación del autor y del título de la contribución concreta).

Los autores agradecen a Valeria Salamina y Alessandra Stabilini el cuidado de la composición y la elaboración de los índices.

INTRODUCCIÓN[*]

de Berardino Libonati

Presentar el Manual breve no es tarea fácil; y me excuso enseguida con el lector por la simplicidad de esta introducción. Es verdad que el método seguido por los Autores es polisémico y, por tanto, difícil de explicar en pocas líneas. Mientras que de «breve» hay, en realidad, sólo la consciente calificación por no querer extenderse en el detalle, el contenido del tratado es, por el contrario, rico e intrigante como la primera lectura de un texto novelado debe ser. Me conforta la comunión de ideas y convicciones con los Autores, que permite —así lo espero— un discurso de verdad unitario, apenas inaugurado por mí y plenamente articulado en el *Manuale*.

El mismo índice del Manual expresa la primera convicción común. Las sociedades de capital son modelos organizativos de la actividad de empresa, siendo considerada la sociedad por acciones el modelo más afinado. Lo que las caracteriza es la responsabilidad limitada a la inversión realizada. La organización de actividades desempeñada o, más bien, la organización del patrimonio destinado a la gestión de la empresa, permite la constricción del riesgo dentro de dimensiones prefijadas. En el sistema previgente, por otra parte, ello parecía (todavía) en cierta medida una conclusión excepcional, justificable y justificada, únicamente, por el recurso a estructuras rígidas y complejas, con una forma de proceder siempre marcada por la acción, en un contexto que suscitaba cautela por la ruptura con los criterios con que se regula, en Derecho civil, la responsabilidad patrimonial por los actos realizados. El nuevo sistema es, por el contrario, por así decirlo, mucho más desenvuelto. La segmentación de responsabilidad en que se puede incurrir cuando se ejerce una actividad de empresa se simplifica en la construcción y se multiplica en las formas, de manera que ya no se considera ni siquiera necesaria una pluralidad de inversores y, por tanto, una gestión colectiva y se permite, antes bien, *a priori*, el fraccionamiento de la intervención operativa en centros de imputación económicamente autó-

---

[*] La introducción aparece por primera vez publicada en la Primera Edición del *Diritto delle società. Manuale breve*, 2004.

nomos, aunque coordinados. Se multiplican, asimismo, los trajes que puede vestir la obtención de inversión, la tutela de las instancias de terceros, que se han buscado en las regulaciones del sector en que la sociedad opera, antes que en la regulación de la organización societaria. El equilibrio entre poder conservado por quien invierte y poder atribuido a quien gestiona halla expresiones del todo diversas, adaptadas a elecciones económicas muy variadas.

El resultado es un sistema de regulación de la actividad de empresa antes que de las vicisitudes societarias, que se separa progresivamente del razonamiento civilista. Cambian, por ejemplo, algunos principios fundamentales. La transparencia en la conducción de la actividad de empresa respecto del mercado se contrapone a la *privacy* del ciudadano común. Las vicisitudes de la organización de la empresa, que puede fusionarse, escindirse, reestructurarse o disolverse para después reactivarse, hallan prioridad respecto de la construcción contractualista del fenómeno. La contabilización de la actividad deviene un momento prioritario. Por el contrario, ello ocurre sin separar a la empresa de quien invierte, sin necesidad de hipóstasis de la primera respecto de sus referentes naturales. En rigor, la configuración originaria publicista de las sociedades de capital, enlazada con la especialidad de la figura en el Derecho común, desaparece casi totalmente, reconociendo una simple vicisitud entre privados, de los que se preocupa, sobre todo, de minimizar los costes de transacción. Las premisas de tal afirmación hay que buscarlas en un tiempo anterior, aunque también éste «breve» de la doctrina mercantilista: ahora, sin embargo, pueden desarrollarse, o intentar desarrollarse, con mayor conocimiento y mayor efectividad.

El *Manuale* quiere ofrecer de todo ello, siquiera en síntesis, información, partiendo desde el principio, de la explicación del modelo en sus aplicaciones, para pasar, enseguida, a la ilustración de las distintas consecuencias organizativas. El *Manuale* subraya, por otra parte, los problemas que plantea el nuevo sistema. En buena medida (y sin querer ser exhaustivo), los objetivos a los que mira el d. lgs. 6/2003 son: (i) la congruencia de la regulación de la sociedad por acciones únicamente a la mediana y gran empresa que cotiza en Bolsa, con utilidad marginal para las sociedades sometidas al grupo o unipersonales, la pequeña y mediana empresa viene, por el contrario, dirigida hacia la sociedad de responsabilidad limitada; (ii) una elasticidad reforzada de los instrumentos que permiten el drenaje del ahorro hacia la empresa, con aperturas todavía no plenamente experimentadas; (iii) la neta distinción entre competencia para la gestión y competencia para las modificaciones de la organización, con remodelación de la responsabilidad de los gestores y de los procedimientos que permiten censurar su conducta; (iv) la completa exteriorización del control contable, con mayor libertad de elección de los procedimientos de monitorización interna del regular desenvolvimiento de los procesos organizativos y de gestión; (v) la comprensión de la fase de liquidación en el contexto fisiológico de la vicisitud societaria, atribuyendo, en gran medida, su gobierno a los socios.

Quedan varias sombras que necesitan mayor profundidad. Por ejemplo, la variedad de las líneas de acción permitidas multiplican los juicios de valor sobre la legitimidad de su desarrollo en concreto, creando incluso nuevas figuras de comportamiento debido: el dinamismo de la construcción mercantilista viene facilitado, pero se refuerza la preocupación por la nada sencilla aplicación de un sistema tan abierto, que exige una cultura apropiada por parte de todos los que, de una u otra forma, intervienen en él. El fenómeno del grupo se afronta de forma no unitaria y con visión incompleta, centrada en su momento patológico, de poca importancia para el mercado, más que en su evolución fisiológica; hará falta un desarrollo interpretativo. La diversidad de sistemas de gestión y control, tanto en la s.p.a. como en la s.r.l., requieren experiencia y ser contrastados para poder ser afinados y construidos de forma plena. La regulación del balance general espera todavía una renovación de forma coherente con las exigencias comunitarias y, sobre todo, internacionales. La armonización de la nueva regulación con la regulación de los mercados financieros abrirá la discusión sobre una multitud de problemas concretos, cuyos resultados habrán de ser recompuestos en sistema. La regulación de la fusión, escisión y transformación parece ignorar cuestiones actuales y que han sido subrayadas desde distintas áreas del Derecho.

El Manual breve indica soluciones que obviamente aquí no se «introducen» por respeto a la elección de vértice. Aquí se quiere únicamente subrayar (en verdad, con la afectuosa envidia de quien, joven, se enfrenta hoy con lo nuevo) la coherencia y la frescura del sistema utilizado y la inusual coincidencia de enfoque conceptual en una obra ejecutada por varias manos, que permite, por sí misma, desarrollos argumentativos convincentes y aperturas innovadoras para el futuro.

EL DERECHO MERCANTIL COMO CATEGORÍA HISTÓRICA

El ordenamiento jurídico italiano no conoce un cuerpo de normas que pueda ser denominado, con rigor de confines y de contenido, *Derecho mercantil.* Bajo el aspecto histórico, por otra parte, el Derecho mercantil se caracteriza por la adopción, en el contexto del tradicional sistema privatista, de disciplinas atingentes a la vida de los nuevos o heterodoxos negocios respecto de aquellos tradicionales del Derecho civil, hasta ver nacer «un Derecho llamado, en su organicidad, especial frente al Derecho común». Nuevas instancias unidas a nuevos fenómenos económicos ha habido, evidentemente, siempre. El momento histórico al que, sin embargo, se ha vinculado el inicio del desarrollo de las actuales disciplinas jurídico-mercantiles es el del afianzamiento de la economía y la cultura burguesas y de la ciudadanía propia del período que vio florecer, en el tardío medioevo italiano, la vida y la civilización municipal. En el contexto de «un nuevo espíritu de iniciativa y de una nueva organización de los negocios», al sistema agrícola se une entonces, o se flanqueó o a veces hasta se sustituyó el ejercicio de una actividad económica con fines de producción o intercambio.

Protagonista de tal nuevo sistema fue el *mercader,* que tuvo la capacidad y la fuerza de romper el carácter fragmentario y el inmovilismo de la economía feudal solicitando cambios y trueques entre productos adquiridos en lugares diversos. A éstos, gradualmente, los vino sustituyendo el comerciante que organizaba la misma producción, frecuentemente (o primero), en talleres descentrados a través del trabajo a domicilio; y junto a la organización de tal nuevo procedimiento productivo vinieron afinándose relaciones negociales de contenido exquisitamente crediticio, *in primis,* para permitir el pago de la materia prima y de la fuerza de trabajo anticipándose con respecto de la realización de la ganancia a través de la venta del producto final.

Los mercaderes en su conjunto constituían una jerarquía; las corporaciones mercantiles datan de entonces. La pertenencia a la corporación

cualificaba así, a un sujeto como mercader. Y, a medida que se multiplica-
ban los negocios comerciales y que emergía su particularidad cada vez con
más claridad —comprar para revender no es lo mismo, ni halla la misma
valoración social, que comprar para consumir— fueron construyéndose
disciplinas idóneas para regular los actos de los mercaderes, nuevas o parcialmente diversas de las propias del Derecho común. Vino afirmándose,
así, un Derecho de los mercaderes (muy grato en un mundo que se di-
vidía rigurosamente por clases). La difusión de la economía mercantil, y
la consiguiente más reducida especialidad del Derecho mercantil en un
sistema político y de vida en que cada vez eran más dominantes las instancias mercantiles, provocó, como es natural, la ampliación de la categoría.
El riguroso corporativismo debió ceder frente a una mayor facilidad de
acceso a los negocios (y a la consiguiente sujeción a las reglas propias, precisamente, de la vida de los negocios). Se reconoce, así, la adquisición del
título de mercader, o de comerciante, *quoad actum,* en un mundo cada vez
menos centrado en la producción para el consumo directo. Leyes estatales
dirigidas a regular el comercio terminaron por sustituir a las costumbres y
a las reglas corporativas (contemporáneamente a la afirmación en Europa
de Estados nacionales). Ser comerciante *quoad actum* en un contexto de leyes comerciales de promulgación estatal implica —como es obvio— varias
consecuencias: en primer lugar, la adopción de un *sistema objetivo,* en el
cual la adquisición de la cualidad de comerciante resultaba fundada sobre
el cumplimiento como profesión habitual de actos de comercio antes que
sobre requisitos subjetivos, por ejemplo, la pertenencia (por nacimiento o
a causa de un aprendizaje) a una corporación; en segundo lugar, la fusión
(sustancial si no formal) del especial ordenamiento comercial en el Derecho común y, sin embargo, la individualización, en el cuerpo del Derecho
común, de regulaciones que se aplican sólo a los actos de comercio; aunque
sean realizados por no comerciantes. La reforzada autoridad estatal elimina,
en efecto, las especialidades jurisdiccionales, no, como es obvio las diferencias objetivas (de intereses y de comportamientos) entre quien trabaja en
el campo o ejerce profesiones liberales y quien comercia. La adopción de
un sistema objetivo se completa, más tarde, sobre todo, por la afirmación
—con la primera revolución industrial a finales del XVIII— de la *libertad
de iniciativa económica,* postulada en la convicción de que la correcta y
pacífica competición en el mercado (de egoísmos opuestos de hobbesiana
memoria, podría decirse) produce la máxima ventaja para todos. La liber-

tad de acceso al mercado tiene como efecto reflejo que cualquier persona, por haber operado en el comercio, es sometida a las leyes comerciales; de modo que el cumplimiento de actos de comercio cualifica, también formalmente, a quien los realiza como comerciante y) legitima y/o impone la aplicación de las leyes comerciales.

La evolución sucesiva no ha modificado el enfoque: sólo ha tomado nota de los efectos de la llamada segunda revolución industrial sobre la producción y sobre el comercio. En buena medida, los problemas de la industria han prevalecido sobre los problemas de la intermediación en el intercambio, pero, sobre todo, —en lo que aquí nos ocupa— la elaboración y la aplicación de las disciplinas mercantiles se refieren a la *organización* de la (actividad de) producción y el comercio antes que a la realización de actos (particulares) funcionales (a la producción y) al intercambio.

Bajo este aspecto, el desarrollo de la codificación italiana del Derecho mercantil es particularmente significativo. En el código de comercio de 1882, la empresa todavía no es relevante *tout court* como tal y en cuanto tal, pero algunas categorías de empresas son consideradas actos de comercio; en el código del 1942 el acto de comercio desaparece y se adopta una regulación del fenómeno mercantil referida al ejercicio de *una actividad económica organizada objetivamente*, i.e al ejercicio de una actividad ejercida en forma de *empresa*.

LA EMPRESA EN EL SISTEMA DEL CÓDIGO

El conjunto de normas que integra el Derecho mercantil se centra, por tanto, hoy, en el aspecto jurídico otorgado al fenómeno de la empresa. El código, sin embargo, define, en el art. 2082, al empresario. La circunstancia merece alguna reflexión, esta vez de carácter sistemático. La organización económica de bienes y de personas, dirigida a la producción y al intercambio de bienes y de servicios, supone regulaciones específicas, tanto en cuanto a la *acción* que viene desarrollada como en cuanto a los *instrumentos* con que la acción se desarrolle. La organización económica puede ser considerada, además, por sí misma o bien por la posición que asume en el mercado donde está destinada a operar (piénsese, por una parte, en la regulación del ejercicio colectivo de una empresa y, por otro, en la disciplina *antitrust*. El orden jurídico, por tanto, «no sólo regula las relaciones intersubjetivas necesarias para el ejercicio de la empresa y que se dan en su ámbito (relaciones de financiación, relaciones de trabajo), sino que considera la empresa como tal y la regula y tutela bajo diversos perfiles». La atención se centra, así, sobre una actividad entendida como secuencia de actos *coordinados* entre ellos, tanto *estructural* como *funcionalmente;* pero ha de detenerse —y éste el momento crucial de la construcción del código del 1942, en cuanto punto de llegada, en nuestro ordenamiento, de la evolución histórica a la que se ha hecho referencia— no sobre los actos que forman la secuencia singularmente considerados, ni siquiera teniendo en cuenta las interconexiones recíprocas, sino sobre la *secuencia globalmente entendida* y sobre el *aspecto organizativo* que permite individualizarla.

Deviene inmediata, en este punto, la consideración de la relevancia que asume la división del trabajo en el fenómeno de la empresa. No sólo los actos de que se compone la actividad podrán proceder de sujetos diversos; sino que resulta natural a la misma organización el coordinar actos procedentes de sujetos distintos unificándolos en la obtención de un resultado, beneficiándose de la división del trabajo y valorizándola.

Desde un distinto ángulo visual, más propiamente financiero, que mostrará mayor consistencia, el fenómeno puede explicarse como un sistema productivo de bienes y de servicios, activado por la introducción de riqueza en la perspectiva de generar mayor riqueza.

Los distintos actos de que se compone la secuencia organizativa examinada, a su vez, no son indiferentes al nexo que los asocia a la actividad organizada en forma de empresa; antes bien, frecuentemente, el ser llevados a cabo en un contexto de actividad de empresa los *califica* y condiciona su regulación. Se obtiene, así, la categoría de *contratos de empresa*. Pero, volviendo a la actividad de empresa propiamente dicha, ésta —en el sistema del código— resulta *susceptible de valoración* y valorada en cuanto tal, de forma autónoma, separadamente de la valoración de los actos particulares. La acción humana que se viene considerando, puesto que es productora (y consumidora) de riqueza, plantea problemas y necesita soluciones, es merecedora, en otras palabras, de consideración jurídica, desde un plano distinto del de los actos de que se compone. Y en realidad, la actividad de producción de bienes o de servicios puede ciertamente fraccionarse en actos, por ejemplo, de asunción de operarios, de compraventa de mercancías o de financiación, cada uno de los cuales tiene una regulación concreta: pero la suma de estas regulaciones no puede, puesto que se trata objetivamente de otra dimensión, explicar (el funcionamiento y) la regulación de la empresa.

Es verdad que cada acto de iniciativa económica implica una pluralidad de intereses, todos a tomar en consideración (si bien en distinta medida). Pueden ser utilizados en la actividad productiva bienes que no son del empresario sino de terceros; habrá mano de obra empleada; el capital de riesgo que la soporta podrá ser aportado por varias personas; la posición de los acreedores ha sido tradicionalmente objeto de especial atención porque las empresas viven del crédito y los ciudadanos no; los usuarios de los productos tienen exigencias específicas individualizadas ya desde que, en los albores del Derecho mercantil, se elaboraban los primeros elementos característicos; la empresa tiene un valor que merece reconocimiento y tutela; la actividad tiene, además, su contexto dinámico que tiene que ser evaluado también en perspectiva, etc. El conjunto de instancias y de intereses, que sería costoso enumerar, exige así un *planteamiento de vértice* que permite la regulación desde la óptica polivalente que se ha indicado y que, sin embargo, considera las interconexiones que concurren objetivamente. De aquí una serie de regulaciones especiales respecto del Derecho común, cada una de las cuales halla aplicación respecto de supuestos que se caracterizan, precisamente, por adscribirse a una secuencia de actos estructural y funcionalmente organizados para la producción y para el intercambio, por situarse —en otras palabras— en el contexto de una actividad de empresa. De ahí, y sobre todo, disciplinas que regulan, no los actos organizados sino el *momento organizativo* que en definitiva los califican y los distinguen como pertenecientes a la actividad de empresa. Actividad de empresa se destaca ahora, en términos sistémicos, como *premisa lógica y útil para permitir la construcción y la explicación de disciplinas específicas* que resuelven los problemas concretos en atención no sólo a los intereses individuales implicados, sino al más vasto complejo de instancias (si se quiere, propias del mundo empresarial) que se consideran significativas en el desarrollo de la actividad económica dirigida a la producción y al intercambio, en el ámbito de la cual, precisamente, los actos concretos van a producirse.

Se deriva el valor *normativo* de la noción de actividad de empresa y su no susceptibilidad de ser considerada en términos de supuesto de hecho: su reconocimiento en la ordenación de la acción humana no expresa, en efecto, capacidad para producir efectos jurídicos, pero justifica intervenciones normativas para situaciones específicas en razón de estar organizadas en el contexto de una actividad de empresa.

El sistema privatista se articula, por otra parte, sobre la figura del sujeto, en una comprensible lectura antropocéntrica de las relaciones humanas. El modelo sobre el que el sistema se construye parte del sujeto, y teniendo en cuenta el necesario referente objetivo, los bienes, regula, por un lado, clases de comportamiento lícitos y/o debidos, y, por el otro, esquemas de acción que culminan en el acto de autonomía negocial. La subsunción de las materias mercantiles en el cuerpo del derecho privado ha debido tener en consideración esta distinta impostación de base que se explica en el reconocimiento de que, fenomenológicamente, ningún comportamiento es aislable por el sujeto de la acción considerada. Se asiste, así pues, a la definición, en el código, del empresario como centro de imputación de comportamientos que, sin embargo, recaen en disciplinas coherentes con una consideración objetiva de la empresa como tal, de modo que vienen regulados en función de los caracteres y sobre todo de la pluralidad de exigencias y de intereses implicados en la actividad económica objetivamente considerada.

La definición dada por el art. 2082 se concilia, así, con la estructura del código: pero la regulación del fenómeno mercantil permanece como «de actividad» y se caracteriza y se distingue como tal, en la reconstrucción que se ha dibujado, conservando caracteres que la ponen sobre un plano lógico distinto, antes que de contraposición, con respecto del sistema de Derecho común del que ya forma parte.

Como es evidente, sería erróneo hablar —como se ha hecho— de personalización de la empresa. Al contrario, el sistema del código rechaza precisamente la regulación «subjetiva» del fenómeno de la empresa, y asimismo, el reconocimiento, en la empresa, de intereses metaindividuales. La consideración de los múltiples intereses, todos jurídicamente notables, no está orientada a anularlos sino a tutelarlos siquiera en un contexto objetivamente individuable que los acoja y los componga dialécticamente; ni tampoco está orientada a superarlos, allí donde, por el contrario, por dictado constitucional, todos deben ser considerados en su particularidad y en su consistencia específica.

Ubicándose en un único, y más amplio, contexto legislativo, la regulación de la empresa se sobrepone completando o derogando las disciplinas (más propiamente) privatistas, y en ello va al encuentro de las instancias particulares para las cuales se expresa. No toda actividad económica organizada es, sin embargo, empresa en el sentido del código. El fenómeno sobre el que se centra la atención se conecta ciertamente con el modelo mismo sobre el cual la completa materia mercantilista tuvo sus inicios históricamente, es decir, *la actividad de producción para el intercambio* (industria), *o de intercambio* (comercio), *de bienes o de servicios,* realizada con criterios de economicidad (art. 2082).

EL FENÓMENO SOCIETARIO

La sociedad representa hoy en día una forma de ejercicio organizativo de la actividad de empresa, marcado por órdenes más o menos estrictas de las actuaciones y de imputación de los resultados activos y pasivos derivados de ellas, que tiene su origen y que se estructura por efecto de un acto de la autonomía privada, contrato o acto unilateral (e incluso, aunque de forma excepcional, por efecto de un acto administrativo o por ley). En cuanto ejercicio de la actividad de empresa, la finalidad es la de obtener resultados económicos positivos (de otra forma, la actividad no se mantiene en pie) para atribuir (o dividir entre) quienes han invertido (art. 2247). Para tener una idea completa del fenómeno, que ya por definición se muestra extremadamente complejo, en necesario examinarlo desde distintos ángulos. Resulta útil, en efecto, fijarse, en primer lugar, en cómo la figura de la sociedad y sus correspondientes problemas han sido afrontados y discutidos por la más reciente doctrina mercantilista; en segundo lugar, conviene tener conciencia del impacto, sobre la reconstrucción del fenómeno, del reconocimiento legal de la sociedad unipersonal; finalmente, cabe considerar la última normativa en materia de transformaciones heterogéneas.

Que la sociedad es un contrato es una afirmación tradicional en la doctrina privatista italiana, que probablemente deriva más de una elección de política legislativa que de una conclusión conceptual. Como contrato, la sociedad forma parte de los actos de autonomía privada, y, por tanto, su constitución —incluso cuando implica una llamada al ahorro público— está destinada a librarse de las trabas de la intervención y del control público, en medida disonante con respecto a los equilibrios vigentes en el siglo XIX y sucesivamente con un crecimiento puede que menos manifiesto pero no por ello menos significativo (la homologación de los actos constitutivos desaparece no hace mucho tiempo: l. 240/2000).

Se ha afirmado así que el acto que da origen a la sociedad debe denominarse contrato y que aquello que se crea entre quienes participan debe considerarse una relación obligacional. Las características distintivas de la sociedad respecto a otros fenómenos contractuales no son, evidentemente, ni ignoradas ni obviadas; pero no se consideran tales de hacer dudar que la figura forma parte de la categoría general del contrato.

El fenómeno considerado en el origen de la doctrina privatista era el de la sociedad «civil», catalogado en el código civil de 1865, en los arts. 1697 y ss., como uno de tantos contratos. Se trataba de una institución de corte todavía romanista, cuya esencia consistía en la «puesta en común de cualquier cosa, con la finalidad de dividir las ganancias que se pudieran derivar». La doctrina mercantilista, por su parte, prestaba poca atención al momento constitutivo de las sociedades mercantiles (también concebidas como contrato en el código de comercio de 1882, con el añadido, respecto del código civil, de unas pocas prescripciones de forma y de contenido); y subrayaba, sobre todo, las consecuencias organizativas o, mejor, la «consistencia» de aquellas consecuencias en las relaciones con terceros, en cuanto se trataba de «entes colectivos distintos de las personas de los socios» (art. 77 cód. de com. 1882).

Las posiciones doctrinales de los países de la Europa continental, francesas y alemanas sobre todo, no eran muy distintas.

La sucesiva reflexión mercantilista ha llevado a algunas constataciones sustancialmente empíricas, subrayadas como (particularmente) caracterizadoras del fenómeno. En los contrato normales, en la compraventa, que es el ejemplo paradigmático, los sujetos participantes en el acto (y, por ende, en el negocio económico subyacente), es decir, las partes, son siempre dos, el vendedor y el comprador; y cuando una de las partes está constituida por más de un sujeto, por ejemplo, los copropietarios que venden conjuntamente, esto no cambia la composición de la institución. En la sociedad en cambio, los sujetos, o si se prefiere, las partes entre las que se celebra el contrato, no son típicamente (ni estadísticamente) dos, sino más de dos, y en principio, se trata de un número no predeterminado ni, en rigor, predeterminable. Se ha hablado así del contrato de sociedad como de un contrato plurilateral, del que se regulan, ya en el código civil, los aspectos más significativos (arts. 1420, 1446, 1459 y 1466).

Se ha observado también que en los contratos normales las voluntades (o declaraciones) intercambiadas entre las partes tienen un contenido típicamente diverso, aunque complementario (una parte, p. ej., vende, la otra compra) y tienen una dirección inversa (porque el vendedor declara al comprador y el segundo al primero), mientras que en la sociedad el contenido de las voluntades (o declaraciones) de las partes es homogéneo, si no idéntico, cada uno quiere poner en común una cosa para distribuirse los eventuales resultados en una dirección de voluntad que se representa, si no paralela, convergente. Además, en los contratos normales los intereses de las partes son típicamente contrapuestos, en conflicto (aquello que uno pierde lo gana el otro), mientras que en la sociedad parece haber un interés común dirigido a la obtención de ganancias, que es en beneficio de todos. Se ha hablado, pues, de contratos con igualdad de fines.

A las diferencias fenomenológicas indicadas se han añadido observaciones sobre las connotaciones de los efectos del contrato (y del acto constitutivo) de sociedad. Éstas no son, o en cualquier caso, no siempre, reconducibles a una normal relación jurídica obligatoria entre las partes, como es propio de los contratos tradicionales, y también de la sociedad civil. Resulta, en cambio, revisable un efecto «real» a entender en el sentido de la creación de efectos directamente relevantes en las relaciones con terceros, ya en el aspecto patrimonial (debido al destino exclusivo de los bienes aportados a la actividad societaria, con derechos de los acreedores sociales y de los acreedores individuales de los socios, graduados de distintas formas), ya en el aspecto del ejercicio de la actividad social (poder de representación y de decisión, articulado y distribuido también de distintas formas): en un contexto de riqueza de relaciones que está en la base de las teorías anglosajonas en materia de *nexus of contracts*, y en una heterogeneidad de explicaciones que ha llevado a invocar figuras e intereses metaindividuales, sobre todo en Alemania, y a veces a la negación de la naturaleza negocial del acto constitutivo de la sociedad (cuando menos, de la de capitales).

Más sencillamente, los primeros comentadores del código de 1942 observaron, ante la unificación de la disciplina en el código, que «la sociedad, si bien tiene su origen en el contrato, nunca es sólo un contrato», porque vive como organización con su propia autonomía respecto de los socios.

SOCIEDAD Y EMPRESA

En la segunda mitad del siglo pasado, el problema del acto constitutivo de los fenómenos asociativos, pero, sobre todo, del de la sociedad, se retoma y profundiza, con una reflexión renovada de varios aspectos del fenómeno. Se concluye que lo que verdaderamente caracteriza aquel acto es el hecho de que da lugar a una particular organización del ejercicio de la actividad de empresa: a la organización del ejercicio de dicha actividad en común entre varios sujetos (aspecto predominante en las sociedades personalistas); a la organización del ejercicio de dicha actividad en régimen de limitación de responsabilidad (aspecto predominante en las sociedades capitalistas). La organización, a su vez, como dato central y caracterizador del fenómeno asociativo, se ha venido clarificando en sus aspectos esenciales: patrimoniales, esto es, de normativa del patrimonio destinado al ejercicio de la actividad de empresa; de actuación, esto es, de la normativa de los ámbitos de actuación que se descompone en espacios estrictamente separados y repartidos, en correspondencia con la intensificación de la separación que se da en la normativa del patrimonio. Ámbitos de actuación que culminan (en el modelo más perfeccionado de la sociedad por acciones) en una distinción clara entre el aspecto decisorio, meramente deliberativo, cuyas decisiones esenciales se dejan a los titulares de intereses sustanciales, es decir, a los socios; el gestor, de realización de la actividad de empresa (normalmente ejecutiva de las decisiones de los socios) que se deja a los administradores; el de control, que se deja a los síndicos o a otras formas de control. En dicha organización, el acto constitutivo tiene un valor genético, pero se conserva inmanente, dictando las normas de funcionamiento e integración (ahora más marcadas, después de la reforma de 2003) de las normas inderogables o dispositivas de la ley. Y en dicho contexto más circunstancias han llevado a devaluar, (también) en la atención dispensada por el legislador, el reglamento inicial de las relaciones entre los constituyentes: sobre todo, la duración, en el sentido de que la sociedad, siendo lícita la prórroga, puede ser eterna (obviamente, en la dimensión humana del término); la posibilidad de modificar por mayoría las normas iniciales; la revisada inconsistencia fenomenológica de las causas de nulidad del negocio cuando se aplican a la sociedad, porque la organización, una vez creada y habiendo operado en las relaciones con terceros, no puede ser cancelada retomando la situación que se habría determinado en su ausencia. Además, la consistencia de la organización ha permitido separarla de su origen exclusivamente contractual, llevándola incluso a un acto administrativo o a una disposición legal. La ya admitida legitimidad de la constitución de sociedades unipersonales que nacen de un acto unilateral (art. 2328), ha concluido, en fin, en la necesidad de acentuar la reflexión sobre el aspecto funcional de fenómeno asociativo, que gobierna, por sus exigencias, el propio momento constitutivo.

Las observaciones precedentes imponen una lectura conscientemente crítica del art. 2247, aunque sólo sea para superar la discordancia entre la fórmula en él contenida («con el contrato de sociedad…») con aquella enunciada en los arts. 2328 ó 2463 («la sociedad puede constituirse por contrato o por acto unilateral»). Dos consideraciones facilitan, quizás empíricamente pero no por ello en términos menos exhaustivos, la explicación de la distinta dirección tomada por el legislador (no es momento éste de pronunciarse sobre la conveniencia o no de considerar la sociedad unipersonal como fundación lucrativa, como también se ha afirmado). La sociedad unipersonal, constituida por un acto unilateral, es hoy posible sólo en aplicación de la normativa de las sociedades de capitales, en un contexto en que la organización ha alcanzado tales niveles de complejidad que la separación de ámbitos de actuación y la responsabilidad limitada a la inversión en la sociedad hacen indiferente que se refiera a uno o a más socios; pero no hay quien desconozca que la responsabilidad ilimitada del socio en las sociedades personalistas otorga poco significado práctico al supuesto de una sociedad colectiva constituida por un único socio, de modo que la limitación del nuevo modelo de sociedad unipersonal a las sociedades de capitales encuentra más justificación práctica que conceptual. Además, la sociedad constituida por un acto administrativo o por ley representa una aplicación posible por la polifuncionalidad del modelo, y por su idoneidad para crear formas organizativas parcialmente dinámicas a iniciativa de la administración pública, típicamente constreñida por modelos menos elásticos: pero se trata de supuestos sustancialmente marginales no invocables en la investigación de las notas caracterizadoras del fenómeno. Más relevante es, en cambio, a mi juicio, cuando menos desde una perspectiva clasificadora y sistemática, la disciplina de la transformación tal como ha sido regulada en la reforma del 2003. Las sociedades de capitales pueden transformarse, por acuerdo de la mayoría, en sociedades personalistas, en consorcios, en sociedades consorciales, en cooperativas, en comunidades de empresa, en asociaciones no reconocidas y en fundaciones (art. 2500-septies). Las sociedades personalistas, los consorcios, las sociedades consorciales, las cooperativas, las comunidades de empresa, las asociaciones no reconocidas y las fundaciones pueden, a su vez, transformarse, por acuerdo de la mayoría (excepto en comunidad de empresa y en fundaciones, lo que es comprensible), en sociedades de capital. La ley de reforma no habla de transformaciones que no tengan como punto de partida o llegada una sociedad de capitales, de transformación, por ejemplo, de una comunidad de empresa en consorcio (en rigor, no habla tampoco de transformación de sociedades personalistas en consorcios, etc.): en una correcta interpretación de la normativa, no veo, sin embargo, cómo tales operaciones pueden ser excluidas, resultando conceptual y empíricamente ridículo que una comunidad deba transformarse en sociedad de capitales para después transformarse en consorcio, en lugar de pasar directamente de la primera forma a la última. Se desprende entonces que (superando distinciones causales, consideradas ya en desuso, por así decir, por la ley) el rasgo común de todos los supuestos hasta aquí considerados es el de ser todos ellos ejercicios organizados de la actividad de empresa sin reconducción inmediata a un referente individual (en el sentido propio del término). De modo que, deberá concluirse que el sistema conoce ya dos modelos de organización de la actividad de empresa: el primero que se circunscribe a la hipótesis cuyo único referente de la actividad es la persona física que organiza dicha actividad, y se está, entonces, en el fenómeno de la empresa individual; el segundo, donde el referente, en cambio, está representado por una estructura compleja, eventualmente por agregación de otros (como, sin embargo, no ocurre en la fundación) y bajo distintas formas negociales (como, sin embargo, no ocurre en la comunidad de empresa), todas, por lo demás, con el elemento en común de ser organizaciones de empresa plurales o, en cierta medida, extraindividuales (en el significado que el término asume refiriéndose a una categoría que comprende a la sociedad unipersonal, en cuanto ésta no se agota en la disciplina de la empresa individual sino que distingue entre el socio único persona física y la actividad de empresa sólo a él imputada e imputable).

Habrá, así, figuras diversas, por agregaciones más o menos complejas, nacientes también de sucesiones (la comunidad de empresa entre herederos). El rasgo común legitima, por otra parte, que una figura se transforme en otra de forma continuada y sin interrupción de la actividad de empresa. Y en tal contexto, ciertamente variado, distinto en inmediatez respecto al ejercicio individual de empresa, y que puede denominarse fenómeno asociativo, por riqueza de aplicación y por importancia económica emerge el fenómeno de las sociedades lucrativas, individualizable no tanto por la singularidad fenomenológica sino por la normativa que se aplica, en la cual, el resultado económico de la empresa se imputa a la organización y, después, siguiendo la secuencia organizativa, se reparte (como dispone el artículo 2247) entre los socios (mientras que, p. ej., en la cooperativa, los socios perciben directamente aquel resultado; y así también en los consorcios, donde los miembros gestionan directamente actividades de empresa separadas en la coordinación organizada convenida contractualmente, etc.).

Es verdad que se asiste, una vez más, a la centralidad de la actividad de empresa en la ordenación mercantilista y a la degradación del papel del sujeto, al que también tiene, finalmente, que hacerse referencia. Del ejercicio de la actividad de empresa, objetivamente considerado, tiene que partir cada razonamiento, tanto cuando se desarrolle individualmente, como cuando se haga por una colectividad de individuos. Es por el nivel de organización (del patrimonio y de las actuaciones) en el ejercicio de la actividad de empresa, que el fenómeno asociativo y, en el ámbito de éste, el fenómeno societario se contraponen. Y es por ello que la sociedad se define en términos de *forma* del ejercicio organizado de la actividad *de empresa,* de *disciplina* de su *desarrollo* y, antes incluso, de su *financiación.*

Primera parte

El fenómeno societario y las sociedades personalistas

Capítulo I

Características generales, concepto y tipos

Sumario: 1. Introducción. 2. Contexto histórico. 3. El concepto de sociedad. 4. El negocio societario. 5. El patrimonio social. 6. La actividad económica y el objeto social. 7. La sociedad y figuras afines. 8. Los tipos societarios y su clasificación. 9. La tipicidad de la sociedad y los límites de la autonomía de la voluntad. 10. Las sociedades extranjeras.

1. INTRODUCCIÓN

El Derecho de sociedades constituye, tradicionalmente, una parte del Derecho mercantil. Se trata de una parcela de esta disciplina general que ha estado siempre en progresivo crecimiento, por lo que se justifica —no sólo ahora, pero sí ahora de modo particular— un tratamiento autónomo.

Derecho mercantil y Derecho de Sociedades

El análisis separado del Derecho de sociedades encuentra justificación no sólo en el carácter de notable articulación y complejidad que la materia ha adquirido (que se ha incrementado con la reciente reforma del 2003 —sobre la misma, vid. §2—), sino también y, sobre todo, por razón de la utilización cada vez más extensa de los modelos societarios en ámbitos extraños a aquél que, al menos en la originaria concepción del código civil de 1942, debería ser el ámbito de aplicación típico de la institución. Anticipando algunas observaciones que surgirán con mayor precisión a continuación, puede decirse que el Derecho societario ha mostrado tal utilidad y vitalidad, que se aconseja su aplicación más allá de los fines del Derecho mercantil. Se examinan, a partir del siguiente epígrafe, los motivos de este extraordinario éxito, además de determinar qué comprende, hoy, el término «sociedad».

Hechas algunas consideraciones generales sobre el fenómeno societario —analizado en este primer capítulo tanto en su evolución histórica como en sus elementos esenciales—, el discurso se expone siempre en dos partes: una primera, relativa a la individualización de la estructura de los concretos tipos de sociedad (*modelos organizativos*) y a la descripción de su funcionamiento; la segunda atiende a las vicisitudes de los concretos modelos: las sociedades personalistas, de un lado, y las sociedades de capital, de otro (vid. §8). El examen de los «modelos organizativos» pretende ex-

Método sistemático

plicar cómo está hecha y cómo funciona una sociedad —en otras palabras, su estructura patrimonial y organizativa—, mientras que el análisis de las «vicisitudes» trata de comprender los eventos más relevantes «desde el nacimiento hasta la extinción» (esto es, constitución, modificaciones de estatutos, transformaciones, fusiones, escisiones, disolución y liquidación).

2. CONTEXTO HISTÓRICO

La Sociedad en el Derecho romano

La institución de la «sociedad» no ha pertenecido siempre al ámbito del Derecho mercantil: el contrato de sociedad era, de hecho, conocido y utilizado mucho antes de que se creara un cuerpo orgánico de disposiciones relativas al comercio, esto es, de que surgiese lo que hoy llamamos «Derecho mercantil». Para el Derecho romano clásico, la *societas* era el contrato consensual por el que dos o más personas se obligaban a poner en común bienes o trabajo para la consecución de un fin común. Tal fin podía ser de lo más diverso, pero, en lo que aquí interesa, había tanto sociedades «de goce» como sociedades «de ejercicio» (sobre tales conceptos, vid. más adelante en este mismo epígrafe y en el 6).

La *societas*, que perduraría con sus características de fondo inmutables hasta la sociedad civil del código civil italiano de 1865, era un contrato que, como cualquiera (y con limitadas excepciones para las *societates argentariorum, publicanorum* y *vectigalium*), tenía efectos sólo entre las partes. La sociedad tenía, por tanto, una validez meramente *interna*, puesto que el vínculo obligatorio asumido por los socios resultaba irrelevante de cara a terceros, los cuales podían, además, adquirir derechos o contraer obligaciones en las relaciones con los socios individualmente considerados. Estos actuaban en nombre propio, adquiriendo y disponiendo de situaciones jurídicas subjetivas y respondiendo cada uno con su propio patrimonio. Consecuentemente, no se reconocía a la sociedad un patrimonio autónomo, ni le podía ser reconocida forma alguna de autonomía patrimonial (vid. §5): la sociedad se reducía a un contrato constitutivo de una comunidad de bienes, instrumentada a la consecución de fines comunes.

La sociedad en la Edad Media

Surge en la Edad Media, en concreto en el siglo XII, y, por tanto, en los orígenes del Derecho mercantil, la idea de la sociedad con relevancia externa: la *commenda*, antecedente histórico de la actual sociedad comanditaria simple, que, sin embargo, adquiere demasiado tarde, en torno al siglo XV, el relieve «externo»; la *compañía*, que se corresponde con la actual sociedad colectiva, surge con posterioridad a la *commenda*, pero, pronto con características propias, como la de reconocer un patrimonio social distinto del individual de los socios; así como las más *antiguas formas de sociedad por acciones* (como, p. ej., la Maona genovesa de Chio y Focea o, también más tarde, el Banco de S. Jorge o el Banco de S. Ambrosio), caracterizadas por disponer de cuotas de participación de máxima transmisibilidad y por la adopción de decisiones por el sistema de la mayoría.

Pero es en la Edad Moderna, y, en particular, en las compañías coloniales holandesas, danesas, suecas, francesas, portuguesas e inglesas, surgidas a principio del siglo XVII, cuando se afianzan modelos organizativos societarios no distantes, aunque tampoco coincidentes, con aquellos de la sociedad que devendría, dos siglos más tarde, «anónima» y, hoy, «por acciones». La similitud entre aquellos modelos y los actuales reside en la implicación en asuntos comunes de un número amplio de ahorradores sustancialmente anónimos, como anónima era (y es) la aportación a la sociedad de lo que se les requería. Las compañías coloniales, sin embargo, tenían en su base un *privilegio real* (que se justificaba, entre otras razones, en la atribución de particulares deberes de carácter público, de una potestad especial y del privilegio de la responsabilidad limitada por las deudas sociales) y se constituían sobre la base de *normas especiales* (es decir, dictadas para cada específico caso). Será necesario esperar al código de comercio napoleónico de 1807 para ver reconocida sobre la base de previsiones normativas de carácter general la sociedad «anónima», en la cual, el beneficio de la autonomía patrimonial perfecta derivaba, primero, de una concesión gubernativa y, después, de una comprobación de que los estatutos de la sociedad eran de conformidad con los requisitos previstos en la ley, confiada a la autoridad judicial en sede de voluntaria jurisdicción.

La sociedad en la Edad Moderna

En el sistema anterior a la actual codificación, la sociedad se regulaba en el código civil de 1865 y en el código de comercio de 1882 (y ya antes en el código de comercio de 1865). En el código civil, además de la definición general de sociedad, se regulaban tanto las sociedades *universales* como las sociedades *particulares*. Estas últimas podían ser sociedades *de goce* (que tenían por objeto sólo «ciertas cosas determinadas, o su uso, o los frutos que de las

La sociedad en los códigos de 1865 y de 1882

mismas podían extraerse»: art. 1705 cod. civ. de 1865) y sociedades *de ejercicio* (que nacían del «contrato por el que varias personas se asociaban para una empresa determinada o para el ejercicio de cualquier oficio o profesión»: art. 1706 cod. civ. de 1865). En el código de comercio, sin embargo, venían reguladas sólo las sociedades *particulares de ejercicio*, que, teniendo por objeto uno o más actos de comercio (art. 76 cod. com. 1882), eran denominadas *sociedades mercantiles* para distinguirlas de las llamadas *sociedades civiles*. Las sociedades mercantiles se dividían, a su vez, en tres clases: la *sociedad colectiva*, la *sociedad comanditaria* y la *sociedad anónima*, distinguiéndose después entre comanditaria y anónima *por acciones* o *por cuotas*, según la participación de los socios fuese o no representada por acciones.

Las sociedades mercantiles se diferenciaban considerablemente de las civiles, en diversos aspectos: *(i)* la sociedad civil no era otra cosa que un contrato con el que se creaba una *comunidad* y una serie de *relaciones obligatorias entre los socios*, carente de relevancia en las relaciones con terceros; por el contrario, las sociedades mercantiles constituían «entes colectivos distintos de las personas de los socios» (art. 77.3 cod. com. de 1882) y en cuanto tales, estaban dotadas de un nombre y un patrimonio propios, esto es, de aquellas prerrogativas que normalmente se reconducen a la *subjetividad jurídica*; *(ii)* además, las sociedades mercantiles eran consideradas en sí mismas *empresarios*, sin que fuera necesario, como se exigía, en general, que los actos de comercio fueran realizados «por profesiones habituales» (art. 8 cod. com. de 1882); *(iii)* éstas, por tanto, quedaban sometidas al correspondiente *estatuto profesional* (es decir, a un conjunto de normas relativas a las «personas de los empresarios») y todos los actos por ellas realizados eran considerados, en principio, *actos de comercio*, y como tales, sujetos a una disciplina sustantiva y procesal distinta de aquélla que regulaba los actos y contratos civiles.

La unificación de los códigos en 1942

La codificación de 1942 supuso el abandono de este sistema, en el que convivían dos disciplinas sobre contratos privados, aquélla relativa a los actos y contratos civiles, contenida en el código civil, y aquella relativa a los actos y contratos mercantiles, contenida en el código de comercio. Se sustituye este sistema por una única disciplina sobre contratos privados, recogida en un único código, el código civil vigente, además de en leyes especiales.

En el nuevo sistema, la distinción entre sociedad civil y mercantil carece ya de razón de ser: el legislador de 1942, en efecto, de un lado *suprime la figura de la sociedad civil*, y, de otro, *extiende a todas las sociedades la personalidad jurídica*, principal connotación de las sociedades mercantiles. De las tres clases de sociedad mercantil, sólo una, la sociedad colectiva, permanece inalterada en el sistema actual; de la sociedad comanditaria, sin embargo, derivan dos tipos sociales, a saber, la sociedad comanditaria simple (correspondiente a aquella modalidad llamada sociedad comanditaria por cuotas) y la sociedad comanditaria por acciones (en la que la naturaleza accionarial caracteriza la participación de todos los socios, sean comanditarios o no), mientras que la sociedad anónima y, especialmente, la sociedad anónima por acciones, fue sustituida por la actual sociedad por acciones. En suma, el legislador de 1942 introduce *dos nuevos tipos sociales*: la sociedad simple, ya conocida en el ordenamiento suizo, y la sociedad de responsabilidad limitada, que, inspirándose en el análogo tipo del ordenamiento alemán, se correspondía, en lo sustancial, con la originaria sociedad anónima por cuotas (vid., mejor, §118).

Más allá de tales subdivisiones en tipos sociales distintos, el legislador entiende la sociedad como «una forma de ejercicio colectivo de una actividad económica productiva y, normalmente, de una actividad económica organizada de forma duradera como empresa» (así, en el n. 923 de la *Relazione* al código civil), y de este modo, dicta el «concepto» general del art. 2247, donde se afirma que «con el contrato de sociedad dos o más personas aportan bienes o trabajo para el ejercicio en común de una actividad económica con la finalidad de repartirse las ganancias». Se abandona, así, la utilización del instrumento societario al fin de mero goce o disfrute colectivo de un patrimonio interno o de determinados bienes (o sea, la «sociedad universal de goce» y la «sociedad particular de goce» de la codificación anterior a la vigente), y sobrevive, únicamente, la sociedad (particular) «de ejercicio» (art. 2248; vid. también §6).

La sociedad en el código civil de 1942

En el sistema del código civil, la sociedad era vista como la estructura típica, si bien no necesaria, para el ejercicio en forma asociada de la actividad empresarial (art. 2082). Esta constituía la forma que, normalmente, debería haber asumido la *empresa colectiva*. Además, siempre siguiendo el art. 2247, la sociedad tenía, necesariamente: *(i) origen* en un contrato (el contrato de sociedad); *(ii)* como *objeto*, el ejercicio en común de una actividad económica; y *(iii)* como *causa*, la lucrativa (es decir, la finalidad de distribuir los eventuales beneficios de la actividad económica).

La evolución
normativa
desde 1942 a
1998

La codificación de 1942 no detuvo el (continuo) proceso de transformación del Derecho societario. Ya, a finales de los años cincuenta y durante toda la década de los sesenta, se crearon comisiones de estudio con el encargo del Gobierno de elaborar propuestas de reforma (véanse, al respecto, los proyectos de De Gregorio y Marchetti, nombres de los presidentes de las comisiones que los elaboraron). Pero sólo en 1974 el amplio movimiento reformista llegó a un resultado concreto: la Ley 216/1974 (conocida como minirreforma de la sociedad), con la que se diseñó un régimen diferenciado para la sociedad por acciones cotizada en Bolsa y se sentaron las bases para la primera regulación del mercado financiero. Mientras tanto, el código civil se modificaba para adaptar las directivas comunitarias en materia de sociedad que se comenzaban a promulgar (vid. §10). Los años noventa se caracterizaron por una copiosa elaboración de leyes especiales en materia de Derecho societario y del mercado financiero (véanse, p. ej., las leyes 1/1991, sobre la actividad de intermediación de valores, 157/1991 sobre *insider trading*, 149/1992 sobre ofertas públicas de adquisición, 310/1993 de transmisión de las participaciones sociales). Se llegó, en suma, en los últimos años del siglo pasado a la completa elaboración de la disciplina orgánica del mercado financiero y del estatuto diferenciado de la sociedad por acciones cotizada en mercados regulados, con la promulgación del decreto legislativo 58/1998, que contiene el Texto Único de las disposiciones en materia de intermediación financiera (T.U.F.).

La reforma de
las sociedades
de capitales y
cooperativas

La reforma de la disciplina de las sociedades cotizadas motivó que no se demorara más la reforma de las demás sociedades; a nuestro juicio, puede decirse, que el T.U.F. no constituyó un punto de llegada sino de partida. Después de una importante labor de estudio y propuestas realizadas en el curso de la XIII legislatura (vid. el proyecto Mirone, cuyo nombre se debe al presidente de la comisión ministerial constituida al efecto, y el proyecto de decreto ley n. 7123/2000, y la propuesta de decreto ley n. 6751/2000), se promulga, en la legislatura siguiente, la ley 366/2001 que «delega en el Gobierno la reforma del Derecho societario». Sobre la base de esta última, se han promulgado hasta ahora los decretos legislativos 61/2002 (sobre los ilícitos penales y administrativos concernientes a las sociedades mercantiles), 5/2003 (de definición de los procedimientos en materia de Derecho societario e intermediación financiera), y 6/2003 (de reforma orgánica de la disciplina de las sociedades de capital y cooperativas): el primero entró en vigor el 16 de abril de 2002; los otros, el 1 de enero de 2004. A ellos se han añadido el decreto legislativo 37/2004, de coordinación de la reforma del Derecho societario con el T.U.F. y el Texto Único de las leyes en materia bancaria y crediticia (T.U.B.) y el decreto legislativo 310/2004 (integración y corrección de la disciplina del Derecho societario y del T.U.B.). Más recientemente, ha habido modificaciones al T.U.F. y al T.U.B. —además de al c.c.— por la l. 262/2005 ("ley para la tutela del ahorro") y por el d.lgs. 303/2006 de coordinación.

Esta síntesis de la evolución histórica de las fuentes de nuestro Derecho societario precisa, todavía, de una observación a modo de conclusión. Los modelos organizativos predispuestos y regulados por el código civil de 1942 para el ejercicio de la sociedad, se mostraron, de pronto, eficaces para impulsar su uso, especialmente, el uso de algunos de ellos (piénsese en la sociedad por acciones y en la sociedad de responsabilidad limitada) más allá del ámbito comprendido en la noción (aparentemente general) del citado art. 2247: y ello fue, sobre todo, gracias a específicas previsiones normativas contenidas en leyes especiales.

El éxito de la sociedad

Hoy se debe reparar en este interesante acontecimiento, al que se ha acompañado la superación definitiva del «concepto» del art. 2247, cuya rúbrica, no por casualidad, se ha cambiado (por efecto del decreto legislativo 88/1993, que introduce la S.R.L. unipersonal) por la de «contrato de sociedad» (vid., al respecto, §3). La relación societaria nace no sólo y necesariamente del contrato, sino también de *actos unilaterales*; no sólo de la autonomía de la voluntad (esto es, del negocio jurídico), sino también de actos ajenos, como *disposiciones normativas* o *actos administrativos*. Resulta que con forma societaria se organizan no sólo empresas colectivas sino también *empresas individuales* (la sociedad unipersonal: vid. §§50 y 121). Además, la sociedad, sobre la base de especiales disposiciones normativas, puede desarrollar también actividades no económicas, institucionalmente dirigidas a fines sociales de reparto de bienes o de servicios; puede tener *causas distintas* de la lucrativa, y no sólo porque persiga una finalidad mutualista (ya prevista en el sistema del código civil, como en el caso de la sociedad cooperativa, de las mutuas aseguradoras y de las sociedades consorciales (vid. §§3, 8, y 193), sino también porque estatutariamente se debe (cuando se trata de empresas sociales: v.d.lgs. 155/2006) o se puede prever la obligación de reinvertir en la actividad social todas las eventuales ganancias (vid., en relación a esto último, el art. 90.17 Ley 289/2002).

3. CONCEPTO DE SOCIEDAD

La definición
del art. 2247

Se ha dicho que, en el pasado, el código civil se ocupaba de establecer el *concepto* de sociedad, afirmando en el art. 2247 que «con el contrato de sociedad dos o más personas aportan bienes o trabajo para el ejercicio en común de una actividad económica con la finalidad de repartirse las ganancias». La definición permanece, en realidad, vigente, pero ahora se refiere sólo al *contrato* de sociedad, y no agota, por tanto, el concepto general de sociedad, que es, en cierto sentido, indiferente a la forma en que la misma nace, ya sea por un contrato (con la participación de dos o más personas, en el sentido del art. 1321), ya sea por un negocio jurídico unilateral (para la sociedad anónima y la sociedad de responsabilidad limitada), ya por una disposición legislativa o administrativa.

No obstante —y teniendo en cuenta los motivos que se acaban de exponer y que han llevado a la superación del concepto originario de sociedad—, la definición del art. 2247 mantiene, ante todo, un significado descriptivo, en la parte en la que indica los aspectos normalmente recurrentes del fenómeno societario.

Los tres
elementos del
concepto de
sociedad

Desde esta óptica y con estos límites, se puede, pues, reconocer que, prescindiendo de la naturaleza del acto que la origina, la sociedad está caracterizada por tres elementos, especificados en el art. 2247: *(i)* las «aportaciones de bienes o trabajo» hechas por los socios, a través de las cuales, la sociedad viene dotada de un patrimonio propio; *(ii)* «el ejercicio en común de una actividad económica»; *(iii)* la «finalidad de repartir las ganancias» o, de repartir entre los socios las ganancias obtenidas por la sociedad. Tradicionalmente, se afirma, por tanto, que la presencia conjunta de los tres elementos mencionados es *condición necesaria y suficiente* para definir la sociedad y, al mismo tiempo, para distinguirla de figuras afines (vid. sobre esto, §7). Acogiendo dicha reconstrucción del concepto de sociedad —cuya utilidad es patente, por lo menos, con fines expositivos—, conviene dar una primera y aproximativa explicación sobe lo que representan estos tres elementos, así como atribuirles un significado en principio compatible con todas las modalidades en las que el fenómeno societario se manifiesta.

... las
aportaciones

Las aportaciones de bienes o de trabajo son las *prestaciones patrimoniales* realizadas o prometidas por los socios a favor de la sociedad, destinadas a constituir el núcleo originario del *patrimonio social*. Los socios realizan una aportación de dinero, de bienes, de derechos o de prestaciones de trabajo, a favor de la sociedad, que adquiere la titularidad de los bienes o de los derechos objeto de la aportación, no dándose luego, en ningún momento de la vida de la sociedad, una obligación de *restituir* a los socios los bienes aportados a la sociedad. La deuda frente a los socios, teniendo como objeto el reembolso del valor de la aportación, deviene actual sólo en el momento de disolución de la sociedad o en el momento de disolución total o parcial de la participación social (sobre el concepto de aportación en los diferentes tipos sociales, vid. §. 15, para las sociedades personalistas, 53, para la sociedad por acciones, y 122, para la sociedad de responsabilidad limitada).

El objeto de la sociedad es el desarrollo en común de una actividad económica, que consista en la producción o en el intercambio de bienes o de servicios. Desde este punto de vista, se da una sustancial coincidencia con la actividad que caracteriza el concepto de empresario del art. 2082, pudiéndose, así, afirmar, como máxima, que la actividad económica objeto de la sociedad tiene naturaleza de *actividad de empresa*. Tal actividad, además, viene desarrollada *en común* por los socios; si esto es bastante evidente en las formas más simplificadas de sociedad (piénsese en la sociedad comanditaria simple y en la sociedad colectiva), en las que los socios participan, por regla general, en la gestión de la actividad económica de la sociedad (vid. §19), no puede decirse lo mismo de otros tipos sociales, especialmente, de aquellas sociedades de capital, donde, por un lado, la participación del socio no comporta *per se* derecho alguno de dirigir la actividad de la sociedad (vid. §§56, 90 y 130), y tampoco de sociedades que pueden estar también formadas por un solo socio (vid. §§50 y 121). Se puede, entonces, afirmar que la actividad se desarrolla *en común* en el sentido de que los resultados, positivos o negativos, resultan comunes a todos los socios, salvo las posibles derogaciones legales o estatutarias y siempre con el límite de la prohibición de pactos leoninos (vid. §17, para las sociedades personalistas, 58 para la sociedad por acciones y 123 para la sociedad de responsabilidad limitada).

... el ejercicio en común de la actividad de empresa

Entendida en sentido amplio, la finalidad de lucro consiste en *asignar a los socios las ventajas económicas* obtenidas durante el ejercicio de la actividad social. Las sociedades, en otras palabras, se caracterizan por una finalidad que también podría calificarse de *egoísta*, en el sentido de que las ganancias obtenidas por la sociedad no son adquiridas para ella, ni son

... la finalidad de lucro

devueltas a los terceros, sino que se destinan a los socios. Veremos, mejor, a continuación que las distintas formas de organizar tales ganancias y de dividirlas entre los socios permite distinguir la finalidad *lucrativa en sentido estricto* o finalidad *especulativa* (o sea, la distribución entre los socios de las ganancias, entendida como diferencia entre ingresos y gastos, en proporción a la inversión de cada uno) de la finalidad *mutualista* (que consiste en un ahorro de gastos o en una mayor remuneración del trabajo de los socios, típica de las sociedades cooperativas), ambos comprendidos en el concepto de sociedad (vid. §8 sobre la distinción entre sociedad lucrativa y sociedad mutualista, así como los §§40 y 193, sobre el concepto de ganancias y ventajas mutualistas).

Valor actual del art. 2247   La definición del art. 2247, una vez aclarada la diversa naturaleza del acto que da origen a la sociedad (contrato o acto unilateral), y una vez entendido el significado de los mencionados elementos esenciales, asume significativa relevancia sistemática para el Derecho societario. De hecho, los diversos aspectos que llevan a afirmar la «superación» del concepto de sociedad, recordados al final del epígrafe anterior, están siempre vinculados a figuras societarias reguladas por normas especiales, que, de cuando en cuando, permiten incluir en el objeto actividades no económicas o asumir finalidades no lucrativas en sentido amplio. Los elementos descritos del art. 2247, en la acepción que aparecerá mejor en el capítulo siguiente, representan rasgos característicos del concepto de sociedad como *instrumento negocial a disposición de la autonomía privada*, a la cual no se le permite superar los límites del concepto creado por el legislador. Dentro de dicho concepto general, el ordenamiento disciplina los *tipos sociales*, con características diferentes, pero todos ajustados al concepto general (vid. §§8 y 9).

La función principal que el art. 2247 todavía cumple, además de la de su contenido, parece ser la de reafirmar que el instrumento de la sociedad se caracteriza por una función unitaria que, salvadas las diferencias entre los tipos, consiste en individualizar el fenómeno societario en cuanto tal, y al mismo tiempo, distinguirlo de tipos jurídicos afines, como, por ejemplo, el contrato de cuentas en participación (art. 2549) o el contrato de participación en las ganancias (art. 2554) o el contrato de participación en los fondos comunes de inversión (arts. 36 y 39 T.U.F.). En definitiva, la existencia de una definición general como la contenida en el art. 2247, aunque actualmente inadecuada para acoger plenamente la noción de sociedad, sigue significando que las sociedades se caracterizan por una *causa típica*, distinta de la de los demás contratos. Tal función se refleja también, y sobre todo, en las específicas *participaciones sociales*, que son tales, y, por tanto, sociales, en cuando que su contenido resulta coherente con aquella específica función o, al menos, compatible con ella.

Se trata, entonces, de determinar dicha función: al efecto, conviene fijarse directamente en el negocio societario, a fin de precisar los caracteres destacados, tal y como surgen del análisis completo de su disciplina.

4. EL NEGOCIO SOCIETARIO

El negocio económico subyacente en la disciplina societaria se puede graduar en tres momentos sucesivos, indicados en el art. 2247, a saber: *(i)* la *aportación* de una cuantía de capital por los socios a la sociedad, *(ii)* la *utilización productiva* de dicho capital, es decir, su utilización en el ámbito de la actividad económica, y, en fin, *(iii)* la *restitución* a los socios del capital originariamente aportado, siempre que no haya habido pérdidas, e, incluso antes, la *división* entre aquellos de las ganancias eventualmente obtenidas.

La situación presenta analogías con instituciones diversas, dependiendo de la perspectiva desde la que se observen. Si se acentúa la finalidad gestora del fenómeno, es decir, la entrega del capital por parte de los socios a la sociedad para que ésta la empeñe productivamente en interés de aquéllos, el negocio podría parecerse al mandato colectivo (de gestionar dicho capital), con los socios como comitentes y la sociedad como mandataria. Sin embargo, *mientras el mandatario es un sujeto que preexiste y sobrevive al mandato, la sociedad* —incluso actuando con independencia de los socios y en nombre propio— *constituye una forma subjetiva en la que los socios participan,* y que viene constituida por ellos para la realización de los negocios que se han proyectado. *[El aspecto gestor]*

Si, en lugar de ello, se subraya el perfil *financiero* del negocio, podría asimilarse a una *financiación* de los socios a la sociedad. Se trata, realmente, de una financiación definida en términos particularmente arriesgados —desde el momento en que los socios no tienen la seguridad de la devolución del capital aportado— y cuya remuneración no se traduce en el correspondiente *[El aspecto financiero]* interés sino en la participación en las ganancias. Bajo ambos aspectos, el fenómeno podría acercarse al esquema de las cuentas en participación (art. 2549), o al del préstamo (art. 1813). Pero incluso en tal caso, nos encontramos ante la misma dificultad que la señalada a propósito del aspecto financiero, a saber, que entre los socios financiadores y la sociedad financiada falta la recíproca alteridad que se da en otras formas de financiación recientemente mencionadas: los socios, de hecho, participan en la sociedad y, financiándola, terminan por financiarse (también) a sí mismos.

Autonomía e instrumentalidad de la sociedad

Desde cualquier perspectiva, la sociedad representa, en todo caso, una estructura organizativa, en ciertos aspectos, ambivalente, al mismo tiempo, *autónoma* e *instrumental* respecto de los socios. De un lado, *análogamente* a cualquier otro ente jurídico, queda dotada de un nombre y de un patrimonio *propios*, pudiéndose, así, afirmar que toda sociedad, prescindiendo del concreto tipo elegido por los socios, queda dotada de *personalidad jurídica* (vid. §8); la sociedad ejercita, bajo dicho nombre, una actividad *propia*, en el curso de la cual, asume obligaciones y adquiere derechos *propios*, y de la cual, obtiene ganancias o sufre pérdidas *propias*. De otro lado, *a diferencia* de otras estructuras organizativas, la sociedad constituye una estructura *instrumental* a los intereses de los socios, los cuales, participando en la sociedad, participan también en los resultados positivos o negativos de su actividad, con la consecuencia de que las ganancias o las pérdidas de la sociedad se traducen, en última instancia, en las ganancias o pérdidas de los propios socios.

5. EL PATRIMONIO SOCIAL

El patrimonio social

El patrimonio social está representado, en una primera aproximación, por el conjunto de bienes y relaciones jurídicas de la sociedad, como sujeto jurídico distinto de las personas de los socios. El patrimonio social, con todo, cumple, en el ámbito de la disciplina de la sociedad, una *pluralidad de funciones*, en cada una de las cuales, emana una acepción diferente: entre tales funciones, se destacan la función de garantía, que caracteriza a todo sujeto, y la productiva, que representa una especialidad del fenómeno societario.

La función de garantía va ligada al principio general fijado en el art. 2740, que dispone que «el deudor responde del cumplimiento de sus obligaciones con todos sus bienes presentes y futuros». Desde esta perspectiva, al hablar de patrimonio se alude, pues, al *conjunto de bienes* y, más en general, a los elementos que representan el *objeto de las posiciones jurídicas activas*, que, en cuanto *expropiables*, se destinan, por ley, a garantizar las deudas, es decir, las *posiciones jurídicas pasivas* que recaen sobre sus titulares. El principio general de la responsabilidad patrimonial se aplica también en materia societaria, en cuanto todas las sociedades representan sujetos autónomos de derecho y, por tanto, distintos de sus socios. De *todas* las obligaciones asumidas por la sociedad y, por tanto, de todas sus deudas, responde, en principio, *con todo* su patrimonio social y *sólo* con él.

La disciplina de la sociedad contiene, sin embargo, una serie de normas llamadas a *modificar* la operatividad de la función de garantía, *ampliando* o *restringiendo* la aplicación de dicho principio general. Ello se demuestra en los diferentes supuestos de *socios ilimitadamente responsables*, así como, en sentido opuesto, en el ámbito de las figuras de los *patrimonios y financiaciones destinadas* a un específico negocio, fenómeno sobre el que se harán ulteriores consideraciones de carácter general en el transcurso de este estudio (vid. §§33 y 72 y ss.).

Si la función de garantía caracteriza, como decíamos, el patrimonio de cualquier figura subjetiva, el patrimonio social está llamado en concreto a cumplir una ulterior función, que puede llamarse *productiva*: en efecto, es, en cuanto tal, objeto de una *gestión productiva*, es decir, realizada con la finalidad de obtener un aumento de su valor, el cual va, a su vez, *destinado a los socios*. Bajo esta perspectiva, y, por tanto, a la luz de la función productiva, el patrimonio social no surge ya en términos de *conjunto de bienes*, sino de *conjunto de valores económicos*, y así, en definitiva, de *valor económico conjunto* en sí mismo: valor que la gestión tiende a incrementar, pero que de hecho puede terminar disminuido.

Entendido en esta diferente acepción, el patrimonio comprende, de un lado: *(i) todos los valores positivos*, es decir, todos los bienes afectos a la gestión productiva, y por tanto, también aquéllos no expropiables y aquéllos que no son objeto de autónomas posiciones subjetivas activas (piénsese en el fondo de comercio); de otro *(ii) los valores negativos*, esto

la función de garantía

La función productiva

es, las *deudas* asumidas en el ámbito de la gestión, que jurídicamente son las *posiciones subjetivas pasivas*, las cuales no ocupan aquí, como en la función de garantía, una posición externa al patrimonio, sino que contribuyen *desde el interior* a determinar la cuantía, aunque en términos negativos.

El valor conjunto del patrimonio, considerado como objeto de gestión productiva, está, en efecto, representado por el resultado de la suma algebraica de los valores positivos —*activo*— y los negativos —*pasivo*—. Tal valor conjunto viene conocido como *patrimonio neto* (precisamente porque es el valor positivo del activo menos el *neto* del valor negativo del pasivo): puede presentar un valor *positivo*, si el activo es superior al pasivo, *negativo*, si el segundo es superior al primero, o, incluso, *nulo*, en el caso de que el activo sea igual al pasivo. El patrimonio en su conjunto *está destinado a los socios*, por un valor igual al patrimonio neto, y *a los acreedores sociales*, por el valor restante, igual al pasivo, como se tendrá ocasión de ver más adelante (v. §§33 y 35).

Los resultados de la gestión y de los ejercicios sociales

Para verificar si y en qué medida la gestión de la actividad económica de la sociedad ha producido un incremento o una disminución del valor del patrimonio —en otras palabras, para determinar el *resultado* de la gestión— es necesario comparar el valor neto del patrimonio *al término* de la gestión con aquél que tenía *al principio*, y, por tanto, con aquél aportado por los socios. Tal resultado puede ser positivo, dando lugar a *ganancias*, o negativo, ocasionando *pérdidas* (salvo el supuesto, siquiera teórico, de un resultado parejo).

Cuando la gestión se realiza por un tiempo significativo, resulta, cuando menos, oportuno *subdividir idealmente* la duración de la gestión en periodos de tiempo predeterminados y, en principio, iguales entre ellos, denominados *ejercicios*, a fin de determinar, al término de cada uno de ellos, el resultado conseguido en dicho espacio temporal: resultado que, precisamente por referirse a un concreto periodo de tiempo y no a la gestión completa, es definido como parcial, y, solamente por eso, provisional. Junto al *resultado final* y comprensivo de la completa gestión, como tal, único y definitivo, surgen así tantos *resultados de ejercicio* como segmentos temporales en los que se ha fragmentado la gestión: dichos resultados, si son positivos, aparecen como *ganancias del ejercicio*, mientras que si son negativos, como *pérdidas del ejercicio* (v. §34).

6. LA ACTIVIDAD ECONÓMICA Y EL OBJETO SOCIAL

El patrimonio social es objeto de una gestión productiva, que se realiza en el desarrollo de una *actividad* potencialmente apta para aumentar el valor conjunto y que por ello puede denominarse *económica*: y éste es el significado que dicha expresión adquiere en el ámbito del art. 2247, el cual, de hecho, vincula expresamente a dicha actividad las ganancias que los socios se comprometen a obtener. Para indicar el tipo de *actividad económica* que caracteriza cada sociedad se habla de objeto social: distinguiéndose, después, entre objeto *estatutario* y objeto *de hecho*, según se refiera al tipo de actividad prevista por los socios o a aquélla desarrollada en realidad, la cual, en supuestos normales, se corresponde con la primera.

En tales términos, en el concepto de actividad económica debería incluirse también aquella que consiste en el *goce* de un bien, siempre que de dicha actividad pueda derivarse alguna ganancia. Esto ocurre, típicamente, en el *goce indirecto*, que consiste en la cesión a terceros del goce directo, a cambio de una contraprestación (piénsese en el alquiler de un vehículo, pero también en el alquiler de un inmueble, y ello, con independencia de si a dicha actividad le acompaña la prestación de ulteriores servicios), la cual representa, por sí, una actividad económica (aunque normalmente no empresarial), de cuya realización parece posible obtener una ganancia (representada, en los ejemplos anteriores, por la percepción del precio del alquiler).

Actividad económica y actividad de goce

Lo contrario sucede, en principio, con el *goce directo*, que consiste en la utilización del bien: a tal supuesto se refiere el art. 2248, el cual dispone que «la comunidad constituida o mantenida con el único fin de goce de una o más cosas, se regula por las normas» sobre comunidad, contenidas en el Libro tercero del Código, en los arts. 1100 y ss., y no por las normas dictadas en materia de sociedades. Hay, sin embargo, supuestos en que el mero goce directo resulta idóneo para obtener ganancias, como el que tiene por objeto no ya «una o más cosas», al que se refiere únicamente el art. 2248, sino un conjunto productivo de bienes, o, como se dice, un bien productivo, como, por ejemplo, el establecimiento mercantil: en tal caso, el goce directo del bien consiste en el ejercicio de una verdadera y propia actividad económica, como tal, idónea para ser realizada bajo una forma societaria.

La llamada
sociedad
inmobiliaria de
favor

Debe, sin embargo, señalarse, al respecto, el difundido fenómeno de la llamada *sociedad inmobiliaria de favor*, esto es, la sociedad directa o indirectamente utilizada *de hecho* para el desarrollo de una actividad —obviamente, diversa de la presentada como objeto estatutario— de mero goce directo de bienes inmuebles, y, por tanto, no productivos, que se hacen pertenecer a la sociedad a efectos fiscales. La dificultad de sancionar, desde un punto de vista civil, la deformidad del objeto social de hecho realizado respecto de aquél estatutariamente previsto, ha llevado al legislador a prever incentivos fiscales tendentes a favorecer el abandono de esta utilización funcionalmente adulterada del instrumento societario, y, en particular, de la sociedad mercantil. Al tratamiento fiscal ventajoso se unen, de un lado, la *asignación a los socios*, y, por tanto, la salida del patrimonio social, de los bienes objeto de goce, es decir, aquéllos «no utilizados como bienes instrumentales de la actividad» elegida como objeto (estatutario); de otro lado, *su transformación en sociedad simple*, en sociedad, por tanto, con forma mercantil (v. art. 29 Ley 449/1997). La naturaleza tributaria de tales disposiciones, junto con los límites temporales a los que se sujeta la posibilidad de prevalerse de beneficios fiscales, impide recabar de tales normas el reconocimiento de la posibilidad generalizada de utilizar la sociedad simple con la finalidad de *mero* goce de bienes no productivos.

La función del
objeto social

La centralidad de la función desarrollada por el objeto social, en el ámbito de las operaciones societarias, resulta del todo evidente desde un punto de vista económico, antes incluso que jurídico: cada valoración sobre la conveniencia de la inversión en una determinada sociedad no puede prescindir de la consideración de que las expectativas de ganancias dependen, en gran medida, del ámbito en el que el capital invertido por los socios está destinado a emplearse, y, por tanto, directamente del objeto social. Por tales razones, no sólo la ley hace del objeto social un elemento esencial del programa societario, que debe, por tanto, resultar del contrato o acto constitutivo, sino que sus sucesivas modificaciones, cuando no requieren consentimiento unánime de los socios (como en las sociedades personalistas: v. §27), conllevan, en todo caso, la posibilidad, para los socios que no hayan votado a favor, de poner fin, mediante el derecho de separación, a la propia participación en una operación distinta de aquélla originariamente prevista (esto es lo que ocurre en las sociedades capitalistas, en las que la modificación del objeto social puede ser acordada por la mayoría de socios: v. §§164 y ss.).

La elección del objeto social corresponde a los socios, en cuanto destinatarios de los resultados de la gestión: estos son, en principio, libres para decidir el objeto social, y, por lo tanto, para determinar el específico tipo de actividad en la que se pretende invertir. Tal libertad debe ejercerse dentro de los límites derivados de los principios generales, que impiden optar por una actividad ilícita o imposible, y de algunas normas en particular, como son aquéllas que impiden, o exigen, determinados tipos sociales para el ejercicio de algunas actividades (como se verá en el §8).

La elección del objeto social

No todas las actividades económicas, por lo demás, se prestan a asumir el papel de objeto social: es el caso, en particular, de las profesiones intelectuales, cuyo desarrollo consiste en la ejecución de prestaciones de obra intelectual. Que una sociedad pueda tener como objeto social la *gestión de estructuras dirigidas al ejercicio de una profesión intelectual* (piénsese en un gabinete médico) está, en realidad, fuera de discusión: en estos casos, en los que se habla de sociedad de medios, el objeto social está, de hecho, representado por la creación y mantenimiento de un conjunto de medios, materiales (por ejemplo, el equipo técnico) y humanos (personal dependiente), sin olvidar que tales medios son utilizados por los profesionales intelectuales en el ejercicio de su profesión, la cual es ejercida directamente por ellos y no por la sociedad.

Actividad económica y profesiones intelectuales

Distinto es, sin embargo, el supuesto, en orden al cual se habla de *sociedad de profesionales*, en la que el objeto social está constituido por el *ejercicio de una profesión intelectual*. Al respecto, se ha de considerar el art. 2230, el cual dispone que los contratos que tienen por objeto una prestación intelectual, es decir, contratos de obra intelectual, son regulados por una serie de normas (las de los arts. 2231 y ss.) que, destacando el carácter personal de la prestación (como el art. 2232, que dispone que «el que presta la obra debe ejecutar personalmente el encargo asumido»), se encargan de presuponer que la posición de trabajador de obra intelectual está cubierta en todo caso por una persona física, si es necesario, dotada de los requisitos profesionales necesarios (en el caso de las llamadas profesiones protegidas: arts. 2229 y 2231), o por varias personas físicas (en el caso de encargo conjunto). Parece pues que debe descartarse, en principio, que una actividad profesional pueda ser realizada no sólo por una sociedad, sino, en general, por entes distintos de las personas físicas: y esto a pesar de la sobrevenida derogación del art. 2 por la Ley 1815/1939 (por efecto de la

Sociedad entre profesionales

Ley 266/1997), que, en relación con el ejercicio de las profesiones en principio protegidas, establecía, entre otras cosas, la prohibición de constituir sociedades que tuvieran «la finalidad de dar, también gratuitamente, a los propios asociados y a terceros, prestaciones de asistencia o de asesoría en materia técnica, comercial, administrativa, contable o tributaria».

Debe, sin embargo, considerarse que el carácter intelectual de la prestación, al cual se vincula la aplicación de dicha disciplina, no es definido por la Ley, sino que depende, en definitiva, de una valoración social, y por ello, de por sí, variable. Es, así, posible que determinadas prestaciones, en un tiempo consideradas intelectuales, hayan después perdido dicha calificación, a la luz de las *modalidades impersonales* con las que están siendo ejercidas, esto es, que se permite su ejercicio por parte de sociedades.

... sociedad de
auditoría y de
ingeniería En algunos casos, ha sido la propia Ley la que ha regulado expresamente, y por tanto ha admitido, el ejercicio en forma societaria de determinadas actividades, excluyéndose con ello implícitamente su naturaleza intelectual. Esto ha ocurrido, en concreto, en relación con la actividad de auditoría (se alude a las sociedades de auditoría contable, introducidas por el d.p.r. 136/1975) y con la de proyectos industriales (la llamada sociedad de ingeniería: Ley 109/1994, modificada por la Ley 415/1998).

La sociedad
entre abogados Significativa resulta, por lo demás, la circunstancia de que, cuando se ha tratado —una vez desaparecida la prohibición, por obra de la citada Ley 1815/1939— de permitir el uso de la forma societaria para el ejercicio de una actividad todavía caracterizada por un marcado carácter intelectual, y además protegida, como la profesión de abogado, han sido necesarias profundas adaptaciones de la disciplina (ya sea en orden al aspecto de la composición de la compañía societaria, ya en el de la modalidad de desarrollo de la actividad) para conjugar el carácter personal de la prestación intelectual con la estructura típicamente impersonal de la sociedad. Se comprende, entonces, cómo la disciplina de la sociedad entre abogados (introducida por el d.leg. 96/2001) se presenta hasta tal punto orgánica que, aun estando modelada bajo el tipo de sociedad colectiva, podría considerarse un tipo social autónomo.

Actividad
económica
y sectores
de intereses
nacionales Otros casos en los que se asiste a una significativa modificación de la disciplina societaria, en virtud de la peculiaridad del objeto social, atañen a las sociedades «que operan en los sectores de defensa, transporte,

comunicaciones, fuentes de energía y otros servicios públicos». La ley, de hecho, ha subordinado la «privatización» de dichas sociedades, en un tiempo controladas por el Estado, a la previa introducción en los estatutos del reconocimiento a la autoridad gubernativa de *poderes especiales* para ser ejercidos «en función de los objetivos nacionales de política económica e industrial» (Ley 474/1994). Tales poderes, que permiten a la autoridad gubernativa impedir a sujetos incómodos el ingreso en la compañía societaria, y la asunción en la misma de posiciones de relieve, así como prohibir la adopción de las más importantes modificaciones organizativas, entre ellas, la sustitución del objeto social, caracterizan todavía a las sociedades en cuestión: las cuales, aunque ya privatizadas, siguen presentando, en este aspecto, una fuerte impronta pública. Es verdad, por lo demás, que los poderes en cuestión nunca han sido de hecho ejercidos, también debido a que suscitan dudas en cuanto a su conformidad con algunos de los principios inspiradores de la Unión Europea. En la misma línea —y con análoga perplejidad— se sitúa la norma que permite a la sociedad con una relevante participación del Estado atribuir acciones especiales que otorgan el derecho a obtener, sin opción para los demás socios (v. §160), ulteriores acciones de la misma categoría, incluso a un precio inferior al valor real (art. 1.381, Ley 266/2005).

7. LA SOCIEDAD Y LAS FIGURAS AFINES

El discurso hasta ahora desarrollado ha destacado los caracteres generales y el concepto de sociedad, partiendo de su evolución histórica, a través del examen de la definición del art. 2247, dentro de cuyos límites mantiene una función actual, para llegar a las operaciones económicas societarias y a sus elementos relevantes. Antes de analizar los diversos tipos sociales en los que se articula la disciplina legal (v. §§8 y 9), resulta en este punto oportuno valerse precisamente de tales caracteres generales para distinguir la sociedad de otras *figuras afines*.

Caracteres generales y distinción de figuras afines

Ya se ha tenido ocasión de destacar en el epígrafe precedente la distinción entre sociedad y *comunidad de mero goce*, caracterizada del goce directo de un bien no productivo por parte de una pluralidad de sujetos. De los rasgos relevantes de la sociedad, la comunidad de mero goce carece en con-

... comunidad de mero goce

creto de la *actividad económica*, ejercitada mediante el patrimonio puesto a disposición por parte de los socios; además, a diferencia de la sociedad, no constituye un sujeto jurídico en sí mismo, sino que representa una situación de cotitularidad de bienes y derechos de dos o más personas.

... cotitularidad de establecimiento

La sociedad se distingue también del supuesto en que la situación de cotitularidad tenga por objeto un bien productivo en sí mismo, y, en concreto, un *establecimiento*, ya sea comercial o agrícola. Es verdad que la copropiedad de un establecimiento, acompañada del ejercicio en común de la relativa actividad por parte de los copropietarios se resuelve en la creación de una *sociedad de hecho* (v. §23), y es cierto que la mera situación de cotitularidad del establecimiento, sin ejercicio en común de la actividad económica (lo que puede suceder cuando, los cotitulares se limitan a alquilar a terceros el conjunto del establecimiento), representa una especie bien distinta de la sociedad. Como la comunidad de goce, de hecho, la *cotitularidad de establecimiento* carece de la actividad económica que caracteriza todas las operaciones societarias y no constituye un tercer sujeto respecto de los copropietarios. La diferencia entre sociedad y comunidad de establecimiento queda, por lo demás, acentuada por el hecho de que el legislador contempla expresamente la *transformación* de sociedad en comunidad de establecimiento y viceversa (v. §174 y ss.).

... asociación de cuentas en participación

La falta de un ejercicio *en común* de la actividad económica —además de la inexistencia de un ente dotado de subjetividad jurídica, distinto de los socios, al que imputar la actividad de empresa— permite, además, distinguir la sociedad de la *asociación de cuentas en participación*. Esta última, en el sentido del art. 2549, no es otra cosa que un contrato en virtud del cual «el gestor (*associante*) atribuye al partícipe (*associato*) una participación en los beneficios de la empresa o de uno o más negocios como compensación de una determinada aportación». La relación entre el *gestor* (o sea, el empresario, sea persona física o jurídica) y el *partícipe* (el sujeto que realiza la aportación sin asumir la condición de empresario) tiene, en otras palabras, mera *relevancia interna* y no representa una forma de empresa colectiva como la sociedad (v. también §2). A la misma figura, por lo demás, el legislador asimila el contrato de coparticipación en los beneficios de la empresa sin participación en las pérdidas y el contrato mediante el cual viene atribuida una participación en las ganancias y pérdidas de la empresa sin una correspondiente aportación (art. 2554).

A diferencia de las tres figuras hasta ahora examinadas, las *asociaciones*   ... asociaciones
de Derecho privado, hayan sido o no reconocidas (v. respectivamente arts.
14 y ss. y 36 y ss.), dan lugar a una organización colectiva distinta de los
asociados, dotada de subjetividad jurídica y por tanto titular de un patrimonio propio, igual que la sociedad. La diferencia respecto de la sociedad
puede ser vista bajo uno de los siguientes aspectos: *(i)* la asociación puede
tener como *objeto* una actividad *no económica*, ineficaz en origen para producir cualquier forma de ganancia para destinar a los asociados (piénsese
en una asociación cultural que promueve encuentros literarios entre sus
asociados); o bien, *(ii)* la asociación, incluso cuando tenga por objeto una
actividad económica, se distingue en cualquier caso por la falta de una
finalidad de lucro en sentido subjetivo, entendida como finalidad «egoísta»
de destinar a los *socios* las ganancias derivadas de la actividad económica (v.
§§3 y 8): en ningún caso, en efecto, a los *asociados* corresponde ganancia
alguna o ventaja económica, ni el reembolso de las contribuciones realizadas (art. 24).

La diferencia de la *fundación* (arts. 14 y ss.) respecto de la sociedad re-   ... fundaciones
sulta, sobre todo, de la circunstancia de que las primeras no son entidades
asociativas, basadas en la participación de una pluralidad de asociados,
sino entidades constituidas por la disposición de un patrimonio —conferido por uno o más fundadores— a un fin específico. Tradicionalmente se
pedía, a efectos del reconocimiento de la personalidad jurídica por parte
de la administración pública, que tal fin fuese de *utilidad pública*; hoy,
también debido a una serie de específicas intervenciones normativas, la
utilidad pública ya no es una característica necesaria de la finalidad de
la fundación. En todo caso, tanto las fundaciones como las asociaciones
pueden transformarse, aunque dentro de ciertos límites (v. art. 223-*octies*
disp.att.), en sociedades capitalistas, así como éstas pueden transformarse
en fundaciones y asociaciones (v. §§174 y ss.).

El *consorcio*, finalmente, es el contrato mediante el cual dos o más em-   ... consorcio
presarios constituyen una *organización común para la regulación* o *desarrollo*
de determinadas fases de las respectivas empresas (art. 2602). Cuando el
contrato prevé la institución de una «dependencia destinada a desarrollar
una actividad con terceros», se habla de consorcio con *actividad externa*
(arts. 2612 y ss.) y las semejanzas con la sociedad resultan numerosas: igual
que la sociedad, de hecho, el consorcio con actividad externa y dotado

de *subjetividad jurídica*, es titular de un *patrimonio* propio, mediante el cual ejerce una *actividad económica*, cuyas ventajas, similares a las ventajas mutualistas (v. §§3, 8 y 193), se destinan al *beneficio de los miembros del consorcio*. Las diferencias respecto de la sociedad se pueden en cualquier caso entrever en el hecho de que se trata de un contrato *subjetivamente cualificado*, en el sentido que los consorciados deben ser todos empresarios, así como en la circunstancia de que su objeto representa una *actividad necesariamente auxiliar* de la de los consorciados. La afinidad con el fenómeno societario, por lo demás, queda confirmada por el hecho de que la ley permite adoptar la *estructura societaria* para perseguir el *fin consorcial*: y se habla, al respecto, de *sociedad consorcial* (art. 2615-ter; v. también §8). Con mayor motivo que las figuras hasta aquí examinadas, se permite la transformación de consorcio o de sociedad consorcial en sociedad lucrativa y viceversa (§§174 y ss.).

8. LOS TIPOS SOCIETARIOS Y SU CLASIFICACIÓN

El código civil contempla diversos «modelos» de organización interna y externa de las operaciones societarias descritas en las páginas precedentes, denominados *tipos de sociedad*. Estos son: la sociedad simple (también indicada con el acrónimo s.s.[1]); la sociedad en nombre colectivo (s.n.c.); la sociedad comanditaria simple (s.a.s.); la sociedad por acciones (s.p.a.); la sociedad comanditaria por acciones (s.a.p.a.); la sociedad de responsabilidad limitada (s.r.l.); y, finalmente, la sociedad cooperativa (soc. coop.). Cada tipo está sujeto a una disciplina legal propia, a veces dispuesta mediante reenvíos, más o menos amplios, a normas dictadas para otro tipo de sociedad.

Aun representando cada tipo un modelo en sí mismo, son posibles diversas clasificaciones en grupos homogéneos, según el punto de vista desde el que se observe.

Sociedades lucrativas y sociedades mutualistas

Desde un primer punto de vista, los diversos tipos sociales pueden ser entre ellos distintos según las características del *fin* que están destinados

---

[1]   N. de T.: los acrónimos corresponden a la denominación de la sociedad en lengua italiana.

a realizar. Es cierto, de hecho, que todas las sociedades, en cuanto tales, se caracterizan por el fin de obtener *ganancias*, destinadas, a su vez, a los respectivos socios (art. 2247); y es, sin embargo, igual de cierto que tales ganancias pueden asumir formas diversas y pueden ser destinadas a los socios según criterios diferentes. Bajo este aspecto, los tipos sociales se prestan a ser agrupados en dos categorías distintas, según se trate de sociedades *lucrativas* o sociedades *mutualistas*.

Las sociedades lucrativas se caracterizan por el fin de lucro en sentido estricto, también denominado especulativo: esto es, el fin de repartir entre los socios, en proporción a su inversión, las ganancias de la actividad societaria, entendidas como la excedencia de los ingresos respectos de los gastos (v. §40). En dicha categoría entran todos los tipos arriba indicados, a excepción de la sociedad cooperativa, la cual se incluye en la categoría de las sociedades mutualistas, junto con las mutuas aseguradoras, que constituyen, por otra parte, una mera variante (v. arts. 2546 y ss.). Estas se caracterizan por la finalidad mutualista (art. 2511), entendida como la finalidad de permitir a los socios obtener una ventaja, denominada precisamente mutualista, que consiste en poder contratar con la sociedad en condiciones más ventajosas de las que ofrece el mercado. Lo anterior puede hacerse de dos formas: (i) mediante un ahorro de gastos, permitiendo a los socios adquirir de la sociedad bienes y servicios en condiciones más convenientes que las del mercado, y se habla, al respecto, de cooperativas de consumo; o bien, (ii) a través de la valoración de la capacidad laboral de los socios, ofreciéndoles oportunidades de trabajo con una remuneración mayor que aquélla normalmente practicada en el mercado, y este es el caso de las cooperativas de producción y trabajo. La ventaja mutualista, a diferencia de la remuneración a través de beneficios, viene reconocida a los socios en proporción, no a las respectivas aportaciones, sino a los «intercambios mutualistas» realizados por cada socio con la sociedad (v. §193).

Respecto a esta distinción, una posición peculiar asumen las *sociedades consorciales* (art. 2615-*ter*), las cuales, aun siendo constituidas según uno de los tipos de sociedades lucrativas (excepto la s. simple), *tienen el mismo fin que caracteriza el contrato de consorcio*, esto es, el de regular o desarrollar determinadas fases de las empresas de los socios (v. art. 2602 y §7): esto es, un fin diferente del lucrativo y que se acerca más al mutualista, el cual, a su vez, puede realizarse también «mediante la integración de empresas» de

... y las sociedades consorciales

los socios o «de algunas fases de las mismas» (art. 2538. 4º). Dependiendo de esto, el acto constitutivo pude establecer la obligación de los socios de realizar *contribuciones en dinero*, añadidas a las aportaciones debidas en cualquier caso según la disciplina del tipo societario elegido, sin que tales contribuciones den lugar a un incremento de las participaciones de los socios.

Sociedad mercantil y sociedad no mercantil

Puede efectuarse una ulterior distinción, relativa, esta vez, no ya al fin de la sociedad, sino a las características de la *actividad* que éstas pueden ejercer a efectos de cumplir con dicho fin. Al respecto, con especial referencia a las sociedades lucrativas, el art. 2249 *impide* el ejercicio de actividades *mercantiles* a la sociedad simple, mientras que *permite a las demás sociedades* ejercer actividades *tanto mercantiles como no mercantiles*. Sobre la base de dicha norma, la sociedad simple, que puede ser utilizada exclusivamente para el ejercicio de actividades no mercantiles, es denominada precisamente *sociedad no mercantil*, mientras todos los demás tipos de sociedades lucrativas son llamadas, paralelamente, *sociedades mercantiles*.

Se trata, sin embargo, de un paralelismo imperfecto, desde el momento en que estas últimas pueden ser utilizadas *también* para el ejercicio de actividades no mercantiles, a diferencia de la sociedad simple que puede desarrollar *sólo* actividades no mercantiles. Esto permite comprender la razón por la cual, en el ámbito (sólo) de las sociedades mercantiles, se habla de sociedad con *forma mercantil*, para indicar todas las sociedades pertenecientes a los tipos correspondientes (s.n.c., s.a.s., s.p.a., s.a.p.a., y s.r.l.), prescindiendo de la naturaleza mercantil o no de la actividad desarrollada, y de sociedades con *objeto mercantil*, para indicar sólo aquélla, entre dichas sociedades, que ejercen una actividad de naturaleza mercantil. Tradicionalmente, a las sociedades con forma mercantil se les aplicaba el régimen sobre *publicidad mercantil* —la cual, por otra parte, ya no se circunscribe a este ámbito (v. §24)—, mientras que sólo a aquéllas con objeto mercantil se aplicaba el régimen de la *quiebra* (art. 2308).

Sociedades personalistas y sociedades de capital

En el ámbito de las sociedades lucrativas, se ha distinguido entre las categorías de *sociedades personalistas*, a la que pertenecen la s.s., la s.n.c. y la s.a.s., y de *sociedades de capital*, en la que entran la s.p.a., la s.a.p.a., y la s.r.l. La distinción es de origen doctrinal, pero con la reforma del 2003, ha sido acogida también por la ley, que dedica expresamente a estas últimas secciones completas de la normativa, como ocurre, por ejemplo, en materia de disolución (v. arts. 2484 y ss., §§185 y ss.; v. también arts. 2500-*sexies* y 2500-*septies*). Las sociedades personalistas se caracterizan, aunque con grados diversos, por el papel central que tiene la *persona del socio* en la configuración de los perfiles más significativos de su disciplina, en particular los concernientes a la responsabilidad por las deudas sociales, la participación social y la administración de la sociedad (v. §§13, 16 y 19). Las sociedades capitalistas se diferencian, en cambio, de las sociedades personalistas en algunos rasgos atingentes, en especial, a la disciplina del *capital*, de las *participaciones sociales* y de la autonomía *patrimonial* de la sociedad respecto de los socios y de terceros (v. §§49 y 118).

Si bien no está del todo claro cuáles, de entre estas características, representan el auténtico rasgo distintivo entre sociedades personalistas y capitalistas, especialmente significativa resulta la diferencia que asume el concepto de *participación social*: *(i)* en las sociedades personalistas, ésta representa una posición que, aun estando dotada de valor, expresa la pertenencia a una organización, que se modifica al modificarse su titular; *(ii)* en las sociedades capitalistas, en cambio, se configura en términos de verdadero y propio *bien*, es decir, de *valor económico autónomo*, tanto respecto de la organización social, como respecto de los demás valores que componen el patrimonio de su titular, y como tal, susceptible de devenir objeto de circunstancias jurídicas también autónomas, tanto de la primera como de la segunda. En consecuencias, mientras en las sociedades personalistas la modificación de la persona del socio constituye en todo caso una modificación de la organización (v. §§27 y ss.), esto no ocurre en las sociedades capitalistas, en las cuales la modificación del socio representa un suceso, en principio, extraño a la organización, que implica exclusivamente a la posición y el patrimonio del socio saliente y de aquellos eventualmente entrantes (v. en especial, §§54, 61, 124 y 164 y ss.).

Es necesario, además, destacar que, en el ámbito de las sociedades capitalistas, la sociedades accionariales —s.p.a. y s.a.p.a.— vienen sujetas a un régimen especial en cuanto acuden al mercado de capitales de riesgo (mereciendo así el apelativo de sociedades «abiertas»), ya por la simple circunstancia de la difusión de acciones en manos de un elevado número de socios (llamadas, por ello, sociedades «difusas»), ya en virtud de la negociación de las acciones en un mercado regulado (llamadas, por ello, sociedades «cotizadas»), como mejor se verá en el §49. Si bien las

... y sociedades cotizadas

características de las sociedades abiertas, y, sobre todo, de las sociedades cotizadas, son tales de hacerles asumir una fisonomía dotada de cierta autonomía, y si bien el conjunto de normas a ellas dedicadas se destaca significativamente en diversos aspectos de las sociedades cerradas, sobre todo después de las reformas de 1974 y de 1998 (v. §2), no se puede, sin embargo, hablar de un tipo social en sí mismo: se trata siempre del tipo de la sociedad por acciones (o de la sociedad comanditaria por acciones), cuyo ordenamiento reserva un tratamiento diferenciado debido a su apertura al mercado.

Sociedades no personificadas y sociedades personificadas

La distinción entre sociedades de personas y sociedades de capitales corresponde, en principio, a aquélla entre sociedades no personificadas y sociedades *personificadas*. De hecho, se suele considerar que, mientras todas las sociedades, comprendidas las personalistas, están dotadas de *subjetividad jurídica*, lo que supone que, incluso no teniendo una autonomía patrimonial perfecta, dan vida a centros de imputación de relaciones jurídicas, separadas y distintas respecto de las de los socios (v. §12), sólo las sociedades de capitales, además de las cooperativas, están dotadas de *personalidad jurídica*: término, este último, utilizado por la propia ley, la cual establece expresamente que «con la inscripción del registro» la sociedad de capitales «adquiere la personalidad jurídica» (art. 2331).

En realidad, el de la personalidad jurídica representa un concepto nada pacífico, que viene tradicionalmente utilizado para indicar que la sociedad representa un sujeto jurídico dotado de *autonomía patrimonial perfecta* (v. §50). Con ello, la distinción entre sociedad personificada y no personificada asume un significado esencialmente descriptivo, relativo al distinto régimen de responsabilidad por las obligaciones sociales.

Sociedades de responsabilidad ilimitada y de responsabilidad limitada

Bajo este último aspecto, los tipos sociales se subdividen tradicionalmente en sociedades de responsabilidad *ilimitada* y de responsabilidad *limitada*. Las primeras estarían caracterizadas por el hecho de que de las obligaciones de la sociedad responden, además de la propia sociedad con todo su patrimonio, los socios con su patrimonio personal, mientras en las segundas, los acreedores sociales, incluso en caso de insuficiencia del patrimonio social, no pueden dirigirse contra el patrimonio de los socios para satisfacer su crédito contra la sociedad. Bajo esta perspectiva, las sociedades de personas formarían parte de la primera categoría, mientras que en la segunda se incluirían las sociedades de capital y las sociedades cooperativas.

La distinción no siempre es del todo neta, desde el momento que se asiste, de un lado, a diversos supuestos de limitación de responsabilidad de algunos socios en las sociedades personalistas (v. §§13 y 22), y, de otro, a algunos casos de responsabilidad ilimitada de parte de los socios de las sociedades de capital (v., en particular: §50 en la s.p.a.; §112 en la comanditaria por acciones y §121 en la s. limitada). Así pues, bien visto, la distinción parece referirse *no ya al tipo de sociedad en cuanto tal, sino al tipo de participación socia*l: esto es, son las participaciones sociales las que pueden ser distintas según comporten para su titular la responsabilidad ilimitada por las obligaciones sociales o no, y no los tipos sociales, como demuestra el hecho de que en el mismo tipo haya socios con responsabilidad limitada y socios con responsabilidad ilimitada.

9. LA TIPICIDAD DE LAS SOCIEDADES Y LOS LÍMITES DE LA AUTONOMÍA NEGOCIAL

Los tipos de sociedad adquieren una relevancia jurídica distinta y mucho más plena que la que tienen, en general, los tipos contractuales. Las sociedades, en efecto, aun cuando tienen su origen en un acto de *autonomía negocial* (cuando menos, normalmente: v. §§2 y 3), quedan sujetas a un *régimen de tipicidad*, en base al cual los socios pueden escoger entre los tipos societarios predispuestos por la Ley, aquellos más acordes con sus exigencias, pero *no pueden configurar tipos sociales distintos de los legales*, dando así vida a *sociedades atípicas*, no pertenecientes a ningún tipo legal.

El régimen de tipicidad

La posibilidad de configurar contratos atípicos o innominados está, sin embargo, prevista en líneas generales en el art. 1322, 2°. La tipicidad de las sociedades, como límite a la autonomía negocial, representa, por tanto, una *excepción al principio de atipicidad del contrato*, sobre la base de exigencias análogas a aquellas presentes en otros sectores del Derecho privado, como, por ejemplo, aquél de los derechos reales, de las promesas unilaterales, de los actos *mortis causa* y de los negocios familiares: son sectores en los que la restricción de la autonomía negocial se justifica bien por la indisponibilidad de los intereses regulados (piénsese en los negocios familiares), bien por la incidencia del acto negocial en las rela-

Tipicidad y autonomía negocial

ciones con terceros (piénsese en los derechos reales). Precisamente, esta última razón está en la base del principio de tipicidad de las sociedades, puesto que éstas no se limitan a regular las relaciones entre los socios, sino que inciden también en las relaciones establecidas con los terceros, sean éstos dependientes, proveedores, clientes, inversores, etc. Es esto, en otras palabras, un reflejo de la *relevancia externa* de la sociedad, afirmada en el curso de su evolución histórica, como se ha tenido ocasión de ver en el §2.

El principio de tipicidad, sin embargo, se resuelve principalmente con la imposición de un *numerus clausus* de tipos sociales, pero no elimina todo espacio de maniobra de la autonomía negocial. Ésta, en efecto, se deja libre en una triple dirección: *(i)* por una lado, los socios tienen la facultad de elegir el tipo social que mejor se adapta a la satisfacción de sus propios intereses; *(ii)* por otro lado, la ley, aun prohibiendo la creación de *sociedades atípicas*, no impide, dentro de los límites que veremos dentro de poco, la modificación de los tipos legales, mediante la adopción de *cláusulas atípicas*, que pueden alejarse parcialmente del modelo delineado por el legislador para cada tipo; *(iii)* en fin, se reconoce una amplia facultad de «migrar» de un tipo a otro, ya sea en el ámbito de los tipos sociales en sentido estricto, ya en el más amplio contexto de otros fenómenos asociativos y no asociativos, mediante la institución de la *transformación* (v. además de en el presente parágrafo, §§170 y ss.).

La elección del tipo y los tipos residuales El único límite general puesto por la ley en la *elección del tipo* para aquéllos que pretenden constituir una sociedad, concierne a la sociedad simple, que, como se ha visto, puede ser utilizada sólo para actividades no comerciales, mientras que cada uno de los otros tipos sociales puede desarrollar cualquier clase de actividad económica, ya sea agrícola, comercial o de otro género (v. §§6 y 8). No faltan, sin embargo, límites normativos de carácter especial, relativos a algunas *particulares actividades económicas*, para el ejercicio de las cales la elección es más restringida, siendo necesario el uso de una sociedad accionarial, o también, a veces, de una sociedad cooperativa o de una s.r.l.: es lo que ocurre, por ejemplo, con la actividad bancaria, la aseguradora, la prestación de servicios de inversión, la gestión colectiva del ahorro, la actividad de los intermediarios financieros, etc., cuyo tratamiento, sin embargo, excede de la materia de este *Manual*.

Es cierto, por otra parte, que la elección expresa de un tipo frente a otro no representa un factor imprescindible para la valida constitución de la sociedad. Es, de hecho, posible individualizar dos tipos residuales, siempre que estén presentes todos los elementos esenciales para la configuración de una sociedad, sin necesidad de que se haya elegido explícitamente uno de los tipos previstos por la Ley. Si la sociedad tiene por objeto el ejercicio de una *actividad no mercantil*, en efecto, subviene la norma supletoria contenida en el art. 2249, 2º, a tenor de la cual tales sociedades «son reguladas por las disposiciones sobre la sociedad simple, a menos que los socios hayan querido constituir la sociedad según alguno de los otros tipos». Si, en cambio, la sociedad tiene por objeto una *actividad mercantil*, se debe mantener que ésta esté regulada, ante el silencio de la ley, por las normas sobre la sociedad *en nombre colectivo*, en cuanto los otros tipos sociales —tanto sociedades comanditarias simples como sociedades de capital y sociedades cooperativas— requieren necesariamente una clara y precisa elección por parte de los socios (v. también §23).

Ya se ha anticipado, además, que el principio de tipicidad no es rígido hasta el punto de impedir a los socios hacer modificaciones al modelo legal elegido, dependiendo de sus específicas exigencias. Aunque la autonomía de los socios resulta opresiva en lo que respecta a la elección del tipo, circunscrita a uno de los predispuestos por la ley, puede extenderse *en el interior* del tipo elegido, mediante la adopción de *cláusulas atípicas* incluso derogando la disciplina legal. De dicha posibilidad los socios pueden valerse incluso en ausencia de norma legal que expresamente lo consienta (como ocurre, p. ej., en el art. 2257, en el sentido del cual, «*salvo disposición en contrario*, la administración de la sociedad corresponde a cada uno de los socios indistintamente»), pero en cualquier caso en el ámbito de determinados límites, dependientes de la mayor o menor elasticidad de la disciplina de cada tipo de sociedad. Como máxima, se puede afirmar que las sociedades de personas se caracterizan por una mayor elasticidad que las sociedades de capital, en las cuales, a su vez, la s.r.l. representa un modelo más flexible que el de la sociedad por acciones o el de la sociedad comanditaria por acciones.

En el caso de violación de los límites puestos a la autonomía negocial a través de cláusulas atípicas, estas se consideran nulas por ser contrarias a normas imperativas, quedando establecido que la sanción consiste en

Las cláusulas atípicas

la *nulidad de la cláusula en concreto* (art. 1419, 2º) y no de todo el contrato. No se puede, por lo demás, excluir que, haciendo una valoración conjunta de los intereses de las partes, la sanción pueda consistir en la *nulidad de todo el contrato*, en el caso de que la cláusula atípica se considere esencial para todos los socios (art. 1419.1: v. §25); sin embargo, para las sociedades de capital estas sanciones no operan a partir de la inscripción en el registro de empresas del acto constitutivo, siendo en este caso de aplicación la disciplina de la nulidad de las sociedades (art. 2332: v. §155).

El cambio de tipo y las transformaciones heterogéneas Finalmente, es importante recordar que la autonomía negocial tiene la facultad —además de elegir libremente el tipo social y de modificarlo dentro de los límites dichos— de *cambiar el entero tipo social*, es decir, de abandonar el tipo social inicialmente previsto y adoptar uno diverso, *en el curso de la vida de la propia sociedad*, sin necesidad de extinguir la sociedad originaria y de crear una nueva. Esto es posible mediante la institución de la *transformación* (v. §§170 y ss.), cuyo ámbito de aplicación se ha ampliado con la reforma del 2003, hasta el punto de comprender no sólo *todas las sociedades* —de personas y de capitales, lucrativas y mutualistas— sino también *otras entidades asociativas*, como los consorcios y las asociaciones, *y no asociativas*, como las fundaciones, así como fenómenos *privados de subjetividad jurídica*, como la copropiedad de establecimiento (arts. 2500-*septies* y ss., sobre los cuales, v. §§174 y ss.).

10. LAS SOCIEDADES EXTRANJERAS

Sociedades italianas y sociedades extranjeras El Derecho de sociedades es un Derecho esencialmente nacional, por cuanto cada Estado dicta un sistema propio de reglas relativas a las sociedades. En los Estados Unidos de América el Derecho de sociedades es incluso competencia de los distintos Estados federados y no de la Federación. En el Reino Unido existen diferencias entre el Derecho societario escocés y el inglés. En Estados federales como, por ejemplo, Alemania o Brasil, la legislación societaria es, en cambio, competencia del ordenamiento federal. En todo caso, el carácter nacional del Derecho societario exige individualizar en cada ordenamiento criterios de conexión idóneos para determinar cuándo, o a qué sociedad, se aplica una determinada ley.

En el Derecho italiano, se ocupa de ello el art. 25 de la Ley 218/1995 (reforma del sistema italiano de Derecho internacional privado), disponiendo que las sociedades se regulan «por la ley del Estado en cuyo territorio se ha perfeccionado el procedimiento de constitución», pero añadiendo que «se aplica, sin embargo, la ley italiana si la sede de la administración está situada en Italia», o si en Italia se encuentra el objeto principal de la sociedad. Aplicando conjuntamente estos criterios de conexión se individualizan las sociedades sujetas al Derecho italiano; las demás *sociedades* se llaman entonces *exteriores* (o extranjeras).

También las sociedades extranjeras pueden, sin embargo, quedar sujetas a la ley italiana con determinados fines. En particular, una sociedad extranjera que establece en territorio italiano una sede secundaria con representación estable (no la sede principal de la actividad productiva o la sede de la administración, que devendría una sociedad de Derecho italiano) queda sujeta a la disciplina italiana sobre publicidad de los actos sociales (v. §§24 y 152) y está obligada a publicar en el registro de empresas la generalidad y los poderes representativos de las personas que la representan en Italia (art. 2508).

De la naturaleza negocial del Derecho societario deriva la posibilidad de que entre los ordenamientos se desarrolle —aunque dentro de ciertos límites— una competición para atraer el mayor número de iniciativas económicas al territorio de la competencia legislativa. En este sentido, también el «Derecho aplicable» deviene objeto de elección y, por tanto, el «producto» de un mercado: el llamado «mercado de las incorporaciones» societarias. La competencia entre ordenamientos es, naturalmente, más evidente cuanto más indiferente es para los promotores de la iniciativa económica situar su actividad en un país o en otro: paradigmático es, en este sentido, el ejemplo de las legislaciones societarias de los Estados Unidos de América. Y no puede olvidarse como la reciente revolución tecnológica, de un lado, y la deslocalización de una serie de nuevas actividades económicas, de otro, aumentan, al menos en una nutrida serie de supuestos, dicho grado de indiferencia.

Elección de la ley aplicable y competencia entre los derechos societarios

En el ámbito del continente europeo se dan, ciertamente, los presupuestos para que dicha competición de desarrolle. Para evitar que de ello surjan obstáculos que impidan la formación de un mercado común (art. 2 del Tratado CE) —además de para aplicar el principio de libre circulación

Armonización en el Derecho societario de la UE

de personas, de servicios y de capitales (arts. 43 y 48 del Tratado CE)— la Unión Europea ha emprendido el camino hacia la *armonización* de los Derechos societarios de los distintos Estados miembros. Esto se ha producido, con particular referencia respecto de las sociedades de capital, mediante el instrumento de las Directivas, mediante las cuales la Unión Europea impone a los Estados la adopción de normas homogéneas en determinados ámbitos del Derecho societario. Cada país de la Unión, por tanto, continúa regulando las sociedades con normas nacionales, cuyo contenido, sin embargo, viene armonizado a través de las Directivas comunitarias. Hasta hoy, se han dictado once, las primeras diez recibidas por nuestro ordenamiento y la última pendiente de recibirse; las adaptadas son en materia de *publicidad* y *nulidad* de la sociedad de capital, en materia de *constitución, aportaciones y capital* de la sociedad accionarial, en tema de *fusiones*, en materia de *cuentas consolidadas*, en materia de *auditoría de cuentas*, de *publicidad de las sucursales de sociedades extranjeras*, en materia de s.r.l. *unipersonal*, sobre *ofertas públicas de adquisición* y, finalmente, sobre algunos *derechos de los accionistas de sociedades cotizadas*. Otras Directivas, como la de los modos de administración y control de la sociedad están, desde hace tiempo, en fase de proyecto.

... y su unificación   Junto a este proceso de armonización de los Derecho nacionales —que ha afectado a otros sectores próximos al Derecho societario y, en particular, al de los mercados financieros— las instituciones comunitarias, en un cierto punto, han pensado en introducir, con el instrumento del *Reglamento*, tipos sociales disciplinados *de modo unitario y uniforme* en toda la Unión, prescindiendo del lugar de constitución, del establecimiento de la sede social y del ejercicio de la actividad. A diferencia de la Directiva, que obliga a los Estados a adoptar normas homogéneas pero nacionales, el Reglamento es fuente normativa supranacional, que regula directamente el fenómeno jurídico en cuestión. A dichos autónomos tipos societarios, de fuente supranacional, se ha dado, respectivamente, el nombre de *Sociedad Europea* (SE, de la que se hablará en los §§115 y ss., los cuales nos remitimos, ya sea para el análisis del Reglamento comunitario, ya sea para examinar en qué medida se ha alcanzado el intento de dar a Europa un modelo uniforme para el ejercicio de una actividad económica) y de *Sociedad cooperativa europea* (SCE; sobre la cual, v. §193).

Capítulo II
La organización de las sociedades personalistas

Duccio Regoli

11. CARACTERÍSTICAS GENERALES

El legislador utiliza el régimen de la s. simple como *prototipo normativo general* también de la s. colectiva y de la s. comanditaria simple: las disposiciones específicas que caracterizan estos últimos tipos sociales se insertan en una normativa de base que, gracias a la técnica del reenvío, resulta común a toda la categoría de las sociedades personalistas. La más completa y articulada disciplina dictada para la s. simple (arts. 2251-2290) se aplica a la s. colectiva (arts. 2291-2312) en todo lo no expresamente dispuesto por su normativa específica (art. 2293) y a la s. comanditaria simple (arts. 2313-2324), a la cual se aplican también las disposiciones relativas a la s. colectiva en cuanto no sean incompatibles con las normas particulares de la s. comanditaria simple (art. 2315).

La técnica normativa

La preeminencia sistemática del modelo normativo abstracto de la s. simple, sin embargo, no se corresponde en la práctica con la importancia de su rol como tipo (en sentido estricto) regulador de una o más específicas actividades de empresa. La Ley (art. 2249. 1º: v. §8), en efecto, limita la utilización de la s. simple a la actividad agrícola y al ejercicio, en forma asociada, de la actividad liberal-profesional (v. §6), mientras que ningún límite se pone a los tipos de s. colectiva y comanditaria simple, que, por

Sociedades simples

tanto, pueden ser indiferentemente utilizados para el ejercicio de actividades mercantiles o no mercantiles.

Sociedades colectivas

Los principales rasgos caracterizadores de la s. colectiva, además de la ausencia de límites en torno a la actividad a desarrollar, son: la inderogabilidad, al menos en las relaciones con terceros, del principio de la responsabilidad solidaria e ilimitada de todos los socios por las deudas sociales y un grado más acentuado de autonomía patrimonial (v. §12).

Sociedades comenditarias simples

Finalmente, en cuanto a la s. comanditaria simple, se caracteriza respecto de la colectiva, por la existencia de dos tipos de socios: los *colectivos*, que, análogamente a los socios de una colectiva, responden solidaria e ilimitadamente de las obligaciones sociales y tiene el poder de gestión, y los socios *comanditarios*, que responden limitadamente hasta lo aportado y son excluidos de la administración (arts. 2313, 2318 y 2320: v. §22). Precisamente en razón de la peculiaridad de su modelo organizativo, basado en la existencia de estas dos clases de socios (con diferentes poderes y responsabilidad), la disciplina de la s. comanditaria simple se aplicará sólo si los socios han elegido específicamente este tipo de sociedad para el ejercicio colectivo de su empresa.

12. AUTONOMÍA PATRIMONIAL IMPERFECTA Y SUBJETIVIDAD

Autonomía patrimonial «imperfecta»

La autonomía patrimonial es un rasgo común de todas las sociedades personalistas: cualquier sociedad personalista, cualquiera que sea su tipo, tiene un patrimonio propio, distinto y separado del personal de cada uno de sus socios. Se trata, sin embargo, de una autonomía «imperfecta» en un doble sentido. En primer lugar, la separación entre patrimonio social y patrimonios personales de los socios no excluye, como se verá, interferencias recíprocas entre los dos planos. En segundo lugar, la integridad y la modalidad de esta separación no son iguales en todos los tipos de sociedades personalistas, debiendo distinguirse entre el régimen atenuado o mínimo que caracteriza la s. simple y el régimen más riguroso previsto para las s. colectivas y las comanditarias simples (regulares).

En términos más concretos y específicos, la estructura y llevanza de esta autonomía «imperfecta» está modelada por las normas que regulan: *(a)* los poderes de los acreedores sociales respecto al patrimonio personal de los socios ilimitadamente responsables y *(b)* los poderes de los acreedores personales del socio respecto al patrimonio social.

En cuanto al primer aspecto, la autonomía patrimonial se sustancia en la afirmación del principio, según el cual, los acreedores sociales no pueden atacar directamente el patrimonio de los socios ilimitadamente responsables, sino que deben, primero, intentar hacer valer sus derechos contra el patrimonio de la sociedad (arts. 2268 y 2304). Los socios responden, por tanto, ilimitadamente con todo su patrimonio de las deudas sociales, pero subsidiariamente respecto de la sociedad (arts. 2267 y 2291).

Poderes de los acreedores sociales

Por lo que respecta, sin embargo, a los acreedores personales del socio individual, cada uno de ellos, no pudiendo satisfacerse con el patrimonio social podrá, dándose determinadas condiciones (arts. 2270: v. §14), obtener la liquidación de la cuota del propio deudor, cuando los demás bienes de este último no sean suficientes para satisfacer su crédito.

Poderes de los acreedores personales del socio

La imperfecta insensibilidad del *patrimonio social* respecto a las iniciativas de los acreedores particulares del socio, y, paralelamente, la imperfecta insensibilidad del *patrimonio personal de los socios* frente a las pretensiones de los acreedores sociales insatisfechos, no desvirtúa el principio de la separación de patrimonios de la sociedad y de cada uno de los socios, que sigue siendo una regla fundamental también para las sociedades personalistas.

Más problemático es, no obstante, establecer si a esta separación patrimonial corresponde también una verdadera y propia alteridad subjetiva de los socios respecto a la sociedad (v. §8); en otros términos, si puede decirse que la sociedad personalista es, respecto de sus socios, un ente colectivo distinto y, como tal, centro de imputación jurídica autónomo, provisto de una subjetividad propia.

Subjetividad de las sociedades personalistas

El art. 2331 sólo reconoce a las sociedades capitalistas y a las sociedades cooperativas personalidad jurídica y, por tanto, el *status* de sujeto de derecho formalmente distinto de sus socios.

Pese a ello, numerosas son las referencias normativas que permiten afirmar la existencia de una subjetividad jurídica también en las sociedades personalistas. El art. 2266, 1º establece que la «sociedad adquiere derechos y asume obligaciones por medio de los socios que tienen la representación de ésta en juicio en la persona de los mismos»; la norma considera a la sociedad —que, por otra parte, tiene su nombre y su sede, como cualquier otro sujeto de derecho— centro autónomo de imputaciones de situaciones jurídicas activas y pasivas. Otras disposiciones consideran a la sociedad personalista como un verdadero y propio sujeto, a favor o contra el cual pueden registrarse adquisiciones inmobiliarias (art. 2659) e inscripciones de hipoteca (art. 2839).

La combinación de estos opuestos normativos ha llevado a describir la sociedad personalista como un «*sujeto colectivo no personificado*»; esto es, como un ente dotado de subjetividad, no cualificada como la personalidad jurídica, pero que permite afirmar una alteridad subjetiva de la sociedad respecto de sus socios.

Efectos del reconocimiento de la subjetividad

La consecuencia más significativa del reconocimiento a la sociedad personalista de su subjetividad jurídica (aunque sea no cualificada) es la superación definitiva de las dudas e incertidumbres sobre algunos puntos cruciales de la disciplina, que en el pasado habían dado lugar a contradicciones importantes, incluso a nivel jurisprudencial. Más detalladamente, de este reconocimiento se deriva que: *(a)* las obligaciones de la sociedad no son obligaciones personales de los socios; *(b)* en el pago de las deudas sociales, el socio es responsable no por deuda propia, sino por la deuda de otro, así que en el caso de pago tendrá derecho de repetición contra la sociedad por el total del importe pagado por él; *(c)* los bienes sociales no son bienes en copropiedad con los socios, sino propiedad de la sociedad; *(d)* el empresario no es el conjunto de socios, sino la sociedad.

En conclusión, aunque el legislador no haya reconocido expresamente la personalidad jurídica a todas las sociedades, del análisis de los singulares tipos sociales surge un implícito reconocimiento de grados diferenciados de autonomía patrimonial y de una subjetividad diversamente cualificada para cada uno de ellos. No sólo cada sociedad entre aquellas (de capital o cooperativas) a las que es reconocida la personalidad jurídica, sino también cada sociedad personalista, cualquiera que sea la disciplina desde el punto de vista de la clasificación tipológica, es en Derecho un sujeto diferente y adicional respecto de los socios.

13. RESPONSABILIDAD DE LOS SOCIOS POR LAS DEUDAS DE LA SOCIEDAD

En confirmación del principio de autonomía patrimonial, el art. 2267.1, establece que «los acreedores de la sociedad pueden hacer valer sus derechos contra el patrimonio social». Responsabilidad de la sociedad y de los socios

A la responsabilidad *principal* de la sociedad por todas sus deudas (v. §12) se une la responsabilidad *subsidiaria* de sus socios. El principio de la responsabilidad ilimitada de los socios, aunque con un diverso ámbito de aplicación, se establece para la s. simple en el mismo art. 2267.1, para la s. colectiva en el art. 2291, y para la comanditaria simple en el art. 2313. Los socios son pues responsables *solidariamente* entre ellos (y con la sociedad, concebida como sujeto distinto de ellos) de todas las obligaciones sociales, sean contractuales o extracontractuales; pero los acreedores, antes de poder dirigirse contra el patrimonio de los socios, deberán intentar satisfacer sus créditos con el patrimonio social.

Una derogación a la responsabilidad de los socios por las deudas sociales se prevé para las sociedades que ejercen una empresa social, en virtual de lo que establece el art. 6 d.lgs. 155/2006. Se prevé que si la empresa social tiene un patrimonio neto superior a 20.000 euros, desde su inscripción en el registro de empresas responde la sociedad con su patrimonio; pero cuando, por pérdidas, éste disminuya más de un tercio por debajo de los 20.000 euros, de las deudas asumidas responden personal y solidariamente los que hubieran actuado en nombre de la sociedad (no los otros socios).

La responsabilidad de los socios por las deudas sociales no debe confundirse ni con la participación de los socios en las eventuales pérdidas de la sociedad, ni con la responsabilidad de aquellos socios que hubieran prestado a terceros garantías personales por algunas obligaciones sociales.

Al respecto, es preciso anticipar que todos los socios participan (en las ganancias *y*) en las perdidas de la gestión social (arts. 2262, 2263 y 2264: v. §17). La distribución entre los socios de este riesgo es un *hecho interno* de la sociedad, dejado a los pactos de los socios reflejados en el contrato social (no confundir con los pactos que limitan la responsabilidad social, sobre los cuales, v. §13); con el límite de la prohibición de los pactos leoninos (art. 2265: v. §17), los socios son libres de establecer el grado de Responsabilidad de los socios y participación en las pérdidas participación de cada uno en tales pérdidas. La regla de la responsabilidad ilimitada y solidaria de los socios por las obligaciones sociales produce, sin embargo, un efecto de *relevancia externa*, en el sentido de que cada socio podrá ser llamado a responder *de todas las deudas sociales con todo su patrimonio personal*, sin poder oponer a los acreedores sociales los pactos sociales (*internos*) sobre la participación en las pérdidas. Sin embargo, estos pactos permitirán al socio que haya sufrido la acción de los acreedores actuar de regreso contra los demás socios (obligados solidariamente) para obtener el reembolso de lo pagado de más respecto de la parte que a él le correspondiese en las pérdidas.

Responsabilidad de los socios y responsabilidad por garantías personales

Distinta de la responsabilidad de los socios por las obligaciones sociales es también la responsabilidad del socio individual por las garantías personales prestadas a favor de terceros para algunas obligaciones sociales. Ocurre, a menudo, que determinados acreedores sociales, que gozan de una privilegiada posición negociadora (como las entidades de crédito a las que se ha pedido financiación para el ejercicio de la empresa), pretenden una garantía personal por parte de los socios (normalmente, de aquéllos que presentan mayores garantías de solvencia) para la deuda que la sociedad ha asumido o está a punto de asumir en sus relaciones. Cuando se preste una garantía personal, la responsabilidad de los socios que hayan asumido este específico compromiso se sumará a la responsabilidad (de estos socios y de los otros) por las obligaciones sociales y encontrará fundamento en un título *diverso* de la condición de socio (ilimitadamente responsable). Dicho título será, en concreto, la obligación de garantía personal derivada del contrato (de fianza) estipulado con el tercero al margen del contrato social, aunque teniendo como objeto el cumplimiento de una deuda que corresponde a la sociedad. Corolario de todo esto es que, siendo solidarias las obligaciones de los fiadores, el socio garante podrá ser llamado a responder directamente de las obligaciones sociales para las que ha prestado garantía, sin poder ampararse en el beneficio de excusión.

Cuando se preste una garantía real (hipotecaria) por el socio ilimitadamente responsable por una deuda de la sociedad, aquélla será considerada, según la jurisprudencia predominante, como una garantía por una deuda propia. Sucede que el acreedor que, en relación con un crédito contra la sociedad, de pronto en quiebra, sea tutelar de una garantía mal prestada por el socio ilimitadamente responsable, tiene derecho a aparecer en el pasivo de la quiebra de este útimo, asumiendo la condicion de acreedor hipotecario del quebrado.

La subsidiariedad de la responsabilidad del socio por las deudas de la sociedad queda asegurada por el *beneficio de previa excusión*, esto es, por un procedimiento normativamente previsto que los acreedores sociales deben respetar como condición para poder actuar respecto de los socios. Este procedimiento opera de forma distinta según el tipo de sociedad.

Beneficio de excusión

En la s. simple (art. 2268) el socio podrá evitar la agresión de su propio patrimonio, y conseguir que los acreedores se dirijan previamente contra el patrimonio social, indicando a los mismos acreedores los bienes con los que pueden *fácilmente* satisfacerse. El socio, por tanto, podrá sustraerse a la pretensión del acreedor, indicándole específicamente los bienes de la sociedad de fácil cobro, como el dinero, instrumentos financieros, bienes muebles o créditos (se tiende, por el contrario, a excluir de esta categoría a los bienes inmuebles por la mayor complejidad en el procedimiento de embargo).

... en la s.s. (y en las sociedades irregulares)

Este mismo procedimiento se aplicará también en el caso de una sociedad irregular (v. §24) en virtud de su sujeción *ex lege*, para la disciplina de las relaciones entre sociedad y terceros, a las disposiciones relativas a la s. simple (art. 2297.1).

El beneficio de excusión en la s. colectiva (regular) opera, sin embargo, automáticamente, sin imponer a los socios una obligación de cooperación con los acreedores sociales para evitar la agresión directa del propio patrimonio. El art. 2304 prevé, en efecto, que los acreedores sociales no puedan exigir el pago de las deudas sociales de los socios sino después de la infructuosa excusión del patrimonio social, entendiéndose con tal expresión el ejercicio en vano de una verdadera y propia acción ejecutiva sobre los bienes de la sociedad. Por otra parte, según una orientación jurisprudencial hoy consolidada, los acreedores sociales podrán proceder contra los socios incluso faltando dicho ejercicio previo, cuando existan circunstancias objetivas que estimen como cierto el fracaso de cualquier tentativa de excusión del patrimonio social.

... en las sociedades colectivas y en las comenditarias simples

El automático funcionamiento del beneficio de excusión previsto para la s. colectiva (regular) se aplicará también a la s. comanditaria simple (regular), obviamente, en lo que se refiere a los socios colectivos, asimilados en materia de responsabilidad por las deudas sociales, a los socios de la s. colectiva (arts. 2313.1 y 2318: v. §22).

limitaciones
legales de la
responsabilidad

El carácter subsidiario de la responsabilidad de los socios, asegurado por el beneficio de excusión, no incide sobre su extensión: todos los socios son ilimitadamente responsables frente a terceros de las obligaciones sociales, sin perjuicio, como ya se ha dicho, de las limitaciones previstas por la ley o por los pactos entre socios.

... de los
comanditarios

En realidad, la única verdadera limitación legal a la regla de la responsabilidad ilimitada es la relativa a la categoría de los *socios comanditarios* de la s. comanditaria simple (art. 2313.1), que responden limitadamente hasta su participación (v. §22).

... del nuevo
socio y del socio
saliente

En otros casos, la ley se preocupa de definir, más que de limitar, la responsabilidad del socio en función de su ingreso o de su salida de la sociedad. El *nuevo socio* que entra a formar parte de una sociedad ya existente será ilimitadamente responsable junto a los otros socios de todas las obligaciones sociales, en las que incluso se comprenden aquellas anteriores a la adquisición de su condición de socio (art. 2269); el mismo efecto se produce en los socios que asumen la responsabilidad ilimitada después de una transformación de sociedad de capital en sociedad personalista (art. 2500-*sexies*, últ. párr.: v. §175).

Cuando, por el contrario, el contrato societario se resuelve entre un socio determinado y la sociedad, el *socio saliente* no será responsable de las obligaciones sociales surgidas después de verificarse su salida, siempre que dicha circunstancia sea conocida por los terceros. Cumplimiento, este último, que en la disciplina de la s. simple debe hacerse a través de la difusión a los terceros de tal noticia por medios idóneos (como la publicidad de la resolución mediante envío dirigido a los acreedores principales como los proveedores y las entidades de crédito), mientras que en la s. colectiva y en la comanditaria simple se hace a través de la publicidad legal. A falta de dicho cumplimiento, el socio saliente sigue respondiendo de las dudas sociales posteriores a la disolucion frente a los terceros que sin culpa hayan confiado en la permanencia del socio en sociedad (art. 2290.2). Desde la inscripción de la disolución en el registro de empresas comienza el plazo de un año dentro del cual el socio saliente puede ser declarado en quiebra por quiebra de la sociedad. El socio saliente —en caso de muerte, quienes le sucedan como herederos— continuará siendo responsable ilimitada y solidariamente con los otros socios de todas las obligaciones sociales surgidas hasta el día en que se verifique la disolución de la sociedad (art. 2290.1).

El principio de la responsabilidad personal de todos los socios por las obligaciones sociales puede ser en algunos casos parcialmente derogado. Es lo que puede pasar con la s. simple según el art. 2267: la norma, en efecto, dispone que de las obligaciones sociales responden, además de la sociedad, los socios que hayan actuado en nombre y por cuenta de la sociedad y, *salvo pacto en contrario*, los demás socios. Dicho pacto, sin embargo, deberá ser llevado a conocimiento de los terceros por medios adecuados (por ejemplo, mediante su indicación en el papel con membrete utilizado por la sociedad), sin perjuicio de que las limitaciones de la responsabilidad o la exclusión de la solidaridad no serán oponibles a aquéllos que no hayan tenido conocimiento de las mismas (art. 2267.2).

Limitaciones estatutarias a la responsabilidad en la s.s.

La derogación del principio de la responsabilidad solidaria e ilimitada de todos los socios queda, por el contrario, totalmente excluida en lo que atañe al aspecto externo de las relaciones con terceros en la s. colectiva y en la s. comanditaria simple (obviamente, en lo que se refiere a los socios colectivos). En el ámbito interno entre socios, por el contrario, nada prohíbe que un pacto en dicho sentido sea válidamente estipulado entre los socios de una s. colectiva o entre los socios colectivos de una s. comanditaria simple: esto, sin embargo, tendrá efectos sólo *internos*. En concreto, dichos efectos se manifestarán en el juego del derecho de repetición, que podrá ser ejercitado por el socio beneficiario del pacto cuando se vea obligado a pagar a los acreedores de la sociedad una cantidad de deuda societaria mayor de la que le corresponda soportar en virtud del pacto. En ningún caso, tales limitaciones estipuladas sobre la responsabilidad tendrán efectos externos y, por tanto, no serán nunca oponibles a los acreedores sociales.

... en las colectivas y en las comanditarias simples

14. LOS ACREEDORES PARTICULARES DEL SOCIO

Como ya se ha dicho, la, aunque imperfecta, autonomía patrimonial de las sociedades personalistas protege al patrimonio societario de las exigencias de los acreedores personales de los socios.

En particular, estos últimos no podrán pedir directamente a la sociedad el pago de un crédito vencido contra el socio, ni pretender compensar una deuda suya contra la sociedad con un crédito contra el socio (art. 2271).

Separación del patrimonio social y prohibición de compensación

La tutela de los acreedores personales

La tutela de las expectativas de los acreedores personales del socio es asegurada por algunas reglas específicas que, de un lado, salvaguardan la insensibilidad del patrimonio social respecto de las circunstancias personales del socio, pero, de otro, permiten al acreedor personal asegurar los derechos del crédito contra el socio. Son posibilidades de actuación del acreedor (art. 2270.1): *(a)* hacer valer sus derechos *sobre los eventuales beneficios* que corresponden al socio; *(b)* realizar *actos de conservación*, como, por ejemplo, un embargo preventivo sobre la cuota que correspondería al socio en caso de liquidación de la sociedad (arts. 2905 y 2906). A estas posibilidades se añade, pero sólo en el caso de la s. simple y de la s. irregular, la facultad de pedir la *liquidación de la cuota* del socio deudor, siempre que se pruebe que sus otros bienes son insuficientes para satisfacer el crédito del acreedor (art. 2270.2).

La liquidación de la cuota del socio deudor

La liquidación de la cuota determina la exclusión del derecho del socio (v. §31), pero no se puede obtener en el caso de que el deudor sea socio de una s. colectiva (regular) o de una s. comanditaria simple (regular), al menos, hasta la fecha de disolución fijada en el acto constitutivo (art. 2305). Ocurre que para la s. colectiva y para la s. comanditaria simple regulares, la autonomía del patrimonio social viene íntegramente preservada por toda la duración (originaria) de la sociedad, incluso aunque el acreedor personal del socio pruebe que los demás bienes de su deudor resultan insuficientes para satisfacer su crédito. Sólo en el caso de prórroga de la sociedad, el acreedor puede asegurar su derecho: *(a)* en el caso de *prórroga expresa*, oponiéndose judicialmente a la prórroga en el plazo de tres meses desde la inscripción del correspondiente acuerdo en el registro de empresas; oposición que, aun no pudiendo impedir la prórroga, producirá la obligación a cargo de la sociedad de liquidar a favor del acreedor personal la cuota del socio deudor (art. 2307.1 y 2); *(b)* en el caso de *prórroga tácita*, sirviéndose de la disciplina prevista para la s. simple (vid. la remisión del art. 2307.3 al 2270) y pidiendo, por tanto, la liquidación de la cuota, previa alegación y prueba de la insuficiencia de los demás bienes del socio deudor.

15. LAS APORTACIONES

Cada socio está obligado a efectuar las aportaciones (art. 2253.1) que, para todos los tipos de sociedad, representan las prestaciones patrimoniales efectuadas o prometidas por los socios en el momento de la adhesión al contrato societario en la constitución o en el de sucesivos aumentos. Comparando la disciplina de las aportaciones en las sociedades personalistas con la de las sociedades capitalistas (para las sociedades accionariales cfr. §53; para la s. de responsabilidad limitada, v. §122), resulta evidente un menor rigor de la primera, tanto en lo concerniente a la *determinación de las aportaciones* y el *momento y modo de realizarlas*, como en lo que atañe a la *tipología de los bienes susceptibles de aportación* y a su *valoración*. La razón de esta menor cautela se atribuye, evidentemente, a la circunstancia de que el régimen de la responsabilidad ilimitada de los socios hace menos relevante en las sociedades personalistas el papel del capital social y, por tanto, la exigencia de una normativa rigurosa que tutele su integridad.

Entrando ya en el disciplina «organizativa» de las aportaciones en las sociedades personalistas, se ha de hacer hincapié en que a la obligación de aportar no corresponde una necesidad de determinación convencional de la aportación debida por cada socio. Aunque el art. 2295 indique entre las estipulaciones contenidas en el acto constitutivo «las aportaciones de cada socio, el valor a ellas atribuido y la forma de valorarlas», es indiscutible que la falta de una determinación convencional sobre las aportaciones no es causa de nulidad de la sociedad. Lo confirma el art. 2253.2, que prevé una disciplina en sustitución de dicha falta —considerando *determinable* la obligación de aportar— con una presunción (relativa): «si las aportaciones no son determinadas, se presume que los socios se han obligado a aportar, *a partes iguales*, en la cuantía necesaria para el desarrollo del objeto social». La citada norma no precisa qué momento es el de referencia para determinar la «cuantía necesaria», pero es doctrina ya de tiempo mayoritaria la que fija en la estipulación del contrato societario, tanto el momento en el que surge la obligación de aportar como la referencia temporal de su determinación.

La «medida» de las aportaciones

En cuanto a las *clases de bienes susceptibles de aportación*, la normativa de las sociedades personalistas no contiene las limitaciones que para tutela de los acreedores prevén las disposiciones de las sociedades capitalistas (v. §§53 y 122). Ocurre que en las sociedades personalistas *cualquier objeto útil al desarrollo de la actividad societaria y susceptible de valoración económica puede, en principio, ser objeto de aportación*; por tanto, no sólo dinero, bienes y derechos, sino también prestaciones de obra o de servicio. Existen, sin embargo, algunas prestaciones que han sido objeto de discusión: así, en

Los bienes susceptibles de aportacion

particular, la prestación de garantía a favor de la sociedad, que puede ser objeto de aportación, pero sólo a condición de que consista en la prestación de una determinada garantía personal o real.

La disciplina de las aportaciones

La disciplina de las aportaciones está influenciada por la naturaleza de las mismas. La aportación de *dinero* no presenta problemas ni requiere una particular regulación: el socio puede desembolsar íntegramente o en parte la suma objeto de aportación, o puede obligarse a realizar el desembolso en un momento sucesivo. Más compleja es, en cambio, la aportación de bienes *in natura*, de derechos o de prestaciones de trabajo. En estos casos, el legislador elabora un régimen específico según el tipo de aportación.

... bienes en propiedad y en uso

En el caso de *bienes in natura* el contrato societario puede establecer si la aportación se hace a título de propiedad o de uso. En el primer caso, las garantías que debe prestar el socio en materia de transmisión de riesgos están reguladas por las normas sobre compraventa (art. 2254.1): consecuencia de ello es que el socio responde por evicción (arts. 1483 y ss.) y por los vicios del bien aportado (art. 1490) y soportará el riesgo de pérdida del bien por causa a él no imputable (sólo) hasta la transmisión de la propiedad del bien a la sociedad. Si, en cambio, el bien se aporta a título de uso a la sociedad, el riesgo permanece a cargo del socio aportante y la sociedad adquirirá la disponibilidad del bien con las garantías previstas en las normas sobre arrendamiento (art. 2254.2).

... créditos

Cuando, en cambio, la aportación tenga por objeto *un crédito*, el socio será llamado a responder de la insolvencia del deudor, pero sólo hasta el límite del valor atribuido a la aportación (art. 2255).

... prestaciones de obra o servicio

Falta todavía una regulación de referencia para las aportaciones consistentes en una prestación de obra o servicio. La ley se limita a dictar algunas disposiciones que legitiman este tipo de aportación (arts. 2263.2 y 2286.2) y a precisar para las s. colectivas y para las comanditarias simples que la prestación de obra debe indicarse en el acto constitutivo; a ello se añade la obligación general de cooperación con la sociedad (v. §17) para una adecuada ejecución de la prestación. El socio que se compromete a aportar la propia actividad laboral a favor de la sociedad no asume el estatuto de trabajador dependiente con los correspondientes derechos salariales y sociales, no pudiendo excluirse que esté también vinculado con una relación de trabajo dependiente con la sociedad por otras prestaciones. El socio de obra participa del riesgo de empresa y así su participación viene compensada mediante la participación en las ganancias de la sociedad en la medida determinada en el contrato social o, a falta de determinación convencional, en la medida fijada por el juez, basada en la equidad. Además, el hecho de que su prestación se realice a título de aportación expone al socio de obra al riesgo de ser excluido de la sociedad en caso de una sobrevenida inidoneidad para desarrollar la obra prometida (art. 2286.2).

Por lo que concierne al *momento* y a la *modalidad de ejecución* de las aportaciones, la disciplina de las sociedades personalitas no pone límites o restricciones concretas, siendo suficiente el *compromiso de los socios* de realizar la aportación prevista en el contrato social. Lo mismo puede decirse de la *valoración* de las aportaciones, distintas del dinero, para las cuales la ley no establece una regulación especial, dejando a las partes la fijación del modo de valoración. Para las s. colectivas y las s. comanditarias simples está previsto que el acto constitutivo indique, además de las aportaciones de cada uno de los socios, el valor a ellas atribuido y el *modo de valoración* (art. 2295.6), que, en línea de principio, podría también consistir en una valoración conjunta o en una referencia al precio de mercado. Ninguna referencia a la valoración de las aportaciones se contiene, en cambio, en la normativa de la s. simple.

Además, para las demás sociedades personalistas la obligación de evaluar las aportaciones (y la consiguiente imputación al capital) subsistiría no para todas las aportaciones, sino sólo para aquéllas que puedan integrar el balance como parte del activo y que atribuyan al socio el derecho a obtener el reembolso de su valor en el momento de disolución de la sociedad: las llamadas *aportaciones de capital*. Por el contrario, la valoración no sería obligatoria para aquellas aportaciones que —salvo en el caso de su capitalización por parte de los socios— no dan derecho a tal reembolso (denominadas *aportaciones de patrimonio*), como la aportación de obra o la aportación de un bien a título de uso y no de propiedad.

Estas últimas consideraciones llevan a formular algunas conclusiones sobre la formación del capital social y sobre el relieve de su normativa en las sociedades personalistas. Mientras falta del todo para la s. simple una regulación del capital social, para la s. colectiva y para la s. comanditaria simple existen algunas disposiciones que trazan una regulación relativamente más articulada. Además del ya citado art. 2295.6, que debería permitir deducir, a través del acto constitutivo, la cuantía del capital social

Momento, modalidades y valoración de las aportaciones

Aportaciones de capital y aportaciones de patrimonio

Disciplina del capital social

expresado de la suma de los valores de las aportaciones de los socios, la disciplina de la s. colectiva (y por remisión la de la s. comanditaria simple) introduce dos normas directas para asegurar la integridad y la función vinculante del capital social: *(i)* el art. 2303 prohíbe el reparto entre los socios de las ganancias que no se hayan conseguido realmente, precisando además que en caso de pérdidas del capital social no se podrán repartir beneficios hasta que el capital no se haya reintegrado o reducido en la medida correspondiente a la pérdida (v. también §37); *(ii)* el art. 2306 se preocupa en cambio de dictar una disciplina restrictiva de las operaciones de reducción real del capital social, dirigidas al reembolso a los socios de las aportaciones antes de la liquidación de la sociedad, introduciendo concretas cautelas a favor de los acreedores (v. §§27 y 37).

16. LA PARTICIPACIÓN SOCIAL Y LOS REQUISITOS SUBJETIVOS PARA SU ADQUISICIÓN

Naturaleza de las participaciones sociales

La naturaleza de la participación social en las sociedades personalistas depende, en gran medida, de la relevancia que la ley asigna a la persona del socio al configurar la posición jurídica que éste asume en la sociedad y frente a terceros. A diferencia de las participaciones en las sociedades accionariales (v. §54) y análogamente a las participaciones de una sociedad de responsabilidad limitada (v. §123), la participación en una sociedad personalista no se incorpora a un documento; ésta no es ni siquiera personalizada respecto a su titular, ni estandarizada respecto a todas las demás participaciones.

La participación social en las sociedades personalistas se caracteriza, más incluso que en la s.r.l. (v. §119), por el hecho de modelarse en torno a la persona del concreto socio titular de las mismas. Su propia cuantía varía normalmente en razón de la entidad de la aportación realizada por el socio; además, los derechos que corresponden al socio no son necesariamente proporcionales al valor de la participación (v. p. ej., art. 2264.1). Como se tendrá ocasión de ver, esta particular naturaleza de la participación social produce importantes efectos jurídicos, ya en relación a la posibilidad de atribuir a los socios derechos diferentes, ya en relación al régimen de la (eventual) circulación *inter vivos* o *mortis causa* de la misma (cfr. §28).

La participación se adquiere por efecto: *(a)* de la adhesión al contrato social en el momento de la constitución; *(b)* de la adhesión al contrato en un momento sucesivo de aumento de capital con nuevas aportaciones efectuadas por terceros; *(c)* de la adquisición *inter vivos* de una cuota de participación en una sociedad ya existente; o, también, *(d)* de la sucesión *mortis causa* en la cuota de participación de un socio fallecido, circunstancias todas que serán tratadas en el capítulo siguiente.

En principio, cualquier *persona física* puede adherirse al contrato social o adquirir una participación en una sociedad personalista. Sin embargo, constituyendo tales iniciativas actos que exceden de la administración ordinaria (incluso cuando el socio no asume una responsabilidad ilimitada por las obligaciones sociales), la ley los somete, en el caso de sujetos total o parcialmente privados de capacidad de obrar, a una preventiva autorización de la autoridad judicial. La dispensa de esta autorización en caso de participación de un incapaz en una s. colectiva o, como socio colectivo, en una s. comanditaria simple (e incluso prescindiendo de la circunstancia de que tales sociedades ejerzan efectivamente una actividad comercial) queda, en cambio, sujeta a la observancia de las disposiciones, todavía más restrictivas, que regulan el ejercicio de una empresa mercantil por parte de un incapaz (art. 2294). Participaciones de la persona física

Ciertamente controvertida ha sido en cambio, al menos hasta la reforma del 2003, la admisibilidad de la adquisición, a título originario o derivado, de la participación en una sociedad personalista por parte de otra sociedad. Participaciones de sociedades de capital

Al respecto, el problema más importante y debatido ha sido, en realidad, el de la admisibilidad de la participación de una sociedad de capital en una sociedad personalista y, en concreto, en una s. colectiva o en una s. comanditaria simple. Sobre el tema, se han enfrentado ya hace tiempo la doctrina —agrupada mayoritariamente a favor de la admisibilidad— y la jurisprudencia, desde siempre (casi) firmemente contraria. El problema ha sido definitivamente resuelto por el renovado art. 2361.2, que prevé expresamente la asunción (de parte de una s. comanditaria simple) de participaciones en otra empresa «*comportando una responsabilidad ilimitada por las obligaciones de la misma*», limitándose a reservar tales decisiones a la junta y a imponer una específica información sobre estas participaciones en la memoria (v. §42).

Por lo demás, la reforma permite también superar la única objeción de relieve que venía argumentándose en contra de la admisibilidad de la participación de una sociedad de capital en una sociedad personalista: la sustancial ilegitimidad de una acumulación del poder de administración con el beneficio de la responsabilidad limitada. En efecto, es verdad que la participación de una sociedad de capital en la sociedad personalista permite a los socios personas físicas de la sociedad participante acumular las ventajas de su estatuto de socio (de responsabilidad limitada) a la ventaja de poder ejercitar de modo directo la actividad de empresa en la sociedad personalista, de la que normalmente son administradores en representación de la sociedad de capital, y es también cierto que dicha acumulación está hoy expresamente admitida por el legislador. Es lo que sucede en la nueva regulación de la s.r.l., en virtud de la cual, el acto constitutivo puede legítimamente reconocer el poder de administrar a los socios, de forma individual o indistinta (art. 2475: v. §131), permitiendo así acumular un poder de administración atribuido directamente al socio en cuanto tal (sobre el modelo de la natural inherencia de tal poder a la posición de socio en las sociedades personalistas) con el beneficio de la responsabilidad limitada, que caracteriza en cambio la posición del socio en las sociedades de capital.

El reconocimiento de la admisibilidad de la participación de sociedades de capital en sociedades personalistas operado por el art. 2361.2, conlleva algunos problemas de aplicación, como el del administrador persona jurídica (cfr. §20) o el de la aplicación de dicha norma (con particular referencia a las cargas procedimentales y publicitarias) por la participación de una persona jurídica en una s. comanditaria simple en calidad de socio comanditario; o incluso el de la homogeneidad de la información de las cuentas de la sociedad de capital participante y de la sociedad personalista participada. Sólo para este último problema el legislador ha dado una (parcial) solución con el art. 111-*duodecis,* disp. att., estableciendo que, cuando todos los socios ilimitadamente responsables de una s. colectiva o de una s. comanditaria simple sean sociedades de capital, la sociedad participada debe elaborar sus cuentas anuales según las normas de la s. por acciones, y queda obligada, si se dan las condiciones, a redactar y publicar las cuentas consolidadas según las disposiciones del d.lgs. 127/1991 (v. §42).

Participaciones de sociedades personalistas

Menos problemática (y también menos relevante desde el punto de vista práctico) es, en cambio, la admisibilidad de la participación de sociedades personalistas en otras sociedades personalistas. La orientación que hoy prevalece es la favorable a la admisibilidad de tal participación, incluso aunque pueda determinar una parcial alteración del régimen de responsabilidad de los socios de la participante; en el sentido de que los acreedores sociales de la participada podrán actuar contra el patrimonio personal de los socios de la participante sólo después de haber hecho excusión infructuosa (o intento de excusión) tanto del patrimonio de la participada como del de la participante.

17. DERECHOS Y OBLIGACIONES DE LOS SOCIOS

La Ley vincula a la condición de socio determinados derechos, que vienen tradicionalmente divididos en dos categorías: los derechos patrimoniales y los derechos administrativos.

Forman parte de la primera categoría *(a)* el derecho a las ganancias, al que, sin embargo, hace de contrapeso la participación en las pérdidas, *(b)* el derecho a la liquidación de la propia cuota, en el caso de disolución parcial de la sociedad respecto de un socio determinado (arts. 2289 y v. §29) y *(c)* el derecho a la cuota de liquidación, que comprende el reembolso de las aportaciones y de la cuota de reparto del activo remanente (arts. 2281, 2282 y 2283: v.§32), en el caso de disolución de la sociedad. *[Derechos patrimoniales]*

Cada socio tiene derecho a percibir una parte de las ganancias efectivamente obtenidas por la sociedad. Este derecho madura por efecto de la aprobación de las cuentas del ejercicio (de la rendición de cuentas en la s. simple; v. arts. 2262 y 2302) elaboradas con los criterios establecidos para la s. por acciones en cuanto sean aplicables (art. 2217.2); ocurre que la mera aprobación de las cuentas del ejercicio, de las cuales se derive una ganancia, constituye en las sociedades personalistas condición suficiente para legitimar a cada socio a exigir la distribución o reparto de su parte de las ganancias. *[Derecho a las ganancias]*

Distinta es, en cambio, la condición de la que deriva la obligación del socio de participar en las pérdidas; en efecto, en tanto el socio no obtenga la liquidación de su cuota (disminuida por la cuantía de las pérdidas) o —en caso de disolución de la sociedad— los liquidadores no pidan a los socios (a falta de patrimonio social disponible) desembolsar lo necesario *[Participación en las pérdidas]* para pagar a los acreedores sociales, las pérdidas permanecen, por decirlo de algún modo, virtuales y no determinan ninguna obligación inmediata para el socio; su único efecto es el de impedir la distribución de las ganancias, al menos hasta que las pérdidas no sean compensadas o el capital no sea reducido en la cuantía correspondiente (cfr. §15 y art. 2303.2).

Pacto leonino

La determinación de la parte de las ganancias y de las pérdidas que corresponde a cada socio queda sometida a las estipulaciones de los socios con el único límite del *pacto leonino*, esto es, del pacto por el cual uno o más socios quedan excluidos de cualquier participación en las ganancias o en las pérdidas (art. 2265). La nulidad de estos pactos, sancionada por el art. 2265, se explica por la incompatibilidad con la causa misma del contrato de sociedad y con la necesidad de evitar que la exclusión de uno o más socios de la participación en las ganancias (o en las pérdidas) incida negativamente en la correcta administración de la sociedad. Precisamente en razón de la esencialidad de esta prohibición, la sanción de nulidad debe entenderse aplicable también a los pactos contractuales, frecuentemente derivados de la autonomía privada, con los que, aun definiéndose un criterio de reparto de las ganancias o de las pérdidas, se produce *de hecho* el resultado de la exclusión de uno o más socios del reparto; así como serán también nulos los eventuales *pactos parasociales* (v. §88) entre dos o más socios específicamente dirigidos a eludir la prohibición del pacto leonino (y por tanto, carentes de una propia, diversa y lícita justificación causal).

La nulidad del pacto, eventualmente contenido en el contrato social, no acaba con la participación social ni con el completo contrato de sociedad, salvo que tal pacto se considerara esencial en su origen (art. 1419.1 y 1420).

Criterios legales de reparto

A falta de pacto expreso sobre los criterios convencionales de reparto de las ganancias y de las pérdidas (o en caso de nulidad de los pactos en el sentido del art. 2265), serán de aplicación los *criterios legales supletorios* del art. 2263, esto es: *(a)* las partes correspondientes a los socios en las ganancias y en las pérdidas se presumen proporcionales a las aportaciones; *(b)* si el valor de las aportaciones no está determinado en el contrato, dichas partes se presumen iguales; *(c)* cuando falte la determinación contractual de la parte que corresponde al socio de obra, ésta deberá ser fijada por el juez atendiendo a la equidad; en fin, *(d)* si el contrato se limita a determinar la parte de cada socio en las ganancias, se presume que en la misma proporción debe determinarse la participación en las pérdidas (regla, esta última, que debe considerarse teóricamente aplicable en el caso inverso de que se determinase sólo la participación en las pérdidas).

Los anteriores criterios supletorios no se aplicarán, en cambio, cuando el contrato social no precise los criterios de participación en las ganancias y en las pérdidas, sino que deje la determinación de la parte de ganancias y pérdida a cada socio o a un tercero, cuya decisión podrá ser impugnada sólo en los casos previstos por el arbitrador del art. 1349 (art. 2264).

Determinación por tercero

Los derechos administrativos del socio atañen principalmente al área de la gestión social o del control directo o indirecto sobre la misma. Además del derecho a administrar, que, salvo pacto en contrario, corresponde a todos los socios con responsabilidad ilimitada (sobre su ejercicio y funcionamiento, cfr. §19), el modelo legal prevé otros derechos de naturaleza administrativa que pueden ser derogados o integrados en el contrato social.

Derechos administrativos

Forman parte de esta categoría: *(a)* el derecho de expresar el consentimiento propio en toda una serie de casos en los que la ley somete una decisión a la colectividad de los socios (arts. 2252, 2256, 2257, últ. párr., 2259, 2258.1 y 2); *(b)* los derechos de control correspondientes a los socios que no participan en la administración (art. 2261); *(c)* el derecho a ser informados y a eventualmente impugnar las cuentas del ejercicio en la s. colectiva y en la s. comanditaria simple; *(d)* el derecho de promover, incluso individualmente, la acción de responsabilidad contra los socios administradores (cfr. §20); *(e)* el derecho a pedir judicialmente la revocación con justa causa de los administradores (art. 2259, últ. párr.); *(f)* el derecho de separación (art. 2258), que, pese a sus efectos patrimoniales, se ejerce predominantemente en situaciones de relevancia administrativa en sentido amplio (típicamente, desacuerdo con la gestión practicada o mantenida por los socios mayoritarios o incumplimiento por parte de los socios que desatienden la *affectio societatis*; al respecto, v. §30).

A tales derechos se pueden añadir otros atribuidos por el acto constitutivo a todos los socios o a algunos de ellos (como, p. ej., el derecho de veto a favor de un solo socio en relación a determinados actos de gestión; o bien, el poder de nombrar y revocar un director general-factor).

Con la adquisición de la participación social el socio deviene también destinatario de determinadas obligaciones, comenzando por la obligación de colaboración con la sociedad que se deriva de la aplicación del principio general de lealtad y buena fe (art. 1375). Junto a ésta se sitúan algunas obligaciones específicas: de ellas, ya se han examinado la obligación de aportar y la de pagar a los acreedores sociales.

Obligación de no competencia

A ellas se une, para los socios de la s. colectiva y para los socios colectivos de la s. comanditaria simple, la obligación de no ejercer, por cuenta propia o de otros, una actividad competidora con aquélla de la sociedad y no participar como socio ilimitadamente responsable en otra sociedad competidora (art. 2301.1). La *ratio* de esta prohibición legal es fundamentalmente la de asegurar un deber de fidelidad del socio con la sociedad, impidiéndole, en principio, utilizar noticias e informaciones adquiridas en el interior de la sociedad (quizás en el ejercicio de la actividad de administración) para obtener una ventaja personal como empresario competidor o como socio ilimitadamente responsable de una sociedad competidora.

La prohibición subsiste también en el caso de liquidación de la sociedad, aunque en ausencia de una obligación específica de no competencia asumida mediante pacto (art. 2596), la prohibición no seguirá gravando al socio separado o excluido (o que haya cedido su cuota). La obligación de no competencia no es inderogable. Los demás socios pueden, en efecto, permitir al socio ejercer una actividad concurrente y su consentimiento se presume si el ejercicio de dicha actividad (o la participación en otra sociedad) preexistía al contrato social y los demás socios tenían conocimiento de ella (art. 2301.2). La violación de la prohibición expone al socio al resarcimiento de los daños sufridos por la sociedad y a su eventual exclusión (art. 2301, últ. párr.).

18. LAS DECISIONES DE LOS SOCIOS

En las sociedades personalistas, la normativa legal relativa a las decisiones de los socios y a la administración es, en buena parte, dispositiva y desarrolla una función principalmente supletoria de la autonomía negocial.

El modelo legal distingue entre las decisiones de los socios según las mismas *(a)* modifiquen el contrato social (o incidan sobre la esencia organizativa de la sociedad) o *(b)* afecten a la administración de la sociedad. Para las primeras, en ausencia de pactos, el contrato puede ser modificado

sólo con el consentimiento de todos los socios, salvedad hecha de las decisiones en materia de transformación, fusión y escisión (arts. 2500-*ter*,
2502 y 2506-*ter*, últ. párr.: v. §27). En cuanto a las segundas, el modelo
legal y su aplicación se basan en el principio de la esencial inherencia del
poder de administración —entendido como poder de decidir la gestión de
la empresa— a cada socio.

Sobre todo para esta última clase de decisiones, la normativa positiva
privilegia de modo evidente el momento de la gestión respecto al de la
formación de la voluntad colectiva. En concreto, falta la previsión de una
organización corporativa —como la de la sociedad accionarial— hecha de
órganos sociales a los que la ley atribuye determinadas competencias (v.
§49); en las sociedades personalistas las decisiones son tomadas directamente por los socios, que, en relación a la administración de la empresa,
pueden decidir de forma solidaria (art. 2257). También las decisiones que
modifican el contrato social —para las que el art. 2300.2 considera como
posible (aunque no imprescindible) una *deliberación*— no están sujetas a
especiales obligaciones procedimentales: basta pensar que la decisión de
prorrogar tácitamente la sociedad más allá de la duración contractual puede ser adoptada por comportamientos concluyentes, al margen de cualquier procedimiento deliberativo colegiado (art. 2273).

Formación de la voluntad social

Por lo demás, las exigencias de rapidez y flexibilidad del proceso decisorio en las sociedades personalistas, secundadas por el propio modelo
legal, hacen inapropiada la mayoría de veces, ya la introducción de órganos
sociales —incluso si son sólo rudimentales—, ya la adopción de un procedimiento colegiado o asambleario para la formación de las decisiones de
los socios.

Ausencia de método asambleario

Se tiende a estar de acuerdo sobre la superfluidad del método asambleario, incluso cuando la decisión puede ser adoptada por mayoría: ocurre que —salvo en el caso de que tal método esté expresamente previsto
en el contrato social— la voluntad social podrá formarse libremente,
incluso a través de consultas individuales y no necesariamente a través
de una verdadera y propia reunión colegiada debidamente convocada.
Si el modelo legal no prevé expresamente el cumplimiento u obligación
de información preventiva a los socios para la formación de la voluntad
social, nada impide que sean los socios mismos los que otorguen en el
propio contrato social (o incluso formalmente) un método funcional-

mente adecuado para proteger, quizás en relación sólo a determinadas decisiones, sus intereses participativos en defecto de conocimiento o en caso de abuso.

Una confirmación implícita de la legitimidad, en principio, de procedimientos que privilegien la rapidez y flexibilidad de la formación de la voluntad social respecto a los motivos (de ponderación y de garantía) mejor tutelados del método asambleario se da también en la regulación del procedimiento de formación de la voluntad social en la s.r.l., para la cual, el acto constitutivo puede prever que ciertas decisiones de los socios se adopten con normas diferentes a aquéllas de la colegialidad (art. 2479: cfr. §127).

19. PODER DE ADMINISTRACIÓN Y DE REPRESENTACIÓN

El *poder de administración* es el poder de gestionar la sociedad en el ámbito de los deberes previstos por la ley y por el acto constitutivo, cumpliendo todos los actos o asumiendo todas las iniciativas necesarias para la consecución del objeto social. El *poder de representación* consiste, en cambio, en la legitimación (sustancial o procesal) de expresar hacia el exterior la voluntad social, vinculando a la sociedad en sus relaciones con terceros. El poder de representación es *normalmente, pero no necesariamente*, atribuido a quien ejerce el poder de administración.

Modelo legal   En ausencia de específicas disposiciones en el acto constitutivo, la atribución de tales poderes está regulada por las disposiciones del modelo legal; disposiciones que, por ello (también) en orden a la administración y a la representación desempeñan una función supletoria del modelo convencional. El modelo legal parte del principio de que el poder de administración corresponde *a cada uno de los socios*; pero se debe precisar que tal principio vale sólo para los socios ilimitadamente responsables, esto es, para aquéllos que no se benefician de las limitaciones legales (o pactadas, en el caso de la s. simple) de la responsabilidad por las obligaciones sociales (v. §13). En cuanto a la modalidad del ejercicio del poder de administración, el código prevé como modelo legal, la administración *solidaria*, o bien, como modelo a elegir por los socios, la administración conjunta; dentro de estos modelos pueden después configurarse *distintas variantes* fruto de la autonomía negocial.

En el caso de que el contrato social nada disponga, cada socio es investido del poder de administrar la sociedad *indistintamente* (art. 2257.1); en otros términos, cada socio podrá autónomamente emprender cualquier acto de gestión que entre en el ámbito del objeto social, sin tener que informar previamente a los demás socios, ni pedir la previa aprobación. Dicho poder encuentra una atemperación parcial en el derecho de los otros *socios administradores* a oponerse a las operaciones que el socio esté a punto de celebrar, siempre que tal derecho se ejercite antes de que la operación se realice. La oposición bloquea la iniciativa del administrador y somete cualquier decisión sobre el *fundamento de la oposición* a la mayoría de socios, determinada, no por cabezas sino según la parte atribuida a cada uno en las ganancias (art. 2257, últ. párr.).

Administración indistinta y derecho de oposición

El modelo alternativo de la *administración conjunta* será, en cambio, de aplicación sólo si es elegido por los socios con expresa previsión en el contrato social. En virtud de esta elección, para la celebración de cualquier operación social, *es necesario el consentimiento de todos los socios administradores* (art. 2258.1). El mismo contrato social podrá, sin embargo, derogar la rígida norma de la unanimidad, previendo expresamente que para la administración, o incluso sólo para determinados actos, sea suficiente el consentimiento de la mayoría que, salvo elección distinta, ha de calcularse en base a las cuotas de participación en las ganancias. En el caso de administración conjunta, cada socio no podrá ejercer individualmente el poder de gestión, salvo en caso de que sea urgente asumir una iniciativa para evitar un daño a la sociedad (art. 2258, últ. párr.).

Administración conjunta

Los dos sistemas de administración permiten adoptar en el acto constitutivo *variantes* diversamente moduladas. En principio, será posible adoptar uno u otro sistema de administración de forma combinada en función del tipo de operación: así, podría preverse la forma solidaria para los actos de ordinaria administración —para los que sería necesario una mayor grado de rapidez y prontitud en las decisiones— mientras que la forma conjunta podría quedar reservada a actos de administración extraordinaria que pueden conllevar un grado más alto de riesgo, no sólo para la sociedad sino también para los socios (y para su patrimonio personal). Otra posible variante es la que nace de la decisión de los socios de conferir la adminis-

Variantes de los modelos convencionales

tración, de forma solidaria o conjunta, *sólo a algunos socios* (o siempre que sea jurídicamente posible, a *sujetos que no son socios*: v. §20).

Prescindiendo del régimen de administración que se adopte, el acto constitutivo de las sociedades personalistas (además del de la s.r.l.: v. §120) puede contener cláusulas que impongan la consulta a uno o más terceros de las controversias surgidas entre aquéllos que tienen el poder de administración en orden a las decisiones a adoptar en la gestión de la sociedad (art. 37.1, d.lgs. 5/2003); el acto constitutivo puede también prever que la decisión gestora sea invocada frente a un órgano colegiado (art. 37.2, d.lgs. cit.). Siempre que esté previsto en el contrato social, el sujeto o el colegio llamado a dirimir la controversia sobre la decisión gestora puede también dar instrucciones vinculantes sobre cuestiones relacionadas con aquellas expresamente consultadas. En cualquier caso, la decisión del árbitro, sea éste un sujeto o un colegio, es impugnable sólo probando su mala fe (art. 37.4 d.lgs. 5/2003 y art. 1349.2).

Modelos legales y convencionales se confrontan también en orden al poder de representación de la sociedad.

En ausencia de pactos en el contrato social, el modelo legal establece una perfecta correspondencia entre el poder de administración y el poder de representación. De hecho, el art. 2266 atribuye el poder de actuar en nombre y por cuenta de la sociedad a cada socio administrador, que podrá ejercitarlo indistinta o conjuntamente con los demás administradores según la modalidad de ejercicio del poder de administración sea, respectivamente, indistinta o conjunta; se extiende el poder de representación a todos los actos que entran en el objeto social; se une al poder de representación negocial también el de representación procesal (activa y pasiva), esto es, el de actuar en juicio en nombre de la sociedad.

Esta perfecta coincidencia entre el poder de administración y el poder de representación puede, sin embargo, romperse con los modelos convencionales, en lo referente a los *sujetos investidos de poder* (reservando la representación sólo a algunos socios administradores), a la *modalidad del ejercicio del poder* (previendo un ejercicio indistinto de representación cuando la administración se ejerza de forma conjunta); o, incluso, al *contenido del poder* (limitando o también excluyendo el poder de representación para determinadas operaciones o para la asunción de obligaciones superiores a un determinado importe).

20. SOCIOS ADMINISTRADORES. SOCIOS NO ADMINISTRADORES. ADMINISTRADORES NO SOCIOS

Derogando el principio según el cual la administración de la sociedad corresponde a cada uno de los socios (ilimitadamente responsables), el contrato social puede reservar el poder de gestión *sólo a algunos socios* (ilimitadamente responsables); reserva posible incluso en la categoría de socios comanditarios en la s. comanditaria simple.

En virtud de la investidura del poder de administrar, el socio administrador deviene titular de una serie de derechos, poderes, obligaciones y responsabilidades *diversos* de aquéllos que le corresponden como socio. La relación de administración es por tanto una relación conexa, y al mismo tiempo autónoma, con la que liga al socio con la sociedad: las vicisitudes relativas al poder de administración (atribución, modificación y cese) *pueden interferir, pero no necesariamente lo hacen*, con el contrato social. Si bien algunas referencias normativas parecen asimilar el contrato de administración al mandato (en particular, el art. 2260.1, en virtud del cual «los derechos y las obligaciones de los administradores se regulan por las normas sobre el mandato»), se debe afirmar que el contrato de administración es un contrato *sui generis*, diferente del mandato (v. también §93), pero que puede tomar prestado de la normativa de este último algunas disposiciones compatibles con las peculiaridades del rol y de las funciones de los administradores en el fenómeno societario.

Socios administradores

A diferencia de los límites a los que normalmente está sujeto el mandatario, el socio administrador puede cumplir todos los actos de ordinaria y extraordinaria administración que entren en el objeto social (con tal de que no supongan modificaciones de hecho del contrato social), sin estar obligados a seguir las instrucciones de los socios o a atender particulares obligaciones de consulta en sus conflictos. En el ejercicio de este amplio poder de gestión el socio administrador debe someterse a las obligaciones impuestas por la ley y eventualmente por el contrato social, entre las que está el deber general de gestionar la sociedad con la diligencia del mandatario (art. 1710) y deberá asumir los específicos deberes previstos por la ley para las sociedades mercantiles, como aquéllos relacionados con la llevanza regular de los libros contables (art. 2302) o con la publicidad legal (arts. 2296 y 2300). La violación de tales obligaciones puede conllevar la aplica-

... poderes y deberes

ción de sanciones, incluso de naturaleza administrativa y penal, y podrá, además, constituir justa causa para la revocación del cargo de administrador (art. 2259; v. §21).

... responsabilidad frente a la sociedad

Además, los socios administradores están, en todo caso, expuestos a responsabilidad civil por los daños causados a la sociedad debidos a su incumplimiento (art. 2260.2). Se trata de una responsabilidad de naturaleza *contractual*, que incumbe *solidariamente* a todos los administradores —incluso en presencia de un régimen de administración indistinta—, salvo que demuestren estar exentos de culpa, así como a aquellos socios que hayan actuado como *administradores de hecho*, habiendo admitido, en el acto constitutivo, que el poder de administrar fuese reservado a otros. La responsabilidad de los administradores podrá hacerse valer con una acción dirigida a reintegrar el patrimonio social mediante su condena al resarcimiento de los daños. La legitimación para el ejercicio de esta acción por parte del socio(s) debería ser admitida sobre la base de las mismas razones que han llevado a reconocer expresamente análoga *legitimación al socio, individualmente considerado*, en la s.r.l. (art. 2476.3: v. §134).

Por lo demás, la jurisprudencia sostiene que, siendo las sociedades personalistas un centro de imputación de situaciones jurídicas distintas de las de los socios, sea posible una acción de responsabilidad de los socios individuales contra los administradores, en términos análogos a los previstos, en sede de sociedad por acciones, en los arts. 2393, de un lado, y 2395, de otro.

Socios no administradores

Tal solución haría seguramente más eficaz la tutela reservada por el modelo legal a los *socios no administradores,* esto es, a aquéllos que por disposiciones del contrato social, no participan en el ejercicio del poder de administración. Su participación en la actividad social —pese a lo cual, continúan siendo ilimitadamente responsables por las obligaciones sociales— es bastante limitada, al menos, a falta de pactos especiales en el contrato social: los socios no administradores pueden, colectivamente, hacer indicaciones y marcar directivas en materia de gestión a los administradores, directivas cuyo efecto vinculante, por otra parte, dependerá en gran medida del concreto poder del que disponga el grupo de socios no administradores, en concreto, del perfil de los instrumentos de presión necesarios para hacer creíble la perspectiva de una eventual revocación de los administradores. Igualmente ligada a su efectiva posición de fuerza en el interior de la sociedad está la efectividad del poder de los socios no administradores de concurrir de forma determinante a resolver la oposición interpuesta por un socio administrador contra un acto de gestión decidido por otro socio (v. §19). La tutela de los socios no administradores, en realidad, se centra en la atribución a su favor de determinados *poderes individuales de información y control*, cuya relevancia viene notablemente realzada por la legitimación *individual* para hacer valer la responsabilidad de estos últimos; el art. 2261 reconoce a cada socio no administrador dos tipos de poderes de control, cuya modalidad de ejercicio puede ser (prudencialmente) precisada en el contrato social: *(a) el derecho de información inmediata*, ejercitable en cualquier momento, incluso durante el ejercicio social, mediante la solicitud de información y noticias sobre el desarrollo de la actividad social y la petición de consultar los documentos relativos a la administración; *(b) el derecho a la rendición de cuentas de los asuntos sociales* que (de hecho) el socio ejerce al término de cada año, salvo que el contrato establezca un término más breve (art. 2261.2 y v. §41).

El poder de administración puede ser atribuido también a no socios, salvo en el caso de la s. comanditaria simple (art. 2318.2) y de las sociedades de abogados (art. 23.1, d.lgs. 96/2001), donde dicha posibilidad queda expresamente excluida por la ley. *Administradores no socios*

No faltan, sin embargo, posiciones contrarias, sobre todo en la jurisprudencia, a la admisibilidad del administrador extraño: a favor de la inadmisibilidad se invoca prioritariamente el principio de la estrecha correspondencia entre el poder de administración y la responsabilidad ilimitada, según el cual (afirman quienes lo sostienen) quien ejerce el poder de decisión *debe ser ilimitadamente responsable por las obligaciones sociales*. Dicho principio no excluye, sin embargo, la posibilidad de que los socios decidan asignar, por contrato social o acto separado, la gestión de la empresa, o la resolución de controversias concernientes a ella (v. §19), a un tercero extraño, sin que por ello se despojen de su poder último de determinación empresarial y sobre todo de su responsabilidad ilimitada; se trata sólo de un modo distinto de ejercer el poder de dirección, plenamente legítimo, a falta, en el ordenamiento, de un principio que imponga a los socios la obligación de administrar directamente. Tal posibilidad no parece impedida, al menos en el caso de la s. colectiva, por el riesgo de que el nombramiento del administrador extraño constituya un recurso para eludir el principio de la responsabilidad ilimitada de los socios por las obligaciones sociales, considerando que en las s. colectivas todos los socios son siempre y en cualquier caso responsables, incluso aunque no ejerzan el poder de administración.

A modo de conclusión sobre los administradores extraños, más que un problema de admisibilidad de la figura, parece un problema de efectos (del nombramiento) para el tercero que asume la función de administrador; y esto a causa de la difundida tendencia jurisprudencial de considerar y *tratar a todos los efectos como socio* a todo el que se comporte a ojos de terceros como tal (socio aparente).

El administrador persona jurídica

Problema distinto es, sin embargo, el del ejercicio del poder de administración por parte de los socios que no sean personas físicas. Ya no hay motivo para dudar de la admisibilidad de un socio administrador-persona jurídica, ahora que la reforma del Derecho societario ha reconocido como posible la participación de sociedades de capital en sociedades personalistas (v. §16 y art. 2361): considerando que todos los socios ilimitadamente responsables pueden hoy ser sociedades por acciones, sociedades comanditarias por acciones o sociedades de responsabilidad limitada (art. 111-*duodecis* disp. att.), incluso cuando la sociedad participada sea una s. comanditaria simple, y considerando que en la s. comanditaria simple el poder de administración puede ser conferido a un único socio colectivo, admitir que pueda haber una s. comanditaria simple en la que todos los socios colectivos sean sociedades de capital implica admitir también que el poder de administración se ejerza por la persona jurídica socio colectivo. La Ley de reforma no contiene, por lo demás, una regulación del administrador persona jurídica de la que extraer indicaciones sobre la modalidad de ejercicio del poder de administración, sobre eventuales obligaciones de publicidad y, sobre todo, sobre deberes y responsabilidad de la persona física designada para representar a la persona jurídica en el desarrollo de su actividad de administración. A destacar que, al menos en parte, se podrá suplir este vacío legal con una aplicación analógica del art. 5 d.lgs. 240/1991, que regula el administrador persona jurídica en el GEIE.

A falta de una específica normativa de referencia es, en cualquier caso, plausible sostener que la sociedad participante ejercerá la propia actividad de administración a través de su representante o de un representante por ella designado, siempre que, en este útimo caso, se indique en la cláusula estatutaria la persona física encargada de representar a la persona jurídica administrador. El designado asumirá las mismas obligaciones y responsabilidades que recaen sobre los administradores personas físicas, quedando intacta la responsabilidad solidaria de la persona jurídica administrador. No hay ningún cambio respecto a la responsabilidad ilimitada (y solidaria con los demás socios) por las obligaciones sociales, que recae únicamente sobre la sociedad participante, sin que se extienda a las personas físicas que han actuado como representantes de la misma.

21. ATRIBUCIÓN, REVOCACIÓN Y MODIFICACIÓN DE LOS PODERES DE ADMINISTRACIÓN Y REPRESENTACIÓN

En el modelo legal el poder de administración es atribuido a todos los socios ilimitadamente responsables, pero el modelo convencional puede derogar tal norma designando a los administradores en el contrato social (art. 2257.1), o en acto separado (art. 2259.2); en este último caso, la decisión se deja, según la corriente mayoritaria, a la unanimidad, salvo que el acto constitutivo prevea el principio mayoritario.

Atribución del poder de administración

La modalidad de atribución determina los efectos de la disciplina sobre la revocación del cargo de administrador: *(a)* la revocación del administrador nombrado en el contrato social precisa que concurra *justa causa* (art. 2259.1), sin la cual, la revocación no tendrá efecto; por otra parte, toda vez que dicha iniciativa constituye una modificación del contrato social, la revocación deberá ser adoptada por unanimidad, salvo que se haya establecido cosa distinta en el acto constitutivo; *(b)* diversamente, la revocación del administrador nombrado en acto separado podrá hacerse siguiendo las normas del mandato, y, por tanto, *sin necesidad de justa causa*, salvo el derecho de resarcimiento de los daños causados al administrador revocado (arts. 2259.2 y 1725).

Revocación del poder

La fuente del poder de administración será, en cambio, irrelevante a los efectos del ejercicio por parte de uno o más socios del derecho de solicitar judicialmente la revocación del administrador por justa causa (art. 2259, últ. párr.). En este caso, cada socio dispone de un poder de iniciativa para proteger su legítimo interés a ver revocado por justa causa al administrador, incluso en caso de desacuerdo con los demás socios.

Atribución y modificaciones del poder de representación

En el modelo legal la atribución del poder de representación es una consecuencia natural de la atribución del poder de administración debido a la ya mencionada estrecha conexión lógico-jurídica entre los dos poderes (v. §19). Cada vez que el acto constitutivo, o una posterior modificación del mismo, interrumpa dicha conexión, introduciendo derogaciones o limitaciones atingentes a los sujetos legitimados, al contenido o al ejercicio del poder, tales limitaciones serán oponibles a terceros, con las siguientes variaciones: *(a)* en el caso de las s. colectivas y comanditarias simples regulares, tal efecto podrá conseguirse mediante la inscripción de cada limitación, originaria o sucesiva, del poder de representación en el registro de empresas (art. 2298); *(b)* en el caso de sociedades irregulares (v. §24), cualquier limitación o carencia del poder de representación del socio que actúa para la sociedad no será oponible frente a terceros, salvo en el caso de que la sociedad pruebe que tenían conocimiento de la misma (art. 2297.2); *(c)* para la s. simple, finalmente, las modificaciones (o extinción) del poder de representación siguen estando reguladas por remisión a la disciplina general en materia de representación, contenida en el art. 1396 (art. 2266, últ. párr.): en consecuencia, las limitaciones originarias del contrato social son siempre oponibles frente a terceros, mientras que las limitaciones posteriores son oponibles sólo si llegan a conocimiento de los terceros por medios idóneos o si la sociedad logra probar que los terceros tenían conocimiento de las mismas. Sin embargo, este último régimen especial ya no tiene razón de ser, al menos para la s. simple agrícola, después de la introducción del régimen jurídico de publicidad legal (art. 2 d.lgs. 228/2001: v. §24), con la consecuencia de que también para este tipo de sociedad debería ser de aplicación la disciplina de las limitaciones (originarias y sucesivas) al poder de representación prevista para las s. colectivas y para las s. comanditarias simples.

22. LOS SOCIOS COMANDITARIOS

Entre las sociedades personalistas, la s. comanditaria simple constituye el único tipo que, aun favoreciendo una más ágil y flexible disciplina propia de la categoría, admite, sin embargo, una limitación (legal) a la responsabilidad de algunos socios. La necesidad de evitar usos instrumentales y abusivos de este tipo societario está en la base de la peculiaridad de su disciplina, que es la misma de la s. colectiva —en cuanto compatible con las normas específicamente dictadas para la s. comanditaria simple (art. 2315)— con algunas variaciones que regulan la coexistencia de las dos clases de socios, los colectivos y los comanditarios.

Los primeros tienen un tratamiento idéntico al de los socios de una s. colectiva (art. 2318.1): son titulares del poder de administración (y del poder de representación) —que ejercerán según las modalidades ya descritas (v. §19) y con las eventuales exclusiones o limitaciones del acto constitutivo— y son solidaria e ilimitadamente responsables por las obligaciones sociales (art. 2313).

Socios colectivos

Los socios comanditarios —que gozan de un tratamiento más parecido al de los socios de una sociedad de capital (arts. 2320, 2321 y 2322)—, en cambio, sólo están obligados a aportar y responden en las relaciones con terceros limitadamente hasta la cuota aportada. El beneficio de la limitación de la responsabilidad patrimonial va unido, sin embargo, (también para la s. comanditaria simple no inscrita en el registro de empresas, y, por ello, irregular, v. art. 2317, últ. párr.) a una férrea exclusión de los comanditarios de la administración de la sociedad, que queda expresamente reservada a los colectivos (arts. 2318.2 y 2320.1). Tal exclusión se traduce en una verdadera y propia prohibición de injerencia, acompañada de un mecanismo irreversible de «sanciones» patrimoniales en el caso de ser violada.

Socios comanditarios: aspectos patrimoniales y administrativos

Más precisamente, el art. 2320.1 establece para la s. comanditaria simple que los comanditarios «no pueden realizar actos de administración, ni contratar o concluir negocios en nombre de la sociedad» si no es en presencia de ciertas condiciones especiales. La dimensión de esta prohibición es amplia: incluye tanto la participación en la formación de las decisiones atingentes a los asuntos sociales (administración interna) como la ejecución de las decisiones sociales en las relaciones con terceros (administración externa).

... prohibición de injerencia

La prohibición de injerencia para la s. comanditaria simple regular no llega, sin embargo, hasta el punto de excluir radicalmente a los socios comanditarios de la posibilidad de contribuir en cualquier medida al desarrollo de la actividad social. La ley les reconoce algunos derechos administrativos, que pueden permitir una, aunque marginal, participación activa en el funcionamiento de la sociedad. En primer lugar, los socios comanditarios participan en el nombramiento y revocación de los administradores, incluso cuando éstos son nombrados en acto separado (art. 2319). Además, puede permitirse a los comanditarios (art. 2320.2): *(a)* contratar o concluir negocios, bajo las instrucciones de los administradores, en nombre de la sociedad con un poder especial para asuntos concretos; *(b)* prestar su propio trabajo, siempre bajo la dirección de los administradores y sin ninguna autonomía o independencia negocial; *(c)* dar, en los casos previstos en el acto constitutivo, autorizaciones u opiniones para *determinadas operaciones; (d)* realizar actos de inspección y supervisión, siempre que lo permita el acto constitutivo.

La prohibición de injerencia adquiere, en cambio, un *carácter absoluto* para los comanditarios de una s. comanditaria simple irregular, en el sentido de que les está prohibida cualquier forma de participación en actos de administración externa (aunque estén legitimados por un poder especial) o interna; esto se deduce de la interpretación del art. 2317, últ. párr. —que subordina expresamente la responsabilidad limitada de los comanditarios a la condición de que *no hayan participado en las operaciones de la sociedad*— y de la ausencia de previsión (directa o por remisión) de derechos que, de forma análoga a como se ha visto para los comanditarios de la sociedad regular, permitan una, aunque sea marginal, participación de los comanditarios en la actividad social.

... poderes de control

Por lo que respecta al control de la actividad desarrollada por los colectivos, los comanditarios pueden disponer —además de los poderes de inspección y supervisión eventualmente permitidos en el acto constitutivo— de algunos poderes de verificación, como «el derecho de recibir comunicación anual del balance y de la cuenta de pérdidas y ganancias y de controlar su exactitud, consultando los libros y demás documentos de la sociedad» (art. 2320, últ. párr.). Al respecto, es preciso destacar la menor fuerza de estos poderes de control respecto de aquéllos que corresponden al socio no administrador de la s. colectiva (v. §20): en efecto, el socio comanditario no sólo no podrá pedir información sobre el desarrollo de los asuntos sociales durante la gestión, sino que no podrá siquiera ejercer su derecho de consulta documental en tanto no se haya cerrado el ejercicio social y el comanditario haya recibido las cuentas anuales para controlar su exactitud. También en virtud de este último poder se debe sostener que el comanditario tiene derecho a participar en la aprobación de las cuentas.

La injerencia en la administración, además de exponer al socio comanditario al riesgo de exclusión de la sociedad (v. §31), determina la pérdida del beneficio de la responsabilidad limitada y lo hace responsable frente a terceros, solidariamente con los colectivos, *de todas las obligaciones sociales* (pasadas y futuras, aunque no estén conectadas en absoluto con su injerencia) (art. 2320.1). El mismo efecto se verifica en el caso de que el comanditario consienta que su nombre forme parte de la razón social (art. 2314.2: v. §23). En ambos casos la pérdida del beneficio de la responsabilidad limitada está sin embargo prevista sólo en interés de terceros y no incide en las relaciones internas entre socios, relaciones en las que se mantienen los derechos y las obligaciones del socio comanditario. Ocurre que, por las sumas eventualmente pagadas a los terceros en exceso de la cuota aportada, el socio comanditario tendrá todo el derecho de reembolso, en la relación con el obligado principal (la propia sociedad) y en la relación con los socios colectivos. Estos últimos podrán, sin embargo, oponer al comanditario la violación de la prohibición de injerencia en la administración —salvo, naturalmente, que la injerencia se haya producido con su consentimiento— y decidir excluirlo de la sociedad (art. 2320.1) y de interponer contra ellos una acción de resarcimiento de los daños sufridos por la sociedad.

... pérdida del beneficio de la responsabilidad limitada

Capítulo III
Las incidencias de las sociedades personalistas

Cinzia Motti

23. LA CONSTITUCIÓN

La constitución de las sociedades personalistas se realiza mediante la conclusión de un contrato, por el que dos o más personas aportan bienes o servicios para el ejercicio en común de una actividad económica (art. 2247: v. §3). Para la validez del contrato de sociedad no está prescrita, en principio, la adopción de una forma específica (art. 2251): se trata, por tanto, de un contrato *no formal,* que puede concluirse, también, mediante hechos concluyentes.

El contrato de sociedad

En realidad, para la aplicación de la disciplina societaria, la jurisprudencia considera suficiente la mera destinación, por parte de dos o más personas, de bienes o servicios al ejercicio en común de una actividad económica, sin exigir la existencia de un acuerdo previo, ni siquiera tácito; esto es lo que ocurre en el caso de bienes que ya son objeto de copropiedad como consecuencia de la sucesión hereditaria en la titularidad del establecimiento mercantil, cuando los coherederos, en vez de venderlo o alquilarlo, deciden desarrollar una actividad empresarial. Se está en presencia de un supuesto bien diverso de aquél de la sociedad constituida por hechos concluyentes, si bien ambos casos se califican normalmente en términos de *sociedad de hecho.* En cualquier caso, en uno y otro supuesto se aplica la normativa de la s. colectiva (irregular: v. §24) o de la s. simple, según la actividad tenga o no naturaleza mercantil (v. §9).

Solciedades de hecho

Requisitos de
forma

El principio de libertad de forma del contrato de sociedad experimenta una excepción por la «naturaleza de los bienes aportados» (art. 2251), en los casos en que la aportación tiene por objeto bienes para cuya transmisión la ley prevé determinadas formas *para su validez*, lo que acontece esencialmente en los casos de aportación de derechos reales inmobiliarios o del goce de más de nueve años de bienes inmuebles (art. 1350), o *para su prueba*, como ocurre cada vez que el objeto de la aportación es un establecimiento mercantil (art. 2556). Además, sólo para las sociedades mercantiles, la ley impone el requisito de la forma pública o autentificada *para la inscripción en el registro de empresas* (art. 2296), a falta del cual la sociedad, aun siendo válida, no puede ser inscrita, calificándose, en consecuencia, de irregular (v. §24).

Contenido
del acto
constitutivo

Siempre dirigido a la inscripción, la ley no se limita a prescribir la adopción de la forma de acto público o de escritura privada autentificada, sino que exige que el contrato de sociedad contenga determinadas indicaciones. En particular, el art. 2295 dispone que en el acto constitutivo deben constar: (1) la totalidad de los socios; (2) la razón social, con el nombre de al menos un socio y la indicación del contrato de sociedad (art. 2292); (3) los socios que tienen la administración y la representación de la sociedad; (4) la sede social y las eventuales sedes secundarias; (5) el objeto social; (6) las aportaciones de cada socio, el valor a ellas atribuido y el modo de valoración (cuando sean distintas del dinero); (7) las prestaciones a las que quedan obligados los socios de trabajo; (8) las normas según las cuales deben repartirse las ganancias y la cuota que cada socio tenga en las ganancias y en las pérdidas; (9) la duración de la sociedad.

El acto constitutivo de la s. comanditaria simple debe además indicar los socios colectivos y los socios comanditarios (art. 2316), con la precisión de que en la razón social debe figurar, al menos, el nombre de un socio colectivo (art. 2314.1; v. también §22 sobre la pérdida del beneficio de la responsabilidad limitada del socio comanditario que consiente la inclusión de su nombre en la razón social).

La falta de las indicaciones vistas —además de no invalidar el contrato— no siempre es obstáculo para la inscripción: así, la falta de indicación de la duración de la sociedad, según la orientación preferible, determina simplemente la aplicación de las reglas relativas a la sociedad constituida por tiempo indeterminado (art. 2285.1). En otros casos, en cambio, ante el silencio del contrato resultan de aplicación las normas supletorias: por ejemplo, en caso de falta de mención de los socios administradores, el poder de gestión y de representación corresponde solidariamente a todos los socios (art. 2257.1 y 2266.2, excluidos los comanditarios en la s. comanditaria simple: art. 2318.2).

El contenido del contrato, además de por la ley y por el canon general de la buena fe, puede ser integrado por ulteriores fuentes, entre las cuales se encuentran las decisiones dictadas por el juez conforme a equidad (art. 2263.2, en caso de omisión de la participación del socio de trabajo en las ganancias) o dejadas a terceros arbitradores (art. 2264, en materia de determinación de la participación de cada socio en las ganancias o en las pérdidas).

24. LA INSCRIPCIÓN EN EL REGISTRO DE EMPRESAS. LA SOCIEDAD IRREGULAR

La ley prevé la inscripción en el registro de empresas de todas las sociedades personalistas, dictando, sin embargo, una disciplina diversa en varios aspectos, según se trate de sociedades mercantiles (s. colectiva y s. comanditaria simple) o de sociedades simples, y, entre estas últimas, dependiendo de la actividad —en cualquier caso, no mercantil— desarrollada. Examinamos, en primer lugar, el procedimiento y, seguidamente, los efectos de la inscripción y las consecuencias de la falta de la misma.

Por lo que respecta a la s. colectiva y a la s. comanditaria simple, el contrato de sociedad, otorgado en acto público o en escritura privada autentificada, debe inscribirse en la *sección ordinaria* del registro de empresas en cuya circunscripción esté ubicada la sede social (y un extracto también en los lugares en que se hayan establecido las sedes secundarias: art. 2299), a petición de los administradores o del notario, en el plazo de treinta días desde la conclusión del contrato (art. 2296). En caso de inactividad, los socios, individualmente, pueden proceder al depósito del acto a cargo de la sociedad, o pedir la condena de los administradores a realizarlo. La oficina del registro de empresas comprueba los requisitos de regularidad formal y la existencia de las «demás condiciones exigidas por la ley» para la inscripción (art. 11.6, d.p.r. 581/1995).

Procedimiento de inscripción

Las sociedades simples, en cambio, están obligadas a inscribirse en la sección especial del registro de empresas (art. 8.4 l. 580/1993), sin que a tal fin se requiera ningún requisito de forma del contrato social. Legitimados para solicitar la inscripción están los administradores, mediante el depósito de una petición que contenga las mismas indicaciones prescritas en el art. 2295 para el acto constitutivo de la s. colectiva; la solicitud de inscripción, en caso de contrato verbal, debe ser suscrita por todos los socios (art. 18.4 y 6, d.p.r. 581/1995).

A tenor del art. 2250.1, en los actos y en la correspondencia de la sociedad sujeta a la obligación de inscripción en el registro de empresas —y por tanto también para las sociedades capitalistas y las sociedades cooperativas: v. §152— deben indicarse la sede social, la oficina del registro de empresas en la que está inscrita y el número de inscripción.

Efectos de la inscripción

La inscripción de las s. colectivas y s. comanditarias simples tiene valor de publicidad legal con eficacia declarativa (art. 2193.2). Los actos y hechos para los que esté prevista y realizada la inscripción devienen oponibles frente a terceros desde el momento de la inscripción, y no se admite la prueba de la ignorancia no culpable: se crea, así, una presunción absoluta de conocimiento por los terceros (denominada eficacia positiva). Hasta que no se produzca la inscripción, por el contrario, los actos o hechos para los que esté prescrita no son oponibles a terceros, a menos que se demuestre el efectivo conocimiento por parte de éstos: se crea, así, una presunción relativa de no conocimiento (denominada eficacia negativa).

Los efectos de la inscripción de la sociedad simple en el registro de empresas, por el contrario, son diferentes según la actividad realizada. En principio, la inscripción en la sección especial del registro de empresas adquiere el valor de mera publicidad noticia, carente de efectos, ya sean favorables, ya perjudiciales (salvo los concernientes a las sanciones administrativas por violación de la obligación de inscripción). En cambio, cuando la sociedad simple tiene por objeto una actividad agrícola, la inscripción en la sección especial en el registro de empresas produce excepcionalmente los efectos propios de la inscripción en la sección ordinaria, es decir, la eficacia declarativa de la publicidad legal regulada en el art. 2193 (art. 2 d.lgs. 228/2001).

Finalmente, hay normas especiales para las sociedades de abogados (v. §6): la inscripción se realiza en una sección especial creada expresamente y produce efectos de simple publicidad noticia y certificación registral (art. 16.2, d.lgs. 96/2001).

La falta de inscripción en el registro de empresas de la s. colectiva y de la s. comanditaria simple comporta, además de la aplicación de las normas sobre la eficacia positiva arriba mencionada, la sujeción a una disciplina concreta: se habla, en este caso, de sociedades *irregulares*.

Sociedades irregulares

A éstas, en efecto: *(i)* se aplican las normas dictadas para la sociedad simple relativas a la posición de los acreedores sociales y de los acreedores particulares de los socios (arts. 2267, 2268 y 2270), y no aquéllas propias de las s. colectivas y de las s. comanditarias simples (arts. 2298, 2304 y 2305, y v. §§13 y 14), verificándose así un debilitamiento de la autonomía patrimonial; *(ii)* deviene más incisiva la tutela de los terceros que entran en contacto con la sociedad, para evitar que ésta se beneficie de la falta de inscripción, ya que el poder de representación en juicio y fuera de él se presume en cada uno de los socios que ha actuado (art. 2297.2); *(iii)* encuentra aplicación el plazo ordinario de prescripción decenal, en vez del quinquenal, de los derechos derivados del contrato social (art. 2949.1); *(iv)* no se aplica el art. 10 l.fall., en la parte que excluye que la quiebra puede ser declarada transcurrido un año desde la cancelación del registro de empresas.

Permanece inalterado, en todo caso, el régimen de responsabilidad propio del tipo societario: y por ello permanece la responsabilidad ilimitada y solidaria de todos los socios en la s. colectiva (art. 2297.1); de los socios colectivos en la s. comanditaria simple, salvo en los casos en que los comanditarios asuman responsabilidad ilimitada al haber participado en las operaciones sociales (v. §22).

25. LA INVALIDEZ DEL CONTRATO SOCIAL

La invalidez del contrato social no está regulada por normas especiales: esto crea delicados problemas, toda vez que el recurso a las normas comunes en materia de contratos no siempre ofrece soluciones idóneas para tutelar adecuadamente los diversos intereses implicados. Basta pensar que, en aplicación de las normas comunes, de la invalidez del contrato social debería derivarse la liberación de los socios de la obligación de aportar y el derecho a la restitución de lo ya aportado a la sociedad, así como —en el supuesto de nulidad radical del contrato— la caducidad de los actos reali-zados, incluso en las relaciones con los terceros y prescindiendo del estado subjetivo de éstos.

Para evitar tales consecuencias, no se excluye *a priori* la posibilidad de recurrir a la disciplina de la invalidez dictada para los tipos sociales más evolucionados, en concreto, a las normas que son susceptibles de aplica-ción analógica o que representan la expresión de principios ordenadores de todo el Derecho societario, relativas, en particular, a los *efectos* de la inva-lidez, mientras que respecto de las *causas* de invalidez, resulta inevitable la aplicación de las normas comunes en materia de nulidad y anulabilidad del contrato, contenidas en los arts. 1418 y 1425.

Efectos de la invalidez

En orden a los efectos, la exigencia de no quebrantar la confianza creada por una sociedad que haya efectivamente empezado a operar, lleva a distinguir según la actividad social no se haya iniciado o haya teni-do comienzo. Si la actividad no se ha iniciado, se aplica íntegramente el Derecho común de los contratos, y, por tanto, los socios quedan li-berados inmediatamente de la obligación de aportar y tienen derecho a la restitución de las aportaciones ya efectuadas. En el otro supuesto, según la orientación predominante, en relación a las relaciones con los terceros, la verificación de la invalidez vale para el futuro y produce los efectos propios de una causa de disolución: la sociedad no puede extin-guirse de forma instantánea, pero puede proceder a su liquidación, y la liberación de la obligación de los socios de aportar opera sólo después de que se haya satisfecho a los acreedores sociales. Aunque con mayor cautela, se reconoce que la actividad desarrollada de hecho influye en la regulación misma de las relaciones económicas entre socios: los repartos ya realizados no se devuelven y los derechos sobre el patrimonio social se satisfacen dentro de los límites del remanente neto de la liquidación. Encuentran así aplicación los principios expresamente dictados por la ley para la nulidad de las sociedades de capital (art. 2332, sobre el cual, v. §155), del grupo europeo de interés económico (G.E.I.E.: v. art. 15 reg. CE 2137/1985 y art. 8 d.lgs. 240/1991), así como de la sociedad de abogados (art. 20 d.lgs. 96/2001).

Convalidación

Resulta pacífica la posibilidad de convalidar un contrato social anu-lable, en aplicación del art. 1444. Problema delicado es si es posible, también, la convalidación del negocio nulo, en ausencia de una remisión expresa al art. 2332 (v. art. 1423): la respuesta afirmativa parece plausible, a la luz de la orientación que admite una acto modificativo del contrato social dirigido a sanar el vicio de forma de la constitución, acto en el cual deben intervenir todos los socios. Lo que confirma la posibilidad de adoptar soluciones conforme al principio del *favor societatis*, que se traduce en la salvaguarda de la actividad económica, salvando al mismo tiempo las particularidades de las sociedades personalistas: no puede, por tanto, admitirse la subordinación del individuo a la voluntad de la mayoría, cuando se trata de eliminar la causa de invalidez mediante una modificación del contrato social (siendo, a tal fin, necesario el consentimiento unánime).

La invalidez, además de al contrato en su totalidad, puede afectar sólo a la participación de un determinado socio o a determinadas cláusulas del contrato.

Los efectos sobre todo el contrato social de las causas de invalidez relativas a la participación individual se regulan por las normas sobre *contratos plurilaterales*, en base a las cuales la nulidad o anulabilidad de la participación individual comporta la invalidez de todo el contrato sólo si aquélla se reputa *esencial* (arts. 1420 y 1446). En el supuesto de vicio atingente a la posición de un único socio, su participación en la actividad social (siempre que ésta se haya efectivamente iniciado) no está exenta de consecuencias: se le reconoce únicamente el derecho a la liquidación de la cuota y no a la restitución de la aportación, con una equiparación sustancial de la invalidez de su participación a una causa de disolución parcial del contrato. Si la invalidez deriva de un vicio del consentimiento, se afirma que —habiendo tomado parte en la actividad social— pierde la propia legitimación para hacer valer la anulabilidad de la participación, en aplicación del art. 1444.2.

Invalidez de la participación individual

La nulidad de determinadas cláusulas conlleva la nulidad de todo el contrato sólo si los socios no hubiesen concluido el contrato sin la cláusula inválida y siempre que esta última no resulte sustituida de derecho por normas imperativas (art. 1419). Puede además recurrirse a la institución de la conversión de la cláusula nula por otra —válida— en la que subsistan los requisitos y que, presumiblemente, hubiera sido querida por las partes si hubieran tenido conocimiento de la nulidad, conforme a la finalidad práctica perseguida (art. 1424).

Nulidad parcial

26. SOCIEDAD OCULTA. SOCIEDAD APARENTE

Sociedades
ocultas

Es frecuente reconocer una *sociedad oculta* en el supuesto en que la relación social subsistente entre las partes no se manifiesta al exterior. En las relaciones con los terceros, por tanto, opera un sujeto —socio o, incluso, no socio— que actúa *en nombre propio* y por cuenta de la sociedad, así como también en nombre y por cuenta de la sociedad. Se habla, en cambio, de *socio oculto* de una sociedad notoria cuando permanece secreta sólo la participación del socio y no la existencia de la sociedad.

Actuaciones como la financiación sistemática de la actividad (con préstamos, garantías, avales, etc.) o la participación en la gestión se reputan suficientes, especialmente por la jurisprudencia concursal, para considerar una sociedad oculta o la participación oculta en una sociedad notoria: a menos que, a falta de indicios inequívocos y concluyentes del vínculo social, la existencia de otras relaciones (de parentesco o de matrimonio) permita justificar sobre una base diversa tales comportamientos.

Pese a la falta de exteriorización de la relación social, la jurisprudencia, ya de tiempo, reconoce a la sociedad oculta plenos efectos, ya sea en las relaciones entre socios, ya en las relaciones con terceros, imputándole la condición de empresario y la responsabilidad por las obligaciones asumidas en su interés. Cuando quede probado, con ocasión de la quiebra de un empresario individual, que éste era socio de una sociedad oculta y que la actividad de la empresa concernía, en realidad, a la sociedad misma, deberá ser declarada la quiebra de la sociedad oculta y la de sus socios ilimitadamente responsables por extensión (art. 147.5 l.fall.), con el mismo procedimiento que el previsto para el supuesto de la quiebra del socio oculto de sociedad notoria (art. 147.4 l.fall.): hipótesis en la que, por el contrario, ha habido un uso del nombre de la sociedad en el ejercicio de la actividad.

Sociedades
aparentes

El mismo trato de favor en las relaciones con los acreedores de la empresa inspira la figura de la *sociedad aparente*, de originaria creación doctrinal, pero, actualmente utilizada en vista de su finalidad eminentemente práctica. Según dicha construcción, las manifestaciones exteriores de la existencia de una sociedad permitirían directamente prescindir de la voluntad efectiva de las partes de dar vida al vínculo social, siempre que aquéllas hayan sido suficientes para crear una confianza en los terceros generando la convicción de estar frente a una sociedad. El comportamiento exterior eximiría de ulteriores verificaciones probatorias, y ello explica porqué en la praxis judicial la figura de la sociedad aparente resulta frecuentemente invocada en los casos en los que no hay una prueba segura en orden a los elementos esenciales del contrato de sociedad.

En tales casos, el uso del nombre social se considera suficiente —según la orientación jurisprudencial mayoritaria, aun así criticada— para afirmar la responsabilidad frente a los terceros de una sociedad, en efecto, jamás existente, y de aquéllos que aparentemente forman parte de ella: en el caso en que la actividad de la sociedad aparente tenga naturaleza mercantil, el resultado es la declaración de quiebra de la «sociedad» y de sus «socios» ilimitadamente responsables por extensión.

27. LAS MODIFICACIONES DEL CONTRATO SOCIAL

Constituyen modificaciones del contrato social, tanto (i) las *modifica-ciones subjetivas*, o sea, los cambios en la composición del conjunto social, como (ii) las *modificaciones objetivas*, o sea, los cambios relativos al conte-nido del contrato. Entre las modificaciones subjetivas se incluyen las que consisten en la disolución parcial de la relación social (muerte, separación y exclusión), para las que se establecen normas especiales que serán anali-zadas posteriormente (§§28, 30 y 31). _{Modificaciones subjetivas y objetivas}

En principio, para modificar el contrato social la ley requiere el *consen-timiento unánime de los socios* (art. 2252). Para algunas modificaciones, sin embargo, la propia ley estima suficiente el *consentimiento de la mayoría de socios*, mientras en todos los demás casos queda siempre a salvo la posibi-lidad de adoptar el principio mayoritario mediante *cláusula expresa* en el contrato social.

En particular, la ley prevé el principio mayoritario para la exclusión del socio (art. 2286: v. §31), para la transmisión de la cuota del socio comanditario en la s. comanditaria simple (art. 2322.2: v. §28), para la revocación de los administradores de la s. comanditaria simple nombrados en el contrato social (art. 2319) y para las decisiones de transformación (art. 2500-ter.1), fusión y escisión (arts. 2502.1 y 2506-ter.5: v. §184). En el primer caso, la mayoría debe ser calculada *por cabezas* (una cabeza, un voto); en la disciplina de la s. comanditaria simple, en cambio, se requiere la mayoría *por cuota de capital*; mientras que en los casos de transformación, fusión y escisión se hace referencia a la mayoría *por cuota de participación en las ganancias*, y además se reconoce al socio disidente el derecho de separación.

Por lo que concierne a las *derogaciones convencionales* de la regla de la unanimidad, se debe admitir que éstas pueden afectar a cualquier modificación del contrato social, aunque sea idónea para incidir en los elementos estructurales y organizativos fundamentales de la sociedad, a salvo el derecho de separación de los socios que no hayan consentido cuando se considere justa causa en el sentido del art. 2285.2 (v. §30).

Modalidad,
forma y
publicidad

Las modificaciones del contrato se asumen siguiendo la misma *modalidad* prevista para todas las demás decisiones de los socios, también en lo concerniente a la falta de aplicación del método colegial (v. §18). Por lo que respecta a la *forma*, se aplica también a éstas el principio de libertad de forma, del cual se ha hablado a propósito de la conclusión del contrato (art. 2251: v. §23), lo que permite admitir modificaciones tácitas o por comportamientos concluyentes (como se argumenta en base al art. 2273, que admite la prórroga tácita de la sociedad).

En orden a la *publicidad*, las modificaciones del contrato social de la s. colectiva y de la s. comanditaria simple deben inscribirse en el registro de empresas en el plazo de treinta días por los administradores (art. 2300), aplicándose sólo a tal fin los mismos *requisitos formales* ya examinados para el contrato social (v. §23). Por lo demás, como para la conclusión del contrato, la publicidad tiene para las *modificaciones objetivas* eficacia declarativa (mientras que para las *modificaciones subjetivas* existen normas especiales: v. §§28, 30 y 31): la inscripción incide exclusivamente sobre el aspecto de la oponibilidad a terceros, determinando una presunción absoluta de conocimiento, mientras la falta de la misma impone probar el conocimiento por parte del tercero (art. 2300.3). Para la sociedad simple, en cambio, la oponibilidad a las modificaciones del contrato queda subordinada al uso de medios idóneos de publicidad: a falta de ellos, la ignorancia se considera inimputable.

En algunos casos, la publicidad asume una relevancia ulterior y diversa: *(i)* la *reducción de capital social* de s. colectivas y s. comanditarias simples, mediante el reembolso de aportaciones a los socios o mediante su liberación de la obligación de realizarlas, puede realizarse sólo después de tres meses de la inscripción, siempre que dentro de dicho plazo ningún acreedor social anterior se haya opuesto, debiendo la sociedad, en caso contrario, llegar a un acuerdo con el oponente o ser autorizada por un tribunal para realizar la reducción, prestando previamente garantías adecuadas (art. 2306); *(ii)* en caso de *prórroga expresa* de la duración de s. colectivas y de s. comanditarias simples, el plazo para la oposición de los acreedores particulares de los socios comienza a contar desde la inscripción (art. 2307, sobre el cual, v. §14); *(iii)* en los casos de *transformación, fusión y escisión* de todas las sociedades personalistas, los efectos de las decisiones de los socios se rigen por las normas comunes a todas las sociedades (v. §§171, 181, 184).

28. LAS INCIDENCIAS DE LA PARTICIPACIÓN Y LA TRANSMISIÓN INTER VIVOS

Un cambio en la composición social puede verificarse: *(i)* en el caso de *incorporación de nuevos socios* en virtud de una aumento del capital social; *(ii)* por la *transmisión* de la participación por actos *inter vivos* o por causa de muerte, sin que exista variación, de aumento o reducción, del capital social; *(iii)* en el supuesto de *extinción* de la participación individual, por causa de muerte, de separación o de exclusión de un socio, verificándose en tal caso una reducción del capital social.

Las sociedades personalistas están, generalmente, constituidas por sujetos unidos por vínculos de confianza, lo que justifica la relevancia central de la persona del socio, la cual, a su vez, es la base de la *regla que prohíbe la transmisión* de la participación por actos *inter vivos* si no es con el *consentimiento unánime* de los socios. Dicho principio, sin embargo, como ocurre con las modificaciones objetivas del contrato social, es fruto de normas dispositivas y no imperativas, ya que la ley permite la previsión de cláusulas dirigidas a facilitar o, directamente, a consentir la libre transmisión de la participación social. Queda, sin embargo, prohibida la posibilidad de incorporar las participaciones a títulos de crédito.

Transmisión inter vivos

El fenómeno de la circulación de la participación abarca dos distintos aspectos: el negocio de la transmisión (al que permanecen extraños los demás socios) y la modificación del contrato social que de aquél se deriva, siempre que exista el consentimiento de los demás socios. Dicho consen-

Negocio de transmisión

timiento puede prestarse de formas diversas (por mayoría o unanimidad; de forma expresa o tácita), y puede, incluso, prestarse de forma previa mediante la inclusión de una cláusula en el contrato social que establezca la libre transmisibilidad, siendo, en cualquier caso, indispensable para que se produzca la modificación subjetiva del contrato social. Las modalidades mediante las cuales dicha modificación se realiza recuerdan a la cesión de la posición contractual (la llamada cesión del contrato), cuya eficacia queda subordinada al consentimiento del contrayente cedido (arts. 1406 y 1408.1).

Participaciones en la sociedad comanditaria simple   Normas especiales existen para la s. comanditaria simple. Según el régimen legal, la cesión de la participación de los socios *comanditarios* tiene efecto frente a la sociedad si existe el consentimiento de los socios que representan la mayoría del capital, salvo pacto en contrario (art. 2322.2). La participación de los socios *colectivos*, por el contrario, puede circular según el régimen ya descrito para las demás sociedades personalistas, es decir, sólo con el consentimiento unánime de los demás socios; incluso en tal caso debe entenderse permitida una estipulación diferente.

29. DISOLUCIÓN Y LIQUIDACIÓN DE LA PARTICIPACIÓN INDIVIDUAL

La disolución del contrato social limitada a un único socio puede tener lugar por efecto de *muerte, separación o exclusión*, y determina la liquidación de la participación a favor del socio separado o excluido, o de los herederos (o legatarios) del socio fallecido, que se hace en el plazo de seis meses desde la fecha en que la disolución deviene eficaz (art. 2289.4; sobre los distintos supuestos de liquidación a petición de los acreedores particulares del socio, v. §14).

Liquidación de la participación   El socio saliente, o sus herederos, tienen el derecho a obtener, a título de liquidación de la participación, sólo una suma de *dinero* que represente el valor de la propia participación (art. 2289): aquéllos, por tanto, no pueden pretender la restitución de los bienes *in natura* aportados a la sociedad en su momento, ni —se afirma— los bienes aportados a título de uso y disfrute, que la sociedad tiene derecho a seguir utilizando durante toda la duración originariamente pactada.

La determinación de la suma a rembolsar precisa de una compleja valoración dirigida a establecer el *valor real actual* de la participación, que comprenda las ganancias o las pérdidas de las operaciones en curso, sobre la base de una situación patrimonial referida al día en que se verifique la disolución, en la que deberá tenerse en cuenta —según la opinión general— el valor de todos los activos económicamente evaluables (incluido el fondo de comercio, el valor de eventuales licencias, etc.), incluidos los no inscritos o no inscribibles en el balance.

Determinación del valor

La disolución de la relación social limitada a una participación no provoca *per se* la disolución del contrato social, a menos que dicha participación se considere esencial (art. 1459). Sin embargo, si sólo queda un socio, deviene necesario reconstruir la pluralidad de la composición social en el plazo de seis meses, bajo pena de disolución de la sociedad, con efectos desde la caducidad de dicho plazo (art. 2272.4). En la s. comanditaria simple, análoga consecuencia se verifica cuando desaparece la totalidad de los comanditarios o de los colectivos, aunque sea en presencia de una pluralidad de socios de la otra clase: a fin de evitar la disolución, deviene necesario que en el mismo plazo venga restablecida la presencia de socios de ambas clases. En el supuesto especial de que desaparezca la clase de los socios colectivos, los comanditarios deben proceder al nombramiento de un administrador provisional, incluso no socio, con poderes limitados a actos de ordinaria administración y que no asume la condición de socio colectivo (art. 2323).

Único socio superstite

30. MUERTE DEL SOCIO

En principio, la muerte del socio determina la disolución de la participación, que deberá ser liquidada a sus sucesores en el plazo de seis meses. Los socios supérstites, sin embargo, para evitar dicha consecuencia, pueden decidir por unanimidad: *(i)* la *disolución anticipada* de la sociedad, en cuyo caso a los herederos les corresponderá la cuota de liquidación con ocasión del reparto del activo; o bien *(ii)* *la continuación de la actividad con los herederos*, siempre que estos últimos consientan (art. 2284).

Régimen legal

Problemas delicados surgen en el caso de *pluralidad de herederos*, cuando sólo algunos de ellos están dispuestos a entrar en la relación social. La solución preferible es que la continuación pueda realizarse limitadamente con uno o más herederos, con la consiguiente obligación de *liquidar parcialmente* la participación a los que no consienten, en proporción a las respectivas cuotas hereditarias (a menos que los mismos socios supérstites hayan condicionado su propuesta a la aceptación de todos los coherederos). En el supuesto de continuación con más de un heredero, por lo demás, se discute si debe procederse a la división de la participación entre éstos o si la participación permanece indivisa, debiendo nombrar a un representante común: en realidad, los socios supérstites están en condiciones de valorar previamente el impacto sobre las relaciones internas del ingreso de una pluralidad de socios en el lugar del socio fallecido y, por tanto, en ausencia de una norma expresa de indivisibilidad, parece correcto afirmar que los coherederos tienen la facultad de dividir la participación prescindiendo del consentimiento de los socios supérstites.

Distintos son los efectos de la *muerte del socio comanditario*, desde el momento en que su participación es transmisible por causa de muerte (art. 2322.1). Sus sucesores (herederos o legatarios) devienen automáticamente socios en virtud de la transmisión sucesoria, sin necesidad de una expresa manifestación de consentimiento, ni por parte de ellos ni de los socios supérstites.

Régimen convencional

El régimen legal hasta aquí descrito puede naturalmente ser derogado por previsiones expresas del contrato social, las cuales pueden tener un contenido variado, tanto haciendo transmisible la participación en s. simples y en s. colectivas, como disponiendo la intransmisibilidad *mortis causa* de la participación del comanditario.

Otras cláusulas están llamadas a modificar la facultad de elección de los socios supérstites y de los herederos del socio fallecido. Entre ellas están las llamadas *cláusulas de consolidación*, que disponen el acrecimiento de la cuota de los socios supérstites, y las llamadas *cláusulas de continuación*, por efecto de las cuales los socios supérstites están obligados a la continuación con los herederos. Estas últimas cláusulas son clasificables, según la posición reservada a los herederos en: *(i) facultativas*, si a los herederos se les reconoce la facultad de continuar la sociedad con los socios supérstites; *(ii) obligatorias*, si los herederos están obligados a prestar su consentimiento a la continuación, *(iii) automáticas o de sucesión*, si el ingreso en la sociedad constituye un efecto automático de la transmisión sucesoria. Las cláusulas de continuación automática suscitan dudas tanto en relación a la prohibición de pactos sucesorios (art. 458), como respecto a la asunción de la posición de socio ilimitadamente responsable por parte de los herederos. La jurisprudencia parece inclinada a acoger los argumentos a favor de la validez de tales cláusulas, afirmando que se crean no para disponer de una sucesión todavía no abierta sino para regular las consecuencias de la muerte sobre la participación social, como permite para el caso el art. 2284; y distinguiendo entre la posición del socio, que viene adquirida a título hereditario, y la responsabilidad por las deudas sociales, a la cual se verían expuestos en calidad de socios y no de herederos, cuando menos, para las obligaciones futuras.

31. SEPARACIÓN Y EXCLUSIÓN

El derecho de separación es el derecho potestativo de disolver unilateralmente la participación social individual, fruto de la manifestación de voluntad del propio socio. *Separación*

Las causas que legitiman el ejercicio de dicho derecho son reguladas de forma diferente: *(i)* si la sociedad se constituye *por tiempo indeterminado* o para toda la vida de un socio (o incluso por un plazo que exceda la normal duración de la vida humana), el socio puede separarse sin necesidad de alegar motivo alguno (art. 2285), y lo mismo vale para el caso de prórroga de la sociedad (art. 2307, últ. párr.); *(ii)* en todo caso, prescindiendo de la duración de la sociedad, el socio puede separarse en presencia de una *justa causa* (p. ej. en caso de que otros violen obligaciones derivadas de la ley o del contrato, que mermen la confianza en cumplimientos futuros) o por *otras causas previstas en el contrato social*; *(iii)* además, el socio disidente puede separarse en caso de *transformación, fusión o escisión* (v. §27).

El derecho de separación se ejerce mediante una comunicación a los otros socios, de naturaleza recepticia, para la que la ley no prevé ningún requisito de forma. Se aplican, por lo demás, las disposiciones ordinarias en materia de publicidad legal, previstas para todos los casos de modificación del contrato social (v. §27).

La ley permite a los socios decidir si determinados hechos —no necesariamente imputables a la culpa del socio— pueden comprometer la *Exclusión* consecución del fin social. Se habla en este caso de *exclusión voluntaria*. No son, en cambio, aplicables los remedios típicos de los contratos con prestaciones recíprocas, como la resolución por incumplimiento (art. 1453), la resolución por excesiva onerosidad sobrevenida (art. 1463) y la resolución por imposibilidad sobrevenida (art. 1467).

... causas

Las causas de exclusión voluntaria son clasificables en tres grupos (art. 2286): *(i) incumplimiento grave* de las obligaciones derivadas de la ley o del contrato social, es decir, incumplimiento apto para perjudicar la persecución del fin social, por violación de obligaciones o prohibiciones específicas (p. ej. la obligación de aportar, la prohibición de usar bienes sociales para fines personales sin autorización, la prohibición de competencia, la prohibición de gestión del socio comanditario, etc.) o derivados de cláusulas generales (p. ej. del deber de buena fe); *(ii) cambios del estado personal*, es decir, la interdicción, la inhabilitación o la condena que comporte pena accesoria de prohibición de ejercer cargos públicos, aunque sea sólo temporal; *(iii) sobrevenida imposibilidad de aportación*, en los casos de sobrevenida inidoneidad del socio de trabajo para realizar la prestación prometida, de perecimiento de la cosa que el socio se hubiera obligado a transmitir en propiedad (antes de que la propiedad se haya transmitido), o de perecimiento de los bienes conferidos a título de uso y disfrute por causa no imputable a los administradores de la sociedad.

... procedimiento

En el caso de sociedades con más de dos socios, la exclusión se decide por mayoría computada por cabezas, sin contar con el voto del socio a excluir (art. 2287.1). La decisión debe ser motivada y comunicada al socio excluido, el cual puede formular oposición ante un tribunal en el plazo de 30 días; transcurrido dicho plazo la decisión es eficaz pese a la oposición, a menos que el oponente haya obtenido la suspensión (art. 2287.1 y 2). En caso de admitirse la oposición queda sin efecto, con carácter retroactivo, la exclusión. Si la sociedad está formada sólo por dos socios, la exclusión de uno de ellos requiere sentencia judicial, a petición del otro (art. 2287.3).

... relación con la separación

Cuando surgen disputas internas, no es infrecuente que a la separación ejercida por un socio le suceda rápidamente la deliberación que lo excluye o viceversa: en tal caso prevalece la manifestación de voluntad que primero haya devenido eficaz. Al socio oponente corresponde demostrar la ilegitimidad de la exclusión, mientras que a la sociedad corresponde demostrar que no concurrían los presupuestos para la separación. La separación permite al socio pedir la liquidación de la cuota (mientras que la única *chance* de los demás socios para rehusar la petición será la disolución anticipada), viceversa, el oponente no puede rescatar la cuota de liquidación sin con ello renunciar a la acción interpuesta contra la exclusión.

Junto a los supuestos de exclusión voluntaria, la ley prevé dos casos de la llamada *exclusión de derecho*, independiente de la voluntad de los demás socios (art. 2288): *(i)* la declaración de *quiebra del socio* (siempre que ésta no derive de la extensión de la quiebra de la propia sociedad, en el sentido del art. 147 l. fall.); *(ii)* la liquidación de la cuota a petición de los *acreedores particulares* del socio (art. 2270: v. §14). En ambos casos, la justificación de la disolución *ex lege* de la participación individual no es tanto la insolvencia o el descrédito que se deriva, como la imposibilidad —jurídica o de hecho— de que el socio continúe participando con su patrimonio en el riesgo común.

Exclusión de derecho

32. DISOLUCIÓN, LIQUIDACIÓN Y EXTINCIÓN DE LA SOCIEDAD

Las causas de disolución comunes a todas las sociedades personalistas son: (1) el transcurso del *término* fijado en el contrato social, salvo el caso de prórroga expresa o tácita (en supuestos de continuación de hecho de las operaciones sociales con el consentimiento de todos los socios: art. 2273); (2) el cumplimiento del *objeto social* o la sobrevenida imposibilidad de conseguirlo; (3) la *voluntad* de los socios, cuando decidan la disolución anticipada; (4) la sobrevenida *falta de pluralidad de socios*, si no se reconstituye en el plazo de seis meses; (5) las demás *causas previstas en el contrato social* (art. 2272).

Causas de disolución

Las sociedades con objeto mercantil (es decir, las s. colectivas y las s. comanditarias simples que ejerzan una actividad mercantil: v. §8) se disuelven también por efecto de la declaración de quiebra (art. 2308). Además, la s. comanditaria simple se disuelve por desaparecer una de las dos clases de socios, siempre que no se reconstituya en seis meses (art. 2323.1; v. §29).

Al verificarse una causa de disolución se abre la *liquidación* de la sociedad: permanece la sociedad, pero su actividad ya no se dirige a la

Liquidación

obtención de ganancias, sino a la resolución de las relaciones jurídicas de la sociedad mediante la realización del activo y el pago a los acreedores sociales.

La propia disciplina de las relaciones con los socios y con los terceros sufre, en la fase de liquidación, algunas modificaciones relevantes: *(i)* los acreedores particulares ya no pueden exigir la liquidación separada de la cuota de su socio deudor (para los casos en que se admita la reclamación v. §14); *(ii)* en los casos de disolución de las participaciones individuales —aunque se hayan verificado con anterioridad a la disolución de la sociedad—, el socio o sus herederos ya no pueden pretender la liquidación de la cuota; *(iii)* surge el derecho de los socios a la cuota de liquidación (por otra parte renunciable en caso de revocación de la liquidación y reanudación de la llamada gestión ordinaria) permaneciendo inalterable la obligación de aportar y —allí donde subsista— la responsabilidad personal ilimitada hasta la satisfacción integral de las deudas sociales.

Deberes de los administradores

A la espera de que se tomen decisiones relativas a la liquidación, al verificarse una causa de disolución surgen algunas prohibiciones y obligaciones para los administradores. Éstos, en efecto, *(i)* deben proveer la inscripción en el registro de empresas de la causa de disolución y del nombramiento de los liquidadores, incluso si la sociedad no está obligada a publicidad legal (arts. 2300 y 2309; art. 18.5, d.p.r. 581/1995), y —limitado a las sociedades mercantiles— deben indicar en los actos y en la correspondencia que la sociedad se encuentra en liquidación (art. 2250.3); *(ii)* en caso de nombramiento de liquidadores, deben consignar a éstos, los bienes y documentación social, presentarles su rendición de cuentas del periodo sucesivo a las últimas cuentas y colaborar en la elaboración del inventario (art. 2277).

Nombramiento y funciones de los liquidadores

Mientras que la liquidación de sociedades mercantiles debe realizarse con respeto al procedimiento establecido por la ley y llevarse a cabo por los liquidadores (art. 2309), el nombramiento de éstos no es necesario para la sociedad simple, pudiendo los socios establecer un modo distinto de liquidar la sociedad (art. 2275.1).

Los liquidadores, que no necesariamente deben ser socios, son *nombrados* por los socios por unanimidad, o, en caso de desacuerdo, por el presidente del tribunal (art. 2275.1). En todo caso, los liquidadores son *revocables* por voluntad de todos los socios y —si concurre justa causa— por el tribunal a petición de uno o más socios (art. 2275.2). Cuando otra cosa no disponga la ley o el contrato social, los liquidadores tienen las *mismas obligaciones y responsabilidad* que los administradores (art. 2276: v. §19); la asimilación permite acudir a las normas relativas a la administración (y al mandato) incluso para aspectos no regulados, como p. ej. el derecho a la *retribución*, la facultad de actuar de forma solidariamente, etc.

Los liquidadores deben, en primer lugar, verificar el conjunto de relaciones que incumben a la sociedad mediante la redacción del *inventario* (art. 2277); después deben proceder a convertir en dinero su activo (mediante la venta de bienes, el cobro de los créditos, etc.) y utilizar lo recabado para pagar a los acreedores. La ley atribuye a los liquidadores todos los *poderes* a tal fin necesarios, que comprenden la representación de la sociedad, también en juicio (art. 2278); en particular, pueden vender en bloque los bienes sociales, o realizar transacciones o compromisos, a menos que los socios hayan dispuesto lo contrario. Deben, también, restituir a los socios las aportaciones realizadas a título de uso o disfrute, en el estado en que se encuentren, y siempre que sea posible; queda a salvo el derecho al resarcimiento de daños contra los administradores, si a ellos resulta imputable el perecimiento o deterioro de dichos bienes (art. 2281).

En caso de insuficiente disponibilidad de caja (e independientemente de la consistencia del activo), los liquidadores pueden pedir a los socios los *desembolsos pendientes de realizar*, desembolsándose las cantidades necesarias en los límites de la respectiva responsabilidad y en proporción a la participación en las pérdidas (art. 2280: la deuda del socio insolvente se reparte de la misma forma). Si la liquidación dura más de un año, los liquidadores están obligados a *rendir cuentas periódicamente* de la gestión (art. 2260).

A los liquidadores se les prohíbe expresamente emprender nuevas operaciones: pueden, sin embargo, llevar a término los asuntos en curso. En caso de inobservancia de la prohibición de nuevas operaciones, responden personal y solidariamente de las obligaciones asumidas (art. 2279) y los actos realizados no son imputables a la sociedad por falta de poder (salvo autorización o ratificación por parte de los socios), siempre que el estado de la liquidación sea oponible al tercero.

Prohibición de nuevas operaciones

Los liquidadores están también obligados a preservar el destino prioritaria del patrimonio social a la satisfacción de las obligaciones de la sociedad: no pueden, por tanto, proceder al reparto, ni siquiera parcial, a favor de los socios hasta que no hayan sido pagados los acreedores, o reservadas las sumas necesarias a tal fin (art. 2280.1).

Reparto del activo

Una vez pagadas las deudas sociales, los liquidadores pueden proceder al *reembolso de las aportaciones* y a la *distribución del eventual excedente* en proporción a la participación en las ganancias de cada socio (art. 2282). Los socios pueden convenir que el reparto de los bienes se haga *in natura*, siendo de aplicación, en tal caso, las disposiciones sobre la división de la cosa común (art. 2283).

La fase final de la liquidación de la sociedad simple no está regulada. En caso de nombramiento de liquidadores, el derecho de los socios a la rendición de cuentas final subsiste en aplicación de las normas sobre el mandato (art. 1713). Para las s. colectivas y las s. comanditarias simples, a fin de proceder al reparto, se prevé la redacción del *balance final* y del *plan de reparto*, que se comunicará mediante carta certificada a los socios, los cuales pueden impugnarlos en el plazo de dos meses desde la comunicación; la falta de impugnación vale como aprobación y libera a los liquidadores de la responsabilidad frente a los socios. En caso de impugnación del balance y del plan de reparto, los liquidadores pueden pedir el examen separado de las cuestiones relativas a la liquidación respecto de aquéllas relativas a la división, a las cuales pueden permanecer ajenos (art. 2311).

Cierre de la liquidación

En las s. colectivas y las s. comanditarias simples regulares (art. 2312), a continuación de la aprobación del balance final, los liquidadores deben *solicitar la cancelación* de la sociedad en el registro de empresas. Los libros contables y la documentación deben guardarse durante diez años desde la cancelación, por la persona designada por la mayoría de los socios. Producida la cancelación, y a salvo la acción contra los liquidadores si la falta de pago es debida a su culpa, los acreedores pueden actuar por la totalidad sólo frente a los socios ilimitadamente responsables (y, por tanto, contra todos los socios de la s. colectiva, así como contra los colectivos en la s. comanditaria simple); los comanditarios de la s. comanditaria simple quedan obligados hasta el límite de la cuota de liquidación percibida (arts. 2312 y 2324).

Cancelación de oficio

Deroga la disciplina hasta aquí descrita el d.p.r. 247/2004, que permite a la oficina del registro realizar la cancelación y la extinción de las sociedades personalistas cuando se den algunos presupuestos sintomáticos de un estado de inactividad de la sociedad, como: *(a)* la *imposibilidad de encontrar la sede legal; (b)* la *falta de cumplimiento de actos de gestión* durante tres años consecutivos; *(c)* la falta de código fiscal; *(d)* la *falta de reconstitución de la pluralidad de socios* en el plazo de seis meses; *(e)* el *transcurso del término de duración*, en ausencia de prórroga tácita de la sociedad. El procedimiento contempla una comunicación a los administradores de la sociedad interesada y el derecho de estos últimos a proporcionar elementos idóneos para demostrar la presencia de actividad social; en el caso de que tales elementos no se den, el encargado del registro de empresas traslada los actos al Presidente del Tribunal, el cual nombra los liquidadores o, cuando lo considere necesario, traslada directamente los actos al juez del registro, a fin de que disponga la cancelación de la sociedad (art. 3 d.p.r. 247/2004).

La cancelación representa un presupuesto necesario para la *extinción* de la sociedad, a condición de que concurra la eliminación de todas las relaciones jurídicas, activas y pasivas.

Cancelación y extinción

Puede ocurrir, sin embargo, que existan deudas sociales no satisfechas, preexistentes respecto de la cancelación o surgidas sucesivamente. Siguiendo una consolidada línea jurisprudencial, la cancelación del registro de empresas no sería en tal caso apta para determinar la extinción de la sociedad: ésta permanecería con vida y la representación correspondería todavía a los liquidadores. Para evitar que se prorrogue indefinidamente la exposición al riesgo de la declaración de quiebra, a pesar del cese de la actividad de la empresa, el art. 10 l. fall. dispone que la quiebra de los empresarios colectivos no puede ser declarada después de un año de la cancelación del registro de empresas. Queda a salvo la facultad del acreedor o del ministerio público, limitada al supuesto de cancelación de oficio del art. 3 d.p.r. 247/2004, de demostrar que el cese definitivo de la actividad de la empresa ha tenido lugar en fecha distinta (y, debe entenderse, posteriormente a la cancelación misma), a fin de que desde dicho momento comience a contar el plazo anual (v. §192).

Segunda parte
Los modelos organizativos de las sociedades de capital

Capítulo IV
Patrimonio, capital y balance

Giuseppe Ferri *jr.*

33. EL PATRIMONIO SOCIAL Y SUS FUNCIONES

La actividad societaria, como se ha observado en el §4, atañe a la *riqueza* y a la *actividad de producción de la sociedad*: precisamente por esta razón es posible individualizar, en el ámbito de la disciplina de la sociedad, junto a normas que consideran a la sociedad como organización, y por tanto como *estructura organizativa*, algunos principios fundamentales que hacen referencia a los *valores económicos* involucrados en la referida actividad, y que constituyen lo que puede definirse como la *estructura financiera* de la sociedad; ésta se presta a ser analizada a partir del *patrimonio social*, el cual asume en dicho ámbito una posición de particular relevancia, a la luz de las funciones que está llamado a desempeñar.

Al patrimonio social se atribuyen esencialmente dos funciones: la función de garantía, propia del patrimonio de toda figura subjetiva, y la productiva, que caracteriza solamente al patrimonio social.

La responsabilidad patrimonial de las sociedades de capitales

En el ámbito de la *función de garantía*, al hablar de patrimonio social se busca aludir al conjunto de bienes que representan el *objeto de posiciones subjetivas activas* destinadas a garantizar, en el sentido del art. 2740, el cumplimiento de las deudas, y, por tanto, la satisfacción de las *posiciones subjetivas pasivas* que recaen sobre su titular: entendido así, el patrimonio comprende exclusivamente los *elementos expropiables,* los únicos en grado de desarrollar una función de garantía, mientras las deudas resultan, más que extrañas al concepto de patrimonio examinado, *contrapuestas* al mismo.

Al disponer que «el deudor responde del cumplimiento de sus obligaciones con todos sus bienes presentes y futuros», el art. 2740 establece una estrecha relación entre los bienes adquiridos por un sujeto y las obligaciones asumidas por el mismo, o mejor, entre los diversos actos de adquisición de los primeros y los diversos actos de asunción de las segundas: actos que acaban así por emerger como momentos de una única actividad, aquélla directamente desarrollada por el sujeto en cuestión.

Este principio general se aplica también a las sociedades, ya que todas son sujetos autónomos de derecho, distintos de sus socios (v. §8): por tanto, *todas* las obligaciones asumidas por la sociedad están garantizadas, en principio, con *todo* el patrimonio social, y *solamente* con él. En materia societaria, existen, sin embargo, una serie de disciplinas que modifican la operatividad de dicho principio, extendiéndolo o reduciéndolo según los casos.

Socios ilimitadamente responsables   Limitándonos a los aspectos más generales, podemos, antes que nada, destacar cómo en algunos casos las obligaciones sociales quedan garantizadas, además de por el patrimonio social, por el de determinados socios: los cuales, precisamente, porque responden con todo su patrimonio de las obligaciones de la sociedad, son denominados socios *ilimitadamente responsables.* Dicha eventualidad, que comporta una *extensión* de la garantía de las obligaciones sociales más allá del patrimonio social, se encuentra con mayor frecuencia en las sociedades personalistas, pero algunas veces se da también en las sociedades de capital.

Por lo que respecta a estas últimas, los socios, por norma, no responden de las obligaciones sociales: la *responsabilidad ilimitada del socio de sociedades de capital* está prevista únicamente para algunos *supuestos excepcionales,* en relación, no ya con todas, sino con algunas obligaciones sociales; en concreto, esto ocurre, de un lado, con el *socio único* que, en todas las sociedades de capital, responde, pero sólo en determinados presupuestos (arts. 2325.2 y 2462.2) de las obligaciones sociales surgidas en el periodo en que resulta el único titular de las acciones o cuotas de la sociedad, y, de otro lado, en relación con los *socios comanditarios* de sociedades comanditarias por acciones, que responden ilimitadamente de las obligaciones sociales surgidas en el periodo en el que han asumido el cargo de *administrador* (art. 2461.2).

Si en los supuestos examinados, el patrimonio social sigue desarrollando una función de garantía respecto de todas las obligaciones sociales, de las cuales, sin embargo, están llamados a responder también algunos socios con su propio patrimonio, en otros casos, en cambio, la ley permite derogar la norma según la cual la sociedad responde de todas las obligaciones sociales con todo su patrimonio, y, por tanto, con todos los bienes que lo componen: se permite, así, destinar una parte del patrimonio, de forma exclusiva, a la garantía de determinadas obligaciones sociales, reservando la parte restante del patrimonio a la garantía, de forma igualmente exclusiva, de todas las demás obligaciones.

La separación patrimonial

Se puede asistir, entonces, a una completa separación, que opera tanto sobre el patrimonio como sobre las obligaciones, de la que se deriva no ya un debilitamiento de la función de garantía del patrimonio social, sino la desaparición del carácter unitario que, de forma general, la caracteriza: y con ella, del propio carácter unitario de la actividad de la sociedad. Es cierto, en efecto, que la individualización, dentro del patrimonio social, de diferentes masas patrimoniales, cada una de las cuales garantiza de forma exclusiva determinadas clases de obligaciones, comporta una reducción cuantitativa de los bienes que garantizan las particulares clases de obligaciones, de cada una de las cuales la sociedad responderá no ya con todo su patrimonio, sino sólo con una parte del mismo: es también cierto, por otra parte, que a dicha reducción se corresponde una mayor intensidad de la garantía prestada por cada masa patrimonial, derivada de la reducción del número de obligaciones que aquélla está llamada a garantizar, es decir, de la circunstancia de que cada una de ellas está destinada a garantizar no todas, sino sólo algunas obligaciones sociales.

Se alude a la posibilidad, reconocida sólo a las sociedades por acciones, de aislar, dentro del patrimonio social, un determinado conjunto de bienes, destinado a un negocio particular, y que la ley denomina *patrimonio destinado* (art. 2447-*bis*.1.a), el cual, bajo determinadas condiciones, desarrolla la función de garantía respecto, no de todas las obligaciones sociales, sino *exclusivamente* de las obligaciones contractuales asumidas en relación con el negocio en cuestión: las cuales, a su vez, resultan garantizadas *única-*

Patrimonios y financiaciones destinadas

mente con el patrimonio destinado, no con todo el patrimonio social, salvo disposición contraria en el acuerdo constitutivo del patrimonio.

Análoga forma de separación está prevista, siempre respecto a este tipo de sociedades, para las *ganancias* obtenidas de un negocio específico, las cuales garantizan, de forma exclusiva, las deudas que tienen por objeto el reembolso de la *financiación destinada* a dicho negocio (art. 2477-bis.1.b): tales ganancias, que, bajo determinadas condiciones, constituyen un patrimonio separado del de la sociedad, se destinan en realidad de forma exclusiva, antes que a la garantía, al *pago* del reembolso. En este caso, la separación opera en relación al momento, fisiológico, del cumplimiento, y no sólo en relación a aquél, patológico, del incumplimiento: que, en cambio, es propiamente, el único al que se refiere la garantía.

Además de la función de garantía, el patrimonio social cumple también una *función productiva*: representa, en efecto, el objeto de una gestión tendente a aumentar el valor. Desde esta perspectiva, el patrimonio se caracteriza en términos de *conjunto de valores económicos*, y no de bienes, y, por tanto, como se ha dicho, de *valor económico conjunto*, al cual se suele aludir con los términos de *patrimonio neto*, desde el momento que corresponde al *valor positivo de los bienes y derechos* que surgen de tal gestión *al neto* del *valor negativo de las deudas* asumidas en el curso de la misma: desde esta perspectiva, a diferencia de cuanto se ha dicho de la función de garantía, las deudas ahora no se contraponen al patrimonio social, sino que representan un componente, aunque negativo, del mismo.

El destino del valor del patrimonio social: los socios y los acreedores sociales

A los *socios*, en interés de los cuales se ejerce la gestión social, se destina el valor neto conjunto del patrimonio social, es decir, *todo el patrimonio neto*, pero *sólo* ese, y siempre que, obviamente, se trate de un valor positivo: en caso contrario, es decir, en presencia de un patrimonio neto de cuantía negativa o nulo, no habrá nada que destinar a los socios. A ellos, por tanto, no corresponde, económicamente, todo el valor de la actividad, sino sólo aquella parte de dicho valor que exceda del valor negativo del pasivo: la parte del valor de la actividad correspondiente al pasivo, esto es, a las deudas de la sociedad, está en cambio destinada a la satisfacción de los *acreedores sociales*, en razón al montante de sus respectivos créditos.

Por tanto, si el valor de la actividad está destinado en la medida señalda a los *acreedores sociales* y, por la parte remanente, a los *socios*, significa que estos últimos asumen, en relación a los valores de la actividad, una *posición residual*, y, por tanto, no sólo *cuantitativamente dependiente* de la de los acreedores sociales, sino también *cualitativamente subordinada* a ella, y por ende, *cronológicamente postergada*.

34. LOS RESULTADOS DE LA GESTIÓN SOCIAL. EL EJER-CICIO SOCIAL

El patrimonio neto resulta esencial para individualizar el *resultado* de la gestión que sigue al desarrollo de la actividad económica de la sociedad: dicho resultado está representado por la diferencia entre las *cuantías inicial* y *final* del *patrimonio neto*.

El resultado final

Al respecto, se pueden dar tres posibilidades: si, en primer lugar, el valor «final» resulta mayor que el valor «inicial» se habrá obtenido un *resultado positivo*, y, por tanto, una *ganancia* igual a la diferencia entre tales valores. En caso contrario, se estará en presencia de un *resultado negativo*, es decir, de una *pérdida* de la riqueza aportada por los socios. Finalmente, cuando el patrimonio presente un valor neto igual al aportado por los socios, no se tendrá ni ganancia ni pérdida sino una situación de *igualdad*.

El resultado del ejercicio

Del resultado final, relativo a la completa gestión, deben distinguirse los resultados, positivos o negativos, de los concretos ejercicios en que aqué-lla resulta segmentada: es decir, las *ganancias y las pérdidas del ejercicio*. El eventual resultado positivo del ejercicio, precisamente por ser provisional —capaz, por tanto, de ser modificado, en sentido positivo o negativo, por los resultados de periodos sucesivos—, no debería poder dividirse de forma definitiva entre los socios: éstos estarían obligados a esperar al término de la gestión social, y en particular, a la liquidación de la sociedad, a fin de poder apropiarse del resultado final de la gestión, el único verdadero y definitivo.

El ejercicio social

En cambio, la ley no sólo permite a los socios, antes y prescindiendo de la liquidación de la sociedad, acordar la distribución de las eventuales ganancias parciales, que, aunque lógica y económicamente provisionales, se consideran, desde un punto de vista jurídico, como definitivamente pertenecientes a los socios. Sino que, precisamente a tal fin, impone la subdivisión de la gestión social en una pluralidad de ejercicios sociales, cuya duración es normalmente anual (v. art. 2217.1, que obliga a redactar inventario cada *año*: v. §41), y que los socios pueden, en principio, reducir, no aumentar (esta conclusión se desprende del art. 2364.2, donde se alude a la exigencia de convocar la junta ordinaria al menos una vez al año, en el plazo no superior a ciento veinte días desde el cierre del ejercicio social: v. §80).

Los resultados de los diferentes ejercicios pueden resultar, obviamente, de signo diverso entre ellos, pudiendo ocurrir que en un periodo se registre un incremento del valor conjunto del patrimonio, es decir, una ganancia, y en otros una disminución, es decir, una pérdida. Ante tales situaciones, se prevé (arts. 2303.2, 2433.3 y 2478-bis.5) que, al final de cada ejercicio, los bienes puedan dividirse entre los socios sólo *en aquella parte que excede* del importe de las eventuales *pérdidas sufridas* en los ejercicios anteriores (y que no hayan sido compensadas con las ganancias o absorbidas a través de una modalidad diversa, que se tendrá ocasión de analizar en el §37): parte que normalmente se denomina *beneficio neto.*

Por otra parte, por cuanto respecta a la sociedad de capitales, los socios, como mejor se verá (§40), pueden decidir no distribuir (en todo o en parte) el beneficio bruto, con el resultado de que, en los ejercicios sucesivos, podrán dividir entre ellos no sólo el beneficio (neto) relativo al último ejercicio, sino también aquél obtenido en los ejercicios precedentes, y que no haya sido distribuido en su momento, es decir el *beneficio separado.*

El resultado del balance

Para individualizar las ganancias que los socios pueden distribuir al final de cada ejercicio se debe mirar no sólo al resultado relativo a dicho ejercicio, sino también a los obtenidos en el curso de ejercicios precedentes, de los cuales los socios no hayan dispuesto de otra forma y que, precisamente por ello, puede llamarse *llevado a nuevo* (ejercicio): se debe mirar al *resultado global* de la entera gestión desarrollada hasta aquel momento, o sea, al *resultado de balance general,* el cual representa precisamente el resultado de la suma algebraica del resultado del último ejercicio y del —positivo (beneficio separado) o negativo (pérdida pasada y no reabsorbida)— llevado a nuevo de ejercicios precedentes, y se indica, según los casos, en términos de *beneficio* o de *pérdida de balance general.*

Al final de un determinado ejercicio, los socios podrán, por tanto, distribuirse, no ya la ganancia a él relativa (no ya, por lo tanto, el beneficio del ejercicio), sino el beneficio del balance general, que constituye precisamente el único *beneficio distribuible* (v. §40); así como, y paralelamente, es la presencia de una pérdida de balance general, y no una pérdida del ejercicio, la que impide la división entre los socios del eventual beneficio apartado. Ocurre que, también cuando el resultado del último ejercicio representa una pérdida, precisamente del ejercicio, los socios pueden, en cualquier caso, decidir la distribución de los beneficios apartados: limitadamente, queda claro, a la parte en que éstos exceden de la pérdida del último ejercicio, desde el momento en que sólo tal parte puede definirse, a la luz de cuanto se ha dicho, como beneficio del balance general.

La distinción entre el resultado del particular ejercicio y el comprensivo de la entera gestión desarrollada hasta aquel momento asume una relevancia jurídica, además de económica, tan significativa, que la ley, precisamente para consentir una separada representación y documentación de cada uno de tales resultados, prevé la redacción de dos documentos distintos: la *cuenta de pérdidas y ganancias,* que indica el beneficio o la pérdida *de ejercicio,* y el *estado patrimonial,* del cual emerge, en cambio, el beneficio o la pérdida *de balance* (v. §§45 y 46).

35. LA DISCIPLINA DEL PATRIMONIO NETO: CARACTERES GENERALES

Se ha dicho que a los socios pertenece el entero patrimonio neto: éstos son, por tanto, los *destinatarios finales* del correspondiente valor. Tal circunstancia asume relevancia tanto en *(i)* el resultado de la gestión, como *(ii)* en el curso de su desarrollo, pero en términos radicalmente diferentes.

Al término de la gestión, y principalmente con ocasión de la *liquidación de la sociedad* (v. §§185 y ss.), a los socios tiene que pagarse todo el valor del patrimonio neto: la ley, en efecto, prevé que el activo que resta después de la extinción de las deudas sociales, y por lo tanto aquél que podría indicarse como el valor definitivo, final, del patrimonio neto, tiene que ser destinado *íntegramente a los socios* (v. art. 2350.1). El patrimonio neto al término de la gestión

Tal valor se presta, después, a ser teóricamente descompuesto en dos partes, *(i)* aquélla correspondiente a la *riqueza aportada* por los propios socios a la sociedad, originaria o sucesivamente, que deberá serles, antes que nada, reembolsada, y *(ii)* aquélla, ulterior, correspondiente al *aumento* de tal riqueza, y por lo tanto del eventual *exceso,* que en cambio representa la *ganancia final,* que se tratará, en cambio, de *repartir* entre ellos (art. 2282.1).

La aparición de un exceso, por otra parte, representa una mera eventualidad, que se da cuando el valor del patrimonio neto resulta superior al de la riqueza en su momento aportada a la sociedad: en el caso de que, al contrario, el primer valor se corresponda exactamente con el segundo, y se esté ante una situación de igualdad, los socios podrán obtener tan sólo la restitución de las aportaciones, mientras en presencia de pérdidas estará prohibida, por la parte correspondiente, también tal restitución. Si las pérdidas resultan iguales o superiores a la riqueza originariamente aportada por los socios, lo que sucede en caso de que la cuantía del patrimonio neto es igual a cero (cuando el activo presenta el mismo valor que el pasivo) o negativa (cuando el importe del pasivo supera al del activo), es que a los socios no les corresponderá nada.

... y al término del ejercicio

Mientras dura la gestión, en cambio, los socios, siendo los destinatarios últimos del patrimonio neto, no pueden apropiarse indiscriminadamente del correspondiente valor: la ley somete a una disciplina articulada y, debe añadirse, esencialmente imperativa, no sólo la *distribución* entre los socios del valor del patrimonio neto, sino, más en general, el *destino* que de él pueden hacer.

Las normas del patrimonio neto

La disciplina del patrimonio neto se refiere, por lo tanto, no ya a los bienes o a otros activos objetivos aislables, sino, precisamente, a una determinada *cantidad de valor,* y en particular a aquél correspondiente a la entidad que el patrimonio neto presenta al final de cada ejercicio, *así como resultante del correspondiente balance* (v. §43): a un valor, por tanto, cuya cuantía, dependiendo del curso de la gestión, no resulta previamente determinable.

Precisamente por tal razón, las diversas normas que conforman la disciplina del patrimonio neto resultan dispuestas en un *orden jerárquico,* de modo que cada una de ellas se aplica sólo en caso de que las normas situadas en una posición más elevada se hayan aplicado íntegramente: es decir, sólo en caso de que el patrimonio neto presente un importe mayor que el regulado por estas últimas. La norma que, encontrándose en el peldaño más bajo de esta escala jerárquica acaba por aplicarse, de forma residual, a todos los valores no regulados por otras normas, es aquélla que permite la distribución entre los socios de los correspondientes valores en forma de beneficio (art. 2433): así, las demás normas representan, todas ellas, *límites a la distribución* en forma de beneficios de las cantidades a las que se refieren.

Estas normas corresponden, en el plano contable, a las diversas partidas (capital, reservas, beneficios) en que articula el patrimonio neto: tales partidas —que (como se verá en el §46) vienen contablemente representadas en el pasivo (ideal) del estado patrimonial del balance del ejercicio— indican precisamente el importe del valor sometido a cada una de las normas en examen. Esta circunstancia ha generado la costumbre de utilizar indiferentemente la misma denominación (la propia de cada voz) para indicar tanto la disciplina a la que son sometidos los correspondientes valores como la parte del patrimonio neto sujeto a la relativa disciplina: esto podría a su vez llevar a peligrosas confusiones, sobre todo con respecto al capital social. Para referirse a la disciplina del capital social, y para distinguirla de los valores a ella sometidos, se acostumbra a hablar, en particular, de *capital nominal:* y ésta es la acepción en que tal término será usado en las páginas siguientes.

36. EL CAPITAL SOCIAL

Siguiendo el orden jerárquico del que se hablaba, la primera norma a considerar en el ámbito de la disciplina del patrimonio neto de todas las sociedades es aquélla del *capital* (nominal). A ella queda sometido, en principio, el patrimonio neto que coincide con el *valor global asignado por los socios a las aportaciones* que estos efectúan o prometen efectuar *a título de aportación,* en el momento de la constitución de la sociedad o también, sucesivamente, con ocasión de aumentos de capital (mediante nuevas aportaciones). Los socios, después, pueden decidir, en los términos que veremos, someter a dicha norma ulteriores valores, diferentes de los correspondientes a las aportaciones.

Concepto

La determinación de la *cuantía originaria* del capital nominal, que marca el ámbito originario de aplicación de la norma correspondiente, se deja a la decisión de los socios, que deben indicar el concreto importe en el *acto*

La cuantía del capital social

constitutivo de la sociedad: la entidad del capital representa, en efecto, un elemento del acto constitutivo, y cada modificación requiere, en principio, la adopción del procedimiento previsto para las modificaciones estatutarias (v. §§156 y ss.).

Tal cuantía se corresponde, en concreto, con el importe del valor global asignado a las aportaciones que los socios prometen hacer. La ley, después de haber dispuesto (arts. 2346.5, y 2464.1, v. §51) que las aportaciones tienen que presentar, globalmente consideradas, un valor efectivo al menos igual a aquél asignado por los socios, es decir, al capital nominal (previendo sanciones penales para el supuesto de violación de dicha norma: v. art. 2632), se limita a fijar, pero sólo para las sociedades de capital, un *límite mínimo* de tal valor, el llamado capital mínimo, igual a ciento veinte mil euros, para la sociedad por acciones (art. 2327), y a diez mil euros, para la sociedad de responsabilidad limitada (art. 2463. 2.4º).

Funciones   La disciplina del capital está dirigida a regular *establemente* el valor que el patrimonio neto presenta al final de los diversos ejercicios, y, por lo tanto, no sólo su *valor actual* sino también el que presentará *en el futuro*. El carácter programático de la norma del capital social emerge con claridad en el caso de que al final de un ejercicio el patrimonio neto presente un importe global inferior al capital nominal, en cuyo caso, a la disciplina del capital se someterá no sólo todo el *valor actual* del patrimonio neto sino también los *incrementos futuros* de tal valor, hasta que coincidan con el importe del capital nominal: y es precisamente por su significado de norma programática que, como se ha dicho, la cuantía del capital nominal debe ser indicada, además de en el pasivo del estado patrimonial, en el acto constitutivo de las sociedades mercantiles (arts. 2295.6, 2328.2,4º, y 2463.2,4º), el cual contiene precisamente los aspectos importantes del programa que los socios proponen desarrollar a través de la sociedad (v. §147).

También en los actos y en la correspondencia de las sociedades de capital tiene que indicarse el capital social, pero limitadamente a la parte efectivamente desembolsada por los socios y que resulta existente con base en el último balance (art. 2250.2).

El *contenido* de la norma del capital establece la prohibición para los administradores, por otra parte penalmente sancionada (art. 2626), de distribuir entre los socios la parte del patrimonio neto que *actualmente* corresponde al capital nominal. Los socios pueden, sin embargo, en las condiciones establecidas por la ley, modificar la cuantía del capital nominal: la norma del capital social, por lo tanto, también siendo rígidamente *indero-gable,* en cuanto al contenido, resulta en cambio *disponible* por parte de los socios, en los límites que se verá, en cuanto al ámbito de aplicación.

37. LAS MODIFICACIONES DEL CAPITAL

Los socios, en efecto, pueden variar, a través de una modificación del acto constitutivo, la cuantía originaria del *capital nominal,* no sólo aumentándolo sino también reduciéndolo: y si la primera operación comporta la extensión de la cuota de patrimonio neto sujeta a la relativa disciplina, la segunda lleva a su reducción, es decir a la sustracción de dicha disciplina de una parte del valor a él sometido. De tales vicisitudes nos limitaremos a señalar el significado financiero: reenviando, para el estudio en profundidad de su disciplina organizativa, a la sede oportuna (§§159 y ss.).

El *aumento del capital* resulta, principalmente, del aumento de las aportaciones, es decir, de la decisión de los socios de realizar a la sociedad ulteriores aportaciones respecto de las originarias: los valores correspondientes, precisamente porque derivados de las aportaciones de los socios, están destinados a ser regulados por la normativa del capital. Los aumentos

Esta operación, que se suele indicar con los términos de *aumento de capital mediante nuevas aportaciones* (arts. 2438 y ss., 2481 y 2481-*bis*) o de aumento *oneroso,* consistiendo en un aumento del valor global de las aportaciones, comporta el aumento del *valor de la actividad* y, por lo tanto, del importe global del *patrimonio neto.* Aumento con nuevas aportaciones

La ley prevé, después, en los arts. 2442 y 2481-*ter,* una diferente modalidad de aumento del capital, llamada aumento *de capital mediante imputación de reservas,* o también aumento *gratuito,* en la que se limita a someter a la disciplina del capital a una parte del *valor actual* del patrimonio neto que, antes del aumento, resultaba sometido a una disciplina diversa, en concreto, a las de las llamadas reservas disponibles (siempre que, y en los límites en que, una parte del patrimonio neto estuviera efectivamente sujeta a dicha disciplina). Aumento con cargo a reservas

De tal operación, que representa una de las posibles modalidades de utilización de los valores sometidos a la disciplina de las reservas disponibles, se deriva sólo la ampliación del ámbito de aplicación de la disciplina del capital y, por lo tanto, el aumento del capital nominal, pero *no* el aumento del importe global del patrimonio neto: el cual, a diferencia de cuanto sucede en el aumento mediante nuevas aportaciones, permanece *invariable*.

La reducción

El capital nominal puede, por otra parte, ser *reducido* por los socios. La reducción de capital asume un significado económico profundamente diverso según se derive o no de la disminución (actual o sólo potencial) del importe global que el patrimonio neto presenta en el momento en que tal operación se efectúa.

Reducción por pérdidas

En el caso de que la cuantía del patrimonio neto resulte inferior a la del capital nominal —en el cual, por lo tanto, la correspondiente parte del patrimonio neto resulta ya parcialmente perdida, y no enteramente existente— la reducción de capital nominal por cuantía igual, o no superior, a la pérdida global (o de balance general: v. §34) se resuelve en una pura *alineación* del (mayor) valor del capital nominal a aquél (menor) del patrimonio neto actualmente existente.

Tal operación, denominada *reducción de capital por pérdidas,* no incide sobre el importe global del *patrimonio neto,* el cual permanece *invariable,* pero comporta una clase de *consolidación del resultado negativo:* en el sentido de que los socios, al decidir reducir el capital nominal, consideran una parte del correspondiente valor como *definitivamente perdido.*

De ello a su vez resulta, por un lado, *(i)* que a los socios, al final de la gestión, no deberán restituirse los valores correspondientes a la parte del capital reducida, por cuanto ya está perdida; por otro lado, *(ii)* que, al final de cada ejercicio *sucesivo,* cada eventual *incremento* del patrimonio neto no deberá destinarse a compensar pérdidas pasadas —ya absorbidas a través de la reducción del capital nominal— sino que emergerá en forma de beneficio.

La *consolidación del actual resultado negativo* favorece la futura emersión de beneficios, y, por lo tanto, su eventual distribución, es decir la *consolidación del futuro resultado positivo.* Por lo tanto, la posibilidad de reducir el capital social por pérdidas responde, ante todo, a un interés de los propios socios, los cuáles pueden acordarlo en todo caso: a condición de que, obviamente, haya pérdidas y la reducción esté dentro de sus límites. En tales casos, previstos sólo para las sociedades de capital, incluso están obligados a hacerlo: en dichos supuestos, la reducción de capital por pérdidas resulta *obligatoria* (arts. 2446, 2447, 2482-*bis* y 2482-*ter).*

Hasta que el importe de la reducción del capital nominal no supere Las demás
reducciones el de la pérdida, aquélla no comporta disminución alguna del patrimonio neto, el cual continuará íntegramente sometido a la disciplina del capital. En el supuesto, en cambio, en que el capital nominal se reduzca en *ausencia* de pérdidas (y, por lo tanto, en presencia de un patrimonio neto de cuantía igual, al menos, al capital nominal), o en *cuantía superior* a la de la pérdida, de dicha reducción se deriva necesariamente la desvinculación de la disciplina del capital de una parte del patrimonio neto (correspondiente a la cuantía de la reducción de capital nominal, en el caso de reducción en ausencia de pérdidas y, respectivamente, a la diferencia entre la reducción y la pérdida, en el caso de reducción en cuantía superior a la pérdida).

La operación adquiere connotaciones diversas según la parte de patrimonio neto sustraído a la disciplina del capital sea *(i)* distribuida entre los socios, a título de restitución de aportaciones, o de condonación de la obligación de efectuarlas, o *(ii)* sometida a la disciplina de la reserva (estatutaria: v. §38). En el primer caso, que es el normal —el único, de hecho, expresamente regulado por la ley— la reducción de capital comporta la *disminución real* de la cuantía global del patrimonio neto, y se configura en términos lógicamente contrarios al aumento del capital mediante nuevas aportaciones.

En el segundo supuesto, en cambio, la cuantía global del patrimonio neto permanece invariable, y la operación adquiere un significado inverso a la otra forma de aumento de capital, la que consiste en imputación de reservas a capital: en tal caso, la operación, aun no comportando una disminución actual del importe global del patrimonio neto, lleva, sin embargo, a su *disminución potencial,* desde el momento en que, una vez sometidos tales valores a la reserva (estatutaria), los socios podrán en todo momento acordar la distribución.

De la reducción de capital se deriva, en ambos casos, la sustracción de parte del patrimonio neto del vínculo de indestructibilidad que caracteriza la disciplina del capital social: precisamente por tal razón, la operación resulta apta para perjudicar los intereses de los *acreedores sociales.* Por la disminución (según los casos, real o sólo potencial) del valor global de la actividad —la cual (por la parte en que refleja el valor de elementos expropiables) desempeña, como se ha dicho (en el §33), una *función de garantía* en beneficio de los acreedores sociales— los acreedores pueden sufrir un prejuicio, consistente en la distribución, y respectivamente en el destructibilidad, entre los socios de una parte del patrimonio neto que antes de la reducción de capital nominal, estando sujeto a la normativa correspondiente, no podía serlo.

Frente a todo esto, la ley, por una parte, permite a los socios (arts. 2306, 2445 y 2482) reducir el capital nominal también en ausencia de pérdidas o en cuantía superior a las mismas, a condición de que el capital, después de la reducción, resulte por lo menos igual al mínimo legal (arts. 2445.1, y 2482.1), y se respeten los demás límites y condiciones previstos en relación con las sociedades por acciones (art. 2445.1 y 2). De otra parte, subordina a la falta de oposición de los acreedores sociales (o a la autorización judicial) el reparto entre los socios de los valores desvinculados de la disciplina del capital (ya se haya realizado en forma de restitución de las aportaciones hechas o de condonación de la obligación de efectuar las que no lo han sido todavía), como también su imputación a reservas, es decir, su sometimiento a la normativa correspondiente.

Reducción del capital y anulación de las participaciones

En otros casos, la reducción de capital nominal deriva de la *anulación de la participación* de uno o más socios: es lo que sucede, con respecto a la disciplina de las sociedades de capital, en el caso de *(i)* mora (arts. 2344. 3, y 2466.3) y *(ii)* de separación (arts. 2437-*quater*, 6 y 7, y 2473.4) del socio, o, en lo que respecta a la sociedad por acciones, *(iii)* de adquisición de acciones propias (art. 2357.4) o de la sociedad dominante (art. 2359-*ter*, 2), como también *(iv)* de sobrevaloración de las aportaciones en especie (art. 2343.4). Al respecto, parece oportuno subrayar que, en estos casos, a diferencia de los anteriormente examinados, la reducción de capital no afecta proporcionalmente a todas las participaciones sino sólo a aquéllas anuladas: para el resto, no queda sino reenviar al lector al análisis de los argumentos correspondientes.

38. RESERVA LEGAL. RESERVAS ESTATUTARIAS Y FACULTATIVAS

Las reservas

En las sociedades personalistas, por las razones que se verán (en el §40), la única parte del valor del patrimonio neto que no puede ser distribuida entre los socios en forma de beneficio es la correspondiente a la cuantía del capital nominal: el patrimonio neto de tales sociedades está, por lo tanto, sometido sólo a dos disciplinas: la del *capital* y la de los *beneficios*. En las sociedades de capital, por el contrario, no toda la parte del patrimonio neto que excede de la cuantía del capital puede ser distribuida entre los socios en forma de beneficio. En dichas sociedades se prevén diversas partidas, denominadas *reservas,* que tienden a limitar la distribución de una parte ulterior (con respecto al capital) del patrimonio neto.

La primera a considerar es la *reserva legal:* a través de tal disciplina, la ley, por razones de prudencia, excluye la posibilidad de distribuir una parte de los beneficios brutos, por los que se han de entender, como se ha dicho (en el §34), los beneficios que no sirven para cubrir pérdidas pasadas. Prevé, en particular, que sea apartada (y por lo tanto no distribuida) al menos la vigésima parte de los beneficios brutos de cada ejercicio, hasta que el importe global del valor apartado resulte igual a una quinta parte del capital social (art. 2430.1), momento en el cual la reserva legal se entiende *completada*.

Reserva legal

Una vez completada la reserva legal, las cantidades a ella sujetas resultarán indistribuibles, pero desaparecerá la necesidad de someter a ella ulteriores valores, y los beneficios anuales netos serán íntegramente distribuibles, a menos que la cuantía global del patrimonio neto se reduzca, a causa de pérdidas, a un importe inferior al correspondiente a la suma del capital nominal y la reserva legal (inferior, esto es, al valor del capital nominal aumentado en una quinta parte), en cuyo caso a esta última deberán seguir destinándose valores iguales a la vigésima parte de los beneficios brutos, hasta que se complete (art. 2430.2).

Los socios, por otra parte, pueden prever en los estatutos ulteriores reservas, y por lo tanto ulteriores límites a la distribución de beneficios, precisando el ámbito de aplicación, así como (lo que en la práctica sucede raramente) la modalidad de su empleo. Se trata, en concreto, de las *reservas estatutarias,* las cuales, análogamente a la reserva legal, comportan la imposibilidad de distribución de una parte de los beneficios netos.

Reservas estatutarias

El ámbito de aplicación de la disciplina de las reservas estatutarias, a diferencia del de la reserva legal, resulta (directamente) disponible por parte de los socios. Estos, en efecto, a través de una modificación de los estatutos, pueden reducir o ampliar tal ámbito de aplicación, y, más generalmente, derogar la entera disciplina, haciendo desaparecer del todo el límite y consintiendo con ello la distribución entre los socios de las cantidades correspondientes. Sin embargo, hasta que los socios no decidan reducir o modificar dicho ámbito, la disciplina de la reserva estatutaria sigue siendo de aplicación: en caso de que la parte correspondiente del patrimonio neto se pierda (o se impute al capital), también ella, como la reserva legal, deberá ser reintegrada.

Reservas
voluntarias
Para indicar los beneficios que, aunque distribuibles, no han sido distribuidos, pero han sido apartados, o, como también se dice, «llevados a un nuevo ejercicio», se habla de *reserva voluntaria*. Expresión ésta, que, en realidad, indica tan sólo los valores distribuibles entre los socios en forma de beneficios, y, por tanto, sometidos a la normativa correspondiente, pero relativos no ya al ejercicio en curso sino a aquéllos precedentes. Precisamente por tales razones, la reserva voluntaria en realidad no sólo no representa, como todas las demás reservas, un límite a la posibilidad de distribución de la parte del patrimonio neto sino que ni siquiera representa una disciplina autónoma de aquélla de los beneficios. Se trata sólo de la denominación con la que se indica una parte de dichos valores, aquéllos anteriormente apartados.

39. RESERVA DE SOBREPRECIO, DE REVALORIZACIÓN Y POR ACCIONES PROPIAS EN AUTOCARTERA

Ulteriores límites a la distribución del patrimonio neto se prevén a la luz de incidencias concretas, como el desembolso de un sobreprecio, la revalorización de algunos elementos patrimoniales y, en fin, la adquisición de acciones propias: bajo este aspecto, se distinguen la *reserva de sobreprecio, de revalorización y por acciones propias en autocartera*.

Reserva de
sobreprecio
En algunos casos, a la obligación de efectuar una contribución a título de aportación puede resultar indisolublemente unida (por decisión de los propios socios o en base a una norma legal) la obligación de desembolsar a la sociedad una suma añadida, a título de *sobreprecio*. La previsión de la disciplina de la *reserva de sobreprecio* va dirigida a impedir la libre distribución entre los socios de la parte correspondiente del patrimonio neto: la cual, en realidad, no representa una ganancia obtenida en el curso de la gestión

productiva sino que deriva de las contribuciones de los socios análogas a las aportaciones, si bien efectuadas a título distinto.

La parte del patrimonio neto correspondiente a la cantidad del sobreprecio desembolsado por los socios queda, sin embargo, sometida a un vínculo menos intenso que aquél que caracteriza la disciplina del capital social. Mientras que el valor sujeto a esta última resulta definitivamente indistribuible, a menos que se reduzca el capital nominal, y siempre que el juez no acoja las eventuales oposiciones propuestas por los acreedores sociales, la ley prevé que la reserva de sobreprecio —o mejor, la parte del patrimonio neto sujeta a dicha disciplina— no sea distribuida entre los socios hasta que la reserva legal no alcance el límite de la quinta parte del capital nominal.

La disciplina de la reserva de sobreprecio, prohibiendo, al menos temporalmente, la distribución de las cantidades correspondientes, no impide *per se* su sometimiento a una diversa, y más severa, disciplina del patrimonio neto, como es la del capital. La reserva de sobreprecio entra, en efecto, entre aquéllas, que, en cuanto disponibles, pueden ser utilizadas por los socios en el aumento gratuito de capital (v. §37).

Igualmente indistribuible en forma de beneficio resulta una parte del patrimonio neto, que, al igual que el sobreprecio, no se corresponde con una verdadera y propia ganancia obtenida en el curso de la gestión productiva. Se trata, en concreto, de los supuestos en que el incremento del importe global de la actividad no deriva de un aumento efectivo del valor de las cuantías correspondientes, y por lo tanto no representa una ganancia, sino que deriva de su *revalorización monetaria:* es decir, de la asignación a dicha cuantía de un valor diverso, y señaladamente mayor, para neutralizar los efectos de la devaluación de la unidad monetaria, esto es, de la progresiva disminución de la capacidad de dicha unidad de expresar el valor efectivo.

En principio, y precisamente para evitar el surgimiento de valores que no representan un aumento efectivo del valor de la actividad, pero llegan a la expresión del mismo valor en un número mayor de unidades monetarias, la revalorización monetaria es posible sólo en presencia de normas legales que la permitan. Cuando esto sucede, la ley, a través de la disciplina de la *reserva de revalorización,* impide la distribución entre los socios de la parte de patrimonio neto surgida a causa de la revalorización.

Reserva de revalorización

Análogos límites a la distribución se prevén para aquellos incrementos del patrimonio neto derivado *(i)* de la desaplicación —admitida, como se verá (en el §44) sólo en casos excepcionales— de los criterios de valoración previstos por la ley (art. 2423.4), o *(ii)* de la modificación de los criterios para determinar el valor de los inmovilizados financieros (v. §46) constituidos por participaciones (art. 2426.4). En ambos casos se prevé la creación de reservas, análogas en ciertos aspectos a las de revalorización, en cuanto también se derivan de las variaciones, no ya del valor de un elemento de la actividad sino de los criterios dirigidos a determinarlo. Sin embargo, mientras en el primer caso (art. 2423.4) la reserva deberá mantenerse sólo hasta que el valor del elemento al que la derogación se refiere no haya sido recuperado, por ejemplo, realizándolo mediante enajenación a título oneroso, en el segundo (art. 2426.4) la reserva resulta definitivamente no distribuible.

Las disciplinas examinadas hasta ahora, en cuanto vinculadas a incidencias concretas, encuentran aplicación mientras existen en el patrimonio neto cantidades iguales al sobreprecio aportado por los socios o al mayor valor resultante de la revalorización de una determinada cuantía que entra en el cálculo de la actividad. En caso contrario, cuando las correspondientes partes del patrimonio neto resultan perdidas, las reservas de sobreprecio y de revalorización, a diferencia de cuanto se dice del capital, de la reserva legal y de la estatutaria, no tendrán que ser reintegradas: a tales disciplinas no serán sometidos los valores que tuvieran que emerger a causa de un sucesivo aumento del patrimonio neto.

La disciplina de la *reserva por acciones propias en autocartera,* prevista sólo para las sociedades por acciones y las sociedades comanditarias por acciones —las únicas que pueden adquirir participaciones propias (véase, por cuanto respecta a las s.r.l., la expresa prohibición contenida en el art. 2474, del cual se tratará en el §124)—, está llamada a impedir la distribución de la parte correspondiente de patrimonio neto. La necesidad de una norma tal —prescindiendo de cualquier consideración sobre la naturaleza del correspondiente asiento contable— se recaba directamente de la disciplina dictada en el art. 2357.1 (sobre la cual, v. §62). Si, en efecto, como precisamente dispone tal norma, las acciones propias no pueden ser adquiridas por un importe superior al importe de los beneficios y de las reservas disponibles, está claro que, una vez se ha procedido a su adquisición —y hasta que las acciones propias estén en la autocartera de la sociedad—, la correspondiente parte de patrimonio neto no puede ser distribuida entre los socios, pero tiene que resultar sujeta a un límite, aquél denominado como reserva por acciones propias en autocartera.

40. BENEFICIOS Y DIVIDENDOS

Los *beneficios* representan la parte de patrimonio neto que no resulta sujeta a la disciplina del capital ni a la de las reservas: la normativa de dicha parte del patrimonio neto se diferencia profundamente de las demás examinadas hasta ahora. Por un lado, en efecto, su ámbito de aplicación, y precisamente por ser residual, resulta potencialmente ilimitado: el importe global de las cantidades depende únicamente de los resultados de la gestión. Por otro lado, a diferencia de las demás, permite el reparto entre los socios de tales cantidades, en forma de beneficio: *beneficio* que, precisamente por dicho motivo, se denomina *distribuible.* *(El beneficio distribuible)*

La ley precisa que puede dividirse entre los socios tan sólo el beneficio (i) *resultante del balance del ejercicio aprobado por los socios* y que (ii) haya sido obtenido *realmente* (arts. 2303.1, 2433.2, y 2478-*bis,* 4): en ambos aspectos, sin embargo, la disciplina de las sociedades de capital se diferencia notablemente de la de las sociedades personalistas.

Por un lado, en efecto, si en todo caso la *aprobación del balance* del ejercicio (que en la sociedad por acciones, como se verá en el §43, no siempre es obra de los socios), del cual emerge un beneficio distribuible, representa un *presupuesto necesario* para el surgimiento, para el socio, de un derecho de crédito contra la sociedad de obtener la parte de beneficio correspondiente a la propia participación en las ganancias, en las sociedades de capital (a diferencia de lo que sucede en las personalistas: v. §17) dicho cumplimiento *no* resulta a tal fin *suficiente:* se requiere, en efecto, una *ulterior* decisión de la colectividad de los socios (arts. 2433.1, y 2478-*bis,* 3), con la que disponen la distribución (y no, en cambio, su arrinconamiento, es decir la imputación a reserva voluntaria).

Para indicar los beneficios sobre los cuales los socios han dispuesto la distribución, se habla, en concreto, de *dividendos:* una pretensión del socio individual respecto a la sociedad puede, por lo tanto, configurarse no ya en orden al beneficio distribuible en cuanto tal sino en orden al dividendo. *(Los dividendos)*

En las sociedades personalistas, en cambio, el derecho del socio a obtener su parte de beneficio distribuible surge, a falta de pacto en contrario, desde el momento de la aprobación del balance de ejercicio (art. 2262), lo que impide, en ausencia de pacto en contrario, el arrinconamiento de beneficios, y por lo tanto la formación de reservas voluntarias. En tales sociedades, por otra parte, siendo indubitado que el beneficio del ejercicio debe destinarse antes que nada a cubrir las pérdidas pasadas (art. 2303.2), ni siquiera existe normativa que condicione la distribución del beneficio más allá de aquélla del capital, con el resultado de que el beneficio del balance, que resulta distribuible entre los socios, acaba en principio por coincidir con el beneficio neto del ejercicio.

Por otro lado, la exigencia de que los beneficios resultantes del balance puedan distribuirse con la condición de haber sido realmente obtenidos debería comportar que los beneficios que, resultando del balance, no hayan sido realmente obtenidos, no sólo no puedan dividirse entre los socios sino que, si lo han sido, deban ser restituidos a la sociedad. Tales consecuencias, si bien se verifican puntualmente en las sociedades personalistas (a excepción de un supuesto, que enseguida se verá), sufren en cambio una notable excepción en materia de sociedades de capital, donde siendo clara la prohibición de los administradores, sancionada también penalmente, de dividir entre los socios los beneficios realmente no obtenidos, y por lo tanto ficticios (art. 2627), se excluye, sin embargo, que la sociedad pueda repetir contra los socios los beneficios netos, cobrados por ellos de *buena fe,* que, aun no siendo realmente obtenidos, resultan de un *balance general regularmente aprobado* (arts. 2433.4, y 2478-*bis,* 6). Análoga normativa está prevista para los beneficios cobrados por los socios comanditarios de la sociedad comanditaria simple (art. 2321).

En estos casos, la ley no se limita a considerar *definitivo,* y, por lo tanto, definitivamente debido a los socios, un *resultado* en realidad económicamente provisional, sino que llega a considerar *definitiva* también la *división* entre los socios de buena fe de una ganancia que, aun no obtenida realmente, resulta de un *balance general regularmente aprobado.* Por tanto, mientras que con el fin de dividir las ganancias, es sobre todo el *ejercicio social,* y el resultado global positivo obtenido a su término, el que es considerado *autónomamente* de ejercicios sucesivos, y por lo tanto de los correspondientes resultados, en el último supuesto examinado es la misma *representación contable* de dicho resultado, en cuanto contenida en un balance general regularmente aprobado, la que asume un valor autónomo de aquella realidad que tal documento debería fielmente representar.

Las sociedades por acciones cuyo balance es sometido por ley al control de sociedades de auditoría inscritas en un registro especial, y, entre ellas, la sociedad con acciones cotizadas en mercados regulados (arts. 119, 155 y 161 T.U.F.), pueden prever en los estatutos la posibilidad de distribuir, en el curso del ejercicio, *cantidades a cuenta de dividendos* (art. 2433-*bis*): tal distribución está admitida *en cantidad* igual a la menor que resulte de los beneficios distribuibles y las reservas disponibles resultantes del mismo balance y *a condición* de que *(i)* del balance del ejercicio precedente no emerjan pérdidas y que, en cualquier caso, el capital no resulte, ni siquiera en parte, disminuido a causa de pérdidas de ejercicios precedentes, que *(ii)* tal balance general haya sido aprobado, y que *(iii)* sobre él la sociedad de auditoría haya emitido un juicio positivo.

Los dividendos a cuenta

La distribución se decide por los *administradores,* y no por los socios, basándose en un *proyecto contable* y en un *informe,* de los cuales resulte que la situación patrimonial, económica y financiera de la sociedad hace posible la distribución. Tales documentos, que deben ser aprobados por el sujeto encargado del control contable (v. §108), tienen que quedar depositados (una copia) en la sociedad hasta la aprobación del balance del ejercicio en curso, a fin de que los socios puedan examinarlos.

Tratándose de una especie de distribución anticipada de los beneficios, basada en la presumible existencia de los mismos al final del ejercicio, la ley dispone —de forma análoga a como se prevé para los dividendos— que, también en el caso en que sea segura la inexistencia de beneficios del período resultante del proyecto, los anticipos sobre los dividendos no sean en cualquier caso repetibles, siempre que se hayan distribuido *de conformidad* con tal normativa y se hayan percibido *de buena fe* por los socios.

41. LOS LIBROS CONTABLES

Cualquier gestión productiva implica la exigencia de *anotar* y de *documentar* sus resultados: una exigencia, ésta, referible objetivamente a la

Anotación y documentación de los

naturaleza productiva de la gestión, la cual, habiéndose realizado para obtener una ganancia, pide, que se sepa al término de la misma si y, en qué
medida, dicho fin ha sido alcanzado. Se trata, por tanto, de una exigencia
que responde a un interés esencialmente *informativo,* esto es, funcional *(i)*
al *conocimiento* del resultado de la gestión, que se trata ahora de *anotar,* así
como *(ii)* a la *conservación* y *transmisión* de dicho conocimiento, que se
deberá *documentar.*

Parece, por lo tanto, evidente que la anotación y documentación de los
resultados de la gestión presentan interés, ante todo, para cualquiera que se
ocupe de desempeñar *ordenadamente* una actividad productiva cualquiera.
Cada decisión al respecto entra, en principio, en la esfera de discrecionalidad de tal sujeto. Sólo en presencia de *particulares exigencias informativas
de terceros* tiene sentido hacer obligatorios determinados cumplimientos, y
por lo tanto imponer la redacción de documentos de los que emanan los
resultados de la gestión.

Exigencias de este tipo se dan ante todo cuando la actividad se desarrolla en *interés ajeno:* en este caso, el gestor está obligado a documentar
los resultados de la gestión, a través de la redacción de una *rendición de
cuentas,* y a comunicárselos al interesado, al término de la gestión (arts.
1713 y 2261.1), o sea, al final de cada período en que ésta se fracciona
(art. 2261.2).

Análogas exigencias se imponen en el caso en que la actividad de gestión productiva acaba *en cuanto tal* —por los caracteres que ésta presenta y
por la dimensión asumida— por implicar, aunque sólo sea indirectamente,
los intereses, informativos, de una serie indeterminada de sujetos: el ordenamiento, en concreto, reconoce tal situación en caso de que la actividad
productiva se caracterice en términos de *empresa mercantil.*

El empresario mercantil (no el pequeño: art. 2214.3) está obligado, además de atenerse a los cánones de una ordenada contabilidad (arts. 2214.1
y 2, y 2219), a redactar y a conservar durante diez años, también mediante
soportes informáticos (art. 2220), una serie de documentos, denominados
libros contables, entre los cuales están el libro *diario,* que tiene que indicar
día a día las *operaciones relativas al ejercicio de la empresa* (art. 2216) y el
libro de inventarios, que contiene, además del inventario redactado al principio del ejercicio de la empresa, los inventarios redactados sucesivamente,
con periodicidad anual (art. 2217.1).

Cada *inventario (i)* debe contener *la indicación* y la *valoración,* efectuada con base en los criterios establecidos para los balances de las sociedades por acciones, del *activo* y del *pasivo* de *todo* el patrimonio del empresario, y, por ello, tanto del de la empresa, como del extraño a ella, y *(ii)* se cierra con el *balance* y con la *cuenta de pérdidas y ganancias,* la cual debe demostrar con evidencia y veracidad los resultados de la gestión, es decir, el beneficio obtenido o la pérdida sufrida en el curso del período al cual se refiere (art. 2217.2).

Está claro, por otra parte, que tales intereses informativos, referentes a los terceros, contrastan con la exigencia de discreción que, en materia de empresa, asume un significado, también económico, de particular relevancia (y se habla, a propósito, de secreto empresarial). En general, y salvo cuanto se dirá con respecto a la sociedad de capitales, el conflicto entre tales intereses viene resuelto obligando al empresario, como se decía, a redactar y a conservar tales documentos, sin llegar a imponer, eso sí, su publicación; y subordinando a una orden del juez la comunicación integral (por otra parte admitida en supuestos limitados) y la exhibición de los libros contables en el proceso judicial (art. 2711).

42. LA DOCUMENTACIÓN DE LA GESTIÓN SOCIAL

La exigencia de anotar y documentar el resultado de la gestión asume particular importancia en las sociedades mercantiles, y señaladamente en las sociedades de capital. En este caso, y a diferencia de cuanto se dice normalmente del empresario individual, no sólo la gestión productiva se desarrolla en interés de los socios —a los cuales se destina el eventual resultado positivo de la gestión— distintos de la sociedad titular del patrimonio: sino que dicho resultado se emplea enteramente con fines productivos, por la razón, de fondo, de que la entera estructura societaria está constituida precisamente para este fin.

Por tales motivos, toda sociedad con forma mercantil, independientemente del tipo de actividad realizada, está sujeta a las obligaciones de redacción y de conservación de los libros contables impuestas al empresario mercantil (arts. 2302, 2421.1, y 2478.1). En concreto para las sociedades de capital, la ley establece una normativa articulada, aplicable

La contabilidad de las sociedades de capital

también a las sociedades personalistas mercantiles cuyos socios ilimitadamente responsables sean exclusivamente sociedades de capital (art. 111-
duodecies, disp.att.), dirigida *(i)* a enriquecer la documentación sobre la
gestión, disponiendo que el *balance del ejercicio* de esta sociedad resulta
constituido, además de por el *estado patrimonial* y la *cuenta de pérdidas
y ganancias,* por la *memoria,* y tiene que ser *acompañado* de un informe
sobre la situación de la sociedad y sobre el curso de la gestión (llamado
informe de gestión), (ii) a regular en detalle la formación y el contenido
de los documentos que componen el balance, dictando además normas
concretas para los balances en fase de liquidación (v. §189), y en fin *(iii)*
a prever un ulterior cumplimiento dirigido a realizar más completamente las instancias informativas de los terceros, es decir la *publicación del
balance* aprobado en el registro de empresas (a efectuar mediante copia
depositada en la oficina correspondiente: arts. 2435.1, y *2478-bis,* 2), y,
por tanto, en un registro público (art. 2188.3), que puede ser consultado
por cualquiera. En el mismo registro, las sociedades de capital (con la
excepción de las sociedades cuyas acciones cotizan en mercados regulados) están obligadas a depositar el elenco de socios, referido a la fecha de
aprobación del balance, así como de los demás titulares de derechos sobre
las participaciones sociales (arts. 2435.2, y 2478-*bis,* 2). Estas normas no
se aplican a las sociedades con acciones cotizadas en mercados regulados,
que deben prestar información detallada sobre el accionariado en una
sección específica del informe de gestión (o en un informe separado pero
publicado conjuntamente a aquél: art. 123-bis T.U.F.).

Los libros sociales obligatorios

La ley prevé además la tenencia, por parte de las sociedades de capital,
de determinados *libros societarios.* Algunos de ellos están destinados a documentar la actividad de los diversos órganos en que se articula, o puede
articular, su estructura. Se trata, para las *sociedades por acciones,* de los *libros
de juntas y de deliberaciones,* según se trate de las juntas de socios, del consejo de administración o del consejo de gestión, del colegio sindical o del
consejo de vigilancia o del comité de control sobre la gestión, del comité
ejecutivo y de la asamblea de obligacionistas (art. 2421), a los que se añade
el libro que documenta la actividad del sujeto encargado de la censura de
cuentas (art. 2409-*ter,* 3); para la *sociedad de responsabilidad limitada,* los
libros de las decisiones de los socios, de los administradores y del colegio
sindical o del censor de cuentas (art. 2478).

Otros, en cambio, contienen las indicaciones de la generalidad de determinados sujetos que participan, a título diverso, en la financiación colectiva de la sociedad, y de la cuantía de su participación: se prevé así, para todas las sociedades de capital, el *libro de socios,* así como, limitadamente para las sociedades por acciones, el *libro de las obligaciones* y aquél *de los instrumentos financieros* de participación en el negocio al que ha estado destinado el patrimonio constituido en el sentido del art. 2447-*bis,* a) (art. 2447-*sexies*).

Las ganancias comprendidas en el patrimonio social se emplean a veces en una pluralidad de gestiones productivas, mientras que otras veces, a la misma gestión productiva o a una gestión productiva en principio unitaria, se destina una pluralidad de patrimonios sociales: tales situaciones asumen relevancia jurídica, y precisamente en el aspecto informativo, en una serie de casos.

Se alude, por un lado, a los casos, previstos sólo para las sociedades por acciones, de *(i)* emisión de *acciones vinculadas* a los resultados de la actividad social en un *determinado sector,* de *(ii) destinación exclusiva* de parte del patrimonio social a uno o más negocios específicos (art. 2447-*bis.* 1, a)*,* y en fin de *(iii) financiación destinada* a un negocio específico (art. 2447-bis.1, b).

En el primer supuesto (v. §58), la ley asigna a los estatutos la tarea de establecer, además de los criterios de individualización de los costes y beneficios imputables al sector, las relativas modalidades de rendición de cuentas (art. 2350.2). En el segundo (v. §75), se prevé la llevanza de una documentación separada para cada uno de los negocios específicos (art. 2447-*sexies*)*,* la indicación separada, en el estado patrimonial de la sociedad, de los bienes y de las relaciones relativas a éstos (art. 2447-*septies*, 1), el acompañamiento al balance de la sociedad de rendiciones de cuentas relativas a cada uno de ellos (art. 2447-*septies,* 2), así como la redacción de una rendición de cuentas final, a depositar en el registro de empresas, en el acto de la conclusión del concreto negocio (art. 2447-*novies*). En la tercera (v. §77), la adopción por parte de la sociedad de sistemas de recaudación y contabilización, idóneos para individualizar en cada momento las rentas del negocio y a tenerlas separadas del restante patrimonio de la sociedad, representa una de las condiciones a las que está subordinada la separación patrimonial de las mismas rentas (art. 2447-*decies*, 3, b).

La documentación sectorial

El balance
consolidado del
grupo

Por otro lado, todo esto se refiere a los supuestos de sociedades de capital (como también de sociedades personalistas mercantiles, pero sólo en el caso de que todos los socios ilimitadamente responsables sean sociedades de capital: art. 111-*duodecies* disp. att.) que controlan (sobre la noción de control, y sobre las de unión, dirección y coordinación, a las que se hará referencia en breve, v. §§141 y ss.) una empresa ejercitada por un sujeto distinto o que están controladas por entes públicos económicos, sociedades cooperativas y mutuas aseguradoras (arts. 25 y ss., d.lgs. 127/1991). En presencia de tales situaciones, la ley, con fines *exclusivamente informativos,* y principalmente para permitir una representación verídica y correcta de la situación patrimonial y financiera y del resultado económico no sólo de la entidad individual sino de todo el complejo constituido por la sociedad de control y las controladas (art. 29.2, d.lgs. cit.), prescribe la redacción, por parte del ente que ha ejercido el control, del *balance consolidado del grupo,* es decir de un balance general relativo a dicho conjunto, unitariamente considerado.

La redacción de un balance consolidado del grupo, en principio único para cada grupo (art. 27.3 y 4, d.lgs. cit.), resulta obligatoria siempre que *(i)* se trate de un grupo de *dimensiones sólidas* (esto es, que supere los límites dimensionales fijados en el art. 27, 1 y 2, d.lgs. cit.), ya que sólo en tal caso tiene sentido proteger el interés informativo de los terceros en términos específicos y añadidos respecto de los establecidos en la normativa general (que será examinada al final de este epígrafe), y que *(ii)* más allá de la relación de control que exista entre las diversas entidades, se esté en presencia de una *gestión* efectivamente *unitaria,* de forma tal que su representación agregada resulte particularmente útil a fin de satisfacer tales instancias informativas, y no conduzca a perjudicarlas (art. 28.1, d.lgs. cit.): esto, en concreto, comporta que el balance consolidado pueda no considerar aquellas entidades que, aunque controladas, desarrollan una actividad completamente heterogénea, y por ello económicamente independiente de la que caracteriza al grupo.

Está claro, por otra parte, que, para poder ofrecer una representación veraz y correcta del grupo, como también para evitar la duplicidad de valores, el balance consolidado, además de ser redactado con claridad (art. 29.2 d.lgs. cit.), por una parte *(i)* debe representar la actividad del grupo entero, tal y como aparece en los balances individuales de sus componentes, los resultados de los cuales deben ser considerados íntegramente en la redacción del balance consolidado (art. 31.1 d.lgs. cit.), de otra parte, *(ii)* debe prescindir de las relaciones internas dentro del grupo, es decir, de aquéllas que vinculan a una sociedad con otras pertenecientes al mismo grupo. Si, en efecto, el balance consolidado tiene como finalidad representar una gestión que, aunque ejercitada por una pluralidad de estructuras organizativas, resulta sin embargo, aunque referida al *exterior*, unitaria, es lógico que —con el fin de su representación agregada— se deba hacer referencia sólo a la *actividad externa* del grupo, es decir, a la actividad realizada por las distintas entidades que componen el grupo en las relaciones con los sujetos que no forman parte de él: tampoco a la actividad que se desarrolla dentro del grupo, ni a las relaciones que transcurren entre entidades pertenecientes al mismo grupo (art. 31.2 d.lgs. cit.).

Más allá de la disciplina del balance consolidado de grupo, cada sociedad capitalista queda obligada, por una parte, a indicar *(i)* en la *memoria*, la lista de las participaciones poseídas en empresas vinculadas y controladas (art. 2427.5), suministrando además información específica sobre las participaciones en otras empresas (también las no vinculadas y no controladas) en las que se tenga responsabilidad ilimitada por las deudas sociales (art. 2361.2), así como a exponer, en una sección específica, un proyecto recopilatorio de los datos esenciales del último balance de la sociedad o del ente que ejerce sobre ella la actividad de dirección y coordinación (art. 2497-*bis*. 4), y *(ii)* en el *informe de gestión,* las relaciones con empresas controladas, vinculadas, dominantes y con las empresas controladas por estas últimas (art. 2428.2.2), como también con las relacionadas con aquélla que ejerce sobre ella la actividad de dirección y coordinación y con las demás sociedades sometidas (art. 2497-*bis,* últ. párr.). De otra parte, a depositar en la sede social, junto con el propio balance del ejercicio, la copia integral del último balance de las sociedades controladas (resultando a tal fin suficiente, si se trata de una sociedad incluida en la agrupación, el depósito de un proyecto recopilatorio de los datos esenciales en él contenido), así como un proyecto recopilatorio de los datos esenciales del último balance de las vinculadas (art. 2429. 3 y 4).

Específicas obligaciones están, además, previstas para las sociedades italianas con acciones cotizadas en un mercado regulado o difundidas entre el público en una medida relevante, que controlen sociedades ex-

Las relaciones
con sociedades
extranjeras

tranjeras cuya sede legal esté en Estados que no garanticen la transparencia societaria, o estén controladas por tales sociedades o estén a ellas vinculadas (arts. 165-*quater,* 165-*quinquies* e 165-*sexies* T.U.F.). Tal normativa será estudiada en profundidad al analizar los grupos multinacionales (v. §144): aquí nos limitamos a observar que en todos estos casos el balance de la sociedad italiana debe estar acompañado por *un informe de los administradores sobre sus relaciones con la sociedad extranjera,* mientras que sólo las sociedades italianas dominantes están obligadas a añadir al propio balance el de la sociedad extranjera controlada, redactado según la disciplina contable italiana o según los principios contables internacionales (sobre los cuales v. §144).

43. LAS FUNCIONES DEL BALANCE DEL EJERCICIO

Función informativa y función organizativa

Si el balance del ejercicio de la sociedad, considerado en su conjunto, desarrolla, ante todo, como cualquier otro documento contable, una *función informativa,* sus componentes principales, es decir la cuenta de pérdidas y ganancias y el estado patrimonial, están dirigidos, respectivamente, no sólo a la *anotación* y a la *documentación* del resultado del ejercicio y del valor global del patrimonio social, sino también a su *regulación.*

Como se ha indicado (v. §35), las reglas relativas al resultado de un concreto ejercicio y, más en general, al destino y empleo del valor del patrimonio neto, se refieren a las cantidades que *resultan del concreto balance,* y, más en concreto, de la cuenta de pérdidas y ganancias y del estado patrimonial. Estos últimos desarrollan, por lo tanto, —más allá de la informativa— una función que, en cuanto dirigida a la regulación de las cantidades que de ellos resultan, bien puede llamarse *normativa,* o, mejor, *organizativa.*

Función organizativa y aprobación del balance

Precisamente, y sólo a la luz de tal función, se comprende la necesidad de la *aprobación del balance,* normalmente por obra de los socios (sobre el tema se tendrá ocasión de volver en breve), esto es, de un acto a través del cual el importe del patrimonio neto que emerge del balance —es decir de un documento elaborado por los administradores— asume relevancia respecto a aquéllos, los socios, que resultan competentes en orden a su destino.

Por un lado, la exigencia de aprobación no se establece para aquellos documentos que como, por ejemplo, el balance consolidado, desempeñan una función meramente informativa (sin embargo, v. el art. 2409-*terdecies*, 1, b), *que* asigna al consejo de vigilancia la competencia de aprobar también el balance consolidado); por otro lado, la aprobación del balance del ejercicio representa el *presupuesto* al que la ley somete el poder de los socios de adoptar las diferentes determinaciones de su competencia en orden al valor del patrimonio neto, comenzando por aquélla relativa a la distribución de los beneficios (v. §40).

Por lo que respecta, en particular, a las sociedades de capital, la ley prevé que una copia del balance (junto con los informes de los administradores, de los síndicos y del sujeto encargado del control de la contabilidad) quede depositada en la sede de la sociedad durante los quince días precedentes al fijado para su aprobación por parte de los socios, a fin de que estos puedan analizarlo (art. 2429.3). La aprobación del balance, por otra parte, representa el término final en el que resulta posible hacer impugnaciones al acuerdo con el que los socios han aprobado el balance del ejercicio precedente (art. 2434-*bis*, 1).

De forma limitada para la sociedad por acciones, debe advertirse que, en el caso en que haya sido adoptado un sistema de administración y de control dualista (v. §§104 y 105), en el que tales funciones son ejercidas por un consejo de gestión y por un consejo de vigilancia (art. 2409-*octies)*, la aprobación del balance es en principio competencia de este último y no de los socios (art. 2409-*terdecies*.1, *b*, y 2): a éstos queda, en cualquier caso, reservada cualquier decisión sobre la distribución de beneficios (arts. 2364-*bis*, 1, núm. 4 y 2433.1).

44. LOS PRINCIPIOS DE REDACCIÓN DEL BALANCE GENERAL

La duplicidad de funciones, informativa y organizativa, que el balance del ejercicio está llamado a desempeñar se refleja en la complejidad de su disciplina, en la cual, junto a las normas inspiradas en la función informativa, encuentran espacio normas que se comprenden a la luz de la función organizativa, y también, simultáneamente, normas de una y otra.

Referido a la función informativa aparece el principio general dictado por el art. 2423.2, según el cual el balance general *(i)* tiene que ser redactado con *claridad,* y *(ii)* tiene que representar de modo *verídico* y *correcto* no sólo (como dispone el art. 2217 en orden a la cuenta de pérdidas y ganancias: v. §41) el *resultado económico del ejercicio* sino más genéricamente la *situación global de la sociedad,* tanto desde el *aspecto patrimonial* como desde el *financiero.*

Claridad   La exigencia de *claridad,* particularmente cargada de significado con referencia a la cuenta de pérdidas y ganancias y al estado patrimonial, debe ser entendida en sentido *textual* y *expositivo.* El balance no sólo debe contener toda la información y los datos requeridos por la ley sino que las partidas relativas deben estar expuestas *separadamente* y con un *orden determinado* (art. 2423-*ter,* 1): para cada información y para cada dato está previsto una adecuada colocación en el contexto documental, de modo que se facilite la individualización.

Precisamente a tal fin, la ley prevé que la cuenta de pérdidas y ganancias y el estado patrimonial sean redactados de conformidad con los esquemas, por otra parte no exhaustivos (art. 2423-*ter,* 3), contenidos en los arts. 2424 y 2425. Una reagrupación entre las diversas partidas en las que tales esquemas están articulados es, por otra parte, posible, cuando ello favorezca la claridad del balance: en tal caso, sin embargo, la memoria tiene que contener de forma distinta las partidas objeto de la reagrupación (art. 2423-*ter,* 2).

Balance
abreviado   Esquemas menos complejos de la cuenta de pérdidas y ganancias y del estado patrimonial, además de una memoria simplificada y el llamado *balance abreviado,* están previstos (art. 2435-*bis)* para la sociedad por acciones (que no ha emitido títulos negociables en mercados regulados) y para la sociedad de responsabilidad limitada de menores dimensiones, que no supere los umbrales indicados por la ley (v. §135): las mismas sociedades pueden hacer en la memoria algunas indicaciones normalmente contenidas en el informe de gestión, en cuyo caso quedan exoneradas de la redacción de este último.

Veracidad y
correción   La ley, por otra parte, no se limita a pedir que el balance represente la situación *real* de la sociedad, sino que exige que la represente *correctamente,* de forma tal que no se lleve a engaño sobre su efectiva consistencia.

La llamada a la corrección, contenida en el art. 2423.2, tiene por tanto que referirse no tanto y no sólo al comportamiento que los administradores han de tener en la redacción del balance —desde el momento en que éstos, y ya con base en los principios generales, tienen que desempeñar correctamente sus funciones, no sólo aquélla en examen— como sobre todo a la *representación contable* en sí y para sí considerada: en el sentido de que, además de no deber ser falsa, no debe ser engañosa.

Estas exigencias aparecen hasta tal punto atendidas que, además de ser tuteladas también mediante la previsión de sanciones penales (arts. 2621 y 2622), la misma disciplina legal asume respecto a ellas un valor mínimo y derogable, aunque sólo en casos excepcionales. En efecto, no sólo se debe proporcionar ulterior información respecto a los requerimientos de la disciplina de detalle, si éstos no son suficientes para ofrecer una representación verídica y correcta (art. 2423.3); sino que la propia disciplina legal no debe encontrar aplicación cuando, excepcionalmente, resulte incompatible con una representación de tal orden: sin perjuicio de la necesidad de indicar en la memoria los motivos de la derogación (art. 2423.4).

La relevancia de la función organizativa se observa esencialmente en la normativa de la *valoración del balance,* que se resuelve con las indicaciones de los *criterios* que deben seguirse (una normativa, ésta, que, en los límites de la compatibilidad, encuentra aplicación también para el empresario individual: art. 2217.2). Si se considera, en efecto, que el importe global del patrimonio neto, del cual depende a su vez la cuantía de los beneficios, se desprende de la confrontación entre el valor positivo del activo y el negativo de las cuentas de pasivo, parece claro que cada sobrevaloración del primero, así como cada infravaloración del segundo, resulta apta para hace surgir un beneficio en realidad no obtenido, y por lo tanto ficticio, permitiendo la distribución. Para evitar tales consecuencias, directamente atribuibles al valor organizativo del balance, resulta necesario coordinar la función informativa que el balance debe desempeñar en cualquier caso con obvias exigencias de tutela de la integridad del patrimonio social a la luz, ante todo, de la posición de los acreedores sociales.

A tal fin, la ley dispone, por una parte, que la valoración de los elementos patrimoniales debe llevarse a cabo *(i)* con la *perspectiva de la continuación de la actividad,* precisamente porque la gestión está destinada a seguir en los ejercicios sucesivos, y *(ii)* teniendo presente la *función económica* del concreto elemento considerado: ello directamente contribuye a obtener, con fines esencialmente informativos, una representación

Los criterios de valoracion

verídica y correcta de la situación de la sociedad. Por otra parte, requiere, a la luz del impacto que los resultados de balance tienen en el destino del patrimonio neto —y consecuentemente sobre la consistencia del patrimonio social e indirectamente sobre la posición de los acreedores—, que, en el obrar de tales valoraciones, se esté al criterio de *prudencia* (art. 2423-*bis*, 1, 1º).

Continuidad   De otro lado, razones referidas tanto a la función informativa como a la organizativa piden la *continuidad* de los balances: exigencia, ésta, que se resuelve con la prohibición de modificar los criterios de valoración de un ejercicio a un otro (art. 2423-*bis*, 1, 6º). Derogaciones a esta norma se admiten sólo en casos excepcionales, y tienen que fundamentarse en la memoria (art. 2423-*bis*, 2).

Siempre de forma general, se prevé que el balance sea redactado en unidades de euros, sin cifras decimales, a excepción de la memoria, que puede ser redactada en millares de euros: para cada partida del estado patrimonial y de la cuenta de pérdidas y ganancias, junto al importe relativo al ejercicio actual, debe indicarse, con fines meramente informativos, el de la partida correspondiente del ejercicio precedente (art. 2423-*ter*, 5).

Los principios contables internacionales   La función informativa, a diferencia de la organizativa, no agota su relevancia en el ordenamiento nacional: al contrario, la creciente internacionalización de los mercados, a partir del financiero, pide que el balance esté en grado de desempeñar la propia función informativa más allá del mercado nacional, lo que a su vez implica, cuando menos, la convergencia, así como la identidad entre las diversas legislaciones nacionales en materia de balances. A tal exigencia se dirige la predisposición por parte de un organismo específico, el *International Accounting Standards Board* (IASB), de *principios contables internacionales,* es decir los *International Accounting Standards* (IAS) y los *International Financial Reporting Standards* (IFRS), cuya adopción resulta obligatoria, a causa del d.lgs. 38/2005, de aplicación del reglamento CE 1606/2002, para las sociedades cuyas acciones cotizan en un mercado regulado o están difundidas entre el público de forma relevante, para las sociedades bancarias y para las aseguradoras, las cuales están obligadas a redactar de conformidad con tales principios tanto el balance consolidado como el balance del ejercicio. Confirmando la función esencialmente informativa que la adopción de tales principios está llamada a desempeñar, se considera que la aplicación del criterio del valor justo, o *fair value* (antes que el del coste histórico), que representa una de las peculiaridades más relevantes, no puede llevar a la aparición de beneficios distribuibles: los valores correspondientes deben inscribirse en una reserva indisponible, que, sin embargo, puede utilizarse para cubrir pérdidas (art. 6 d.lgs. 38/2005).

45. LA CUENTA DE PÉRDIDAS Y GANANCIAS

Junto a estos principios generales, referentes al conjunto entero de los documentos que componen el balance general, la ley dicta una regulación detallada de cada uno de ellos, de la que en este momento parece oportuno ofrecer sólo alguna indicación sobre la *cuenta de pérdidas y ganancias* y el *estado patrimonial.*

La *cuenta de pérdidas y ganancias* está dirigida a indicar el *resultado del ejercicio,* ilustrando las *causas económicas,* es decir los *hechos* que lo han producido, y en particular los *ingresos* y los *gastos,* que resulten *competencia* del concreto ejercicio, independientemente de la fecha de recaudación o de pago (art. 2423-*bis,* 1, 3º): de la suma algebraica de ingresos y gastos —y, por tanto, sustrayendo del importe global del primero el del segundo—, surge precisamente el resultado (positivo o negativo) de la gestión realizada en el relativo período de tiempo, es decir el *resultado de ejercicio* (v. §34). [Contenido y funciones]

La ley, en particular, coherentemente a la exigencia de prudencia a la que se ha hecho referencia, precisa que en la cuenta de pérdidas y ganancias pueden indicarse exclusivamente los beneficios obtenidos a la fecha del cierre del ejercicio, pero se deben tener en cuenta también los riesgos y las pérdidas conocidas después del cierre del ejercicio, si son competencia de éste (art. 2423-*bis.* 1, 2º y 4º).

Exigencias de claridad expositiva exigen, después, que los diversos hechos se representen en la cuenta de pérdidas y ganancias no ya singularmente, sino agrupados en clases de operaciones, diferenciadas, ante todo, según el *ámbito económico* al que se refieran, según se trate *(i)* de la *producción,* es decir, de la gestión productiva propiamente dicha, o *(ii)* de la sección *financiera,* o en fin, *(iii)* de *operaciones extraordinarias.* Dentro de cada una de tales articulaciones, los ingresos deben ser expuestos, y siempre a la luz de las mismas exigencias, separadamente de los gastos. [Estructura]

El art. 2425 prescribe que la cuenta de pérdidas y ganancias sea redactada de acuerdo con un detallado esquema escalonado, según el cual
se deberán indicar, antes que nada, los ingresos de la producción (valor
de la producción), sucesivamente, los gastos de producción, así como
la diferencia (positiva o negativa) entre unos y otros; a continuación,
se representarán los ingresos financieros, y, separadamente, los intereses
y otras cargas financieras, y además el total de la actividad financiera,
constituido por el resultado de la suma algebraica entre unos y otros. En
fin, se representarán los ingresos extraordinarios y, respectivamente, los
gastos extraordinarios, indicando el total de las partidas extraordinarias,
es decir, el resultado de la suma algebraica entre los primeros y los se-
gundos.

Sumando algebraicamente los resultados de las concretas apartados (es
decir, la diferencia entre los ingresos y gastos de la producción, el total
de las actividades financieras y el total de las partidas extraordinarias), y
sustrayendo de tal resultado los impuestos sobre el rendimiento, se tendrá
exactamente el resultado completo del *ejercicio.*

46. EL ESTADO PATRIMONIAL

Contenido y
funciones

Si la cuenta de pérdidas y ganancias indica el resultado del ejercicio, y
por lo tanto la *diferencia,* positiva o negativa, entre el valor global que el patrimonio presenta al final del ejercicio al que se refiere y el que presentaba
al final del ejercicio precedente, en el *estado patrimonial* está representado,
en cambio, el *valor conjunto del patrimonio social,* y por lo tanto del activo
y del pasivo, tal y como resulta al final del ejercicio; esto es, al final de la
entera gestión realizada hasta ese momento. De él, como se decía (en el
§34), se deduce el *resultado conjunto* de la gestión, es decir el beneficio o
la pérdida *del balance general.* La diferencia entre el *resultado del balance*
que surge del estado patrimonial de un ejercicio y el que emerge del estado
patrimonial del ejercicio precedente debe, por tanto, corresponderse necesariamente con el *resultado del ejercicio* expuesto en la cuenta de pérdidas y
ganancias correspondiente.

Estructura

El estado patrimonial debe ser redactado según un esquema detallado
(art. 2424), que se presenta subdividido en dos partes: *el activo,* en el cual

están representados los valores (positivos) de la actividad, es decir de los bienes y derechos que componen el patrimonio social, y el *pasivo,* en el que están indicados no sólo los valores (negativos) de las *cuentas de pasivo* sino también las diversas partidas representativas de la disciplina del *patrimonio neto.* En el *estado patrimonial del balance del ejercicio* se contienen, en efecto, además de un *conjunto de datos,* que corresponden al resultado de la representación del valor, positivo o negativo, de las diferentes cuantías que forman el patrimonio social —a actualizar respetando la normativa, y, concretamente, los criterios de valoración previstos en la ley— un *conjunto de normas,* esto es, de las normas a las que aquéllos valores hacen referencia.

En el *activo,* los elementos patrimoniales deben ser representados separadamente según la *función* que desempeñen en el ámbito de la actividad productiva, así como la *forma jurídica* que presentan. Se deberá así distinguir, esencialmente, entre *(i)* el *inmovilizado,* esto es, los bienes destinados a ser empleados duraderamente (art. 2424-*bis,*1), que, a su vez, se distinguen entre *materiales* (terrenos, inmuebles, instalaciones, maquinaria), *inmateriales* (derechos de patentes, concesiones, licencias, marcas) y *financieros* (participaciones y créditos en empresas controladas, asociadas o dominantes), y *(ii) el activo circulante,* a su vez diferenciado en *disponible líquido* (dinero, cheques y depósitos bancarios), *existencias* (materias primas, productos terminados y mercancías), y *créditos* y *participaciones* que no constituyen inmovilizado (como, por ejemplo, los créditos contra clientes).

El activo

Tal distinción, no se hace sólo con fines informativos sino que acaba por asumir un preciso significado *normativo:* los elementos representados en el activo deben, en efecto, ser evaluados con criterios diversos según la partida en la que están integrados. La ley, junto con los principios generales anteriormente examinados (§44), prevé, en efecto, en el art. 2426 —y precisamente a la luz de la relevancia que su valor asume en orden a la consistencia, y por lo tanto a la disciplina, del patrimonio neto— una serie de normas dirigidas a regular la valoración de las concretas partidas.

El principio general para el *inmovilizado* es el del coste histórico, que impone la valoración al *precio de coste* o, en su caso, *de producción,* el cual en la hipótesis de las inmovilizaciones materiales o inmateriales cuyo *uso* esté *limitado en el tiempo* debe ser sistemáticamente *amortizado,* es decir, reducido, al final de cada ejercicio, en razón de su posible uso residual. Sin embargo, para las inmovilizaciones financieras (es decir para las participa-

... el inmovilizado

ciones de relieve estratégico en empresas asociadas o controladas) es posible referirse, más que al valor del coste, a aquél llamado de patrimonio neto (correspondiente a la cuota de patrimonio neto relativa a tales participaciones, esto es, a su valor contable: v. §55).

... y el activo circulante

En orden *al activo circulante,* la ley prevé, por lo que respecta en concreto a los bienes fungibles que constituyen existencias (el llamado almacén), una pluralidad de criterios de valoración (el de la media ponderada, el de FIFO —*first in, first out*— y el de LIFO —*last in, first out*—). Los créditos de la sociedad, prescindiendo de la partida en la que estén integrados, deben ser inscritos según el valor presumible de realización, mientras que el fondo de comercio puede incluirse en el activo sólo si es adquirido a título oneroso y, una vez inscrito, tiene que ser amortizado dentro de cinco años.

El pasivo y las deudas

En el *pasivo,* en cambio, se indican, esencialmente, las *deudas* de la sociedad y las partidas del *patrimonio neto.*

Las deudas, que constituyen el llamado *pasivo real,* deben distinguirse —precisamente para ofrecer una representación verídica y correcta de la situación *financiera* de la sociedad— según la operación de la que emanan, y, por tanto, en base al sujeto que asume la posición de acreedor (así, se distinguen, por ejemplo, deudas frente a los bancos, deudas frente a otros financieros, deudas frente a proveedores, deudas tributarias, deudas de la seguridad social), y según su *valor nominal.*

... y las partidas del patrimonio neto

Las diversas partidas del patrimonio neto, que constituyen el llamado *pasivo ideal,* corresponden (como se ha dicho en el §35) a las normas a las que queda sometido el patrimonio neto: es decir antes que nada *(i)* el importe del *capital nominal,* y luego *(ii)* aquél de las diferentes *reservas,* y en fin *(iii)* los resultados, positivo y negativo, y, por lo tanto, los *beneficios* y las *pérdidas* —estas últimas expresadas en forma algebraica negativa— con separada indicación de aquéllas del ejercicio al que se refiere el balance y de las relativas a ejercicios precedentes y llevados a nuevo.

Las partidas del patrimonio neto constituyen, por lo tanto, *normas* dirigidas a regular la parte del valor del *activo* representada por el patrimonio neto: resulta así evidente la distinción entre el *patrimonio neto,* que constituye una parte del *activo* (en particular la correspondiente al exceso entre el valor positivo de los bienes y el negativo de las deudas, es decir del pasivo real), y su *disciplina,* representada por el conjunto de partidas que componen el *pasivo ideal.*

La única partida del pasivo ideal que no representa una disciplina del patrimonio neto, pero señala la *falta,* en el activo, de valores correspondientes, está representada por la *pérdida,* expresada, por tanto, con signo negativo: por la misma razón, hubo un tiempo en que venía indicada con signo positivo en el activo, del cual constituía, sin embargo, una anotación ideal.

47. LA MEMORIA. EL INFORME DE GESTIÓN

El contenido de la cuenta de pérdidas y ganancias y del estado patrimonial está constituido por un conjunto de partidas y de datos numéricos, y, por lo tanto, de una representación hasta tal punto esquemática que podría ser definida como «en código»: de su lectura no es realmente fácil —ni para sujetos dotados de específicos conocimientos contables— extraer informaciones claras y unívocas sobre la gestión social.

La *memoria* está dirigida, precisamente, a «decodificar» tales documentos, y en particular a ilustrar los datos resultantes de la cuenta de pérdidas y ganancias y del estado patrimonial, y por lo tanto a especificar la composición de algunas partidas del balance (art. 2427). La memoria contiene informaciones relativas no ya a la *gestión,* y por tanto a los *hechos económicos* que la caracterizan, sino sobre todo a su *representación contable,* como resultante de la cuenta de pérdidas y ganancias y del estado patrimonial: esto es, informaciones relativas al contenido de tales *documentos.* Precisamente para subrayar la necesidad de un instrumento tal que represente de modo verídico y correcto la situación patrimonial y financiera de la sociedad —y por tanto para señalar implícitamente la insuficiencia a tal fin de la cuenta de pérdidas y ganancias y del estado patrimonial— la ley considera expresamente la memoria, al igual que dichos documentos, *parte integrante* del balance del ejercicio (art. 2423.1). *La memoria*

El *informe de gestión* está en cambio dirigido a proporcionar informaciones *ulteriores* respecto de las que se deducen del balance del ejercicio: precisamente por tal razón, dicho documento, aun debiendo *acompañar* al balance del ejercicio (art. 2428.1), resulta, a diferencia de la memoria, *extraño* a su contenido. *El informe de gestión*

El informe de gestión contiene un análisis fiel, equilibrado y exhaustivo de la *situación de la sociedad,* así como del *curso y del resultado de la gestión*

—en su conjunto y en los varios sectores en que ha operado, también a través de empresas controladas— con particular referencia a los gastos, a los ingresos y a las inversiones, así como una descripción de los principales riesgos e incertidumbre a los que la sociedad está expuesta: la ley se limita, al respecto, a fijar el contenido mínimo de dicho documento, precisando que debe, en todo caso, indicar, además, los hechos relevantes acaecidos después del cierre del ejercicio así como la evolución previsible de la gestión (art. 2428.3, 5º y 6º).

48. LA INFORMACIÓN FINANCIERA

La información periódica

Por lo que respecta a la sociedad con acciones cotizadas en mercados regulados, las exigencias informativas que caracterizan al balance de ejercicio y al informe de gestión asumen una importancia particularmente intensa y requieren una más estricta periodicidad. Se ha de publicar, además de un *informe financiero anual*, que comprende el balance de ejercicio (también el consolidado) y el informe de gestión (i) una información financiera semestral, que incluye el balance semestral abreviado (eventualmente, el consolidado) y el informe sobre la gestión "intermedio", así como (ii) una rendición de cuentas intermedia sobre la gestión, con periodicidad trimestral. La Comisión nacional para la sociedad y la bolsa (Consob), cuando aprecie que tales documentos no son conformes a la ley, puede pedir a la sociedad que publique información suplementaria, para proporcionar una correcta información al mercado (art. 154.ter T.U.F.).

La información continua

En realidad, también la periodicidad trimestral, aun cuando apremiante, resulta insuficiente para satisfacer plenamente las pretensiones informativas del mercado: el funcionamiento instantáneo del mercado exige, en verdad, un *flujo permanente de informaciones,* y por lo tanto la previsión de instrumentos aptos para garantizar una *información* no ya *periódica* sino *continua.* Dicha exigencia, por otra parte, se impone exclusivamente para las informaciones llamadas *price sensitive,* es decir, las capaces de influenciar sensiblemente en el precio de los instrumentos financieros. Por tal motivo, la ley impone a las sociedades cotizadas, como también a los sujetos que las controlan, comunicar inmediatamente al público, según las modalidades establecidas por el Consob, las *informaciones privilegiadas* que atañen directamente a las sociedades cotizadas o a sus controladas (art. 114.1 T.U.F.), es decir, las informaciones relativas a los instrumentos financieros por ellas emitidos, cuya difusión sea capaz de influir de modo sensible sobre sus precios, y que presentan un «carácter preciso»: debiéndose así extraer informaciones no sólo concernientes a las circunstancias y acontecimientos existentes o razonablemente previsibles sino además suficientemente específicas para permitir extraer conclusiones sobre sus posibles efectos en los precios de tales instrumentos (art. 181.1 y 3 T.U.F.).

El Consob puede, además, también en principio, requerirles (también a los componentes de los respectivos órganos de administración y de control, a sus directivos, así como a los titulares de participaciones relevantes o a los participantes en pactos parasociales) la comunicación al público de ulteriores noticias y documentos que sean considerados necesarios para la información al público (art. 114.5 T.U.F.). Corresponde siempre al Consob establecer mediante reglamento, teniendo en cuenta los principios internacionales en materia de vigilancia sobre información societaria los modos y los plazos del control de la misma efectuado sobre «las informaciones comunicadas al público» (art. 118-*bis,* T.U.F.).

La ley, por otra parte, no se limita a pedir la comunicación al público de las informaciones privilegiadas sino que prohíbe, cuando todavía no se han hecho públicas, la utilización abusiva, el llamado *insider trading*: están, en efecto, previstas sanciones penales y administrativas a cargo del que, estando en posesión de tales informaciones, en razón de su condición de componente de órganos de administración, dirección o control de la emisora de los instrumentos a los que la información se refiere, o del ejercicio de una actividad laboral, de una profesión o de una función, se valga de ella para realizar operaciones, también por cuenta ajena, sobre tales instrumentos (o para recomendar o inducir a otros a su realización), o informe a otros más allá del normal desarrollo de la propia actividad. A sanciones administrativas queda además sujeto cualquiera que, conociendo o pudiendo conocer (con una diligencia normal) el carácter privilegiado de las informaciones, lleve a cabo alguno de los comportamientos indicados (arts. 184 y 187-*bis* T.U.F.). La normativa del *insider trading*

Orientada a la tutela del mercado, se incluye la disciplina dirigida a reprimir la manipulación del mercado, indicada también en términos de *market abuse:* en concreto, está sancionada penalmente la difusión de no- La normativa del *market abuse* ticias falsas o la realización de operaciones simuladas u otros artificios idóneos para provocar una *sensible alteración del precio* de los instrumentos financieros (art. 185 T.U.F.), mientras que la difusión de información, voces o noticias falsas o erróneas sólo potencialmente idóneas para *proporcionar indicaciones falsas o erróneas* con referencia a los instrumentos financieros resulta sujeta, si el hecho no constituye delito, únicamente a sanciones administrativas (art. 187-*ter* T.U.F.).

Capítulo V
Las sociedades accionariales

Sección i
Disposiciones generales. Aportaciones. Acciones

Mario Notari

Sumario: 49. Caracteres generales. 50. Autonomía patrimonial y responsabilidad limitada del socio. 51. La relación entre aportaciones, patrimonio, capital y acciones. 52. Otras clases de «aportación» y de instrumentos financieros. 53. Las aportaciones. 54. Principios generales de las acciones como participaciones sociales. 55. El valor nominal de las acciones. 56. El «contenido» de las participaciones accionariales. 57. Las clases especiales de acciones. 58. Las distintas clases de acciones especiales. 59. Las acciones como títulos representativos de las participaciones sociales. 60. Las otras técnicas representativas de las acciones. 61. Libre transmisibilidad de las acciones y límites a la circulación. 62. Las acciones propias. 63. Las participaciones recíprocas.

49. CARACTERES GENERALES

En el ámbito de las sociedades de capital (v. §7), el orden jurídico atribuye particular relevancia a dos modelos principales, netamente diferenciados entre sí, el de la *sociedad por acciones* y el de la *sociedad de responsabilidad limitada,* mientras reserva un espacio más marginal a la *sociedad comanditaria por acciones,* que acaba por ser una especie de variante de la sociedad por acciones. Por este motivo, un amplio espacio vendrá dedicado, en este capítulo y en el sucesivo, a la s.p.a. y a la s.r.l. (por cuanto la primera sigue representando, en diversos aspectos, el modelo de referencia también para la segunda, cuya disciplina hace todavía explícito reenvío, en algunos casos, a las normas dedicadas a la sociedad por acciones), mientras que sólo algunas páginas serán suficientes para tratar las peculiaridades de la sociedad comanditaria por acciones (§§112 y ss.).

Si se quisieran sintetizar los caracteres importantes que distinguen a la sociedad por acciones, podrían aislarse los siguientes aspectos: *(a) la auto-*

Características especiales de la s.p.a.

nomía patrimonial perfecta, por la que, en principio, ninguno de los socios responde de las obligaciones sociales; *(b)* la *estandarización de las participaciones* y la posibilidad de valerse de otros *instrumentan financieros* para acudir a los mercados de capitales de riesgo y de crédito; *(c)* la *organización de tipo corporativo* de la sociedad, cuyo funcionamiento se confía necesariamente a distintos órganos con competencias fijadas por la ley.

a) autonomía patrimonial perfecta

Para explicar el primer aspecto se necesita dar un paso atrás y recordar que la sociedad es un sujeto jurídico distinto de las personas de los socios, dotado de un patrimonio autónomo y distinto respecto del de los socios (v. §§4 y 8). La sociedad responde de las propias deudas con todo su patrimonio, estando sometida, como todos los demás sujetos jurídicos, al principio general sancionado por el artículo 2740, en virtud del cual «el deudor responde del cumplimiento de las obligaciones *con todos sus bienes presentes y futuros*» (v. §5). Mientras en las sociedades personalistas están obligados al pago de las deudas sociales, subsidiariamente, también los socios o algunos de ellos (responsabilidad ilimitada), en las sociedades de capital y en la sociedad por acciones en particular, las obligaciones sociales recaen *exclusivamente sobre la sociedad,* en cuanto *ningún socio* puede ser llamado al pago de las deudas (responsabilidad limitada).

Tal característica, que se verá en profundidad en el epígrafe siguiente, hace similares la s.p.a. y la s.r.l., en las cuales la responsabilidad limitada de los socios está regulada de modo casi idéntico (v. §§50 y 121). Ésta contribuye, por otra parte, a diferenciar la s.p.a. de la s. comanditaria por acciones, en la cual debe necesariamente subsistir una categoría de socios —los colectivos— que responden ilimitadamente de las obligaciones de la sociedad (v. §112).

b) las acciones y el recurso al mercado

En el ámbito de las sociedades de capital, la sociedad por acciones se caracteriza, además, por la naturaleza de las *participaciones sociales* atribuidas a cada socio a cambio de la aportación. Éstas son denominadas *acciones* y pueden ser entendidas y analizadas tanto como *cuotas o fracciones del capital social* (o sea, como las «porciones» de las que se compone el propio contrato de sociedad), cuanto como *títulos de crédito* que incorporan las participaciones mismas (o sea, como documento cartáceo representativo de las «porciones» del contrato). Las mismas características de las acciones de la s.p.a. se encuentran en las acciones de la s. comanditaria por acciones, mientras que bastante distinta es la naturaleza de la participación social de la s.r.l., como se tendrá ocasión de ver comparando lo que se dirá sobre las acciones (§§54 y ss.) con lo que se expondrá en materia de cuotas de la s.r.l. (§§123 y ss.).

La estandarización de las acciones y su incorporación en efectos de comercio (u otras técnicas representativas) ha permitido el desarrollo de las bolsas de valores y, en particular, de los mercados accionariales en los que vienen negociadas las acciones emitidas por las sociedades por acciones, que pueden así contar con una mayor recaudación de capitales de riesgo. Además de esto, la s.p.a. se caracteriza por la posibilidad —completamente prohibida a la s.r.l.— de recurrir a los mercados de capitales de financiación, a través de la emisión de *obligaciones* y de otros *instrumentos financieros,* participativos y no participativos, emitidos por la sociedad a cambio de aportaciones de diversa naturaleza (v. §§64 y 71).

En tercer lugar, la organización de la sociedad por acciones es necesariamente de tipo «corporativo», o sea, basada en la presencia de diversos órganos con funciones atribuidas rígidamente por la ley. En la estructura tradicional de la s.p.a. del ordenamiento italiano podemos, en efecto, distinguir: la *junta,* formada por accionistas que han aportado el capital de riesgo de la sociedad, a la que corresponde la competencia de algunas decisiones de dirección del funcionamiento del sociedad, como, por ejemplo, el nombramiento de los demás órganos sociales, además de las modificaciones del contrato social (§§79 y ss.); el *órgano de administración*, de elección asamblearia, formado por personas distintas de los socios, al que viene confiado de forma exclusiva la gestión de la actividad de empresa que constituye el objeto social (§§94 y ss.); el *colegio sindical,* también de nombramiento asambleario, con tareas de control sobre la gestión (§§102 y ss.). La sociedad puede, por otra parte, adoptar dos sistemas «alternativos» de administración y control —llamados sistema dualista y sistema monista— en los cuales las funciones de gestión y de control vienen diversamente repartidas entre los órganos sociales, en cualquier caso, necesarios (§§104 y ss.).

c) la organización corporativa

Si éstos son los caracteres importantes de la s.p.a., podemos ahora preguntarnos cuál es la *función* del modelo así delineado por el legislador y cuál su uso efectivo en la actual praxis económica. Queda bastante claro que el tipo s.p.a. tiene una vocación para la gran empresa y para el recurso a los mercados financieros: casi todas sus características tienden, en efecto, a dar vida a un modelo eficiente para el ejercicio y la financiación de la gran

Finalidad y difusión del modelo

empresa, a fin de obtener la cotización de las acciones, de las obligaciones y de los demás instrumentos financieros por ella emitidos, en la bolsa y en los mercados regulados en general.

Sin embargo, una visión dirigida únicamente a la cotización en bolsa sería, ciertamente, restrictiva. La disciplina de la s.p.a., en efecto, está llamada también a proporcionar un instrumento jurídico a disposición de las empresas de medianas y grandes dimensiones, que, sin aspirar a la cotización, tienden a llevar a cabo una serie compleja y variada de relaciones económicas, ya sea en el ámbito de aquéllos que contribuyen a la aportación del capital de riesgo, ya fuera de él. Las acciones «correlativas» (§58), las acciones con voto limitado o sin derecho de voto (§58), los patrimonios destinados a un específico negocio (§§72 y ss.), los instrumentos financieros participativos (§71), las mismas obligaciones, convertibles y no convertibles (§§64 y ss.), son todo ejemplos de la amplia gama de instituciones jurídicas con las que la s.p.a. puede regular operaciones económicas complejas con diversas clases de *partners* industriales, financieros y otras empresas en general.

Se explica así —pero no sólo— la amplia difusión del modelo de sociedad por acciones, bastante frecuente en la mediana empresa y frecuentemente utilizado también como forma jurídica de la empresa colectiva de carácter familiar. Sólo un exiguo número de todas las sociedades por acciones actualmente existentes, de hecho, cotizan en bolsa, si se tiene en cuenta que, en marzo de 2008, se contaban menos de 300 sociedades con acciones negociadas en los mercados regulados italianos, sobre un total de 39.109 sociedades por acciones existentes en Italia.

Sociedades abiertas, difusas y cotizadas   La disciplina jurídica, por otra parte, no es insensible a la posible variedad de utilización del modelo legal. De todo el conjunto de las normas dictadas para la sociedad por acciones, se extrae, en efecto, una disciplina «especial» dedicada sólo a la sociedad dirigida al mercado. Más exactamente, dentro de la noción general de sociedad por acciones, viene indicada una subcategoría, que podemos genéricamente individualizar como sociedad «abierta», definida por el legislador como la «sociedad que recurre al mercado de capitales» (art. 2325-*bis*, 1). A su vez, dicha noción comprende dos ulteriores subcategorías: la sociedad «cotizada», o sea, «la sociedad emisora de acciones cotizadas en mercados regulados» y la sociedad «difusa», definida como la «sociedad emisora de acciones difundidas entre el público en medida relevante» (actualmente superan tal umbral las sociedades con más de doscientos accionistas no de control, que tienen en total al menos el 5 por ciento del capital social, aunque subsistan las demás condiciones establecidas en el art. 2-*bis* del *Regolamento Emittenti* aprobado con la deliberación del Consob 11971/1999, con referencia a los arts. 111-*bis* disp. att. y 116 T.U.F.).

A las sociedades por acciones que no entran en la categoría de sociedades «cotizadas», ni en la de sociedades «difusas» —y que podríamos, por tanto, denominar *sociedades «cerradas»*— se aplica la generalidad de las normas que conforman la disciplina de la sociedad por acciones.

A las sociedades «difusas», además de dichas disposiciones o en derogación de las mismas, se aplican las normas dirigidas genéricamente a las «sociedades que recurren al mercado del capital de riesgo». Esto sucede, por ejemplo, con los arts. 2341-*ter* (publicidad de los pactos parasociales), 2368 y 2369 *(quorums* asamblearios), 2409-*bis* (control contable), 2437 (causas convencionales de separación).

En fin, a las sociedades «cotizadas» se aplican —además de la disciplina general y las normas dedicadas a las «sociedades que recurren al mercado del capital de riesgo»— las disposiciones que el mismo código o leyes especiales dictan expresamente para las emisoras cotizadas. Entre las normas del código, se pueden, por ejemplo, recordar los arts. 2412 (exención de los límites a la emisión de obligaciones), 2428 (obligación de redactar el informe semestral), 2441 (facultad de excluir el derecho de suscripción preferente), mientras que entre las leyes especiales asume preferente relevancia el T.U.F., surgido con el d.lgs. 58/1998, en la parte dedicada a la disciplina de las sociedades emisoras. En lo que a esto respecta, por lo demás, el art. 2325-*bis* se cuida de precisar que las normas dictadas por el código civil en materia de s.p.a. se aplican a los sociedades emisoras de acciones cotizadas en mercados regulados *en todo lo que no se disponga de forma distinta por otras normas de este código o de leyes especiales».*

50. AUTONOMÍA PATRIMONIAL Y RESPONSABILIDAD LIMITADA DEL SOCIO

Se ha dicho en el epígrafe precedente que la sociedad por acciones se caracteriza por el régimen de autonomía patrimonial perfecta, con base en el cual, por una parte, el patrimonio de todos los socios es insensible a las

Responsabilidad limitada

deudas de la sociedad y, por otra, el patrimonio de la sociedad es insensible a las deudas del socio. Precisamos ahora que tal régimen prescinde de la circunstancia de que la sociedad venga constituida por una pluralidad de socios o por uno sólo, y prescinde también del hecho de que, después de la constitución, las acciones pertenezcan a uno o a más socios.

S.p.a. unipersonal

Queda, por tanto, admitida la *s.p.a. unipersonal,* tanto en sede de constitución como sucesivamente, sin que cambie la responsabilidad del socio o de los socios por las obligaciones de la sociedad. La regla de la responsabilidad limitada vale, en efecto, del mismo modo tanto para la sociedad por acciones pluripersonal como para las unipersonales.

Los casos excepcionales de responsabilidad ilimitada del único accionista

La excepción a tal norma está prevista únicamente en los casos de violación de algunas obligaciones que recaen sobre el sujeto, persona física o jurídica, que ha devenido único accionista. Dispone, en efecto, el art. 2325.2, que «en caso de insolvencia de la sociedad, de las obligaciones sociales surgidas en el período en que las acciones pertenecen a una sola persona, ésta responde ilimitadamente *cuando las aportaciones no hayan sido efectuadas* según lo previsto en el artículo 2342 o *hasta que no se haya hecho la publicidad* prescrita en el artículo 2362».

La obligación de publicidad

Por lo que respecta al primer supuesto (obligación de efectuar por completo las aportaciones dinerarias), nos remitimos a lo expuesto en el §53. Respecto al segundo, es preciso señalar que, según el artículo 2362, cuando las acciones pertenecen a una sola persona o cuando cambia la persona del único socio, los administradores tienen que depositar para la inscripción en el registro de empresas una declaración que contenga los datos identificadores del socio único. Análoga declaración debe ser luego depositada en el registro de empresas, siempre a cargo de los administradores, cuando se constituye o reconstituye la pluralidad de socios. Se trata de una publicidad que tiene por finalidad mantener informados a los terceros del hecho de que la sociedad con la que mantienen relaciones es un instrumento en manos de un solo sujeto y, por tanto, desvinculado, por definición, de la dialéctica entre mayoría y minoría que normalmente puede caracterizar la vida de la sociedad. También considerando que el socio único o el que deja de ser tal puede proveer la ejecución de dicha publicidad, en sustitución de los administradores, la ley sanciona la violación de dichas obligaciones con la pérdida del beneficio de la responsabilidad limitada del único accionista.

A tal forma de publicidad se añade la obligación —no sancionada con la pérdida de la responsabilidad limitada— de indicar en los *actos* y en la *correspondencia* de la sociedad que ésta tiene un único socio (art. 2250.4, dispuesto también en tema de s.r.l. unipersonal: v. §121).

A ulterior tutela de los terceros, el último inciso del artículo 2362 dispone que «los contratos de la sociedad con el socio único o las operaciones en favor del socio único son oponibles a los acreedores de la sociedad sólo si resultan del libro de reuniones y deliberaciones del consejo de administración o de acto escrito que tenga fecha anterior a la pignoración». En otras palabras, el socio único que ha adquirido bienes o derechos de la sociedad puede hacer valer la propia adquisición respecto a los acreedores de la sociedad, sólo si el contrato con que la sociedad ha enajenado tales bienes o derechos ha sido objeto de trascripción en el libro del consejo de administración o resulta de un acto con fecha cierta anterior a la pignoración efectuada por los acreedores de la sociedad. En caso contrario, los acreedores podrán someter a ejecución forzosa dichos bienes o derechos, para satisfacerse con el resultado de la venta forzosa, aunque se trate de bienes o derechos ya transferidos por la sociedad al socio único.

Oponibilidad de los contratos entre la sociedad y el socio único

51. LA RELACIÓN ENTRE APORTACIONES, PATRIMONIO, CAPITAL Y ACCIONES

En esta sección del capítulo sobre sociedades accionariales, examinaremos las *aportaciones* de los socios y las *acciones* a ellos asignadas por la sociedad. Ambos aspectos están sensiblemente influenciados por los caracteres generales de la s.p.a., ilustrados en las páginas precedentes. La disciplina de las aportaciones, en particular, es reflejo, ya de la limitación de responsabilidad de los socios, ya de la posibilidad de recurrir al mercado de capitales de riesgo: para las aportaciones en la s.p.a., en efecto, hay normas más rigurosas en aquellos aspectos referentes a la *tipología de lo aportado,* a la *modalidad y al plazo de ejecución* de la aportación, así como a la *valoración* de los bienes y de los derechos aportados. Pero conviene proceder por orden, partiendo de la noción y de la causa de las aportaciones.

La aportación es la prestación patrimonial prometida o realizada por el socio en el momento de su adhesión al contrato social (en sede de cons-

Concepto de aportación

titución) o en una sucesiva modificación (aumento del capital mediante aportaciones). Los elementos patrimoniales aportados por el socio son
adquiridos por la sociedad y contribuyen a formar el patrimonio. Sobre
los bienes aportados por el socio no existe derecho alguno de restitución,
ni durante la sociedad, ni a su disolución (excepción hecha en el caso de
separación del socio aportante, a causa de la revisión de la valoración de la
aportación, en el sentido del art. 2343, últ. párr., sobre el que v. §153). El
derecho de reembolso al final de la liquidación, en efecto, tiene por objeto
una suma de dinero igual al valor de la aportación (o mejor, al importe
nominal de las acciones emitidas frente a la aportación), y no la restitución
de lo aportado, subsistente a la disolución de la sociedad.

Causa de la aportación

La causa típica de la aportación consiste, por tanto, en la atribución
de *capital de riesgo* en favor de la sociedad, a cambio de la asignación de
participaciones accionariales en favor del socio. La atribución del capital de
riesgo viene *imputada al capital,* en el sentido de que el valor de los bienes
aportados (o una parte, como veremos después) viene sujeto a la disciplina
del capital, mediante la anotación de la partida correspondiente en el patrimonio neto, en el pasivo del balance (v. §§36 y ss.). El capital se divide
luego en *acciones,* cada una de las cuales atribuye al socio los derechos derivados en virtud de su participación en el contrato social.

De las aportaciones a las acciones

Debería, por tanto, resultar clara la relación entre aportaciones, patrimonio, capital y acciones: las *aportaciones* contribuyen a formar el *patrimonio efectivo* de la sociedad, representado en el activo del balance (v. §35); el
valor de las aportaciones se materializa en la partida *capital* del patrimonio
neto, que vincula a una correspondiente parte del activo, en el sentido de
que no será posible la restitución a los socios (v. §36); el capital social queda subdividido en *acciones,* asignadas a los socios aportantes, las cuales no
son más que «partes iguales» del contrato social, o sea las participaciones
sociales. El capital social, como cifra abstracta y en principio constante
(v. §37), y el número de las acciones en que queda subdividido son, a su
vez, dos elementos esenciales de los estatutos sociales (de la parte «estable»
del pacto de la sociedad), cuya modificación está sometida al conjunto de
normas previstas en general para todas las modificaciones de los estatutos
de la sociedad por acciones (v. §§156 y ss.).

Atribución de acciones

Las acciones en que se subdivide el capital social vienen atribuidas a
los socios que participan en el contrato social y efectúan las aportaciones.

La *asignación de las acciones a los socios* puede así ser examinada desde dos puntos de vista: aquél de la sociedad, como reflejo de la formación del capital, y aquél del socio, como reflejo de la prestación de la aportación.

Bajo el primer aspecto, el legislador se preocupa de que el valor global de las aportaciones sea al menos igual al valor que viene imputado al capital, a su vez correspondiente con la suma del importe nominal de todas las acciones asignadas a los socios: «en ningún caso, el valor de las aportaciones puede resultar en conjunto inferior al importe global del capital social» (art. 2346.5). Los socios son en cambio libres para decidir —tanto en fase constitutiva, como con ocasión de un aumento de capital— que no todo el valor de los bienes aportados venga imputado a capital sino sólo una parte. La diferencia entre el valor global de los bienes aportados y la parte imputada a capital constituye, por tanto, el *sobreprecio* pagado por los socios para obtener la asignación de las acciones y viene imputado a otra partida del patrimonio neto, denominada reserva de sobreprecio (§39).

... valor de las aportaciones y cobertura del capital

Desde el punto de vista de los socios, la asignación de las acciones se produce, en principio, en proporción a las aportaciones efectuadas. Sin embargo, una vez respetado el principio recientemente recordado, relativo al importe *global* de las aportaciones, nada impide que los socios convengan en el acto constitutivo una diversa asignación de las acciones, que no respete el principio de proporcionalidad entre aportaciones y acciones (art. 2346.4). Estos pueden, en otras palabras, pactar que un socio reciba menos acciones respecto a cuanto ha aportado, mientras que otro socio las reciba en medida mayor a la propia aportación. Se puede en tal modo tener en cuenta la aportación de activos que no pueden ser objeto de aportaciones verdaderas y propias (como las prestaciones de hacer o de no hacer, el consentimiento para el uso del nombre, etc.), o bien regular, mediante el contrato social, relaciones de crédito o de deuda subsistentes entre dos o más socios. Cualquiera que sea el motivo subyacente a la asignación no proporcional de las acciones, en cualquier caso, el fenómeno se resuelve con la emisión de algunas acciones *por encima de la par* (aquellas asignadas a los socios que confieren más del importe nominal de las acciones que reciben) y de otras acciones *por debajo de la par* (aquellas asignadas a los socios que confieren menos del valor nominal), o incluso con la emisión de acciones con sobreprecios distintos entre unos socios y otros.

... atribución proporcional y no proporcional

52. OTRAS CLASES DE «APORTACIÓN» Y DE INSTRU-MENTOS FINANCIEROS

El binomio aportaciones-acciones no agota todas las «aportaciones» que pueden ser efectuadas en favor del sociedad, ni los «títulos» que pueden ser emitidos por la sociedad en favor de los suscriptores. En efecto, hay aportaciones (entendidas en sentido amplio) de diversa clase y con diversa causa, así como hay títulos diversos y ulteriores respecto de las acciones.

Acciones y obligaciones   Tradicionalmente, la disciplina de la s.p.a. prevé dos figuras típicas y casi contrapuestas: la de las *acciones,* por una parte (v. §54), y la de las *obligaciones,* por otra (v. §64). Las acciones vienen emitidas frente a la aportación de *capitales de riesgo,* mientras que las obligaciones vienen asignadas frente a la aportación de *capitales de crédito;* la causa de la aportación es, como hemos visto, la atribución de capital de riesgo, sin obligación de reembolso y con la finalidad de participar en los eventuales beneficios, mientras que las obligaciones incorporan una operación de *financiamiento,* en virtud de la cual el suscriptor tiene derecho a la restitución de la suma prestada además de al rendimiento pactado.

Exigencias de los mercados financieros   Las empresas y los mercados financieros, sin embargo, han puesto de manifiesto la exigencia de disponer de instrumentos financieros de contenidos y características de lo más variado, a fin de satisfacer las diversas necesidades de los inversores y de los financiadores. Nacen así, tanto en la práctica como en la legislación, figuras que podríamos llamar intermedias, entre las acciones y las obligaciones: piénsese en las acciones de ahorro, en las obligaciones convertibles en acciones, en las obligaciones subordinadas, etc. (v. §§58 y 70).

La reforma del 2003, en este ámbito, ha intervenido en dos direcciones. Por un lado ha ampliado y hecho más elástica la figura de las acciones (consintiendo la creación de ulteriores clases especiales de acciones con peculiares derechos patrimoniales o con alteraciones del derecho de voto, así como las acciones sin derecho de voto) y de las obligaciones (cuyo contenido económico, por ejemplo, puede estar en parte condicionado al curso económico de la sociedad). Por otro lado, se ha introducido la nueva figura de los *instrumentos financieros participativos* (art. 2346.6), que pueden ser provistos de particulares derechos patrimoniales o administrativos, con la sola excepción del derecho de voto en la junta general de accionistas (v. §71).

Las aportaciones a cambio de las cuales vienen emitidos tales instrumentos financieros pueden ser ya bienes imputables a capital (dinero, bienes en especie y derechos, como veremos en el epígrafe siguiente), ya elementos no imputables, como las prestaciones de obra o de servicios. También la *causa de la aportación,* por otra parte, puede ser de diverso tipo: *(a)* puede consistir en la provisión de una operación de *financiación,* con obligación de reembolso en favor del suscriptor: se estará entonces ante un instrumento «híbrido» en el sentido de que, frente a una financiación, vienen atribuidos derechos participativos, tanto patrimoniales como administrativos, hasta ahora reservados sólo a las acciones; *(b)* podría también representar una aportación a título de *asociación en participación* (art. 2549), frente a la cual al asociado vienen atribuidos derechos administrativos de control a través de los instrumentos financieros *ex* artículo 2346.6, más allá de la participación en los beneficios producidos por la sociedad en su actividad, en un determinado sector o en uno o más negocios; *(c)* tampoco puede excluirse que todo lo aportado por el suscriptor venga adquirido por la sociedad como *capital de riesgo,* sin ninguna obligación de restitución: se está entonces ante otra figura de instrumento «híbrido», en cuanto una aportación de «cualquier capital» estaría no sólo privada del derecho de voto —en la junta «general» de accionistas— sino también dotada de derechos administrativos ciertamente inferiores a aquéllos de las acciones, incluso de las acciones «descoloridas» como son las acciones de ahorro.

Los instrumentos financieros participativos

Sin entrar ahora en el examen del contenido de las acciones (§56), de las obligaciones (§68) y de los instrumentos financieros participativos (§71), se puede aquí dar cuenta del abanico de las diferentes tipologías de aportaciones que pueden ser efectuadas a la sociedad, así como de los instrumentos financieros que ésta puede emitir.

Con respecto a las aportaciones en sentido estricto —o sea, a las aportaciones imputadas a capital, a cambio de las cuales se emiten acciones, a las que se añaden las aportaciones efectuadas a título de sobreprecio— pueden en efecto distinguirse entre las *aportaciones y las prestaciones* de los suscriptores de los instrumentos financieros participativos *ex* artículo 2346.6, y las *financiaciones* concedidas por aquéllos a los que se asignan las obligaciones. Además, como se tendrá ocasión de ver en el epígrafe siguiente, los accionistas pueden en algunos casos obligarse a la realización de *prestaciones accesorias* además de las verdaderas y propias aportaciones

Clases de «aportaciones»

(art. 2345). Finalmente, éstos pueden efectuar aportaciones de capital de riesgo sin imputación a capital y sin emisión de ningún instrumento financiero, ni accionarial ni de otra naturaleza, como pasa, por ejemplo, en caso de *desembolsos a fondo perdido* o de *desembolsos en la cuenta de capital,* sin obligación de reembolso.

Clases de instrumentos financieros

Por otra parte, también la gama de los instrumentos financieros típicos a disposición de las sociedades emisoras es bastante variada, hasta el punto de poder decir que las categorías de las acciones y de las obligaciones, con el añadido de la nueva figura de los instrumentos financieros participativos, ya no representan clases de títulos claramente distintos entre ellos, con características claramente distintas o incluso antitéticas, sino que han devenido nociones bastante amplias y elásticas, a veces casi sobrepuestas entre ellas. En otras palabras, se puede decir que entre los dos extremos de las acciones «ordinarias» (capital de riesgo) y de las obligaciones puras y simples (capital de crédito) subsiste un amplio número de instrumentos financieros, cuyo contenido puede ser libremente establecido por la autonomía estatutaria y negocial, a lo largo de una línea que, sin solución de continuidad, enlaza los dos extremos.

53. LAS APORTACIONES

Las aportaciones y la formación del capital en la sociedad por acciones están rodeados de cautelas mayores que las de las sociedades personalistas y, en parte, también que las de la s.r.l. (v. §122). Tales cautelas atañen esencialmente a tres aspectos: la *clase* de bienes aportados, los *plazos y modos* de ejecución de las aportaciones, así como la *valoración* de los bienes aportados a la sociedad. Es evidente la preocupación del legislador por hacer que la sociedad nazca con un patrimonio efectivo, cuyo valor sea al menos igual al capital social determinado en el acto constitutivo e inscrito.

Los bienes objeto de aportación

En la sociedad por acciones no todas las entidades patrimoniales pueden ser objeto de aportación. El código civil contempla expresamente tres tipos de aportaciones: el *dinero,* que representa la regla general, puesto que «si en el acto constitutivo no se ha establecido de forma diversa, la aportación debe hacerse en dinero» (art. 2342.1); los *bienes en especie* y los *derechos,* para los que el art. 2342.3, remite a la disciplina prevista para las sociedades personalistas en orden al régimen de garantías (arts. 2254 y 2255, sobre el que v. §15). Además del dinero, por tanto, puede ser aportada la propiedad (u otro derecho real de goce) de bienes muebles o inmuebles, como, por ejemplo, acciones en otras sociedades, maquinarias, terreno o inmuebles, así como establecimientos mercantiles enteros o bienes inmateriales, como las marcas y las patentes; puede también aportarse la titularidad de derechos de crédito frente a terceros, quedando a salvo la responsabilidad del socio aportante en caso de insolvencia del deudor cedido.

Hay, después, dos límites claramente derivados del texto normativo, que contribuyen a circunscribir el área de los elementos aportados.

Límites normativos

El primero está expresamente dispuesto en el mismo artículo 2342.5, a tenor del cual «no pueden ser objeto de aportación las *prestaciones de obra y de servicios*». No puede por tanto existir, en la sociedad por acciones, la figura del *socio de obra,* admisible tanto en las sociedades personalistas (art. 2263.2), como en la sociedad de responsabilidad limitada, aunque con mayores cautelas (art. 2464.6, sobre el que v. §122); ni puede ser aportado, por otra parte, un derecho de crédito contra terceros que tenga por objeto la ejecución de prestaciones de obra o de servicios.

El segundo límite se desprende de la norma según la cual las acciones emitidas a cambio de aportaciones en especie o de derechos «deben ser íntegramente liberadas en el momento de la suscripción» (art. 2342.3). No pueden, por tanto, aportarse aquellos bienes y derechos que, por su naturaleza, no puedan ser *inmediata y definitivamente transferidos* a la sociedad, entre los cuales se encuentran los bienes *genéricos* (no específicamente determinados o determinables en el momento de la suscripción), los bienes *futuros* y los bienes objeto de prestaciones *continuas o periódicas.*

La ausencia de una definición general de las cosas que pueden ser objeto de aportación, sin embargo, deja algunas dudas en cuanto a la posibilidad de aportar alguna clase de bienes, derechos o prestaciones, abstractamente susceptibles de valoración económica, pero difícilmente evaluables o no expropiables por los acreedores de la sociedad. Es el ejemplo de los derechos personales de goce, del *know how,* del uso del nombre, o de la prestación de garantías, respecto de los cuales, aun teniendo en cuenta la necesidad de la sociedad de adquirir todos los medios útiles para el ejercicio de la empresa social, existen importantes dudas en orden a su aportabilidad.

Plazos y modos
de realizar las
aportaciones
Además de restringir el área de los bienes susceptibles de aportación, el ordenamiento dicta normas más rigurosas que aquéllas de las sociedades personalistas, concernientes a los *plazos y modalidades de ejecución de las aportaciones,* para asegurar que los recursos destinados a formar el capital de riesgo vengan efectivamente adquiridos por la sociedad.

Tales normas varían dependiendo de diversos factores: que se trate de aportaciones en dinero o distintas del dinero; que haya una pluralidad de socios o un único accionista; y en fin, según la aportación se haga durante la constitución de la sociedad o durante un aumento de capital.

... en las
aportaciones
dinerarias
En cuanto al *perfil temporal* de las aportaciones en dinero, la situación cambia dependiendo del número de socios. Si son dos o más socios, el desembolso debe realizarse en una cuarta parte en el momento de la estipulación del acto constitutivo o de la suscripción de las nuevas acciones en caso de aumento de capital; las restantes tres cuartas partes podrán ser requeridas sucesivamente a los socios por los administradores, en los plazos libremente determinados por estos últimos. De modo distinto, si el accionista es único, la aportación tiene que ser íntegra en el momento del acto constitutivo o de la suscripción del aumento de capital (art. 2342.2). Además, si desaparece la pluralidad de socios, los desembolsos debidos deben ser efectuados dentro de noventa días (art. 2342.4).

La *modalidad de ejecución* de las aportaciones en dinero viene libremente elegida por los socios y por la sociedad, quedando claro que, en los casos en que es la ley la que impone la ejecución del desembolso dentro de un determinado momento, tendrán que ser utilizados medios de pago que aseguren la efectiva obtención del dinero por parte de la sociedad (transferencias bancarias, imposiciones, etc.) y no instrumentos de crédito que hagan depender el pago de una ulterior actividad del socio aportante (letras de cambio, pagarés, etc.). Sin embargo, el desembolso del 25 por ciento de las aportaciones hechas *durante el acto constitutivo,* no habiéndose perfeccionado el procedimiento previsto de la ley (§§146 y ss.), debe ser efectuado a través de un banco, donde permanece vinculado hasta que se haya realizado la inscripción de la sociedad en el registro de empresas (art. 2342.2).

... y en las
aportaciones *in
natura*
Para las aportaciones distintas del dinero, en cambio, la situación es más sencilla. Como se ha visto recientemente, el artículo 2342.3, dispone que las acciones correspondientes «deben ser íntegramente liberadas en el momento de la suscripción» (lo mismo si se trata de un aumento de capital, puesto que

el artículo 2440 se limita a hacer una remisión a la norma citada). Esto significa que la aportación debe realizarse simultáneamente a la suscripción, en una modalidad tal que permita a la sociedad conseguir inmediata e incondicionalmente la titularidad y disponibilidad del bien o del crédito aportado.

La exigencia de someter a valoración el objeto de las aportaciones subsiste evidentemente sólo para las aportaciones distintas del dinero. Para ellas, es preciso asegurar el respeto a la norma según la cual «en ningún caso el *valor* de las aportaciones puede resultar en conjunto inferior al importe global del capital social» (art. 2346.5). Nada prohíbe que venga imputado al capital social sólo una parte del valor de la aportación, pero es necesario que el importe imputado al capital —igual al importe nominal de las correspondientes acciones emitidas— no sea superior al valor efectivo del bien aportado: en caso contrario, el capital social determinado en el acto constitutivo no sería enteramente «cubierto», o sea, vendría inscrito a falta de bienes de igual valor en el activo del patrimonio social. La misma exigencia se manifiesta, por otra parte, durante el aumento de capital mediante nuevas aportaciones, con respecto a la parte aumentada (§§159), así como en otros supuestos en que el capital social (o una parte) viene creado *ex novo* sin que se den las mismas garantías de formación del capital social: dígase para la transformación de una sociedad personalista en una sociedad de capital (art. 2500-*ter*; v. §172) y para la fusión mediante incorporación de una sociedad personalista en una sociedad de capital (art. 2501-*sexies*; v. §179).

A tutela de los intereses de los terceros que confían en el capital social, la ley requiere, en todos estos casos, una valoración jurada por parte de un experto, independiente de la sociedad, designado por el tribunal del domicilio de la sociedad, que constituye el límite máximo de la cuantía del importe nominal de las acciones emitidas a cambio de la aportación y de la correspondiente parte del capital social. El informe jurado de valoración y su verificación se regulan en el ámbito de la constitución de la sociedad por acciones (en concreto, en los arts. 2343 y ss., aplicables también en las otras incidencias mencionadas) y serán, por tanto, tratadas junto a dicha materia (§153).

El hecho de que el artículo 2342 haya limitado el área de los bienes objeto de aportación, excluyendo las prestaciones de obra y de servicios, no impide que la sociedad por acciones pueda obtenerlas a título diverso de la aportación en sentido estricto. Esto puede pasar —además de me-

Valoración de las aportaciones (nota marginal)

Prestaciones accesorias (nota marginal)

diante la emisión de los ya citados instrumentos financieros participativos *ex* artículo 2346.6 (v. §§52 y 71)— a través de las acciones con *prestaciones accesorias* (art. 2345).

Junto a la obligación de las aportaciones, en efecto, el acto constitutivo puede imponer a cargo de los socios la ejecución de prestaciones accesorias no consistentes en dinero, determinando el contenido, la duración, la modalidad y la retribución, y estableciendo concretas sanciones para el caso de incumplimiento. Puede tratarse de prestaciones de obra o de servicios (por ejemplo, la actividad profesional de los socios de un sociedad consultora o de *engineering)* o bien de prestaciones de dar, continuadas o periódicas (por ejemplo, la distribución de energía eléctrica en favor de la actividad industrial ejercida por la sociedad que emite las acciones).

El contrato social que vincula a la sociedad y al titular de tales acciones se enriquece de contenido, sin que deba necesariamente configurarse una relación jurídica distinta, aunque vinculada, a aquélla derivada del contrato social. Esto permite utilizar, junto a los instrumentos normales de tutela de los créditos derivados de la disciplina general del Derecho civil, los instrumentos típicos del Derecho societario, como la venta y la amortización de las acciones del socio moroso, en el sentido del artículo 2344.

Las acciones a las que está vinculada la obligación de las prestaciones accesorias tienen que ser nominativas y no son transferibles sin el consentimiento de los administradores. Si otra cosa no se dispone en el acto constitutivo, además, las obligaciones a cargo de los titulares de tales acciones no pueden ser modificadas sin el consentimiento de todos los socios (art. 2345.2 y 3).

54. PRINCIPIOS GENERALES DE LAS ACCIONES COMO PARTICIPACIONES SOCIALES

Se ha dicho anteriormente que los socios, a cambio de la aportación efectuada en favor de la sociedad, reciben las participaciones sociales, denominadas *acciones*. En esta acepción el término «acción» expresa el *aspecto sustancial* del contrato social, mientras que desde una perspectiva diferente, el mismo término viene utilizado para indicar los *efectos de comercio* que incorporan la participación social. En los epígrafes que siguen se trata el primer aspecto, mientras que en los §§59 y 60 se analizarán las acciones como títulos representativos de las participaciones sociales.

La participación accionarial no se distingue de las demás clases de participaciones sociales por el sólo hecho de que puede ser incorporada en títulos documentales. También desde el punto de vista sustancial subsisten notables diferencias, que podrán ser apreciadas, sobre todo, comparando las acciones con las cuotas de la s.r.l. (v. §123).

La primera de ellas es la llamada *autonomía* de las concretas partici-   Autonomía
paciones sociales, que consiste en la *despersonalización* de la participación con respecto a su titular y en su *estandarización* respecto a todas las demás participaciones accionariales. Las acciones, en efecto, representan «partes» iguales del contrato social y confieren los mismos derechos, también desde el punto de vista cuantitativo, con independencia de quién sea el sujeto que las tiene y del importe de las aportaciones efectuadas por el mismo. El capital social viene por tanto subdividido en un determinado número de acciones, cada una de las cuales representa una fracción idéntica con respecto a todas las demás.

Esto no significa que todos los socios se hallen en la misma posición, por cuanto es connatural al fenómeno de la s.p.a. la circunstancia de que un mismo socio sea titular de varias acciones, cada una de las cuales está dotada de *autonomía* respecto de las demás. Como se ha visto, en efecto, el número de acciones asignadas a cada socio es, en principio, proporcional a la cuantía de la propia aportación, salvo pacto en contrario de las partes (art. 2346.4).

La diferencia conceptual con respecto a las cuotas de la s.r.l. está pues, en primer lugar, en el hecho que el socio de la s.p.a. no tiene una única participación social, sino un determinado número de acciones, cada una de las cuales es autónoma respecto de las demás, mientras que el socio de la s.r.l. es titular de una única cuota, que representa precisamente una fracción del contrato social y del capital social, en una medida que puede ser distinta de socio a socio.

Despersonalización, estandarización y autonomía de las acciones contribuyen a dar a la participación social una *connotación «objetiva»*, a su vez funcional para hacer de la inversión accionarial un «bien» fácilmente circulable y, por ello, idóneo, mediante diversas técnicas representativas, para ser negociado en los mercados mobiliarios. El concepto mismo de acción es, por tanto, el presupuesto lógico-jurídico que ha consentido la formación de las bolsas y de los mercados financieros, que, a su vez, son el medio a través del cual pueden confluir en la sociedad por acciones los capitales de riesgo y de financiación para el ejercicio de la actividad de empresa.

Todas las participaciones accionariales están, además, caracterizadas por tres principios de carácter general (indivisibilidad, inescindibilidad e igualdad), que refuerzan las características de despersonalización y estandarización.

Indivisibilidad

El primero de ellos, la *indivisibilidad* de las acciones, está expresamente sancionado y regulado por el art. 2347, a tenor del cual: «las acciones son indivisibles. En el caso de copropiedad de una acción, los derechos de los copropietarios tienen que ser ejercidos por un representante común nombrado según las modalidades previstas en los arts. 1105 y 1106. Si el representante común no ha sido nombrado, las comunicaciones y las declaraciones hechas por la sociedad a un copropietario son eficaces respecto a todos. Los copropietarios de la acción responden solidariamente de las obligaciones de ella derivadas».

La división de las acciones, comúnmente denominada *fraccionamiento* de acciones, representa una modificación de los estatutos y debe ser efectuada de modo idéntico para todas las acciones en circulación. Tal fenómeno, que atañe a la participación accionarial en sentido sustancial, no debe confundirse con el fraccionamiento o reagrupamiento de algunos *certificados accionariales,* cada uno de los cuales puede libremente incorporar cualquier número de acciones, a elección del accionista. Este último tiene, por tanto, la facultad, en cada momento, de pedir la sustitución de los propios títulos por nuevos títulos que incorporen un número mayor o inferior de acciones, quedando igual el número de acciones a él correspondientes.

Inescindibilidad

El segundo principio, llamado de *inescindibilidad* de las acciones, no viene expresamente afirmado por la ley, y sus confines son, por tanto, menos claros. Se suele afirmar que las acciones, además de indivisibles en el sentido apuntado, son inescindibles, en el sentido de que su contenido no puede ser atribuido a sujetos distintos (lo que pasaría, por ejemplo, cuando el derecho a los beneficios correspondiera a Tizio, mientras que el derecho de voto quedara reservado a Caio). Tal principio queda, por otra parte, limitado a las relaciones con la sociedad, no pudiendo excluir en línea de máxima la legitimidad de un acuerdo con eficacia *inter partes* (v. §88), que dispusiera de tal modo de algunos derechos sociales.

No faltan además ejemplos en los que es la propia ley la que lleva a un resultado análogo, allí donde consiente la constitución de *derechos reales parciales* sobre las acciones. Es lo que ocurre en los casos de *prenda* y *usufructo* sobre las acciones, regulados, junto con el embargo, en el art. 2352, a tenor del cual, el derecho de voto pertenece, salvo pacto en contrario, al acreedor pignoraticio o al usufructuario. Si las acciones atribuyen un derecho de suscripción preferente, éste pertenece al socio y al mismo son atribuidas las acciones suscritas en el ejercicio de tal derecho. Los demás derechos administrativos, en cambio, pertenecen bien al socio, bien al acreedor pignoraticio o al usufructuario, a menos que del título resulte otra cosa.

El tercer principio, la *igualdad* de las acciones, debe entenderse en sentido amplio, pero también relativo. Amplio, en lo que respecta ya al aspecto *cuantitativo* (el artículo 2348.1, dispone que «las acciones tienen que ser de *igual valor*» debiéndose pues entender que las acciones sin indicación del valor nominal deben representar una fracción igual del capital social), ya al *cualitativo* (el art. 2348.1 afirma que las acciones «confieren a sus poseedores *iguales derechos*»). Relativo, en cuanto «se pueden, no obstante, crear, mediante los estatutos o sucesivas modificaciones de éstos, categorías de acciones provistas de derechos diferentes» (art. 2348.2, sobre el que v. §§57 y 58). En este supuesto, el principio de igualdad vuelve, de todos modos, a surgir dentro de la categoría, ya que «todas las acciones pertenecientes a una misma categoría confieren iguales derechos» (art. 2348.3).

Finalmente, entre las características que marcan las participaciones accionariales, puede ser mencionada su tendencial *libre transmisibilidad,* sin que sea necesario el consentimiento de los demás socios o de la sociedad. Se trata, sin embargo, de una norma ampliamente derogable, por cuanto, como se verá en el §61, pueden existir *límites a la circulación* de las acciones, previstos por la ley o por los estatutos, sin permitirse, a diferencia de las participaciones de la s.r.l., la *total intransmisibilidad.*

Igualdad

Libre transmisión

55. EL VALOR NOMINAL DE LAS ACCIONES

El acto constitutivo determina necesariamente dos elementos relacionados entre sí: la *cuantía del capital* social y el *número de acciones*. El resultado de la división del capital social entre el número de acciones es el *valor nominal* de las acciones. El valor nominal de cada acción corresponde, por tanto, a una fracción del capital social, *necesariamente igual para todas las acciones* emitidas por la sociedad, incluso en momentos distintos, incluso si son de distintas clases. La igualdad del valor nominal es un principio absoluto e inderogable, que no permite excepciones, ni siquiera temporales.

Funciones del valor nominal
El valor nominal representa, por tanto, la expresión monetaria de la relación aritmética entre el capital y el número de acciones. Su función es la de representar en términos numéricos y absolutos, referidos a una acción, la parte de capital social representada por cada acción, también con el fin de servir de punto de referencia para la aplicación de distintas instituciones de la disciplina de la sociedad por acciones.

Así sucede, por ejemplo, allí donde viene fijado el límite cuantitativo de las acciones con voto no pleno (art. 2351.2), o para la determinación de la parte de los beneficios correspondientes a los accionistas en presencia de acciones de goce (art. 2353), para la determinación del límite para la adquisición de acciones propias (art. 2357.3), para la cuantificación del sobreprecio y de la reserva correspondiente (art. 2431), así como para el cálculo de los desembolsos a efectuar en el momento de la suscripción de las acciones en caso de aumento del capital social (art. 2439.1).

Acciones sin valor nominal
Para realizar dichas finalidades, sin embargo, la presencia del valor nominal no es imprescindible. Las mismas instituciones y los mismos preceptos pueden subsistir, *mutatis mutandis,* también a falta de indicación del valor nominal. La ley permite, en efecto, omitir tal indicación —basándose en una elección que debe valer *para todas* las acciones de una sociedad (art. 2346.2)— dando así vida a las *acciones sin valor nominal.*

Se trata, en realidad, de acciones cuyo valor nominal permanece simplemente sin expresar, pero sigue existiendo y manteniendo la misma relevancia que tiene en las acciones con valor nominal expreso. Se considera, en efecto, que el valor nominal de las acciones es siempre el resultado de la división aritmética de la cuantía del capital social entre el número de acciones y que estos dos elementos están necesariamente presentes también en la sociedad con acciones sin valor nominal. En cualquier momento, por tanto, es posible llegar al valor nominal «inexpresado», dividiendo la cuantía del capital entre el número de las acciones: podrá derivar una cifra con un elevado número de decimales, pero se tratará, en cualquier caso, del valor nominal de las acciones. El hecho de no tener que determinar necesariamente un valor nominal expreso, redondeado al segundo decimal de euro, representa por otra parte una de las «comodidades» de las acciones sin indicación del valor nominal, por cuanto permiten efectuar varias operaciones sobre el capital sin que exista el problema de los restos indivisibles (piénsese en el aumento gratuito, que, *aparte del importe imputado a capital,* puede realizarse simplemente variando el valor del capital social, pero quedando igual el número de acciones en manos de los socios: v. §159).

Por otra parte, la relevancia aplicativa del valor nominal no desaparece, por cuanto la misma se traslada al *número* de acciones o viene en cualquier caso referida al *valor nominal inexpresado* extraíble en cualquier circunstancia de la vida de la sociedad.

En el primer sentido, el artículo 2346.3 establece que «a falta de indicación del valor nominal de las acciones, las disposiciones que a él se refieren se aplican *con respecto a su número en relación al total de las acciones emitidas*». Esto significa, por ejemplo, que, en presencia de acciones sin valor nominal, el precepto del artículo 2351.2, *in fine,* según el cual «*el valor* [de las acciones con voto no pleno] no puede en conjunto superar la mitad del capital social» deberá leerse así: «*el número* [de las acciones con voto no pleno] no puede superar la mitad de las acciones en que está subdividido el capital social».

En el segundo sentido vienen en cambio aplicadas las instituciones que no pueden ser referidas en cualquier caso al *número* de acciones. Piénsese en el aumento del capital social oneroso, en el que es preciso determinar con diversos fines el *precio de emisión* de las acciones y, en relación a él, su valor nominal. Es pues necesario llegar al valor nominal «inexpresado» de las acciones emitidas en el aumento, ya sea para saber a cuánto asciende la parte de aumento efectivamente suscrita, ya sea para aplicar la norma según la cual «los suscriptores de las acciones de nueva emisión deben desembolsar, en el acto de la suscripción, al menos el

Funcionamiento de las acciones sin valor nominal

veinticinco por ciento *del valor nominal* de las acciones suscritas, además del sobreprecio íntegramente» (art. 2439.1).

Son distintos del valor nominal, entendido como capital social dividido entre el número de acciones, el llamado *valor contable* y el denominado *valor real* de las acciones. El valor contable coincide con la fracción del *patrimonio neto contable* representado por cada acción y es, por tanto, igual a la suma del capital y de las reservas (v. §35), dividida entre el número de acciones. El valor real, en cambio, viene dado por el valor «efectivo» del patrimonio social (desvinculado, por tanto, de las normas y de los criterios del balance del ejercicio: v. §§42 y ss.) dividido entre el número de acciones. Reflejos de tal distinción pueden verse, entre otros, en el §144 (en tema de responsabilidad por lesión del valor de la participación, en los grupos de sociedades), y en el §160 (en materia de derecho de suscripción preferente en sede de aumento de capital).

56. EL «CONTENIDO» DE LAS PARTICIPACIONES AC-CIONARIALES

La inexistencia de una única participación social para cada socio y la presencia de varias participaciones accionariales, en principio, todas iguales, atribuidas a los socios en diversa medida, impiden configurar un verdadero y propio *status* de socio, entendido como una cualidad, una condición de la que derivan los derechos expectantes en virtud del contrato social. Esto no hace desaparecer la circunstancia de que cada socio se adhiere al contrato asociativo, del que dependen posiciones jurídicas típicas de la disciplina general de los contratos y de las obligaciones, como la buena fe y la lealtad (arts. 1375 y 1175). Aparte de tal consideración, en cualquier caso, son las concretas acciones las que atribuyen a su titular los derechos sociales, los cuales pueden ser entendidos en su conjunto como el «contenido» de las acciones (en este sentido se expresa, por otra parte, el propio legislador en el art. 2348.2).

Los derechos correspondientes a las concretas participaciones sociales pueden ser examinados, bien desde el punto de vista de su «medida» en las personas de los accionistas, bien desde aquél de su contenido, es decir, de la tipología de posiciones jurídicas en que consisten.

Desde la perspectiva según la cual cada acción atribuye determinados derechos a su titular, parece claro lo que ya se ha afirmado previamente, o sea, que las acciones representan también una clase de *unidades de medida* de los derechos sociales. Estos vienen, en efecto, cuantificados en base al *número* de acciones poseídas por cada socio (piénsese, por ejemplo, en el principio, contenido en el art. 2351, en base al cual a cada acción corresponde un voto en la junta general de socios) o en base a la *fracción de capital* por ellas representado (en tal sentido dispone, por ejemplo, el art. 2350.1 que «cada acción atribuye el derecho a una parte proporcional de los beneficios netos»). Derechos proporcionales

No todos los derechos están, sin embargo, sujetos a una medida cuantitativa relacionada con el número de acciones o con la correspondiente fracción de capital. Hay numerosos derechos sociales que no se prestan a ser medidos, por cuanto corresponden a los socios de forma igual, con independencia del número de acciones poseídas. Se pueden determinar, desde este punto de vista, dos clases de derechos sociales: *(i)* en primer lugar, aquellos derechos que pertenecen a uno o más accionistas *siempre que alcancen un determinado porcentaje* del capital social; así es, por ejemplo, para el derecho de solicitar la convocatoria de la junta (art. 2367), el derecho de solicitar el aplazamiento de la junta a falta de suficiente información (art. 2374), el derecho de impugnar las deliberaciones asamblearias anulables (art. 2377), el derecho de ejercitar la acción social de responsabilidad contra los administradores (art. 2393-*bis),* el derecho de denunciar irregularidades graves ante los tribunales (art. 2409), etc.; *(ii)* en la segunda clase se enumeran, en cambio, los derechos que corresponden a cada socio (o a alguno de ellos), *prescindiendo del número de acciones* poseídas; presentan esta característica, por ejemplo, el derecho de intervención en junta (art. 2370), el derecho de presentar denuncias ante el colegio sindical (art. 2408), el derecho de examinar algunos libros sociales (art. 2422), etc. Derechos no proporcionales

Los derechos con esta última prerrogativa constituyen una tutela de la posición de cada socio en cuanto tal, mientras que los derechos subordinados a la obtención de un *quorum* —categoría de la que el legislador siempre hace más uso, incluso transformando algunos derechos «individuales» en derechos de un determinado porcentaje— buscan, sobre todo, dar instrumentos de tutela para las minorías unidas o, en cualquier caso, para los socios de minoría que revisten una posición cuantitativamente notable.

Clases de
derechos
sociales

Los derechos correspondientes a las acciones tienen distinta naturaleza, pero por comodidad expositiva pueden subdividirse en dos grandes categorías: la de los *derechos patrimoniales* (que tienen por objeto el reflejo económico del contrato social, como, por ejemplo, el derecho a los beneficios) y aquella de los *derechos administrativos* (que atienden a la dimensión organizativa de la sociedad y a su funcionamiento, como, por ejemplo, el derecho de voto). Cada derecho social es objeto de específica disertación en la parte correspondiente de este manual, junto a la institución que corresponda: del derecho a los beneficios se ha hablado en tema de patrimonio neto y cuentas anuales (§40), del derecho de voto se hablará en el ámbito de la junta (§84), etc. En estas páginas nos limitamos a la exposición del cuadro global de los derechos sociales correspondientes a las acciones ordinarias de la sociedad por acciones, ya sea a fin de facilitar su determinación, ya sea con la finalidad de aprehender mejor los aspectos sobre los cuales la autonomía estatutaria puede intervenir para dar vida a las *categorías especiales* de acciones, que se caracterizan precisamente por estar dotadas de *derechos distintos*.

Los derechos patrimoniales

Los *derechos patrimoniales* atañen, por una parte, a la remuneración de la inversión accionarial durante la vida de la sociedad y, por otra, a la subdivisión del patrimonio resultante al término de la liquidación en caso de disolución de la sociedad. Al primer aspecto concierne el *derecho a los beneficios* (o derecho al dividendo), que corresponde proporcionalmente a todas las acciones y que, por lo demás, queda subordinado a la preventiva deliberación de la junta ordinaria de distribución del beneficio resultante del balance de ejercicio (v. §34). El segundo viene descrito como el derecho «a una parte proporcional del patrimonio neto resultante de la liquidación» (art. 2350.1), y puede, a su vez, distinguirse en derecho al reembolso del capital social y derecho al reparto del eventual patrimonio residual (v. §192). El reflejo de tal distinción se percibe en la disciplina de las acciones de goce en el sentido del art. 2353 (v. §58).

Los derechos administrativos

El número de los *derechos administrativos* es más amplio.

Vienen, en primer lugar, en consideración los derechos que atañen al funcionamiento del *órgano asambleario,* entre los cuales asume una evidente importancia el *derecho de voto,* a través del cual el socio hace oír su voz, hasta el punto de hacerla dominante cuando sea capaz de determinar él solo las deliberaciones de la junta; no por causalidad, el concepto de *control* de una sociedad sobre otra (art. 2359) viene unido a la disponibilidad de la mayoría o de un significativo porcentaje de los derechos de voto en la junta general (v. §141). Junto al derecho de voto encontramos otros derechos que son, de alguna manera, a él instrumentales o que, en cualquier caso, están ligados a él (§§82 ss.), como son los derechos de *intervención* (art. 2370), de solicitar la *convocación* de la junta (art. 2367), de obtener el *aplazamiento* (art. 2374), así como de *impugnar* las deliberaciones de la junta no válidas (art. 2377).

Un ulterior grupo de derechos administrativos concierne a la relación de los socios con la *actividad de gestión*. En este ámbito vienen enumerados el derecho de denuncia al colegio sindical (art. 2408), el derecho de denuncia al tribunal (art. 2409), el derecho a impugnar las deliberaciones del consejo perjudiciales para los derechos de los socios (art. 2388) y el derecho de interponer la acción social de responsabilidad respecto a los administradores (art. 2393-*bis*). En fin, siempre en el ámbito de los derechos administrativos, podemos incluir los derechos de *información* (v. §48), que tienen dos especificaciones notables —pero no las únicas— en el derecho a examinar los libros sociales (art. 2422) y en el derecho de obtener copia de la documentación de la junta (art. 130 T.U.F., sobre el que v. §80).

De difícil encuadre, para concluir, es el derecho de *suscripción preferente* en caso de aumento del capital social con aportaciones (art. 2441) y el *derecho de separación* (art. 2437), ya que ambos, aun teniendo un evidente reflejo patrimonial, protegen también intereses de carácter administrativo. Con el derecho de suscripción preferente, en efecto, cada socio tiene la facultad de mantener el propio «peso» proporcional en el ámbito de la composición social (v. §160), mientras que con el derecho de separación los socios minoritarios pueden manifestar una reacción sensible frente a las decisiones de la mayoría, no faltando supuestos en que la separación es consentida no sólo a la minoría sino a todos los socios (v. §§164 y ss.).

Suscripción preferente y derecho de separación

57. LAS CLASES ESPECIALES DE ACCIONES

El principio de igualdad de las acciones no impide, como se ha visto en el §54, crear acciones dotadas de *derechos diversos,* que dan lugar a una clase especial de acciones (art. 2348). Todas las acciones caracterizadas con los mismos derechos —y, dentro de las cuales se puede volver a hablar de igual-

El concepto de clase

dad— constituyen una *clase,* en la cual, la tutela de los intereses comunes se confía a la junta especial de los titulares de acciones de la misma clase.

El concepto de clase es un concepto *relativo.* Aunque se habla normalmente de acciones *ordinarias* (cuyo contenido refleja las normas dispositivas previstas por el legislador, aplicables a falta de cláusula estatutaria en sentido contrario) y de acciones *especiales* (dotadas de derechos «distintos» con respecto a dicho modelo), debe quedar claro que también las denominadas acciones ordinarias representan, a su vez, una «clase». También ellas, en efecto, son portadoras de un interés característico, que se diferencia del de las demás clases en virtud de los diversos derechos atribuidos a cada una.

Por otra parte, los distintos derechos que caracterizan a una clase especial se entienden en sentido amplio. El concepto de clase, en efecto, siendo funcional a la aplicación de la disciplina de las juntas especiales (art. 2376), concierne a cualquier supuesto en el que un grupo de acciones esté caracterizado por la misma situación jurídica, aunque en sentido estricto no pueda definirse como un «derecho».

Desde esta perspectiva, también la disciplina convencional de transmisibilidad de las acciones puede dar vida a diversas clases: si un grupo de acciones está sometido a una cláusula de tanteo, mientras que las restantes acciones son libremente transferibles, se puede afirmar que en el primer caso los accionistas no tienen el «derecho» de enajenar sin límites las acciones, mientras tal prerrogativa —configurable como «derecho distinto» que da vida al concepto de clase— pertenece a los demás accionistas. No se tienen distintas clases, en cambio, dependiendo del *régimen legal de circulación* de las acciones (acciones nominativas o al portador), tratándose de una característica de las acciones que, donde se haya consentido por la ley, depende de una libre elección de cada accionista (art. 2354.1, sobre el que v. §59).

Autonomía negocial y atipicidad de las clases especiales La sociedad puede emitir clases especiales de acciones tanto en sede de constitución como con ocasión de una sucesiva modificación del acto constitutivo. En el primer caso se encuentra con los únicos límites derivados de la ley, mientras que en el segundo caso deben ser considerados también los eventuales límites derivados de la presencia de otras categorías especiales de acciones o de instrumentos financieros participativos, dotados de derechos, de alguna manera, concurrentes con aquéllos de la nueva categoría. Hecha esta distinción, el principio general es el de la *atipicidad* de las categorías especiales de acciones: «la sociedad, en los límites impuestos por la ley, puede *libremente determinar el contenido* de las acciones de las distintas categorías» (art. 2348.2). Esto no quita que existan algunas especies *típicas* de acciones especiales, como las acciones de goce (art. 2353) o las acciones de ahorro (art. 145 T.U.F.), para las cuales la ley dicta algunos elementos de la disciplina a ellas aplicable. Remitiendo al epígrafe siguiente el examen de los posibles contenidos de las acciones especiales, tanto típicas como atípicas, procedemos ahora al análisis de la disciplina de categoría, que se centra en las juntas especiales.

Bajo el aspecto de los reflejos «organizativos», y prescindiendo de cuál sea el contenido de los derechos «distintos» que caracterizan cada categoría de acciones, el artículo 2376 dispone que «si existen diversas categorías de acciones o instrumentos financieros que confieren derechos administrativos, *las deliberaciones de la junta, que perjudiquen los derechos de una de ellas,* deben ser aprobadas también por la junta especial de los pertenecientes a la categoría afectada» (art. 2376). Lejos de crear una autónoma organización de categorías, la norma se limita a regular el supuesto en que la sociedad quiera introducir modificaciones estatutarias susceptibles de producir un perjuicio a los derechos de la categoría, haciendo a tal fin necesario y suficiente el consentimiento de la *mayoría* de los accionistas «especiales» (o de los poseedores de instrumentos financieros participativos), reunidos en junta especial. En otras palabras, la especial organización de categorías entra en juego cuando están implicados los «diferentes derechos» que constituyen la peculiaridad y la razón de ser de la propia noción de categoría.

Se trata, por tanto, de una norma no tanto a tutela de los intereses de la clase, sino, sobre todo, a tutela de la sociedad en su conjunto y de la mayoría en particular, en cuanto hace legítima una modificación y hasta un perjuicio de los derechos de la clase con el *solo* consentimiento de la mayoría de las acciones especiales y no de su totalidad. El interés de la mayoría de los socios a establecer modificaciones estatutarias, que directa o indirectamente pueden acarrear un perjuicio a los derechos especiales de una clase accionarial, prevalece pues frente a los intereses de la minoría de los accionistas de la categoría, a que se mantenga intacto su derecho «distinto». Nótese, por otra parte, que se ha introducido una causa inderogable de separación, para el caso de «modificaciones estatutarias concernientes a los derechos de voto o de participación» (art. 2437.1, g), sobre el que v. §164), a veces aplicable precisamente a la situación ahora examinada.

Las juntas especiales

Organización
de las clases

De otra naturaleza son, en cambio, las disposiciones —sean legales o estatutarias— que establecen una organización dirigida a la salvaguarda de los *ulteriores intereses comunes* de los poseedores de una categoría de acciones o de instrumentos financieros de participación.

La ley prevé expresamente tal disciplina con respecto a las *acciones de ahorro* (v. §58), disciplina que se extiende a cualquier otra categoría especial de acciones que coticen en mercados regulados italianos o de otros países de la Unión Europea (art. 147-*bis* T.U.F.). Dos son los principales elementos que caracterizan dicha normativa: *(i) la ampliación de las competencias de la junta especial,* que no se limita a autorizar las modificaciones perjudiciales para los intereses de la categoría sino que delibera sobre el nombramiento del representante común, sobre la constitución de un fondo común, sobre la transacción de controversias con la sociedad y sobre otros temas de interés común (art. 146 T.U.F.); *(ii)* la necesaria presencia del *representante común* de los accionistas de la categoría, regulado sobre el modelo del representante de los obligacionistas del artículo 2417 (v. §69), pero dotado de una específica función referente a la información de los órganos sociales acerca de la marcha de la sociedad (art. 147 T.U.F.).

Más allá de la disciplina de las acciones de ahorro y de las clases especiales de acciones cotizadas —así como de la análoga disciplina prevista para los instrumentos financieros de participación en los resultados del negocio de los patrimonio destinados, en el sentido del art. 2447-*octies* (v. §76)— nada prohíbe que la autonomía estatutaria dé vida a semejantes organizaciones de categoría, ya sea para las acciones dotadas de derechos diversos, ya sea para los instrumentos financieros participativos, de los del artículo 2346.6.

58. LAS DISTINTAS CLASES DE ACCIONES ESPECIALES

Se ha dicho que la sociedad, con los límites impuestos por la ley, puede libremente determinar el contenido de las acciones de las distintas clases. El tema está ahora en aclarar cuáles son los «límites impuestos por la ley», dentro de los cuales puede desplegarse la autonomía estatutaria. Estos atañen en algunos aspectos al contenido patrimonial de las participaciones accionariales y en otros al derecho de voto y derechos administrativos. Conviene, por tanto, examinar separadamente los dos ámbitos.

Bajo el aspecto patrimonial, la autonomía estatutaria encuentra esencialmente dos límites de carácter general. El primero de ellos deriva directamente de la noción misma de sociedad, ofrecida por el artículo 2247, a tenor del cual el ejercicio en común de la actividad económica se efectúa «con el fin de dividir los beneficios». Las acciones especiales deben, por ello, conservar los elementos causales mínimos para que se las pueda definir como participaciones *sociales* y no como títulos representativos de contratos de otra naturaleza (v. §3). En segundo lugar, encuentra aplicación la prohibición de *pacto leonino,* sancionado de forma general en el artículo 2265, a tenor del cual «es nulo el pacto por el que dos o más socios quedan excluidos de cualquier participación en los beneficios o en las pérdidas» (v. §17). La creación de categorías especiales de acciones no podrá, por tanto, conducir a la sustancial esterilización, para algunas acciones, de los resultados económicos activos o pasivos de la sociedad.

a) Acciones especiales bajo el aspecto de derechos patrimoniales

En el ámbito de tales límites, la autonomía negocial goza de amplios espacios, que pueden ser sintéticamente examinados en base al tipo de derecho patrimonial sobre el que pueden recaer. Con respecto al *derecho a los beneficios,* se pueden crear acciones *privilegiadas,* con diversas clases de prerrogativas especiales: puede ser un privilegio de «preferencia» (atribución de un porcentaje mayor de dividendo), un privilegio de «prioridad» (derecho a ser satisfechos, hasta un determinado porcentaje, antes que otras categorías de acciones), un privilegio consistente en el automático vencimiento del derecho al dividendo, independientemente de la deliberación de la junta ordinaria, o también una combinación de estos privilegios u otros.

... privilegios en los beneficios

Con respecto a las pérdidas, el art. 2348.2, reconoce expresamente la admisibilidad de acciones provistas de derechos diversos «también en lo que concierne a la *incidencia de las pérdidas*». Se trata principalmente de las llamadas *acciones diferidas,* que tienen el privilegio de sufrir la reducción de capital por pérdidas *después* de las demás categorías de acciones, también hasta la total amortización de las acciones no diferidas. Nótese que la prohibición de pacto leonino no viene violada por cuanto también las acciones diferidas participan en las pérdidas, aunque subordinadamente a la extinción de las otras acciones.

... postergación en las pérdidas

Una ulterior clase de privilegios patrimoniales atañe a los derechos correspondientes al término de la *liquidación* (v. §192). También aquí puede ejercerse una forma de postergación en las pérdidas, mediante la atribución

... privilegios en la liquidación

de un derecho de prioridad en el *reembolso del capital;* análogo, pero distinto, es el privilegio de prioridad o de preferencia sobre el reparto del *activo de liquidación* que queda después del reembolso del capital a todos los accionistas; todavía distinta es la atribución a una categoría de acciones del derecho a una cuota predeterminada del entero *patrimonio neto* resultante de la liquidación, incidiendo ya sea sobre el reembolso del capital, ya sobre la división del remanente.

b) Acciones especiales bajo el aspecto del derecho de voto

El principio según el cual a cada acción corresponde un voto es ampliamente derogable por la autonomía estatutaria, a la cual el ordenamiento jurídico pone esencialmente dos límites: la *prohibición del voto plural,* esto es, el mecanismo en base al cual a una acción corresponde más de un voto (art. 2351.4) y la obligación de hacer que *al menos la mitad del capital social esté representada por acciones con «voto pleno»,* o sea, no limitado en modo alguno (art. 2351.2). En la observancia de tales límites, «los estatutos pueden prever la creación de acciones *sin derecho de voto,* con *derecho de voto limitado* a determinados asuntos, con *derecho de voto subordinado a la verificación de determinadas condiciones no meramente potestativas»* (art. 2351.2); y además, sólo para el caso de las sociedades «cerradas», «puede preverse que, en relación a la cantidad de acciones poseídas por un mismo sujeto, el derecho de voto quede limitado a un número máximo o establecer límites escalonados» (art. 2351.3).

La ley, por tanto, no se hace cargo del problema de compensar, en el ámbito de cada clase de acciones, el sacrificio del componente administrativo de las acciones con su beneficio en el plano de los derechos patrimoniales, función que viene así confiada totalmente a la autonomía negocial y al mercado. Con los dos mencionados límites inderogables, el ordenamiento jurídico se preocupa de mantener un mínimo equilibrio entre quien confiere los capitales de riesgo y quien tiene la facultad —cuando menos, de forma potencial— de dirigir la gestión de la sociedad.

c) Acciones especiales bajo el aspecto de otros derechos administrativos

Faltan, en cambio, disposiciones normativas expresas para aquello que concierne a la creación de acciones especiales caracterizadas (también) por diferentes *derechos administrativos.* Al respecto, parece más difícil consentir una libre derogabilidad *in peius* con respecto a los derechos administrativos ordinariamente atribuidos a las acciones, mientras que no hay obstáculos para admitir el reconocimiento, a especiales categorías de acciones, de derechos administrativos ulteriores o «aumentados».

La previsión de causas convencionales de *separación* (§164), que afecta no a todas sino sólo a algunas acciones, permite además crear ulteriores categorías especiales, caracterizadas por corresponderles el derecho de separación en más supuestos de los reconocidos por la ley o por los estatutos para todas las acciones. Aparece en cambio limitada la posibilidad de configurar categorías especiales con respecto al *derecho de suscripción preferente* durante el aumento de capital (§160), pudiéndose afirmar que éste representa el único derecho societario que, además de no poder atribuirse a terceros no socios, no puede nunca ser privado o limitado en ninguna acción, ni ordinaria ni especial.

Algunos ejemplos de los diversos derechos examinados están presentes en figuras típicas previstas por la ley, en las cuales se combinan particulares derechos de naturaleza patrimonial y administrativa.

Las clases típicas:

Una concreta expresión de derechos patrimoniales caracteriza a las llamadas *acciones sectoriales,* es decir, las «compuestas por derechos correspondientes a los resultados de la actividad social en un determinado sector» (art. 2350.2). Se trata de acciones que, respecto a un determinado sector de la actividad social (del que se determinan gastos e ingresos específicos, mediante una especial dación de cuentas), atribuyen un derecho a los beneficios —u otros derechos patrimoniales— según los resultados del sector. Se puede llegar al punto de establecer que las acciones sectoriales perciban beneficios *sólo* si el sector tiene ganancias y *también si* los demás sectores no las tienen —resultando todavía más deslucido el concepto de «ejercicio en común» de la actividad económica del art. 2247 (v. §3)—, qu edando a salvo el límite, a tutela de los terceros, según el cual «no pueden pagarse dividendos de las acciones sectoriales sino en los límites de los beneficios resultantes de las cuentas de la sociedad» (art. 2350.3).

... acciones sectoriales

Existe una normativa, en cambio, dedicada a las acciones sin derecho de voto emitidas por las sociedades cotizadas. A ellas se aplican, en efecto, las normas dedicadas a las *acciones de ahorro* (arts. 145 y ss. T.U.F.), que presentan alguna característica peculiar con respecto a las acciones sin derecho de voto emitidas por sociedades no cotizadas. Las acciones de ahorro, en particular, pueden ser también al portador, tienen, necesariamente, que atribuir «determinados privilegios de naturaleza patrimonial» y gozan de una específica organización de clases a tutela de los intereses comunes (v. también §57).

... acciones de ahorro

... acciones
rescatables

El artículo 2437-*sexies* regula otra clase típica de acciones especiales, las *acciones rescatables,* caracterizadas por el hecho de estar sometidas al poder de rescate —esto es, de adquisición mediante un precio— reservado a la sociedad misma o al socio. En tal caso, quedando a salvo los límites a la adquisición de acciones propias (v. §62), la ley impone que el precio correspondiente a los titulares de las acciones rescatadas venga determinado de conformidad con las normas dictadas en materia de separación (v. §§168 y 169).

... acciones
en favor de los
trabajadores

A tenor del art. 2349.1, además, la junta extraordinaria puede acordar la distribución de beneficios a los dependientes de la sociedad o de sociedades del grupo, mediante la emisión de *especiales categorías de acciones* a asignar individualmente a los trabajadores, con normas particulares respecto de la *forma*, del *modo de transmisión* y de los *derechos correspondientes a los accionistas.* La operación, que se realiza mediante un aumento gratuito de capital social (v. §159), puede, bien dar vida a nuevas clases especiales de acciones, bien comportar la emisión de acciones ordinarias o de acciones de categorías especiales ya existentes. El contenido de las acciones asignadas a los dependientes, en otras palabras, viene libremente establecido por la junta en el momento de la emisión y el simple hecho de estar destinadas a los trabajadores no implica necesariamente que se trate de una clase especial de acciones.

... acciones de
goce

Entre las típicas clases de acciones, finalmente, están las *acciones de goce,* atribuidas a los poseedores de acciones reembolsadas en caso de reducción de capital (v. §161), las cuales «concurren al reparto de los beneficios que quedan después del pago a las acciones no reembolsadas de un dividiendo igual al interés legal y, en el caso de liquidación, al reparto del patrimonio social restante después del reembolso de las demás acciones a su valor nominal» (art. 2353). Esto significa que, durante la vida de la sociedad, las demás acciones tienen un privilegio en el reparto de beneficios, consistente en el derecho a recibir beneficios hasta una remuneración igual al interés legal calculado sobre su valor nominal, después de que todas las acciones, comprendidas las de goce, participen en la distribución de los beneficios.

Durante la liquidación, en cambio, las acciones de goce participan en la distribución del activo remanente de la liquidación, sólo después del reembolso del capital a las otras acciones. Los titulares de las acciones de goce, por otra parte, han gozado ya del reembolso del capital en el momento de la emisión de acciones de goce, cuando sus acciones (ordinarias) ha sido amortizadas previo reembolso del valor nominal. No siendo representativas de un capital social «actual», las acciones de goce no dan derecho de voto en la junta, salvo disposición contraria en los estatutos.

59. LAS ACCIONES COMO TÍTULOS REPRESENTATI-VOS DE LAS PARTICIPACIONES SOCIALES

El término «acción» viene utilizado para indicar, ya la participación social en sentido sustancial, ya el título cartáceo que la representa. La incorporación de las participaciones en títulos accionariales está dirigida esencialmente a resolver el problema de la *legitimación* para el ejercicio de los derechos sociales y el de la *circulación* de las participaciones. Los títulos accionariales están, en efecto, sustancialmente equiparados a los *títulos de crédito,* cuya disciplina permite regular de modo cierto y eficiente los problemas de legitimación y de circulación, además de aquellos inherentes a la comprobación de la titularidad y de la constitución de vínculos. No es, además, superfluo añadir que la incorporación a los títulos accionariales ha agilizado el nacimiento y el desarrollo de la *Bolsa,* de través de la cual las sociedades reúnen más fácilmente capitales de riesgo.

La incorporación de las participaciones a títulos accionariales constituye la solución tradicionalmente adoptada por los ordenamientos jurídicos para resolver los problemas evidenciados, pero no la única. Se verá, en efecto, en el siguiente epígrafe que, por disposición legislativa o estatutaria, pueden preverse *otras técnicas representativas,* o sea, otros mecanismos mediante los cuales vienen regulada la legitimación, la circulación, la creación de vínculos y otras incidencias que tienen por objeto las participaciones sociales.

A falta de una disposición contraria, en cualquier caso, la emisión de títulos accionariales representa la regla general y cada accionista tiene derecho a la entrega de uno o más certificados accionariales, cada uno de los cuales puede incorporar un número variable de acciones. No deben pues confundirse los *títulos* o *certificados accionariales* —ambos términos expresan el mismo concepto de título de crédito que incorpora la participación

Los títulos

Emisión de los títulos

social— con las *acciones* en ellos representadas, esto es, las concretas participaciones en las que se divide el capital social.

La emisión de los títulos accionariales es, por tanto, un acto debido, de naturaleza ejecutiva, que la ley expresamente exige a cada uno de los componentes del órgano de administración, cuya suscripción, sobre todo en los casos de emisiones muy numerosas, puede ser también realizada por medios mecánicos. La emisión de los títulos accionariales viene anotada en el *libro de socios,* en el cual deberán indicarse el número de las acciones, el apellido y nombre de los titulares de las acciones nominativas, las transmisiones y sus límites y los desembolsos realizados (art. 2421).

Acciones nominativas y al portador

Los títulos accionariales pueden ser nominativos o al portador, a elección del socio, si los estatutos o las leyes especiales no establecen otra cosa (art. 2354.1). En el momento actual, sin embargo, sigue vigente el art. 1 r.d. 239/1942, que impone para todas las s.p.a. la nominatividad de los títulos accionariales. Son una excepción, únicamente, las acciones de ahorro, a las cuales se aplica el principio de la alternatividad de los dos regímenes de circulación (art. 145.3 T.U.F.), aunque se trate de acciones (casi) siempre desmaterializadas, estando permitida la emisión únicamente a las sociedades cotizadas en mercados regulados.

Contenido de los títulos

Los títulos accionariales deben indicar: (1) la denominación y la sede de la sociedad; (2) la fecha del acto constitutivo y de su inscripción en el registro de empresas en que la sociedad está inscrita; (3) su valor nominal o, si se trata de acciones sin valor nominal, el número total de las acciones emitidas, así como la cuantía del capital social; (4) el valor de los desembolsos parciales de las acciones no liberadas; (5) los derechos y las concretas obligaciones a ellas inherentes (hasta aquí, el art. 2354.3); (6) las eventuales limitaciones a la transmisión de acciones (art. 2355-*bis,* 4).

Circulación y legitimación

Las acciones incorporadas en certificados *al portador se* transfieren, conforme a las normas sobre los efectos de comercio de esta clase, *mediante la entrega del título.* También la legitimación se regula por la disciplina general, en base a la cual, «el poseedor del título al portador está legitimado para el ejercicio del derecho en él mencionado con la sola presentación del título» (art. 2003).

Para los títulos *nominativos,* y por tanto para la casi totalidad de las acciones hoy en circulación, está en vigor, en cambio, una disciplina en parte especial respecto de aquella general de los efectos de comercio. Nada cambia aunque la circulación se haga con el método del denominado *transfert,* aplicándose en tal caso el art. 2022, según el cual «la transmisión del título nominativo se hace mediante la anotación del nombre del adquirente en el título y en el registro de la emisora o con la emisión de un nuevo título a nombre del nuevo titular». Reglas especiales están, en cambio, previstas cuando la transmisión se produce mediante *endoso,* en cuanto el endosatario que resulta poseedor en base a una serie continuada de endosos no sólo tiene derecho de obtener la anotación de la transmisión en el libro de socios (hecho del que deriva la regla de la legitimación, en el sentido del art. 2021) sino que también está legitimado para ejercitar *todos los derechos societarios* (art. 2355.3), análogamente a como sucede con los títulos a la orden. Queda a salvo, también en este caso, la obligación de la sociedad de poner al día el libro de socios.

Las normas hasta ahora mencionadas resuelven el problema de los *efectos* de la transmisión de acciones *en relación con la sociedad,* pero no regulan expresamente el problema distinto —común a todos los títulos de crédito— de si la entrega y las formalidades hasta aquí descritas son necesarias también para la adquisición de la *propiedad* de las acciones (denominado contrato «real»), o bien si la adquisición de la propiedad se produce siempre en virtud del negocio traslativo, en atención al *principio consensualista* de los contratos (art. 1376). La formulación del art. 2355, en realidad, se añade a los argumentos que llevan a sostener que el perfeccionamiento de un *válido negocio traslativo,* que tenga por objeto acciones específicamente determinadas, comporta en todo caso la adquisición de su propiedad, quedando inalterada la necesidad de la entrega, del endoso o del *transfert,* a fin de que el adquirente obtenga también la legitimación para el ejercicio de los derechos sociales.

> ... aplicación del principio consensualista

60. LAS OTRAS TÉCNICAS REPRESENTATIVAS DE LAS ACCIONES

Como se ha visto en el epígrafe precedente, la incorporación de las participaciones a títulos accionariales es una norma sujeta a excepciones, de naturaleza ya convencional (previstas en los estatutos), ya legal.

La falta de emisión de los títulos

La primera derogación, contemplada en el art. 2346.1, concierne a la *falta de emisión* de los títulos accionariales, que puede ser decidida, para todas o parte de las acciones de una sociedad, por los estatutos. Las participaciones sociales mantienen de esta forma todas las características típicas de las acciones (autonomía, indivisibilidad, igualdad, etc.), pero no vienen representadas por títulos de crédito. El art. 2355.1 se limita en este caso a disponer que «la transmisión de las acciones tiene efectos frente a la sociedad desde el momento de la inscripción en el libro de socios». En el mismo libro de socios deberá hacerse referencia a las demás incidencias concernientes a las participaciones sociales, como, por ejemplo, la constitución de prenda, usufructo y embargo (art. 2352), así como el establecimiento de vínculos de otra naturaleza. La regulación presenta en este caso una evidente semejanza con lo que está previsto para las cuotas de la s.r.l., aunque no puede decirse que sea coincidente (v. §124).

La desmaterialización de las acciones

Otra derogación con respecto al régimen ordinario se verifica con la *desmaterialización* de las acciones. La derogación es obligatoria para todas las sociedades «cotizadas» (y para las sociedades «difusas» que tengan las características establecidas por la Consob con regulación propia), mientras que es simplemente facultativa para todas las demás s.p.a., las cuales pueden someter sus propias acciones a dicha disciplina con la correspondiente cláusula estatutaria (art. 2354. 7). La desmaterialización obligatoria tiene en realidad un ámbito más amplio, en cuanto alcanza, además de a las acciones, a todos los «instrumentos financieros negociados o destinados a la negociación en los mercados regulados» (art. 28 d.lgs. 213/1998), los cuales *no pueden* ser representados por títulos de crédito «cartáceos».

... gestión centralizada

La desmaterialización de las acciones nace por la exigencia de simplificar la modalidad de transmisión de las acciones, sobre todo cuando cotizan en bolsa. Ésta se basa en un sistema de *gestión centralizada* de las acciones y de los demás instrumentos financieros, en el cual viene confiado a una sociedad —actualmente la labor la desarrolla *Monte Titoli s.p.a.*, pero es una actividad en régimen de libre competencia— la labor de «administrar en conjunto» todos los instrumentos financieros emitidos por las sociedades emisoras. El sistema requiere la necesaria participación de algunos intermediarios financieros (bancos, sociedades de inversión mobiliaria, etc.), que confían a Monte Titoli la gestión de las acciones a su vez confiadas por los clientes. Todos los accionistas, por tanto, deben encargar la gestión de las propias acciones a un intermediario, el cual confiere análogo encargo, para todas las acciones gestionadas por cuenta de sus propios clientes, a Monte Titoli.

Cada intermediario *abre una cuenta* en sus propios libros contables (llevados de forma electrónica) *para cada cliente,* y una correspondiente *subcuenta para cada clase de acciones* confiadas por el cliente, en la cual viene indicada la cantidad de acciones poseídas (art. 30.3, d.lgs. 213/1998); por ejemplo, la Banca Alfa abre una cuenta a nombre de Mario Rossi, en la que anota 10.000 acciones ordinarias Eni. En el nivel superior, Monte Titoli *abre una cuenta para cada intermediario* que confía acciones de los propios clientes, subdividida en *subcuentas para cada tipo de acciones* confiadas en administración por el intermediario, donde se indican las acciones poseídas por el intermediario, pero no las poseídas por sus clientes particulares (art. 30.2, d.lgs. 213/ 1998). En nuestro ejemplo, Monte Titoli abre una cuenta a nombre de Banca Alfa, dividida en subcuentas, una de las cuales tiene por objeto las acciones Eni, en la cual se anotan 200.000 acciones, o sea, todas las confiadas por Banca Alfa.

... registro en las cuentas de los intermediarios y de Monte Titoli

La circulación de las acciones se realiza mediante la correspondiente anotación en las cuentas de la sociedad de gestión centralizada y de los intermediarios. Siguiendo con el ejemplo, imagínese que Mario Rossi intenta vender 5.000 acciones Eni: su intermediario, Banca Alfa, introduce en el mercado de valores mobiliarios (también administrado de forma electrónica) la orden de venta, que se cruza con una orden de adquisición, igual pero de signo contrario, lanzada por otro intermediario, Banca Gamma, por cuenta de su cliente Antonio Bianchi. La sociedad de gestión del mercado —en nuestro país se trata principalmente de la Bolsa Italiana s.p.a., pero también en este caso se trata de una actividad en régimen de libre competencia— notifica a Monte Titoli la compraventa realizada entre Banca Alfa y Banca Gamma.

... transmisión de las acciones

Hasta el momento vienen efectuadas cuatro anotaciones: *(i)* sobre la cuenta que existe en Monte Titoli, a nombre de Banca Alfa, en la subcuenta de acciones Eni, se registra una variación en disminución, o sea, menos 5.000; *(ii)* la misma variación, pero en aumento, viene efectuada en la cuenta habida en Monte Titoli, a nombre de Banca Gamma, en la subcuenta de acciones Eni; *(iii)* sobre la cuenta habida en Banca Alfa, a nombre de Mario Rossi, subcuenta de acciones Eni, se registra una disminución de 5.000 acciones; *(iv)* la misma variación, pero en aumento (si ya existía, porque en caso contrario se crea *ex novo)*, sobre la misma subcuenta de la cuenta existente en Banca Gamma y a nombre de Antonio Bianchi.

... legitimación para el ejercicio de derechos sociales

Por expresa disposición legal, en tal caso, «la anotación sobre la cuenta equivale al endoso» (art. 2355.5) y el adquirente queda legitimado para el ejercicio de los derechos sociales basándose en una serie continuada de anotaciones. El ejercicio de los derechos administrativos corresponde al mismo accionista, en base a una certificación expedida, en su momento, por el intermediario, mientras que los derechos patrimoniales, como por ejemplo el cobro de dividendos, se ejercen directamente por el intermediario, por cuenta del accionista.

... salida del sistema

La salida del sistema por parte del accionista no es posible, tanto en el caso de desmaterialización obligatoria como en el caso de desmaterialización facultativa, ya que los títulos de papel no se emiten y no puede subsistir una diversa técnica representativa que coexista, para el mismo tipo de acciones, también en el caso de sociedades no cotizadas, con el régimen de la desmaterialización. Además, es posible que una sociedad, sujeta a desmaterialización facultativa, acuerde modificar los estatutos y adoptar para todas las acciones el régimen ordinario (emisión de títulos accionariales) u otra técnica representativa.

61. LIBRE TRANSMISIBILIDAD DE LAS ACCIONES Y LÍMITES A LA CIRCULACIÓN

Razones de la libre transmisibilidad

En el examen de las características generales de las participaciones accionariales se ha tenido ocasión de afirmar que las acciones son, por regla general, libremente transmisibles (v. §54). Evidentemente, se trata de una regla dirigida a favorecer la inversión accionarial, por cuanto la posibilidad de vender las acciones libremente, a cualquiera y en cualquier momento, facilita la movilidad de la inversión, hace posible la formación de un mercado para su adquisición y, por tanto, contribuye a incrementar la entrada de capitales en la sociedad por acciones. Es sintomático el hecho de que en las regulaciones de los mercados accionariales se exige expresamente, entre los requisitos para la admisión de acciones a negociación en bolsa, la libre transmisibilidad de las acciones.

Sin embargo, a veces, el principio es derogado por la propia ley, que, en supuestos concretos, pone límites o prohibiciones a la circulación de las acciones. Esto ocurre, en la disciplina general de la sociedad por acciones, en el caso de las acciones desembolsadas con aportaciones *in natura* o con créditos, hasta que no se haya efectuado la valoración por el órgano de administración (art. 2343.3, sobre el cual v. §153), así como en la hipótesis de acciones con prestaciones accesorias, que «no son transmisibles sin el consentimiento de los administradores» (art. 2345.2, sobre el que v. §53). Hay otros límites legales a la circulación de las acciones, dispuestos en su mayoría por leyes especiales, de las cuales no se hará referencia en este lugar.

Límites normativos

La libre transmisibilidad de las acciones, además, puede ser derogada de forma convencional, ya sea con pactos parasociales, ya sea con expresas cláusulas estatutarias.

Límites convencionales

Si el límite forma parte de un pacto parasocial, su eficacia queda circunscrita a los adherentes al pacto y no puede verse extendida a los terceros que, eventualmente, adquieran acciones en violación de tales límites convencionales (denominada eficacia obligatoria o relativa o *inter partes* del pacto parasocial: v. §88). Los límites contenidos en los pactos parasociales se someten, por otra parte, a la disciplina general de los contratos, y en especial al art. 1379, que declara nula la prohibición de enajenación si ésta no se hace dentro de los límites de tiempo acordados y si no responde a un apreciable interés de una de las partes. Para los demás aspectos de los límites a la circulación contenidos en los pactos parasociales —llamados usualmente *sindicatos de bloqueo*— nos remitimos al §88.

... en pactos parasociales

Si, en cambio, el límite está en los estatutos (posibilidad eliminada respecto de las acciones al portador), los efectos de la cláusula limitativa se extienden también a los terceros (eficacia real o absoluta o *erga omnes* de la cláusula estatutaria), debido a la circunstancia de que es objeto de publicidad legal mediante la inscripción en el registro de empresas y tiene además reflejo en los correspondientes certificados accionariales. Más allá de la diversa eficacia, los límites de naturaleza estatutaria están sujetos a un conjunto de disposiciones, contenidas en el art. 2355-*bis,* basadas en la circunstancia de que el pacto limitativo entra a formar parte del contrato social. La ley, por tanto, para no desnaturalizar las características tipológicas de la sociedad por acciones, delimita los confines más allá de los cuales

... en cláusulas estatutarias

la autonomía estatutaria no puede extenderse al limitar con eficacia real la circulación de las acciones.

Los confines de admisibilidad de los límites estatutarios

En concreto, el ordenamiento quiere evitar que las circunstancias «personalistas» de los socios jueguen hasta el punto de hacer las acciones completamente intransferibles. Por este motivo, la ley establece tres límites a la autonomía estatutaria: *(i)* en primer lugar, impide establecer una *prohibición absoluta de enajenación* de las acciones, por una duración superior a *cinco años* desde el momento de la constitución o desde el momento en que se ha introducido la prohibición; *(ii)* en segundo lugar, impone que las cláusulas de los estatutos que subordinan la transmisión de las acciones al *mero consentimiento de órganos sociales o de otros socios* prevean, a cargo de la sociedad o de los demás socios, una *obligación de adquisición* o bien el *derecho de separación* del enajenante (v. §164), so pena de nulidad de la cláusula; *(iii)* en tercer lugar, resultan ineficaces *todas las cláusulas que someten a concretas condiciones la transmisión mortis causa* si no prevén la misma obligación de adquisición o el derecho de separación, salvo que esté prevista la autorización para enajenar y que ésta se conceda.

Los límites estatutarios más frecuentes

Hecha salvedad de estas disposiciones, la autonomía estatutaria es libre de prever las diversas condiciones a las que someter la transmisibilidad de las acciones. Entre las más frecuentes, está, en primer lugar, la *cláusula de tanteo,* con base en la cual el socio que pretende enajenar sus acciones tiene que ofrecerlas previamente, en las mismas condiciones, a los demás socios, en proporción a las acciones que éstos posean (cláusula que en la práctica presenta un número infinito de variantes y añadidos). Similar y también muy frecuente es la denominada cláusula de *tanteo impropio,* que atribuye el derecho a los demás socios de adquirir las acciones del socio transmitente no ya al precio ofrecido por el tercero adquirente sino a un precio determinado basándose en particulares criterios objetivos o bien de un arbitrador nombrado a tales efectos.

Muy conocida, además, es la *cláusula de consentimiento,* en base a la cual, la eficacia de la transmisión de las acciones queda subordinada a la autorización de un órgano social o de algunos socios o de terceros; se dice que el consentimiento es *«puro»* —con las consecuencias mencionadas— cuando no existen criterios para su prestación y no existe, por consiguiente, una obligación de motivar la causa de su denegación. También la cláusula del *límite máximo* de tenencia de acciones representa, bien vista, un límite a la circulación, aunque incide más en la posición del adquirente que en la del transmitente; se trata, en efecto, de una cláusula que impide, haciéndolas ineficaces frente a la sociedad, las transmisiones de acciones que comportan, para el adquirente, la superación de un porcentaje establecido en los estatutos. Se puede, en fin, mencionar —aunque con ello no se agoten las posibles cláusulas limitativas— la previsión estatutaria del *rescate* de acciones, en el sentido del art. 2437-*sexies* (ya examinado en el §58).

Las cláusulas estatutarias limitativas de la circulación de las acciones pueden preverse, bien desde el origen en la escritura de constitución, bien ser introducidas en los estatutos posteriormente o ser removidas por acuerdo de la junta extraordinaria, adoptado con las mayorías requeridas para la modificación de estatutos. En tales casos, se prevé el derecho de separación de los socios que no han votado a favor de los correspondientes acuerdos (salvo disposición contraria en los estatutos: art. 2437.2, v. §164).

Introducción y remoción de los límites a la transmisión

62. LAS ACCIONES PROPIAS

La despersonalización de las participaciones accionariales —en principio, «insensibles» al sujeto titular de las mismas— hace concebible que una sociedad adquiera acciones propias y devenga, por tanto, socia de sí misma.

Sin embargo, dicha situación no está exenta de problemas, de naturaleza tanto patrimonial como administrativa. Bajo el primer aspecto, la presencia de acciones propias corre el riesgo de desvalorizar la protección ofrecida a los terceros con el capital social: paradójicamente, se puede llegar al punto de que todo el patrimonio social, frente al cual subsiste el vínculo del capital, esté constituido por acciones de la propia sociedad. Bajo el segundo punto de vista, la existencia de acciones propias en la cartera de la sociedad ofrecería, teóricamente, a los administradores el poder de influir en las decisiones de la junta de la sociedad (es decir, el órgano que los nombra), así como en general el poder de ejercer los derechos que corresponden a los accionistas.

El problema

Se trata de motivos, que, por otra parte, no han llevado al legislador a prohibir de raíz la posibilidad de que una s.p.a. devenga titular de acciones propias, sino que han justificado una compleja normativa para evitar que surjan algunos de los inconvenientes señalados.

La suscripción de acciones propias

Es necesario distinguir según la modalidad con la que la sociedad viene accionista de sí misma. Ello puede ocurrir, en primer lugar, en el llamado mercado primario, es decir, en el momento en que la sociedad ofrece *en suscripción* acciones *de nueva emisión,* lo que sucede, además de en la constitución, con ocasión de aumentos de capital no gratuitos. Dicha modalidad está completamente prohibida, ya que la sociedad, suscribiendo acciones propias, no podría efectuar la aportación necesaria para la liberación de las acciones, llegándose a encontrar, al mismo tiempo, en la posición de acreedora y deudora de la aportación. La única excepción, que da vida a una capitalización de reservas y que es, por tanto, en ciertos aspectos comparable a un aumento de capital gratuito, se da cuando la junta autoriza a los administradores a ejercer el derecho de suscripción preferente correspondiente a las acciones propias ya en autocartera, en el sentido de los arts. 2357-*ter,* 2, y 2357-*quater,* 1.

Fuera de estos casos, la suscripción de acciones propias realizada, aun siendo una operación que vulnera una norma imperativa, no es sancionada con la nulidad sino que se considera por la ley con efectos respecto de las personas que han actuado en nombre y por cuenta de la sociedad (socios fundadores o administradores que han suscrito las acciones de nueva emisión). Ellos, por tanto, quedan obligados personalmente a efectuar la aportación para la liberación de las acciones emitidas (art. 2357-*quater,* 2 y 3).

La adquisición de acciones propias

Está en cambio permitida la *adquisición* de acciones propias ya *emitidas* (mercado secundario), mediante la celebración de contratos traslativos de distinta naturaleza (venta, permuta, etc.). El ordenamiento interviene, sin embargo, en dos direcciones: por un lado, subordina la adquisición a algunos límites y condiciones, cuya violación comporta sanciones penales para los administradores y la obligación de enajenar las acciones ilegítimamente adquiridas; por otro lado, somete las acciones propias, una vez adquiridas por la sociedad, a un régimen particular, dirigido a la «esterilización» de sus derechos.

Los límites a la adquisición

Los limites y las condiciones que deben observarse, a fin de que la adquisición de las acciones propias sea legítima, son los siguientes: *(i)* el valor nominal de las acciones adquiridas no debe superar una décima parte del capital social; *(ii)* el precio de compra de las acciones propias no debe exceder, en conjunto, del total de las reservas disponibles y de los beneficios que deriven del balance; *(iii)* debe tratarse de acciones completamente liberadas por los titulares precedentes; *(iv)* la adquisición ha de estar previamente autorizada por la junta ordinaria, que tiene que establecer el precio mínimo y máximo de la adquisición, la cantidad, modalidad y el plazo de la adquisición, que será como máximo de dieciocho meses (art. 2357.1, 2 y 3).

La existencia de beneficios o reservas disponibles en cantidad, al menos, igual al valor de las acciones propias permite la anotación de la reserva de acciones propias (v. §9), que se forma directamente mediante la imputación de igual cantidad de tales reservas disponibles, y que debe permanecer en el patrimonio neto en tanto las acciones propias figuren en el activo del balance (y por el valor por el que son anotadas). Los cuatro límites a la adquisición y la obligación de constituir y mantener la reserva, por tanto, impiden el efecto de ahogamiento del capital social por parte de las acciones propias y de otros posibles «inconvenientes» patrimoniales hasta aquí descritos.

A neutralizar los problemas de carácter (predominantemente) administrativo se dirige la normativa a la que se someten las acciones propias una vez adquiridas por la sociedad (art. 2357-*ter*).

Normativa de las acciones propias después de la adquisición

El *derecho de voto* correspondiente a las acciones propias queda suspendido hasta que se enajenen; sin embargo, las acciones se computan en el capital para el cálculo del *quórum* de constitución de la junta (se atenúa así el efecto de refuerzo a favor de los socios poseedores de la mayoría del capital social, que de otra manera tendrían, con gastos para la sociedad, el poder de impedir la válida constitución de algunas juntas). El *derecho a las ganancias* y el *derecho de suscripción preferente,* en cambio, vienen atribuidos proporcionalmente a las demás acciones, con la salvedad del supuesto de autorización del ejercicio del derecho de suscripción preferente arriba examinado. En cuanto al régimen de disponibilidad de las acciones en autocartera, los administradores no pueden vender las acciones propias, si no es con la previa autorización de la junta ordinaria, la cual tiene que establecer la modalidad (nótese que, sobre el plano de los efectos sobre la posición de los socios, la venta de las acciones propias es bastante similar a un aumento de capital oneroso con los problemas propios del derecho de suscripción preferente y de los intereses tutelados por éste).

Otras
operaciones
sobre las
acciones propias

Las acciones propias, en fin, no pueden ser objeto de otras operaciones por parte de la sociedad (art. 2358). En particular —exceptuando las operaciones efectuadas para favorecer la adquisición de acciones por parte de los trabajadores— la sociedad no puede conceder préstamos, ni prestar garantías para la adquisición o la suscripción de acciones propias, así como tampoco puede, ni siquiera a través de una sociedad fiduciaria o persona interpuesta, aceptar acciones propias en garantía del cumplimiento de obligaciones a su favor.

63. LAS PARTICIPACIONES RECÍPROCAS

Así como la sociedad A puede tener participaciones en la sociedad, nada impide, en principio, que la sociedad B tenga acciones de la misma sociedad A. En tal caso se dice que las dos sociedades tienen *participaciones recíprocas*.

Normativa
general y
especial

La asunción de participaciones recíprocas queda sujeta a una normativa general (arts. 2359-*bis* y ss.), válida para todas las sociedades por acciones, cuyo único presupuesto es que exista una relación de *control* entre las dos sociedades recíprocamente participadas: se trata de una normativa dirigida a proteger intereses análogos a aquellos tutelados por las normas sobre acciones propias, concernientes tanto al ahogamiento del capital como a los aspectos administrativos de la sociedad. Hay, además, una regulación «especial», aplicable si al menos una de las sociedades cotiza en un mercado regulado, que afecta a todos los casos en que las participaciones recíprocas superan un porcentaje mínimo, variable desde el 2 al 10 por ciento: tal disciplina especial, que se trata en el capítulo dedicado a las participaciones cualificadas y a los grupos de sociedades (§§138 y ss.), tiene, en cambio, la finalidad prioritariamente informativa sobre las participaciones propiedad de las sociedades que acuden al mercado (arts. 120 y 121 T.U.F.).

El problema

Desde un punto de vista general, el problema de las participaciones recíprocas adquiere creciente relevancia dependiendo de la entidad de las participaciones. Imagínese, el caso extremo de que la sociedad A tuviera todas las acciones de la sociedad B y que esta última pretendiera adquirir acciones de la controlante A. La participada B, en tal caso, es un completo instrumento en las manos de A, la cual es como si procediese —aunque indirectamente— a adquirir *acciones propias.* Los mismos problemas de naturaleza tanto patrimonial como administrativa, examinados en el epígrafe precedente, surgen también en caso de adquisición de participaciones recíprocas por parte de la participada en la participante.

La ley, para resolver tales problemas, dicta una disciplina de salvaguarda, aplicable cuando entre las dos sociedades exista una relación de *control,* como aparece definida en el art. 2359 (v. §141). En otras palabras, el ordenamiento no pone ningún límite a la adquisición de participaciones recíprocas en tanto una de las sociedades no controle a la otra, ni impide, por otra parte, la adquisición de acciones *de la controlada por parte de la controlante,* sino que somete la adquisición de acciones *de la controlante por parte de la controlada* a una disciplina sustancialmente equivalente a la de las acciones propias. La normativa

En particular, por cuanto concierne a la *adquisición* de acciones de la controlante por parte de la controlada: *(a)* la adquisición está subordinada a los mismos cuatro límites y condiciones del art. 2357; *(b)* la controlada debe constituir una reserva indisponible a semejanza de cuanto ocurre con la reserva de acciones propias; *(c)* los derechos de voto correspondientes a las acciones de la controlante se suspenden y no pueden ejercerse (art. 2359-*bis).*

Análogamente a cuanto se ha dicho en el epígrafe precedente, rige también para las participaciones recíprocas una prohibición absoluta de *suscripción,* que afecta a las acciones de la controlante por parte de la controlada (art. 2359-*quinquies).*

Es obligado resaltar de esta norma, finalmente, la ulterior prohibición de *suscripción recíproca* de acciones (art. 2360), que no presupone una preexistente relación de control y que se verifica cada vez que dos sociedades, aunque no tengan participación la una en la otra, aumentan el capital social y suscriben recíprocamente las acciones emitidas por la otra. También en este caso se verificaría una creación ficticia del capital social, sin un correspondiente incremento del patrimonio de las dos sociedades. Prohibición de suscripción recíproca

Sección 2
Obligaciones. Instrumentos financieros participativos. Patrimonios destinados

Gianvito Giannelli

Sumario: 64. Las obligaciones. 65. Los límites a la emisión de obligaciones. 66. La superación de los límites de la emisión. 67. La emisión de obligaciones. 68. Los derechos patrimoniales del obligacionista. 69. La organización de los obligacionistas. 70. Las obligaciones convertibles. 71. Los instrumentos financieros participativos. 72. Los patrimonios destinados a un específico negocio. 73. Los límites de la gestión. 74. La oponibilidad a los acreedores del límite de destinación del patrimonio. 75. Contabilidad y liquidación del patrimonio. 76. Las aportaciones de los terceros. 77. La financiación destinada a un negocio específico.

64. LAS OBLIGACIONES

A diferencia de las acciones, que representan una participación del capital social, las obligaciones representan un crédito respecto a la sociedad. El obligacionista tiene derecho al reembolso del valor nominal, así como a una remuneración que puede ser desvinculada o no de los resultados de la actividad económica financiada (arts. 2411 y 2414.4).

El art. 2411 distingue claramente, aunque se produce una equiparación en cuanto a la normativa aplicable, entre las obligaciones, para las cuales *sólo* los intereses y, por tanto, la remuneración, pueden, eventualmente, variar dependiendo de las condiciones económicas de la sociedad (incisos 1 y 2); y los demás instrumentos financieros, en los cuales no sólo el momento sino *también la cuantía del reembolso del capital* —que, por tanto, no está asegurada— pueden estar condicionados al curso económico de la sociedad emisora (inciso 3).

Las obligaciones, así, se identifican por el derecho al reembolso del capital como valor mínimo asegurado. La diferencia se atenúa en la hipótesis contemplada en el art. 2411.1, a tenor del cual, el derecho del obligacionista al reembolso del capital y a los intereses puede ser, en todo o en parte, diferido a la satisfacción de los derechos de los demás acreedores de la sociedad; lo que no altera, sin embargo, la naturaleza de acreedor del obligacionista, que tiene también siempre un derecho prioritario al reembolso con respecto a los socios.

Es necesario, sin embargo, aclarar que si, desde el punto de vista de la sociedad, las obligaciones cumplen una función de financiación y, por ello, representan una deuda, por lo que la operación tiene carácter de préstamo desde la perspectiva del emisor de la deuda, no necesariamente serán reconducibles al *genus* del préstamo las relaciones individuales que van a crearse entre la sociedad y cada uno de los suscriptores.

Causa del préstamo

En efecto, de un lado, la relación de la que emanan las obligaciones es de crédito frente a la sociedad y surge por causa de una emisión en serie, sustentada por un único acto societario que es la deliberación; de otro lado, las distintas obligaciones se suscriben (y los títulos pueden ser emitidos y consignados) por las más diversas causas, por ejemplo, a cambio del desembolso en dinero, o en pago de mercancías, o en compensación de créditos preexistentes, o a cambio de acciones a causa de una reducción de capital social.

Se reconoce, entonces, carácter unitario de préstamo colectivo a la *creación* de la financiación, la cual tiende globalmente al aprovisionamiento de medios financieros contra la obligación de pagar una suma de dinero, mientras las particulares *emisiones* pueden deberse a los motivos más diversos y reflejan, en términos jurídicos, una pluralidad de relaciones contractuales de la sociedad con los suscriptores y susceptibles de autónomas vicisitudes.

El término «obligaciones» engloba, pues, una pluralidad de significados porque indica: *(a)* las particulares relaciones obligatorias que surgen entre la sociedad emisora y el obligacionista y que tienen por objeto la restitución de una suma de dinero; *(b)* las fracciones de la operación unitaria de financiación cuantificadas en unidades homogéneas, así como *(c)* la suma de las mismas indicará la posición de poder del obligacionista en la estructura organizativa prevista para la tutela de sus intereses; *(d)* los títulos de crédito o los instrumentos financieros desmaterializados que incorporan o representan las particulares relaciones obligatorias.

Pluralidad de significados de las obligaciones

El carácter unitario de la operación se refleja en los siguientes aspectos: *(a)* se trata de una única operación de financiación mediante una emisión de instrumentos estandarizados de masa y en serie, todos del mismo importe y con las mismas características; *(b)* cada título debe contener la indicación del importe global de las obligaciones emitidas, del importe nominal de cada una, de las garantías que tienen globalmente, la fecha de reembolso del préstamo y los extremos del eventual folleto informativo; *(c)* en el origen de la operación hay un acuerdo (deliberación) de la sociedad, cuya falta se traduce en una excepción oponible tanto a los primeros suscriptores como a los sucesivos tenedores de las obligaciones (y sin perjuicio, en lo relativo a los acuerdos de emisiones nulas, del supuesto de convalidación previsto en el art. 2379-*ter:* v. §87); *(d)* los instrumentos son cubiertos por las mismas garantías y sujetos a las mismas modalidades de pago y de reembolso; *(e)* cada préstamo obligacional comporta el surgimiento, *ex lege,* de un fenómeno organizativo de tipo asociativo, cuyas decisiones, vinculantes para todos los obligacionistas, pueden comportar la modificación de las condiciones del préstamo.

Las obligaciones como instrumentos financieros

Además, las obligaciones son instrumentos financieros, en cuantos títulos en serie negociables en el mercado de capitales (arts. 1.1 bis y 2 T.U.F., y 11 T.U.B.); pueden ser incorporadas a títulos de crédito en sociedades no cotizadas, mientras que están sometidas a un régimen de desmaterialización si cotizan en los mercados regulados (art. 28 d.lgs. 213/1998; sobre la desmaterialización v. §60).

65. LOS LÍMITES A LA EMISIÓN DE OBLIGACIONES

Límites subjetivos

La emisión de la deuda obligacional se encuentra con un doble límite: desde el punto de vista subjetivo, las obligaciones pueden ser emitidas sólo por las sociedades por acciones y por las comanditarias por acciones, mientras que las sociedades de responsabilidad limitada pueden emitir títulos de deuda (v. §122).

Límites objetivos

La cuantía total de la deuda obligacional no puede superar el doble de la suma del capital social, de la reserva legal y de las reservas disponibles resultantes del último balance aprobado (art. 2412.1).

El límite a la emisión de obligaciones resulta así definido: *(i)* en primer lugar, es necesario considerar el capital, incluyéndose el no desembolsado y, con ello, los créditos de la sociedad frente a los socios por el capital pendiente de desembolso; *(ii)* es posible computar también la reserva legal y las reservas disponibles; *(iii)* para determinar el límite a la capacidad de emisión de la deuda, los valores arriba mencionados son computados por el doble.

Por otra parte, parece evidente que las reservas, desde el momento en que tienen que *resultar* del último balance aprobado, tienen que ser computadas al neto de las pérdidas. A la misma conclusión se ha de llegar para el capital, que no puede no ser capital *existente,* esto es, al neto de las pérdidas. En efecto, precisamente la referencia a los valores expresados en el último balance exige tener en cuenta, también para el capital, aquellas pérdidas que, aunque no hayan llevado formalmente a una reducción de capital, han incidido en el mismo. De aquí la necesidad de que la referencia al último balance aprobado se entienda en el sentido del último balance *que tenía que estar aprobado,* y quedando por aprobar un balance inferior al anual en el caso de emisión del préstamo en el primer ejercicio.

Existencia del capital y de las reservas

La relación entre la deuda obligacional y los valores patrimoniales queda asegurada, también después de la emisión, por la prohibición de distribución de reservas o de reducción voluntaria del capital (art. 2413.1), hasta que la suma de ellos no sea igual o superior a la mitad del total de las obligaciones todavía en circulación. Incluso, el respeto de una cierta relación entre el patrimonio de la sociedad y la emisión de la deuda obligacional queda asegurada por la prohibición de distribución de los beneficios en caso de reducción obligatoria del capital, o de reducción de las reservas, a consecuencia de pérdidas, hasta que el importe del capital social y de las reservas no sea igual a la mitad del importe de las obligaciones todavía en circulación (art. 2413.2). En el caso de pérdidas que hayan incidido en el capital y en las reservas, la ley obliga, pues, a igualar de nuevo las dotaciones patrimoniales de la sociedad al valor de la mitad de las obligaciones todavía en circulación, reconstituyendo así la relación entre los fondos propios y el recurso a la financiación mediante la deuda obligacional. Debe entenderse, naturalmente, que la prohibición de distribuir beneficios se aplica también cuando las pérdidas han mermado el capital, aunque ello no comporte una reducción obligatoria, y hasta la reconstitución del mismo, estando previsto, en general, por el art. 2433.3.

Prohibición de distribuir y de reducción del capital

La capacidad de la sociedad de emitir obligaciones acaba por estar, así, condicionada no sólo por los fondos propios de que dispone sino también por el recurso a otros canales de financiación y, por tanto, por las deudas

Las razones de los límites

distintas de las obligaciones (por ejemplo, en relación con el sistema bancario) que, naturalmente, contribuyen a determinar, a semejanza del activo, la cuantía del patrimonio neto y, consecuentemente, el *valor actual* del capital y de las reservas; y no en el sentido, quede claro, de que la norma pone un límite a la capacidad de la sociedad de endeudarse, después de la emisión de la deuda, frente a acreedores diversos de los obligacionistas, sino en el sentido de que, una vez emitida la deuda obligacional, la presencia de deudas *distintas* obliga a la sociedad a no distribuir dividendos en tanto no sea reconstituido al menos el límite del doble de la suma del capital y de las reservas.

Para evitar fáciles elusiones a la normativa arriba descrita, a los fines del cómputo del límite objetivo —esto es, el doble del capital social, de la reserva legal y de las reservas disponibles— el art. 2412.4, obliga a tener en cuenta no sólo las obligaciones directamente emitidas por la sociedad sino también los importes relativos a las garantías prestadas por esta última para obligaciones emitidas por otra sociedad (también extranjeras). Además, los límites a las emisiones se aplican también a las obligaciones emitidas en el extranjero por sociedades italianas o sus dominadas o dominantes y destinadas a negociación en Italia (art. 2412.8).

Se evidencia, así, la *ratio* de la disciplina de asegurar un equilibrio entre el autofinanciamiento de la sociedad y el recurso a la deuda obligacional; pero también entre los recursos propios y la capacidad de endeudamiento en general e incluso entre el endeudamiento en relación con el ahorro público y el endeudamiento en relación con los demás acreedores de la sociedad.

66. LA SUPERACIÓN DE LOS LÍMITES DE LA EMISIÓN

Sociedad
cotizada

La normativa sobre los límites a la emisión de la deuda en obligaciones no se aplica a las sociedades cotizadas, concretamente, a las obligaciones destinadas a la cotización (art. 2412.4). El legislador, evidentemente, ha considerado que la protección mínima que ofrece el primer inciso del art. 2412, en términos de equilibrio financiero entre los recursos de la sociedad y el endeudamiento, puede ser adecuadamente sustituida por las obligaciones informativas impuestas por los arts. 94.2 y 114 y ss. T.U.F. en relación con los ahorradores y por la propia autoridad de control del mercado, cuyo respeto permite a los inversores la formación de un fundado juicio sobre la situación patrimonial, económica y financiera de la emisora; así como, incluso, por las facultades de autorización, prohibitivas e instructoras reconocidas al Consob por los arts. 94 y ss. T.U.F. (v. §109).

Una serie de excepciones está, después, prevista para las sociedades no cotizadas. La primera derogación se encuentra en el art. 2412.2, cuando las obligaciones emitidas en exceso se destinan a ser suscritas por los inversores profesionales sometidos a vigilancia prudencial, por ejemplo, los bancos, las sociedades de inversión mobiliaria, las sociedades de gestión del ahorro, las s.i.ca.v. (arts. 6.2-*quinquies* y 2-*sexies* T.U.F. y 26.a) del Consob 16190/2007, del cual v. también el *Allegato* 3). Se entiende que los inversores profesionales tienen la capacidad de valorar la credibilidad de la emisora de la deuda, lo que después justifica que, en caso de sucesiva circulación, quien las ha suscrito responda de la solvencia de la sociedad, entendido, por supuesto, en relación con los adquirentes que no son inversores profesionales. Se comprende, entonces, por qué los inversores profesionales que responden de la solvencia de la sociedad deben presentar idóneos requisitos patrimoniales fijados por la autoridad supervisora (art. 4-*quinquies* T.U.B.).

Suscripción por parte de los inversores profesionales

Sin embargo, el límite puede ser superado cuando la emisión de obligaciones está garantizada por hipoteca de primer grado sobre inmuebles de propiedad societaria, hasta dos tercios del valor de los inmuebles. La emisión de la deuda, así garantizada, no debe ser computada a efectos de calcular el límite constituido por el doble del capital y de las reservas (art. 2412.3), lo que significa que la capacidad de endeudamiento de la sociedad mediante el recurso a la deuda obligacionista está constituida por el doble de la suma del capital y de las reservas, *aumentada en dos tercios del valor de los inmuebles de propiedad societaria;* desde el momento en que los inmuebles societarios son fuentes de ingreso en las que está invertido el patrimonio, constituido por el capital y las reservas, el valor (de dos tercios) de los inmuebles está considerado dos veces a efectos de calcular la capacidad de endeudamiento de la sociedad mediante la emisión de obligaciones.

Hipoteca de inmuebles de la sociedad

Razones
particulares de
la economía
nacional

En fin, cuando concurren particulares razones que interesan a la economía nacional, la sociedad puede recibir autorización, mediante previsión de la autoridad gubernativa, para emitir obligaciones por una suma superior al límite del doble del capital y de las reservas; en estos casos, será la disposición de autorización la que establecerá los límites, modalidades y cautelas a observar en la emisión de la deuda (art. 2412.5).

67. LA EMISIÓN DE OBLIGACIONES

Competencia

La emisión de obligaciones es competencia de los administradores, a no ser que leyes especiales o los estatutos establezcan una cosa distinta (art. 2410.1).

Forma y eficacia

La decisión de emitir debe ser redactada en escritura pública y contener la designación del notario encargado de la constitución de las garantías reales en favor de los suscritores, allí donde éstas se prevean (art. 2414-*bis)*. Además, en el supuesto de que en el capital de la sociedad emisora participe, en todo o en parte, un ente público, se prevé que el accionista público pueda garantizar la emisión de la deuda obligacional; en tal caso, tal garantía debe resultar del título (art. 2414-*bis.*2) y la explícita previsión de una norma ya dictada en general, para todas las garantías, por el art. 2414.5, encuentra explicación por la circunstancia de que la garantía de reembolso prestada por el socio público se traduce en un título más apetecible para los inversores.

La decisión se somete al control de legitimidad por parte del notario (en el sentido del art. 2436.1) y se deposita en el registro de empresas (que procederá a verificar la regularidad formal de la documentación presentada). A la decisión se ha de adjuntar la confirmación del colegio sindical en cuanto al respeto del límite cuantitativo de emisión (art. 2412.1). En las sociedades que adoptan sistemas alternativos de administración y control, la confirmación se otorga por los integrantes del consejo de vigilancia (en el sistema dualista) o por la comisión interna para el control de la gestión (en el sistema monista: art. 223-*septies* disp. att.). La deliberación no puede ejecutarse sino después de la inscripción en el registro de empresas (art. 2436.5, por remisión del art. 2410.2).

Una vez devenida eficaz la deliberación, le siguen las suscripciones (según las modalidades indicadas en las condiciones de emisión) y la liberación de los títulos que deberán contener las indicaciones requeridas por el art. 2414 y podrán ser al portador o nominativos. Como se ha dicho, la emisión de los títulos puede responder a las causas más diversas y, así, no ser necesariamente con cargo a aportaciones en dinero; ni se pide que las aportaciones en dinero sean igual o superiores al valor nominal de las obligaciones, salvo la excepción de las obligaciones convertibles en acciones, para las cuales son de aplicación las prescripciones del art. 2346.2, 3, 4 y 5 (v. §51). Si la sociedad pretende colocar las obligaciones recurriendo al ahorro público, deberá respetar las prescripciones de los arts. 93-*bis* y ss. T.U.F., relativas a la oferta al público de productos financieros. *Emisión*

68. LOS DERECHOS PATRIMONIALES DEL OBLIGACIONISTA

El obligacionista tiene derecho al reembolso del capital y a la retribución de los intereses. La remuneración del capital puede ser mediante atribución de intereses periódicos o, también, consistir en la diferencia entre el importe nominal y el precio de emisión. El importe a reembolsar puede ser superior, y no corresponder, por tanto, al importe de la deuda desembolsado en el momento de la suscripción. En algunos casos, al pago de intereses periódicos se añade la posibilidad de asignación de premios en base a un sorteo. *Intereses y remuneración del capital*

A diferencia del derecho al reembolso del capital que resulta, en todo caso, jurídicamente asegurado (v. §64), los plazos y el importe del pago de los intereses pueden variar dependiendo de parámetros objetivos relativos al curso económico de la sociedad (art. 2411.2). La norma se refiere a la emisión de obligaciones con cláusula paramétrica o que presentan formas de indexación relativas a los intereses. *Obligaciones indexadas o con cláusula paramétrica*

Las modalidades de reembolso del capital se establecen en el acuerdo de emisión. El reembolso del capital puede hacerse al vencimiento o siguiendo un plan de amortización que permita a la sociedad no incurrir en dificultades financieras. El derecho del obligacionista al reembolso del capital y al pago de los intereses puede postergarse a la satisfacción de los demás acreedores de la sociedad (art. 2411.1). *Reembolso del capital*

69. LA ORGANIZACIÓN DE LOS OBLIGACIONISTAS

Naturaleza y
finalidad de la
organización

La emisión de una deuda obligacional (y de cada una de las obligaciones) comporta el nacer de una organización de grupo, así que cada obligación, además de representar una cuota de la deuda, representa también una posición organizativa tipificada.

La organización de los obligacionistas constituye el punto de equilibrio de una doble exigencia, que consiste en asegurar un instrumento de tutela de los suscriptores, por un lado; y por otro, en permitir las modificaciones de las condiciones de la deuda por decisión de la mayoría, lo que responde a una exigencia objetiva de la sociedad que no necesitará el consentimiento de los concretos suscriptores (art. 2415.1,2). Por esto, tanto la asamblea de obligacionistas como el representante común son órganos necesarios de la organización de los obligacionistas, que tiene su fuente directamente en la ley.

Competencia
de la asamblea

Las competencias de la asamblea se definen en el art. 2415. La asamblea es competente tanto en lo que respecta a la organización de los obligacionistas (y se incluyen en esta categoría las competencias de acordar el nombramiento y la revocación del representante común, la constitución de un fondo para los gastos necesarios para la tutela de los intereses comunes, y lo relativo a la rendición de cuentas); como en lo que se refiere a la tutela misma de la deuda obligacional. Por tanto, la asamblea decide sobre las modificaciones de las condiciones del préstamo; sobre la propuesta de convenio; y sobre los demás asuntos de interés común para los obligacionistas. Esta última previsión, de contenido genérico con respecto a las anteriores, sirve, al mismo tiempo, de criterio general a la competencia de la asamblea y de límite a la propia competencia. A la asamblea de los obligacionistas, en efecto, por una parte se transfiere la tutela de los intereses colectivos del grupo, y por otra, se le prohíbe cualquier decisión que pueda afectar a los intereses de los obligacionistas individualmente considerados.

Además, según el art. 2503-*bis,* la aprobación del proyecto de fusión de la sociedad emisora por parte de la asamblea de obligacionistas impide el ejercicio del derecho de oposición por parte de obligacionistas individuales, a los cuales les hubiera correspondido tal derecho en cuanto acreedores de la sociedad (v. §180).

La norma que prevé que la asamblea decide, por mayoría, sobre la modificación de las condiciones del préstamo se refiere a la *modalidad* (por ejemplo, reducción de los intereses, renuncia a parte de las garantías, anticipo o prórroga del vencimiento) pero no a los *requisitos estructurales* del mismo, como, por ejemplo, la renuncia al reembolso de una parte del préstamo o, incluso, la conversión coactiva de las obligaciones en acciones. Lo mismo puede decirse para los acuerdos que tengan por objeto un cambio de las características tipológicas del préstamo, es decir, que introduzcan cláusulas de postergación o parámetros referenciados, etc.

Modificación de las condiciones del préstamo

La asamblea es convocada por los administradores o por el representante de los obligacionistas cuando lo estimen necesario o cuando se solicite por obligacionistas que representen la vigésima parte de las obligaciones emitidas y no extinguidas. A la asamblea pueden asistir los administradores y los síndicos de la sociedad emisora, pero esta última, por las obligaciones eventualmente poseídas, no puede participar en las decisiones.

Funcionamiento

Se aplican las disposiciones de la junta extraordinaria de socios y, por tanto, las relativas al *quórum;* por otra parte, para la validez de los acuerdos que impliquen modificaciones a las condiciones del préstamo se requiere, en todo caso, el voto favorable de los suscriptores que representen la mitad de las obligaciones emitidas y no extinguidas. Las deliberaciones de la asamblea vinculan a los obligacionistas ausentes o disidentes y son impugnables en virtud de los arts. 2377 y 2379 (v. §§86 y ss.). La impugnación se formula contra el representante de los obligacionistas, ante el tribunal del domicilio de la sociedad emisora.

La existencia de una organización de grupo no impide, según el art. 2419, las acciones individuales de obligacionistas concretos, a excepción de aquellas incompatibles con las decisiones de la asamblea. El tenor literal de la norma legitima a los obligacionistas concretos a actuar, ya sea en tutela de sus propios intereses, por ejemplo, para obtener el reembolso de las obligaciones sorteadas, ya sea en tutela de intereses comunes. Son de esperar, por tanto, acciones individuales frente a comportamientos de la sociedad que atañan unitariamente a la deuda obligacional y legitimen, por ello, una acción de grupo; en este caso, la legitimación del particular obligacionista es concurrente con aquélla de la organización; en la práctica las acciones individuales se prohibirán cuando su estimación pueda llevar a resultados contrarios a aquellos derivados de iniciativas de la organización.

Acciones individuales de los obligacionistas

El representante común

El representante común es, al igual que la asamblea, un órgano necesario de la organización, si bien es verdad que si no es nombrado por la asamblea tiene que ser nombrado por el tribunal a instancia de uno o más obligacionistas o de los administradores de la sociedad; puede ser elegido fuera de los obligacionistas y pueden ser nombradas también las personas jurídicas autorizadas para el ejercicio de servicios de inversión, así como las sociedades fiduciarias. Están previstas las prohibiciones y la caducidad para el cargo de administradores, síndicos, dependientes de la sociedad deudora y para aquéllos que se encuentran en las condiciones de incompatibilidad previstas para los síndicos (art. 2417.1).

Funciones

Al representante de los obligacionistas se le atribuyen las siguientes funciones: generalmente, debe proteger los intereses comunes de los obligacionistas en las relaciones con la sociedad; debe proceder a la ejecución de las decisiones de la asamblea de obligacionistas; tiene la representación procesal de los obligacionistas en los procedimientos concursales y representa en juicio a la organización en caso de impugnación de las decisiones de la asamblea. Él, además, se encarga de la llevanza del libro de las reuniones y de las deliberaciones de la asamblea de obligacionistas.

70. LAS OBLIGACIONES CONVERTIBLES

La emisión de una deuda de obligaciones convertibles atribuye a los suscriptores el derecho de transformar una relación de financiación en una relación de participación en la sociedad. Se verifica, esto es, la transformación de la deuda de obligaciones en capital de riesgo y las sumas desembolsadas para la suscripción de las obligaciones valen como aportaciones para las acciones atribuidas en la conversión.

Obligaciones convertibles con método indirecto

La ley regula únicamente el procedimiento de conversión directa en acciones de la misma sociedad emisora. No se ocupa, en cambio, de las obligaciones convertibles con método indirecto, es decir, convertibles en acciones de otra sociedad, o de futura emisión, o ya emitidas y habidas en el patrimonio de la sociedad que emite la deuda obligacional.

Obligaciones con *warrant*

Igualmente, no son objeto de específica regulación las obligaciones con *warrant* o con derechos de opción sobre acciones (v. §160). Estas últimas, a diferencia de las obligaciones convertibles, atribuyen un derecho que es acumulativo y no alternativo respecto a aquél del reembolso del capital.

Tratándose de una operación que comporta un aumento del capital de la sociedad, la emisión, a diferencia de cuanto está previsto para la emisión de la deuda ordinaria, es competencia de la junta extraordinaria de socios (art. 2420-*bis,* 1), pero puede delegarse en los administradores mediante previsión en el acto constitutivo o en una posterior modificación de estatutos. Por otra parte, la operación no puede ser posteriormente delegada por el consejo de administración al comité ejecutivo o a los administradores delegados (art. 2381.4). La delegación debe contener la indicación del importe máximo de la emisión y se confiere por un período no superior a cinco años, a contar desde la fecha de la inscripción de la sociedad en el registro de empresas o, en caso de modificación estatutaria, desde la fecha del acuerdo. Acuerdo de emisión

La junta (o el consejo de administración delegado) tiene que acordar la emisión de capital sometida a la conversión. El acuerdo de emisión debe indicar la relación de cambio y el plazo y modalidades de la conversión. A los obligacionistas no se les pueden atribuir, en la conversión, acciones por un valor superior a las cantidades desembolsadas a la sociedad y, por tanto, con una relación de cambio por encima de la par, porque ello supondría una violación del principio de efectividad del capital social (art. 2346.2, 3, 4 y 5); al mismo principio responde la prohibición de adoptar el acuerdo si el capital social no resulta íntegramente desembolsado (art. 2420-*bis,* 1). Todavía, el valor de las acciones asignadas a cada uno de los obligacionistas en el acto de conversión no debe ser en conjunto superior a aquél de las sumas desembolsadas, salvo disposición contraria en los estatutos.

El aumento está a disposición de los obligacionistas. En el primer mes de cada semestre, los administradores proceden a la emisión de las acciones debidas a los obligacionistas que han pedido la conversión en el semestre precedente y, en el mes sucesivo, tienen que depositar en el registro de empresas un certificado, en el sentido del art. 2444, de que el aumento de capital ha sido ejecutado por el importe correspondiente al valor nominal de las acciones emitidas. La emisión de una deuda obligacional convertible comporta un aumento de capital que vendrá cubierto mediante el ejercicio del derecho de conversión; de ahí la exigencia de asegurar a los antiguos accionistas la posibilidad de mantener inalterada la propia participación en Conversión la sociedad; por tanto, las obligaciones convertibles deben ser ofrecidas a los accionistas (v. §160).

Operaciones pendiente la conversión

Surge, pues, la necesidad de proteger a los suscriptores, pendiente la conversión, frente a las operaciones de la sociedad, en particular de aquéllas de capital susceptibles de modificar las propias condiciones de la inversión y así el derecho o el valor de la conversión. Desde esta perspectiva, en caso de operaciones nominales de capital (aumento gratuito y reducción por pérdidas), la relación de cambio se modifica en proporción a la cuantía del aumento o de la reducción (art. 2420-*bis,* 5). En el caso de reducción a cero del capital a consecuencia de pérdidas, la opinión más acreditada apunta en el sentido de que se verifique también la anulación de la relación de cambio, no existiendo más acciones con las que ejercitar la conversión. En caso de aumento de capital con aportaciones, la tutela de los obligacionistas se consigue con el derecho a suscribir el aumento de capital, concurriendo con los socios (art. 2441.1).

En fin, la ley prohíbe, pendiente la conversión, la reducción facultativa del capital y la modificación de las disposiciones estatutarias en materia de distribución de beneficios, a no ser que se atribuya a los suscriptores, mediante publicación de un aviso en el registro de empresas, al menos noventa días antes de la fecha del acuerdo, la facultad de ejercitar la conversión anticipada en el plazo de treinta días desde la publicación. La tutela de los suscriptores, así, se consigue mediante la posibilidad de participar, como socios, en el acuerdo de reducción de capital. La publicación del aviso es, pues, condición para la validez del acuerdo que se pretende adoptar. Una regulación idéntica se establece para la escisión y para la fusión (art. 2503-*bis*). Además, en estos dos últimos supuestos, se debe asegurar, a aquéllos que no han ejercitado la conversión anticipada, derechos equivalentes en las sociedades que participan, en la resultante de la fusión y en las beneficiarias de la escisión.

71. LOS INSTRUMENTOS FINANCIEROS PARTICIPATIVOS

Como se ha anticipado (v. §52), la nueva regulación de las sociedades de capital ha introducido nuevas formas de participación en la financiación de la empresa, con instrumentos alternativos que se sitúan en una posición intermedia entre las participaciones en el capital de riesgo (acciones) y el capital de crédito (obligaciones).

El art. 2346, i.f., prevé que la sociedad pueda emitir instrumentos financieros provistos de derechos patrimoniales o también de derechos administrativos, excluido el voto en la junta general de accionistas, a cambio de la aportación de socios o de terceros, *incluyendo* las aportaciones de obra o servicio.

El tenor literal de la norma hace pensar que la aportación de obra o servicio no es la única a cambio de la cual pueden ser emitidos instrumentos de participación, pudiendo ser contempladas aportaciones de diversa naturaleza, teniendo por objeto tanto otras prestaciones no imputables a capital como elementos abstractamente imputables a capital (dinero, bienes y créditos). Estas pueden, por tanto, consistir también en valores o activos no cuantificables o de difícil cuantificación sobre el plano patrimonial (por ejemplo, prestaciones de carácter continuado o periódico, prestaciones profesionales, *know how,* prestaciones de garantías, etc.). Además, los instrumentos financieros pueden ser emitidos a favor de los trabajadores (art. 2349.2; v. §58).

Las aportaciones

En todo caso, tales aportaciones no vienen imputadas al capital; que éste sea el elemento (negativo) que las caracteriza se confirma no sólo por la imposibilidad de imputar al capital obras y servicios (art. 2342.3) sino también por la comparación con el principio taxativamente consagrado en el art. 2346.5, que establece que, *bajo ninguna circunstancia,* el valor de las aportaciones puede ser en conjunto inferior al importe global del capital social: delineándose, así, una contraposición entre aportaciones *(conferimenti),* imputadas al capital (art. 2346.5), y aportaciones *(apporti),* no imputadas al capital (art. 2346.6).

La ley reconoce amplio espacio a la autonomía estatutaria no sólo en la individualización de los bienes o valores a aportar sino también en lo que respecta a su justificación causal, que puede ser de préstamo, de asociación en participación o de cualquier otra naturaleza, como ya se ha expuesto en el §52.

Los titulares de instrumentos financieros de participación no adquieren la condición de socios (por cuanto no aportan valores imputados al capital), aunque participan normalmente en los riesgos de la gestión; éstos no concurren a determinar, en principio, a través del voto en la junta general de accionistas, la voluntad social (art. 2346, últ. inciso).

Por otra parte, los instrumentos financieros pueden ser provistos, por decisión estatutaria, no sólo de derechos patrimoniales sino también de derechos administrativos e incluso si estos últimos son, como se verá, menos incisivos que aquellos atribuidos a los socios, constituyen siempre un elemento de acercamiento (y, en ciertos aspectos, de superposición) entre la posición de los accionistas y aquélla de los terceros financieros; por este motivo, de un lado, las emisiones de instrumentos financieros de participación está subordinada a una previsión de los estatutos, con específica indicación de los derechos correspondientes a los suscriptores, del otro, los instrumentos financieros dotados de derechos administrativos se equiparan a las acciones en lo relativo a la capacidad de influir en el curso de la gestión y, como ellas, son sometidos a la misma disciplina especial en tema de obligaciones de comunicaciones y de prohibición de control (arts. 1.6-*bis,* 120.4, d)-*bis* T.U.F. y art. 1.2, h)-*quater* T.U.B.; cfr. §§136 y ss.), así como, en materia de o.p.a., subordinadamente a una previsión reglamentaria del Consob (art. 106.3-*bis* T.U.F.).

Los derechos patrimoniales podrán tener por objeto la remuneración de la inversión siguiendo técnicas distintas, como, por ejemplo, la atribución de un beneficio fijo o proporcional al curso de la sociedad, la liquidación, a un cierto vencimiento, del valor patrimonial neto de la aportación efectuada, o, incluso, prever diversas formas referenciadas a parámetros externos (situación del mercado) o internos (situación económica de la sociedad: art. 2411.3).

También los derechos administrativos están determinados en los estatutos y pueden tener por objeto tanto el ejercicio de control sobre la inversión (por ejemplo, se podrá prever una obligación de rendición de cuentas a cargo de los administradores) como el nombramiento de un miembro independiente del consejo de administración o del consejo de vigilancia o de un síndico, o incluso el ejercicio del derecho de voto sobre asuntos específicamente indicados (art. 2351.5). A los poseedores de instrumentos financieros dotados de derechos administrativos se aplica la disciplina de las juntas especiales, en caso de acuerdos de las juntas de accionistas perjudiciales a los derechos de una clase de acciones (art. 2376).

La ley pone, sin embargo, el límite de la prohibición de atribución de un derecho *general* de voto en las juntas de accionistas (art. 2346.6),

Los derechos patrimoniales

Los derechos administrativos

porque, de no ser así, los poseedores de instrumentos financieros estarían totalmente equiparados a los socios, concurriendo a determinar la voluntad social, mediante el voto en junta. Continua habiendo dudas sobre si la previsión del derecho de voto sobre asuntos específicamente indicados (art. 2351.5) se debe referir a la posibilidad de votar *en junta* (es decir, en junta general) pero sobre concretos y específicos asuntos indicados en los estatutos, o si se pretende atribuir a estos últimos la posibilidad de ampliar la competencia de la junta especial de los poseedores de instrumentos financieros, prevista expresamente en el art. 2376.1, extendiéndola también a asuntos predeterminados que, sin embargo, *no atañan necesariamente al perjuicio de los derechos correspondientes a esta clase.* Es, sin embargo, preferible, sostener que los estatutos no puedan en cualquier caso atribuir a los tenedores de instrumentos financieros competencias atribuidas por la ley a la junta general de accionistas (art. 2364 y 2346, últ. inciso).

Se dejan igualmente a la autonomía estatutaria las modalidades y con- Emisióndiciones de emisión de los instrumentos financieros, las sanciones en caso de incumplimiento de las prestaciones y la ley de circulación que es sólo eventual. Si los instrumentos financieros son negociables o destinados a la negociación en los mercados regulados (art. 1-*bis* y 3 T.U.F.), su emisión se regula por la normativa de llamada al ahorro público (arts. 93-*bis* y ss. T.U.F.) y su emisión se regula por la normativa de llamada al ahorro público (arts. 93-*bis* y ss. T.U.F.) y aplica la disciplina de la desmaterialización (arts. 2354.6, 2355, últ. inciso, así como el art. 28 d.lgs. 213/1998).

Reglas particulares son dictadas para los instrumentos financieros para Instrumentos financieros asimilados a las obligacioneslos cuáles los plazos y cuantías de reembolso del capital se condicionan al curso económico de la sociedad (art. 2411.3). Frente a los instrumentos financieros regulados en el art. 2346.6, en los cuales la aportación puede asumir las más variadas formas y causas, los regulados por el art. 2411.3 constituyen una categoría más circunscrita, caracterizada por una aportación (normalmente en dinero) que da vida a una obligación de restitución, condicionada a los resultados económicos de la sociedad. Se trata, pues, de instrumentos caracterizados, bajo el aspecto causal, de asumir una función de financiación, cuyo reembolso no está, sin embargo, asegurado. Estas características explican su sujeción, por obra del art. 2411.3, a la misma disciplina de las obligaciones, tanto en lo relativo a los límites a la emisión como en lo que atañe a la estructura organizativa. Además, también tales instrumentos están sujetos a las disposiciones especiales en materia de instrumentos financieros utilizados para la obtención de ahorro entre el público (art. 11.4-*bis* y 4-*ter* T.U.B.).

72. LOS PATRIMONIOS DESTINADOS A UN ESPECÍFI- CO NEGOCIO

Las sociedades accionariales puede constituir uno o más patrimonios destinados, con carácter exclusivo, a un específico negocio (art. 2447-*bis*, 1, a), por un valor en conjunto no superior al 10 por ciento del patrimonio neto de la sociedad. A tenor del art. 2447-*bis*, últ. inciso, tales patrimonios no pueden ser constituidos para el ejercicio de negocios referentes a actividades reservadas por leyes especiales. Por otra parte, la sociedad puede destinar a los financiadores de un específico negocio una parte de los beneficios del mismo (art. 2447-*bis*. 1, b).

Finalidad   La finalidad que ha inspirado al legislador hay que buscarla en la necesidad de constituir patrimonios separados, con correlativa limitación del riesgo, alcanzando también a financiaciones por parte de terceros y sin tener que afrontar necesariamente los plazos y costes de la constitución de sociedades, eventualmente unipersonales, frente a los cuáles los patrimonios destinados se configuran como un instrumento alternativo. Desde esta óptica, ambos supuestos responden a la lógica de facilitar la financiación de específicos negocios, identificando un grupo de bienes (en el primer caso) o un flujo de beneficios (en el segundo caso) destinados a la satisfacción de un grupo de acreedores del patrimonio, distintos respecto de los de la sociedad (art. 2447-*quinquies*).

Hay, sin embargo, una diferencia nada desdeñable, porque, en el primer caso, objeto de la gestión en el patrimonio *destinado* son tanto bienes y relaciones jurídicas ya comprendidos en el patrimonio de la sociedad (art. 2447-*ter*, b) como eventuales aportaciones de terceros (art. 2447-*ter*, d), que participarán en los resultados del negocio.

En el segundo supuesto, la gestión separada no tiene por objeto los bienes de la sociedad sino sólo los beneficios y los flujos financieros de un específico negocio, destinados al cumplimiento de las obligaciones contraídas con los financiadores.

El patrimonio destinado a un específico negocio está formado como un patrimonio separado, respeto de aquél de la sociedad que lo constituye. La separación patrimonial configura, pues, una derogación del régimen general de la responsabilidad patrimonial (arts. 2740 y 2741) y afecta a diferentes aspectos: la especificidad de la utilización para un determinado negocio y la necesidad, por tanto, de no sustraer los bienes del patrimonio a su destino; la identificación de los bienes y relaciones jurídicas destinados al patrimonio; las específicas reglas de gestión y de rendición de cuentas (art. 2447-*ter,* c) y g); el sometimiento a específicas obligaciones de contabilidad distintas y ulteriores con respecto a aquéllas a las que la sociedad está obligada; la identificación de un grupo de acreedores del patrimonio distintos de los de la sociedad (art. 2447-*quinquies*); específicas reglas de liquidación (art. 2447-*novies*). A su vez, el respeto a estas reglas es requisito para la existencia del régimen de separación patrimonial, que desaparecerá allí donde las mismas no se hayan observado.

Separación patrimonial

73. LOS LÍMITES DE LA GESTIÓN

Están legitimadas para constituir patrimonios destinados todas las sociedades por acciones, independientemente de la circunstancia de que tengan más o menos títulos negociados en mercados regulados o distribuidos entre el público en medida relevante. La constitución del patrimonio tiene su origen en un acuerdo del consejo de administración o de gestión (o de la junta si los estatutos lo prevén), que debe ser formalizado en escritura pública, tener un contenido determinado y quedar sujeto a control de legalidad por parte del notario y depositado en el registro de empresas.

En cuanto a la gestión, el patrimonio está destinado a la realización de un específico negocio, con respecto al cual tiene que ser suficiente. El art. 2447-*ter,* c), prevé que el acuerdo de constitución del patrimonio tiene que indicar el ámbito financiero, la modalidad y las reglas relativas a su empleo, el resultado que se persigue y las eventuales garantías ofrecidas a los terceros. La gestión patrimonial separada exige que se identifique el específico negocio al que el patrimonio se destina; pide, pues, que el negocio sea específico (art. 2447-*bis*, 1, a), esté su-

Límites a la gestión

ficientemente indicado en el acuerdo de constitución del patrimonio (art. 2447-*ter*, 1, a)*,* análogamente al resultado que se pretende obtener (art. 2447-*ter*, 1, e) y tenga un cumplimiento, una realización, que pueda distribuirse en varios ejercicios (art. 2447-*novies*, 1); además, desde el momento en que el *negocio* tiene que ser específico (art. 2447-*bis*, 2), se excluye que el patrimonio pueda tener por objeto la gestión continuada de un ramo de la empresa.

Un ulterior problema es aquél de la oponibilidad a los terceros de los límites de la gestión, con referencia a los actos *ultra vires* realizados por los administradores de la sociedad que ha constituido el patrimonio.

Especificación del negocio

La especificación del negocio constituye un límite a la utilización de los bienes destinados al patrimonio, en el sentido de que éste último no puede ser utilizado para asumir obligaciones que afecten al cumplimiento del específico negocio. No sólo, pues, la sociedad responde con el propio patrimonio de las obligaciones contraídas con los terceros por actos no pertenecientes al específico negocio (en tal sentido, el art. 2447-*quinquies*, 4), sino que éste constituye también un límite a la capacidad de representación de los administradores de la sociedad. Por otra parte, el uso de los bienes objeto de separación en operaciones no pertenecientes al negocio para el cual el patrimonio se ha constituido, no será oponible a los terceros sino con los límites (restrictivos) del art. 2384.2, lo que significa que pesará sobre la sociedad la carga de probar que los terceros han actuado intencionadamente para perjudicar a esta última.

74. LA OPONIBILIDAD A LOS ACREEDORES DEL LÍMITE DE DESTINACIÓN DEL PATRIMONIO

El aspecto externo de la separación patrimonial se traduce también en la insensibilidad del patrimonio destinado con respecto a las vicisitudes que afectan a la sociedad.

La separación patrimonial, sin embargo, no es perfecta ni simétrica: de un lado, para las obligaciones contraídas en el especifico negocio, la sociedad responde sólo con el patrimonio a éste destinado (art. 2447-*quinquies*, 3), a menos que se haya asumido un ulterior y diferente empleo en el acuerdo de constitución; del otro, los acreedores de la sociedad no pueden hacer valer sus créditos sobre los bienes del patrimonio destinado (art. 2447-*quinquies,* 1). Por otra parte, la sociedad responde ilimitadamente (esto es, con todo su patrimonio) de las obligaciones derivadas de actos ilícitos: lo que significa que la separación patrimonial será oponible únicamente a los acreedores voluntarios, es decir, a aquéllos que hayan concedido crédito basándose en una valoración de mérito basada en el contenido del acuerdo de constitución; pero también que, dado el carácter excepcional de la disciplina del patrimonio destinado, la ilicitud de su utilización comportará una dilatación de la responsabilidad patrimonial de la sociedad y la desaparición del régimen de separación.

Se comprende, así, por qué la insensibilidad del patrimonio destinado a un negocio específico con respecto a los acreedores de la sociedad se subordina al cumplimiento de específicas cargas publicitarias (art. 2447-*quater*). *Publicidad*

El acuerdo de constitución de la sociedad debe contener la indicación de los bienes y relaciones jurídicas comprendidas en el patrimonio (art. 2447-*ter,* 1, b), debe inscribirse en el registro de las empresas y debe transcurrir el plazo de sesenta días desde la inscripción sin que los acreedores se hayan opuesto (art. 2447-*quinquies,* 1).

Si en el patrimonio se incluyen bienes inmuebles o muebles registrados, el límite de destinación no es oponible a los acreedores de la sociedad hasta que la destinación al negocio específico no sea inscrita en los correspondientes registros públicos (art. 2447-*quinquies,* 2).

En fin, los actos realizados en relación con el específico negocio deben contener expresa mención del límite de destinación (art. 2447-*quinquies,* últ. inciso).

La destinación de bienes determinados al patrimonio destinado comporta, evidentemente, una disminución de la responsabilidad patrimonial de la sociedad, así que, para tutela de los acreedores sociales, está previsto (análogamente a cuanto sucede para la reducción efectiva del capital *ex* art. 2445) que puedan oponerse en los tribunales, en el plazo de sesenta días desde la inscripción del acuerdo en el registro de empresas. El tribunal, a pesar de la oposición, puede disponer que el acuerdo se ejecute, previa prestación de una garantía adecuada por parte de la sociedad.

75. CONTABILIDAD Y LIQUIDACIÓN DEL PATRIMO-NIO

Finalidad de la contabilidad

Se dedica una minuciosa normativa a la contabilidad, tanto de la sociedad como del patrimonio, la cual asume una doble función: en cuanto instrumento de control de la correcta utilización de los bienes destinados, a tutela de los intereses patrimoniales de la sociedad y de los terceros (eventuales participantes en el patrimonio); en cuanto instrumento de documentación del resultado económico de distribuir a la sociedad y eventualmente a los terceros (arts. 2447-*ter,* 1.d) y 2447-*quinquies,* 1).

Documentos contables de la sociedad

El patrimonio destinado al específico negocio es objeto de una gestión distinta de aquélla de la sociedad y, por tanto, los bienes que lo componen van indicados separadamente en el activo del estado patrimonial del balance de la sociedad que lo ha constituido (art. 2447-*septies,*1); análogamente, en el pasivo del estado patrimonial de la sociedad van distintamente indicadas las cuentas de pasivo de la gestión separada, así como, en una partida propia entre las del neto, se indica el patrimonio destinado. Si el acuerdo constitutivo del patrimonio destinado prevé la responsabilidad ilimitada de la sociedad por las obligaciones contraídas respecto del específico negocio, la utilización debe reflejarse en el documento del estado patrimonial, entre las garantías asumidas por la sociedad y las demás cuentas de orden, y las cuantías correspondientes deben justificarse según los criterios a indicar en la memoria.

Documentos contables del patrimonio

Para cada patrimonio destinado a un negocio particular, los administradores deben tener los libros y documentos contables prescritos por los arts. 2214 y ss., es decir, el libro diario y el libro inventario. Además, para cada patrimonio destinado, los administradores redactan una rendición de cuentas separada hasta que la destinación al negocio específico sea anotada en los registros públicos (art. 2447-*septies,* 2). Aunque la ley no lo prevé específicamente, si la gestión del negocio se prolonga varios ejercicios, la rendición de cuentas debe consistir en un verdadero y propio estado patrimonial y en una cuenta de pérdidas y ganancias, tratándose siempre de determinar el resultado útil de una actividad económica (arts. 2214 y ss., por reenvío del art. 2447-*sexies,*1), que puede también asumir valor periódico; así como valor periódico asume la distribución de los beneficios a favor, ya de los terceros que han realizado aportaciones a favor del patrimonio (art. 2447-*ter,* 1, d) y e), ya de la propia sociedad (2447-*quinquies,*1) pero siempre si hay una específica previsión en el acuerdo de constitución del patrimonio y se respeta el ámbito económico-financiero que indica el acuerdo de constitución (art. 2447- *ter,* 1, c).

También se dicta una normativa minuciosa para la liquidación del pa- *Liquidación del patrimonio*. Se prevé que en el caso de realización del negocio o de la impo- *patrimonio* sibilidad de llevarlo a término (supuesto que se puede verificar también si la sociedad quiebra; art. 2447-*novies,* últ. inciso), los administradores tienen que redactar una rendición de cuentas final, asimilable a un balance general de liquidación que, acompañado de un informe de los síndicos y del sujeto encargado de la auditoría contable, debe ser depositado en el registro de empresas.

Los acreedores del patrimonio todavía no satisfechos pueden pedir la liquidación separada del patrimonio dentro de los noventa días siguientes al depósito de la rendición de cuentas. Coherentemente con la normativa de la liquidación de la sociedad (art. 2495.2), la cual es expresamente reivindicada de forma exclusiva (art. 2497-*novies,* 2), también después del vencimiento de dicho plazo, los acreedores del patrimonio conservan el derecho de perseguir individualmente los bienes objeto de separación patrimonial, incluso después de la eventual remoción del límite y la reasignación a la sociedad o a los terceros, con preferencia con respecto a los acreedores sociales; así como de satisfacerse en las relaciones con la sociedad dentro de los límites del remanente activo asignado (art. 2447-*novies,* 3).

En cualquier caso, los acreedores del patrimonio no pueden pedir que sea declarada la quiebra. En efecto, el reenvío a la normativa de la liquidación de la sociedad es exhaustivo (art. 2447-*novies,* 2) y no admite el recurso a otro supuesto de liquidación concursal; la elección de esta última, si bien aceptable desde el plano sistemático, no haría sino crear una disparidad de trato con respecto a los acreedores de la sociedad, los cuáles podrían beneficiarse de la más eficaz tutela prevista por la normativa de los procedimientos concursales.

A la inversa, la normativa no especifica si la liquidación del patrimonio puede ser también solicitada por los acreedores de la sociedad, por ejemplo, cuando el negocio ha concluido. Es, sin embargo, preferible la solución negativa, ya sea porque el art. 2447-*novies,* 2, reconoce legitimación sólo a los acreedores del patrimonio que permanecen insatisfechos, ya sea porque los acreedores de la sociedad, aunque sean anteriores a la constitución del patrimonio, están tutelados con la posibilidad de oponerse a la constitución (art. 2447-*quater,* 2); los posteriores no pueden garantizar sus créditos con los bienes ya sustraídos a la satisfacción de los propios créditos; lo que, naturalmente, no quita que los acreedores sociales puedan recurrir a las soluciones del Derecho común, por ejemplo, hacer valer judicialmente la causa de disolución del vínculo patrimonial (el cumplimiento o la imposibilidad de cumplimiento del negocio específico).

La separación patrimonial sobrevive a la quiebra de la sociedad. El curador, si no es posible continuar con la gestión separada, procede a la cesión a terceros del patrimonio o a la liquidación de los bienes concretos que lo componen; en ambos casos, lo obtenido de la cesión o de la liquidación se destina a la satisfacción de los acreedores del patrimonio y sólo el eventual remanente se lleva al activo de la quiebra para satisfacer a los acreedores de la sociedad (art. 155 l.fall.).

76. LAS APORTACIONES DE LOS TERCEROS

Para adquirir financiación para el negocio, las sociedades que constituyen patrimonios destinados pueden recurrir a aportaciones de terceros, los cuales participarán en los resultados de la gestión separada, así como emitir instrumentos financieros de participación, con la específica indicación de los derechos que atribuyen. La determinación de las aportaciones de los terceros se deja a la autonomía negocial; los terceros podrán concurrir a la financiación del negocio aportando capitales, obra o servicios o incluso prestando garantías a favor del patrimonio destinado (créditos de firma).

Naturaleza jurídica de la relación con terceros La relación contractual entre la sociedad y los terceros está diseñada siguiendo el modelo de las cuentas en participación: a cambio de la aportación, a los terceros se les atribuye el derecho a participar en los resultados del negocio, esto es, tanto en los beneficios como en las pérdidas (arts. 2549 y 2447-*ter,* 1, d). Coherentemente con la disciplina de las cuentas en participación, la gestión del negocio se atribuye en exclusiva a la sociedad, mientras que a los terceros asociados corresponde el poder de control (arts. 2447-*ter,* 1, d) y 2552.2), así como el derecho a la rendición de cuentas, al término del negocio (arts. 2447-*novies,* 1, y 2552.3) o con periodicidad anual, si el negocio se prolonga varios ejercicios, (arts. 2552.3, y 2447-*septies,* 2).

Por otra parte, la elección del modelo participativo se deja a la autonomía de los administradores; de este modo, la participación de los terceros podrá ser más o menos graduada desde el punto de vista causal, yendo desde las cuentas en participación propiamente dichas a otras formas de financiación, como la participación impropia (arts. 2549 y 2554), en que el aspecto participativo atañe sólo a las ganancias y no a las pérdidas, en cuyo caso el derecho de los terceros al reembolso del valor capital de la aportación se acompaña de una participación en los beneficios.

Además, pueden ser emitidos instrumentos de participación que se configuran como títulos de riesgo, en que los suscriptores participan en los resultados de la gestión de una actividad empresarial, asumiendo en medida más o menos acentuada el riesgo, hasta la pérdida de la aportación realizada. Es, por tanto, evidente, la diferencia de tales instrumentos con respecto a las obligaciones, las cuales representan, siempre, un crédito frente a la sociedad. Es también clara la diferencia de tales instrumentos con respecto a las acciones, ya que, aun siendo (como las acciones) formas de participación en el riesgo, no representan (a diferencia de las acciones) una parte alícuota de capital de la sociedad que las emite (art. 2346.4).

Naturaleza de los instrumentos de participación

Los instrumentos de participación son instrumentos financieros, emitidos sobre la base de una unitaria operación de gestión de un específico negocio y para cada uno de ellos; si cotizan en mercados regulados o están colocados entre el público en medida relevante se someten al régimen de la desmaterialización (art. 28 d.lgs. 213/1998).

Además, la emisión de los instrumentos de participación comporta (para cada emisión) el nacimiento de un fenómeno organizativo (reconducible a una asociación *ex lege*), diseñado sobre el de la organización de los obligacionistas (art. 2415), cuya disciplina, por otra parte, es explícitamente invocada, pero con alguna sustancial diferencia, que se justifica por la naturaleza participativa de estos instrumentos: por una parte, a la asamblea especial se le atribuye, análogamente a como está previsto para las juntas de accionistas de ahorro (v. §§57 y 79), la competencia de decidir por mayoría sobre las modificaciones de los derechos de los tenedores de los instrumentos de participación en el patrimonio (art. 2447-*octies*, 1, 3º); por otra, al representante común corresponde la función de control sobre la gestión del específico negocio (art. 2447-*octies*, 1, 1º).

77. LA FINANCIACIÓN DESTINADA A UN NEGOCIO ESPECÍFICO

Como alternativa a la destinación de bienes y servicios a un negocio específico (art. 2447-*bis*, 1.a), la sociedad puede consagrar a favor de los financiadores de un negocio específico una parte de los beneficios del mismo (art. 2447-*bis*, 1. b). La financiación se caracteriza por una obligación de reembolso (art. 2447-*decies*, 1 y 2. f) y h), lo que excluye, pese a alguna afinidad, que la institución pueda ser reconducida al ámbito de las cuentas en participación (art. 2549). En efecto, en el supuesto examinado no estamos en presencia de una participación de los financiadores en los beneficios de la actividad de la empresa (arts. 2549.1 y 2554.1) sino de un derecho al *reembolso* de la financiación que está destinado a ser satisfecho sólo con algunas disponibilidades (futuras) del empresario financiado, en derogación, por tanto, del art. 2740, no del art. 1813.

A diferencia del supuesto regulado en el art. 2447-*bis*, a), en el contemplado por la letra b) la separación tiene por objeto no ya bienes o relaciones jurídicas, sino las rentas de un determinado negocio y, por tanto, un flujo de caja que, mediante técnicas de separación contable, está destinado a satisfacer los acreedores de la operación. La lógica de la operación responde, así, a particulares exigencias de financiación de la empresa sin que haya aportaciones patrimoniales a título distinto o de diversa naturaleza.

La función exclusivamente financiera de la institución la hace asimilable a la titulización de créditos, en que una masa de créditos se cede en bloque a una sociedad vehículo que, para financiar la operación, emite títulos negociables en los mercados, a cuyo reembolso se destinan las cantidades que serán desembolsadas por los deudores cedidos: en este caso, el importe de los créditos cobrados constituye un patrimonio separado en el ámbito de la sociedad cesionaria (art. 3. 2, l. 130/1999); así como, también, al *project financing,* en el cual un determinado proyecto es financiado mediante las rentas que serán percibidas por la dirección del mismo; y del cual, sin embargo, se aleja porque la separación patrimonial actúa dentro de la propia sociedad encargada de realizar el negocio y no mediante distinta imputación a una sociedad encargada del cobro y de la gestión de las rentas (arts. 37-*bis* y ss. l. 109/1994); y se distingue, por motivos análogos, también del *trust,* en el que el destinatario de las inversiones es una entidad financiera que no actúa como mero depositario interesado en el éxito de la recaudación de los medios sino como contraparte del empresario que actúa en interés exclusivo de los inversores-beneficiarios.

Las rentas del negocio y sus reempleos constituyen un patrimonio separado del de la sociedad, y, como tal, sustraído a los acreedores de esta última. La oponibilidad del límite a los acreedores sociales se subordina, de un lado, al depósito del contrato de financiación en el registro de empresas, del otro, a la adopción, por parte de la sociedad, de sistemas de recaudación y de contabilidad aptos para individualizar en cada momento las rentas del negocio y a tenerlas separadas del patrimonio de la sociedad (art. 2447- *decies,* 3). Se pide, por tanto, no sólo la contabilidad separada, sino también que las cantidades objeto del patrimonio separado se desembolsen en cuentas separadas de las de la sociedad, como técnica de especificación de la separación patrimonial.

Oponibilidad del límite

Igualmente sustraídos a los acreedores de la sociedad quedan los bienes instrumentales al cumplimiento de la operación, pero sólo hasta el reembolso de la financiación o hasta el vencimiento del término previsto para la misma.

En cuanto a los financiadores del negocio, se ha dicho que son verdaderos y propios acreedores, a cuya satisfacción están destinadas sólo las rentas de la operación, además de las eventuales garantías prestadas por terceros o por la sociedad (art. 2447-*decies,* d) y g); por tanto, a los financiadores se les prohíbe cualquier acción contra el patrimonio de la sociedad, incluidos los bienes instrumentales al cumplimiento de la operación financiada.

Acreedores del patrimonio

El régimen de separación no desaparece, en principio, en caso de quiebra de la sociedad ni resulta perjudicado el cumplimiento del negocio. Cuando la quiebra de la sociedad no impida la realización o la continuación de la operación el contrato de financiación puede proseguir con el procedimiento, el cual asume en sí mismo las cargas necesarias para llevar a término el negocio. Como alternativa, se reconoce al financiador, en caso de no entrar en el procedimiento, la facultad de entrar en la gestión del negocio, directamente o a través de un tercero elegido por él; en este caso, el financiador puede quedarse con los beneficios del negocio como compensación parcial del propio crédito e incluirse en el pasivo de la quiebra por la parte del crédito no satisfecho (art. 72-*ter,* l.fall.). Cuando, en cambio, la quiebra de la sociedad haga imposible la continuación del negocio, los financiadores pueden, en cualquier caso, concurrir al reparto de todo el patrimonio social por la parte del crédito no satisfecho, sin perjuicio del derecho, ya de retener la cantidad ya cobrada, que, por tanto, no es objeto de retroacción de la quiebra, ya de aprehender las ganancias provenientes del negocio, los beneficios y sus eventuales reutilizaciones, así como aquéllas aun no percibidas, siempre que se trate de cantidades objeto de separación patrimonial y destinadas a la satisfacción de los acreedores; lo que todavía explica por qué estos importes se detraen del crédito insinuado en el pasivo de la quiebra de la sociedad (art. 2447-*decies,* 4 y 6).

SECCIÓN 3
Junta general de socios. Pactos parasociales.

Giuseppe A. Rescio

Sumario: 78. Junta general: concepto y principios generales. 79. Competencias de la junta. 80. Convocatoria de la junta. 81. Quorums de la junta. 82. Asistencia y voto en la junta. 83. Representación en la junta. 84. Desarrollo de la junta. 85. Acta de la junta. 86. Invalidez de los acuerdos: concepto y causas. 87. Invalidez de los acuerdos: regulación. 88. Pactos parasociales.

78. JUNTA GENERAL: CONCEPTO Y PRINCIPIOS GENERALES

En el derecho de sociedades, el término junta indica las reuniones en las que los socios adoptan los acuerdos que consideran oportunos en las materias que les son atribuidas por ley. Dichas reuniones se desarrollan siguiendo reglas de funcionamiento en parte establecidas por ley y en parte determinadas por los socios en los estatutos. Asimismo, en las sociedades con accionariado difuso, y sobretodo en las s.p.a. cotizadas, a menudo los socios consideran útil adoptar un reglamento de la junta para regular de modo más detallado la actuación de los distintos sujetos que intervienen con distintos roles y funciones en las reuniones.

Concepto y reglas

Las reglas legales y estatutarias articulan la junta como un procedimiento, esto es, como una secuencia de actos y hechos preordenada a un fin: la adopción de una decisión, fruto de una reunión de socios informados sobre la materia del acuerdo y con expresión simultánea de la voluntad de los presentes.

Finalidad del procedimiento

Todo ello se explica diciendo que la junta opera con el método colegial que implica el paso obligado (salvo en cuanto se precisará) por las siguientes fases: *convocatoria*, para informar a los socios de la reunión y de su contenido; *asistencia y discusión*, para favorecer el máximo conocimiento de los pros y contras de cada decisión; *voto*, para formar la voluntad de los distintos intervinientes —llamada técnicamente *deliberación*—; *redacción del acta*, para documentar la reunión y sus resultados.

Método colegial

A menudo el método colegial se acompaña de la regla de la *mayoría*, en el sentido de que la deliberación se entiende adoptada si es apoyada por una determinada mayoría de votos fijada por la ley o por los estatutos: en tal caso, la existencia de una minoría disidente no impide que la decisión produzca los efectos que le son propios.

Inderogabilidad
del método
colegial En la s.p.a. —a diferencia de las sociedades personalistas (v. §18) y de la s.r.l. (v. §126 y ss) —la ley no permite a los socios, al adoptar las decisiones que les son atribuidas, prescindir del método asambleario. Cuando —como a menudo ocurre— los socios hayan alcanzado el consenso en relación con determinados acuerdos (por ejemplo, qué administradores nombrar, cuántos beneficios repartir) y se les haya dado forma de escritura privada, e incluso cuando haya un socio único, ningún efecto se producirá frente a la sociedad si estos acuerdos no devienen acuerdos en el respeto de las reglas propias del procedimiento asambleario. Y ello porque sólo en el seno de este procedimiento, si se sigue correctamente, se garantizan las decisiones finales informadas, discutidas y ponderadas, adecuadamente documentadas y controlables por parte de los interesados: ello representa un importante instrumento de eficiencia, sobre todo en sociedades con una potencial amplia base social y elevado número de terceros afectados por la empresa ejercitada por aquélla.

79. COMPETENCIAS DE LA JUNTA

El «gobierno
societario» En un tiempo se decía que la junta es el órgano «soberano», en el sentido de que ésta es capaz de imponer la propia voluntad (mejor: la voluntad de la mayoría de la junta) a cualquier otro órgano, además de al socio individual que no ha prestado su consentimiento. En realidad, no es así. La ley, y cuando la ley lo permite, los estatutos, distribuyen las competencias decisorias entre los distintos órganos; cada órgano ejercita la propia soberanía en la esfera que le es asignada en un sistema de pesos y contrapesos que se suele resumir con la expresión «gobierno societario» (*corporate governance*, sobre el cual v. §89).

Junta ordinaria
y extraordinaria La esfera de las competencias de la junta viene determinada principalmente por los arts. 2364, 2364-*bis* (que hay que leer en coordinación con el art. 2409-*terdecies*) y el art. 2365, a pesar de que normas ulteriores contribuyen a definirlas. Con estas disposiciones, las competencias de la junta son subdivididas entre las que competen a la junta ordinaria y las reservadas a la junta extraordinaria. No se trata de dos juntas distintas sino de una única junta general de socios que, según los acuerdos a adoptar, se sujetará a reglas parcialmente distintas: en síntesis extrema, en sede extraordinaria se requieren mayorías más elevadas y acta notarial.

Las competencias de la junta ordinaria cambian según el sistema de administración y control adoptado por los socios y, en particular, según falte el consejo de vigilancia (sistema llamado tradicional, con presencia de administradores y síndicos y normalmente de auditor; sistema llamado monista, con presencia del consejo de administración y del auditor) o, por el contrario, esté previsto (sistema llamado dualista, con presencia del consejo de vigilancia y del consejo de gestión, más el auditor) (v. §§104 y ss.). *Competencias de la junta ordinaria*

En el primer caso (sistema tradicional y sistema monista: art. 2364) la junta ordinaria aprueba el balance, el nombramiento y revocación de los administradores, de los síndicos (determinando al presidente) y del auditor, establece la retribución, delibera sobre la acción de responsabilidad contra administradores y síndicos, autoriza operaciones de gestión cuando los estatutos lo prevén, aprueba el reglamento de la junta, delibera sobre los demás asuntos que les son reservados por ley. Entre estos se incluyen la distribución de los beneficios (art. 2433), la adquisición de acciones propias y de la controlante (art. 2357 y 2359-*bis*), las adquisiciones «peligrosas» del art. 2343-*bis*, la asunción de participaciones que comportan responsabilidad ilimitada por las deudas de la participada (art. 2361.2), el cumplimiento de actos y operaciones dirigidos a contrastar el buen fin de una o.p.a. sobre acciones cotizadas (art. 104 T.U.F.), el encargo y la revocación del encargo de la auditoría de los balances de sociedades cotizadas (art. 159 T.U.F.). *... a falta del consejo de vigilancia*

En el segundo caso (sistema dualista) la junta ordinaria ve reducidos sus poderes y la relación entre los órganos deviene más compleja. El art. 2364-*bis* atribuye a la junta el nombramiento y revocación de los componentes del consejo de vigilancia, su retribución, el ejercicio de la acción de responsabilidad frente a ellos, la distribución de los beneficios, el nombramiento del auditor. Según el art. 2409-*terdecies*, al consejo de vigilancia se atribuyen las competencias relativas a la aprobación del balance, nombramiento y revocación de los componentes del consejo de gestión, a la determinación de su retribución, al ejercicio de la acción de responsabilidad frente a ellos. *... en presencia del consejo de vigilancia*

El peso decisorio de la junta

Por otra parte, también aquí la junta conserva las competencias a ellas reservadas por otras disposiciones legales, como las mencionadas *supra* (arts. 2343-*bis*, 2357, 2359-*bis*, 2361 y arts. 104 y 159 T.U.F.), así como el acuerdo sobre el ejercicio de la acción de responsabilidad frente a los componentes del consejo de gestión (art. 2409-*decies*, estableciendo al respecto una competencia concurrente con la del consejo de vigilancia). Y puede recibir otras competencias por decisión estatutaria autorizada por la ley de forma explícita (determinación de la retribución de los miembros del consejo de gestión y aprobación del balance en casos especiales: art. 2409-*terdecies*.1.a y 2) o implícita (aprobación del reglamento de la junta, autorización para el cumplimiento de actos de gestión, aprobación de tales actos a solicitud de los gestores: bien entendido, sin liberar al encargado de gestionar la sociedad de su propia responsabilidad).

Competencias de la junta extraordinaria

Las competencias de la junta extraordinaria, por el contrario, son independientes del modelo de gobierno societario y están estrictamente determinadas por la ley. Ello significa que, cuando una norma atribuye una competencia deliberativa de la junta sin especificación, ésta corresponde a la junta ordinaria, salvo cuando sea reconducible a una de las categorías señaladas en el art. 2365: modificaciones estatutarias; nombramiento, sustitución y poderes de los liquidadores; cualquier otra expresamente atribuida por la ley. Entre estas últimas se incluye la emisión de obligaciones convertibles (art. 2420-*bis*) y la revocación del estado de liquidación (art. 2487-*ter*).

Reglamento de la junta

En el concepto de modificación estatutaria se incluye la aprobación de un reglamento de la junta al que los socios atribuyen un valor equivalente al de los estatutos, junto los cuales es publicado en el registro de empresas. Por ello, ha de distinguirse el reglamento aprobado por la junta extraordinaria del aprobado por la junta ordinaria como norma interna de autorregulación del órgano: en el primer caso el conflicto entre estatutos y reglamento se resuelve a favor de la última disposición aprobada que modifica la precedente y el incumplimiento del reglamento conlleva la invalidez del acuerdo de la junta; en el segundo caso, el conflicto se resuelve a favor de los estatutos y el incumplimiento del reglamento no comporta, por sí solo, la invalidez del acuerdo de la junta.

Autonomía estatutaria

El art. 2365 otorga un amplio espacio a la autonomía estatutaria al permitir la atribución de algunas competencias típicas de la junta extraordinaria al órgano de administración, al consejo de vigilancia o al consejo de gestión. Ello concierne, en particular, a la facultad de emitir obligaciones convertibles (art. 2420-*ter*) y de aumentar el capital (art. 2443), el acuerdo de fusión simplificada (art. 1505 y 1505-*bis*), la institución y la supresión de sedes secundarias, la indicación de los cargos administrativos que otorgan el poder de representación, la reducción del capital consiguiente a la separación de un socio, las adaptaciones de los estatutos a disposiciones normativas y el traslado de la sede en el territorio nacional: queda a salvo la necesidad de la asistencia notarial para la redacción del acta y el control de legalidad del acuerdo.

De la junta general, ordinaria o extraordinaria, de todos los accionistas, se diferencian las juntas especiales cuya existencia depende de la emisión de acciones distintas de las ordinarias (por ejemplo, acciones privilegiadas, acciones de ahorro) o de instrumentos financieros que confieren derechos administrativos (v. §71). Cuando ello ocurre, es posible que los acuerdos de la junta general, en la que participan los titulares de acciones ordinarias y de acciones de algunas categorías (pero no de todas), perjudiquen los derechos de los titulares de acciones de una especial categoría, incluida la de los accionistas ordinarios, o de instrumentos financieros que confieren derechos administrativos. En tales casos, como se ha visto en §57, el acuerdo de la junta *no deviene eficaz* (condición suspensiva) si no cuando es aprobado por la junta especial de aquéllos incluidos en la categoría perjudicada, a la que se aplican las disposiciones previstas para la junta extraordinaria (art. 2376, con las reglas aportadas por el art. 146 T.U.F. para la junta especial de los accionistas de ahorro).

Juntas especiales

80. CONVOCATORIA DE LA JUNTA

El procedimiento asambleario se inicia, normalmente, con la convocatoria que compete, de forma general, a los administradores o al consejo de gestión (art. 2366). En las sociedades cotizadas, asimismo, el poder general de convocar la junta corresponde también a los síndicos y a los componentes del consejo de administración, con acuerdo colegial o a iniciativa conjunta de dos miembros (art. 151 y 151-*bis* T.U.F.).

Poder de convocatoria

Obligación de convocatoria

El ejercicio del poder de convocatoria queda sometido generalmente a libre elección, pero no faltan los casos en los que la ley *obliga* a proceder a la convocatoria (por ejemplo, los arts. 2386.2 y 2446). A tal respecto, son de especial relieve los casos de carácter general en que la junta *debe* ser convocada:

a) *una vez al año*, en sede *ordinaria*, para deliberar (al menos) en relación a la *aprobación del balance de ejercicio* y tomar cualquier decisión relativa, en el plazo establecido por los estatutos no superior a ciento veinte días desde el cierre del ejercicio social: plazo prorrogable, si los estatutos lo permiten, a no más de ciento ochenta días para las sociedades obligadas a la redacción del balance consolidado o cuando el retraso se justifique a la luz de exigencias especiales ligadas a la estructura o al objeto de la sociedad, a especificar en el informe que acompaña al balance (art. 2364.2);

b) *sin tardanza* (en el plazo de veinte días en las sociedades cotizadas) *cuando se haya solicitado por una minoría cualificada de socios* que alcance el diez por ciento del capital, porcentaje que los estatutos pueden disminuir pero no elevar, siempre que en la solicitud se indiquen las materias a tratar en la junta (art. 2367): ha de recordarse, por otro lado, que tal minoría no puede imponer la convocatoria para materias sobre las que la junta se pronuncia a propuesta de los administradores o sobre la base de un proyecto o un informe por éstos elaborado (por ejemplo, fusión, escisión, reducción del capital por pérdidas, aumento de capital con exclusión del derecho de opción);

c) *cuando la primera convocatoria quede desierta*, esto es, no se alcance el quórum de constitución (v. §81), en el plazo de treinta días: la segunda convocatoria, por otra parte, puede estar prevista (y en la práctica generalmente lo es) en el texto de la primera, siempre que se fije un día distinto de la primera (art. 2369.1 y 2).

Los sujetos obligados

Siempre que la convocatoria sea obligatoria y los administradores o el consejo de gestión no la convoquen, el colegio síndical o el consejo de vigilancia estarán obligados a hacerlo (art. 2406 y 2409-*quaterdecies*), así como el comité para el control de la gestión (al menos) en el caso previsto por el art. 2367. Los síndicos deben, asimismo, proceder con urgencia a la convocatoria de la junta *cuando todos los administradores cesen en su cargo* (arts. 2386, último párrafo), así como cuando, en el ejercicio de su actividad descubran *hechos censurables de gravedad relevante* y sea urgente la convocatoria (arts. 2406.2 y 2408.2: disposiciones a las que se remite también para el consejo de vigilancia el art. 2409-*quaterdecies*).

La convocatoria se realiza mediante comunicación con indicación del día, hora, lugar y de la lista de materias a tratar y ha de publicarse en la *Gazzetta Ufficiale* o en un periódico indicado en los estatutos al menos quince días antes del fijado para la junta; el plazo puede elevarse a treinta días para las sociedades cotizadas (para la segunda convocatoria el plazo mínimo es siempre de ocho días). En las s.p.a. que no acuden al mercado de capital de riesgo los estatutos pueden prever, en lugar de la publicación en la *Gazzetta* o en un periódico, que la convocatoria sea comunicada a los socios mediante cualquier medio que garantice la prueba de su recepción al menos ocho días antes de la junta (art. 2366).

Aviso de convocatoria

Acerca del lugar de celebración, la junta debe llevarse a cabo en el municipio de la sede de la sociedad, salvo que los estatutos dispongan diversamente. Y, en efecto, los estatutos extienden generalmente el espacio en que la junta puede tener lugar, reenviando al conjunto del Estado italiano o incluso de otros países. Lo importante es que, al fijar el lugar de convocatoria no se obstaculice la participación personal del socio. Precisamente para facilitar la asistencia del socio, el art. 2370, últ. párrafo, permite, si los estatutos lo disponen, que la participación se realice mediante medios de telecomunicación: por tanto, los lugares de celebración —a indicar en la comunicación— pueden ser múltiples, contiguos o distantes, pero comunicados con sistemas de videoconferencia (o análogos) que permitan el pleno ejercicio del derecho de intervención y voto a los socios que no compartan un espacio físico común.

Lugar de celebración

La comunicación debe contener el orden del día, es decir, una lista de las materias a tratar, que ha de determinarse de manera concreta (ciertamente inadmisible es la locución «varios e indeterminados») o con fórmulas no demasiado amplias (muy dudosa es la voz «modificaciones estatutarias») a fin de que los socios puedan acudir a la junta suficientemente preparados. El orden del día circunscribe las discusiones en junta: ninguna intervención puede pretender que se acuerde, ni siquiera que se discuta, sobre materias no contempladas en él y el presidente de la junta tiene el poder de impedir, quitándole la palabra, que el socio se detenga en ellas.

Orden del día

Por otra parte, se admite que cada materia del orden del día comprenda implícitamente aquéllas accesorias, como la emisión de nuevas acciones respecto del aumento de capital, el nombramiento de liquidadores respecto de la disolución voluntaria o la acción de responsabilidad contra los administradores respecto de la aprobación del balance de ejercicio (caso específicamente previsto por el art. 2393, aunque limitado a la responsabilidad por hechos durante el ejercicio a que se refiere el balance).

Las materias del orden del día son determinadas por quien convoca la junta. Sin embargo, en las sociedades cotizadas, una minoría equivalente a la cuadragésima parte del capital social puede completar el orden del día con otras materias —excluidas las que requieren una propuesta, un proyecto o un informe de los administradores— siempre que se solicite y se dé noticia a los restantes socios en los términos del art. 126-*bis* T.U.F.

Junta universal   Si falta la convocatoria o no es realizada de conformidad con la ley y los estatutos, la junta puede celebrarse de forma regular si es universal, es decir, si participan, aún por representación, *todos los accionistas* así como, de forma personal, *la mayoría de los miembros de los órganos de administración y de control*: a los ausentes deberán comunicárseles los acuerdos adoptados para que puedan actuar en consecuencia (art. 2366.4 y 5). En relación a la ampliación de los presupuestos *supra* indicados no debe tenerse en cuenta al auditor de cuentas (v. §180), al cual —si se le quisiese considerar como un «órgano» de control de la sociedad, lo cual sería dudoso— no le corresponde el derecho de asistir a la junta, mientras que para los componentes del consejo de vigilancia y para los síndicos es un derecho/deber impuesto por los arts. 2405 y 2409-*terdecies*, último párrafo.

Posposición de la junta   En la junta universal, pero no regularmente convocada, cada socio tiene el derecho de oponerse a la discusión de las (y a la votación sobre las) materias sobre las que considere que no tiene información suficiente (art. 2366.4). Por el contrario, cuando la convocatoria haya sido regular, el derecho de posponer la junta por insuficiente información corresponde sólo a los socios que representen un tercio del capital social y no pueden posponerla más de cinco días (art. 2374).

Información antes de la junta   Las disposiciones *supra* citadas dan una relevancia jurídica general a la información del socio en función de su participación en la junta. Esta información resulta más detallada en relación con determinados acuerdos especiales: así, se asegura la posibilidad de acceder al balance ordinario y extraordinario a aprobar o que sirve de base para las operaciones de aumento o reducción del capital (v. §159 y ss.), fusiones y escisiones (v. §177 y ss.) y de ser informados acerca de la acumulación de cargos de administración y control en varias sociedades en el momento del nombramiento de un síndico y (en el sistema monista) de un administrador (art. 2400 y 2409-*septiesdecies*, último párrafo). En las sociedades cotizadas el derecho a la información recibe un mayor reconocimiento, concretándose en el derecho de acceder a todos los actos depositados en la sede social para las juntas ya convocadas y de obtener una copia sufragando su coste (art. 130 T.U.F.).

81. QUÓRUM DE LA JUNTA

Los arts. 2368 y 2369 definen los *quórum constitutivos* que deben respetarse para que la junta pueda considerarse regularmente constituida y dar inicio a la discusión y las *mayorías o quórum deliberativos* que deben subsistir para que sus acuerdos puedan ser válidamente adoptados. Cuanto más elevados sean estos cocientes, tanto más elevado es el número de socios llamados a compartir una decisión. Pero, cuanto más amplio es el consenso requerido, tanto más difícil resulta alcanzarlo. Si la fijación de quórum altos puede tutelar a los socios minoritarios contra acuerdos que les desagradan, dañaría a la entera sociedad —y no sólo a los socios mayoritarios— el no poder adoptar un acuerdo útil a causa de la oposición o del desinterés de quien ha invertido menos en el capital de riesgo. Así, la ley propone un posible equilibrio, pero remite después a los estatutos —dentro de ciertos límites— para la búsqueda de un equilibrio distinto, si se considera más satisfactorio para los interesados en la específica situación.

El *quórum constitutivo* explica la necesidad de que se halle presente en la junta un cierto número de socios titulares de acciones que *atribuyen el derecho de voto* en junta (incluidas las acciones con voto limitado o subordinado previstas por el art. 2351, exclusivamente en las juntas para las que atribuyen tal derecho; v. §58). No siempre exige la ley expresamente una presencia mínima de socios para poder dar inicio a la junta pero, si se requiere que un acuerdo sea aprobado, no por mayoría simple, sino por una mayoría correspondiente a un cierto porcentaje del capital (a calcular con respecto de las acciones para las que *se puede ejercitar el derecho de voto* en junta: v. §82), entonces dicho quórum deliberativo deviene implícitamente también quórum constitutivo.

Hay que recordar que los quórum varían según se trate de junta ordinaria o extraordinaria, en primera o sucesivas convocatorias, y según que las

Intereses en conflicto

Quórum constitutivo y deliberativo

Los diferentes supuestos

s.p.a. recurran o no al mercado de capital, de forma que puede sintetizarse como sigue:

a) En junta ordinaria de toda s.p.a.: *(i)* en *primera* convocatoria: quórum constitutivo igual a la mitad del capital; quórum deliberativo igual a la mayoría absoluta del capital representado en la junta; *(ii)* en *segunda* convocatoria: quórum constitutivo no existente; quórum deliberativo igual a la mayoría de las acciones de los votantes.

b) En junta extraordinaria de s.p.a. «cerradas»: *(i)* en *primera* convocatoria: quórum constitutivo igual al quórum deliberativo; quórum deliberativo igual a más de la mitad del capital; *(ii)* en *segunda* convocatoria: quórum constitutivo igual a más de un tercio del capital; quórum deliberativo igual a los dos tercios del capital representado en la junta, el cual, además, tiene que superar el tercio del capital social para los acuerdos concernientes al cambio del objeto social, transformación de la sociedad, disolución anticipada, prórroga de plazo de la sociedad, revocación del estado de liquidación, traslado de la sede social al extranjero y emisión de acciones privilegiadas.

c) En junta extraordinaria de s.p.a. «abiertas», incluidas las cotizadas: *(i)* en *primera* convocatoria: quórum constitutivo igual a la mitad del capital social; quórum deliberativo igual a los dos tercios del capital representado en la junta; *(ii)* en *segunda* convocatoria: quórum constitutivo igual a más de un tercio del capital; quórum deliberativo igual a los dos tercios del capital representado en junta.

Si los estatutos prevén convocatorias ulteriores, para ellas valen los quórum impuestos respectivamente para la segunda convocatoria de los supuestos *a)* y *b);* mientras que para las juntas extraordinarias de sociedades por acciones cotizadas, cuya tercera convocatoria se admite incluso en ausencia de previsiones estatutarias (art. 126 T.U.F.), y con acciones difusas de forma relevante, el quórum constitutivo desciende a un quinto del capital, quedando igual el quórum deliberativo de los dos tercios del capital representado en junta.

Otras normas pueden disponer mayorías distintas para acuerdos especiales: por ejemplo, el art. 34. 6 d.1gs. 5/2003, requiere siempre la mayoría de los dos tercios del capital para la introducción o supresión de cláusulas compromisorias estatutarias; el art. 2441.5, exige en algunos casos el consentimiento de más de la mitad del capital para excluir el derecho de opción en el aumento de capital (v. §160).

Los estatutos pueden modificar los quórum establecidos por los artículos 2368 y 2369, pero tales disposiciones muchas veces sólo confirman la posibilidad de aumento de los *quórum,* negando implícitamente la facultad de disminuirlos. El mismo aumento no es ilimitado porque no se permite para los acuerdos que condicionan la supervivencia de la sociedad: el nombramiento y la revocación de los cargos sociales; la aprobación del balance (art. 2369.4). Además, está difundida la opinión —aunque no cierta— de que los *quórum* no pueden ser elevados hasta el punto de exigir la unanimidad de los socios, ni siquiera para acuerdos individuales.

En fin, otras reglas particulares pueden ser establecidas en los estatutos para el nombramiento asambleario de los componentes de los órganos de administración y control (art. 2368.1). A salvo la inadmisibilidad del voto secreto, puede recurrirse al criterio de la mayoría relativa — de modo que resulten elegidos los candidatos más votados, sin tener en cuenta las abstenciones ni el porcentaje absoluto de capital que vota a cada candidato— o bien puede recurrirse a sistemas, como el voto de lista, que permitan la elección de algunos componentes que sean representantes de la minoría. Éste último sistema es impuesto por el art. 147-*ter* T.U.F. para el nombramiento de los miembros de los consejos de administración de sociedades cotizadas (para los síndicos y miembros del consejo de vigilancia v. art. 148.2 y 4-bis, T.U.F.).

82. ASISTENCIA Y VOTO EN LA JUNTA

El art. 2370 atribuye el derecho de asistencia a los «accionistas a quienes corresponda el derecho de voto». Se deja a los estatutos la facultad de introducir un supuesto de legitimación para el ejercicio del derecho de asistencia: el depósito, en la sede social o las entidades financieras indicadas en la convocatoria, de los certificados accionariales poco antes de la junta (si las acciones son desmaterializadas el depósito es sustituido por una comunicación del intermediario, adherido al sistema de gestión centralizada, sobre el cual v. §60). En tal caso el plazo para el depósito debe estar fijado por los estatutos, pero no puede ser superior a dos días laborables si se trata de sociedades que acuden al mercado del capital de riesgo. La inscripción del accionista en el libro registro de socios, en cambio, no desempeña ninguna función en relación con la asistencia: al

Márgenes:

Autonomía estatutaria

Nombramiento de cargos sociales

Asistencia: titularidad y presupuestos

contrario, la junta deviene una ocasión para poner al día el libro registro de socios cuando participan accionistas todavía no inscritos.

Titularidad del voto

Con la expresión «accionistas a quienes corresponde el derecho de voto» la ley pretende comprender a todos los sujetos *titulares* de aquel derecho, aunque no sean socios. Se incluyen, así, el usufructuario, el acreedor pignoraticio y el depositario de acciones embargadas: para el art. 2352, salvo pacto en contrario, es a éstos y no al socio propietario de las acciones, a quienes les corresponde el voto y, con él, el derecho de asistir. El accionista con voto limitado tiene derecho de asistencia exclusivamente en las juntas o para los acuerdos para los que le es reconocido el voto (art. 2351).

Prohibición de voto

El sujeto «a quien corresponde el derecho de voto», y el consiguiente poder de asistencia, es también el sujeto titular de aquel derecho que, sin embargo, no lo puede ejercitar por estar incurso en *una causa de prohibición o suspensión provisional del voto:* por ejemplo, el socio moroso (art. 2344, últ. párrafo) o el socio que haya sido parte en pactos parasociales de los que no se ha efectuado la oportuna publicidad si son relativos a sociedades cotizadas o que las controlan, según el art. 122 T.U.F. (para las restantes hipótesis véanse los arts. 2359-*bis* y 2373.2, así como los arts. 120 y 121 T.U.F.). A mayor abundamiento, el derecho de asistencia corresponde al socio en conflicto de intereses, aunque decida abstenerse de votar, ya que se mantiene intacto el propio derecho de voto (v. §84).

Relación entre asistencia y voto

El derecho de asistencia y el derecho de voto son derechos paralelos en la titularidad pero no en el ejercicio: quien no tiene la titularidad del derecho de asistencia no tiene la titularidad del derecho de voto; quien ejercita el derecho de asistencia no necesariamente ejercita (abstención) o puede ejercitar (prohibición) el derecho de voto. En un caso es incluso posible lo contrario: se ejercita el derecho de voto sin ejercitar el derecho de asistencia.

Formas particulares de asistencia

Ello ocurre en el voto por correspondencia, donde sólo por una ficción jurídica el votante —para evitar que, presente en el quórum deliberativo, haya que contarlo como ausente en el *quórum* constitutivo— «se considera asistente a la junta», como dispone el art. 2370, últ. inciso, norma que asimismo autoriza la asistencia mediante medios de telecomunicación: en ambos casos, sólo si los estatutos lo permiten pero con una fundamental diferencia entre los dos casos autorizados.

Medios telemáticos

La asistencia por medios de telecomunicación es una forma de participación en la junta respetuosa con el método colegial, en cuanto debe garantizar la completa participación del interviniente a distancia en la sesión asamblearia y la comprobación de lo acontecido sin dudas ni posibilidad de equívocos, ya sea en abstracto, esto es, en la cláusula estatutaria que regule tal eventualidad, ya sea en concreto, esto es, en su específica realización con pleno respeto de los principios de buena fe y de igualdad de trato entre quienes tienen el derecho de asistir.

Al contrario, el *voto por correspondencia* —al cual se puede asimilar el voto por internet, es decir, el voto por correo electrónico, con tal de que se haya efectuado con medios técnicos que aseguren la imputación del voto al legitimado— es una institución no respetuosa con el método colegial, ya que quien vota no lo hace simultáneamente con los demás después de haber participado, aún silenciosamente, en la fase de discusión. El voto viene, en efecto, preformado con respecto de la junta sobre el texto contenido en la comunicación de la convocatoria, o bien enviado al socio antes de la junta (v., sobre la materia la específica regulación de la Consob, publicada para regular el voto por correspondencia en las sociedades cotizadas según el art. 127 T.U.F.). *[margen: Voto por correspondencia]*

Nótese que, cuando el voto por correspondencia esté previsto por los estatutos de s.p.a. con pocos socios, si en una determinada fecha fuese utilizado por todos, la junta se resolvería en el recuento formal de votos preconstituidos con respecto de una «reunión fantasma» y —a excepción del cumplimiento de las reglas procedimentales inderogables— en nada se distinguiría de la verificación de las decisiones de los socios por *consulta escrita,* configurada del art. 2479 como *hipótesis alternativa* a la junta admisible sólo en la s.r.l. (v. §127). En realidad, lo que distingue en sustancia la primera hipótesis (junta con voto exclusivamente por correspondencia) de la segunda (consulta escrita) consiste en el hecho de que tan sólo en la primera los socios, si quieren, pueden realmente intervenir y dar lugar, así, a una verdadera reunión. Ello equivale a decir que la *esencia,* o núcleo irreprimible, del fenómeno de la junta consiste en la *simple potencialidad de una reunión.* *[margen: La esencia del fenómeno asambleario]*

83. REPRESENTACIÓN EN LA JUNTA

Los derechos de asistencia y voto pueden ser ejercitados personalmente por su titular (si el socio no es una persona física, por el representante institucional del ente), o bien puede ser solicitado por éste a terceros, socios *[margen: Concepto y normativa]* o no socios, provistos del poder de representación derivado del mandato o delegación (sinónimos) otorgados por el titular mismo. La ley regula la representación en junta, de forma general, en el art. 2372 y después, derogando tal disposición, regula las vicisitudes de la solicitud y acopio de las delegaciones de voto en las sociedades cotizadas a través de los arts. 136 y ss. T.U.F..

Intereses atendidos por la normativa

Esta normativa es el fruto de una larga evolución en el intento de conciliar intereses no siempre convergentes: *el interés del socio* a participar en la junta mediante los sujetos que reputa más idóneos y en el modo más simple posible; y el *interés de la sociedad* a que sea facilitada la actividad deliberativa de la junta, favoreciendo el alcance del *quórum* (y ello no sólo en sociedades con accionariado difuso donde el pequeño accionista a menudo no halla suficientes alicientes para asistir); el *interés general* al pleno conocimiento, por parte del socio, de los efectos y de los riesgos que los poderes comportan, en particular del riesgo de que venga utilizado no en el interés del socio delegante sino de terceros (grupo de control, minorías organizadas que aspiran a devenir mayoría sin invertir dinero en el capital o con comportamientos puramente obstruccionistas, administradores que pretenden influir en los acuerdos de la junta, etc.). En extrema síntesis, la actual normativa, al otorgar siempre relevancia al interés de la sociedad, pone el acento, en particular, sobre el interés del socio en la s.p.a. «cerrada» y tiende a desplazarlo a favor del interés general en la sociedad con acciones ampliamente difundidas entre el público y, todavía más, en las cotizadas.

La tutela de los intereses señalados se traduce en la definición de límites legales generales y especiales a la representación en junta. Los estatutos pueden añadir ulteriores límites y hasta prohibirla.

Límites generales a la representación

Algunos límites generales atienden a los poderes. Estos deben revestir la forma escrita, para permitir la comprobación del poder de representación; debe, ya desde el comienzo, indicar el nombre del representante; si prevé la facultad del representante de hacerse sustituir, tiene que indicar el nombre del sustituto. Se puede nombrar representante a una entidad (sociedad, asociación, fundación, etc.), en cuyo caso por la entidad intervendrá el propio representante institucional o bien, en virtud de una subdelegación de la entidad aunque no esté expresamente autorizada, un dependiente o colaborador.

Otros límites generales atienen a los sujetos que pueden recibir el poder de representación y a la cantidad de socios que pueden ser representados por un mismo *representante*, y son aplicables también a los poderes conferidos mediante cesión legitimadora. Bajo el primer aspecto, se prohíbe la delegación en favor de los componentes de los órganos administrativos y de control (incluido el auditor contable en razón de las funciones desempeñadas) y de los dependientes de la sociedad y de sociedades por ésta controladas, así como en favor de las mismas sociedades controladas: todo ello a fin de evitar que los cargos sociales puedan, directamente o mediante persona sometida a su control, dirigir en su propio interés las deliberaciones de la junta y alterar el correcto desarrollo de las relaciones entre los distintos órganos de la sociedad. Bajo el segundo aspecto, a fin de impedir que se creen posiciones de poder no compensadas por adecuadas inversiones en el capital de riesgo, se prohíbe a cualquier persona ostentar la representación de más de veinte socios, cifra que en las s.p.a. «abiertas» aumenta en relación a la cifra del capital social (de un mínimo de cincuenta a un máximo de doscientos socios: v. art. 2372.6).

Límites generales subjetivos y cuantitativos

Límite especial, porque está exclusivamente previsto para las s.p.a. «abiertas», y la *prohibición de otorgar poderes extendidos a más de una junta*. Para garantizar el pleno conocimiento a la hora de otorgar los poderes, para cada junta se requiere un poder específico, que mantendrá su eficacia para todas las convocatorias de la misma junta. Sin embargo, si se está desprovisto de específicos poderes, se admite que pueda representar al socio en junta quien haya recibido unos poderes generales.

Límites especiales

Los límites legales y estatutarios quedan eliminados cuando concurren los presupuestos para la solicitud y acopio de poderes en sociedades cotizadas: en tales casos la ley se preocupa, sobre todo, de que se permita al accionista delegante tomar una decisión consciente (art. 143 T.U.F.).

Derogaciones legales

En la *solicitud* (art. 138 T.U.F.) un accionista, llamado comitente. pretende atraer el consentimiento de otros accionistas en relación a una determinada posición, favorable o contraria respecto de una propuesta de acuerdo elaborado por sí o por terceros. A tal fin, y sirviéndose necesariamente —en garantía de la corrección del procedimiento, sobre el cual vigila la Consob— de un intermediario autorizado, solicita a todos los socios que otorguen una delegación de voto en su favor, publicando un prospecto y un impreso de poderes, con contenido establecido por la Consob, aptos

Solicitud

para informar adecuadamente a los destinatarios de la solicitud y a precisar la dirección en que será ejercitado el voto. A la solicitud puede recurrir exclusivamente el accionista que posea al menos el uno por ciento de las acciones con derecho de voto en la junta para la cual se solicita la delegación y que esté inscrito en el libro registro de socio con el mismo número mínimo de acciones desde al menos seis meses.

Acopio.
Asociaciones de
accionistas

El *acopio* de poderes está reservado a las *asociaciones de accionistas* (art. 141 T.U.F.), constituidas por al menos cincuenta socios personas físicas, cada una de las cuales sea titular de acciones por una cantidad no superior al uno por mil del capital social correspondiente a acciones con derecho de voto. La asociación persigue el fin de facilitar la expresión organizada del voto en la junta por parte de pequeños accionistas: por ello, se propone recibir los poderes de los propios asociados y ejercitar el voto mediante los propios representantes institucionales, promoviendo la posición considerada más favorable para los propios asociados. Éstos son absolutamente libres tanto en el otorgamiento de los poderes como al impartir las instrucciones de voto al representante, y por tal razón las asociaciones mencionadas no constituyen sindicatos de voto u otro pacto parasocial. El representante de la asociación, en relación con los poderes recibidos, debe votar de conformidad con las instrucciones recibidas, y, por tanto, incluso de modo divergente si las instrucciones de los delegantes son contradictorias entre sí.

Voto divergente

El *voto divergente* consiste en emitir declaraciones de voto de signo diverso, a favor y en contra del acuerdo, con la puntualización de que cada declaración de voto corresponde a un determinado número de acciones y tiene un peso proporcional a la cuota de capital relativo. Hay que recordar que no sólo puede votar en modo divergente el delegado de varios socios representados, sino también el mismo socio con las propias acciones: por ejemplo, cuando éste se halle vinculado por un sindicato de voto para algunas de las propias acciones y no para las demás.

Elementos de la
delegación

La delegación objeto de solicitud u acopio debe ser fechada y suscrita por el delegante, así como otorgada para juntas específicas ya convocadas con indicación del nombre del representante y con indicación de las *instrucciones de voto*. Además puede ser otorgada sólo en relación a una parte de las propuestas de voto indicadas en el impreso de poderes.

En fin, hay que recordar que, ya sea la delegación (art. 2372.3), ya la *Revocabilidad* delegación solicitada o recogida (art. 142.1 T.U.F.), son siempre revocables por el delegante aunque exista pacto en contrario.

84. DESARROLLO DE LA JUNTA

La comprobación de la regular constitución de la junta —control de la *Fase* regularidad de la convocatoria o, alternativamente, de los presupuestos de *constitutiva.* la junta universal; comprobación de la identidad y de la legitimación de *Presidente de la* los asistentes personalmente o por representación; verificación del quórum *junta* constitutivo— corresponde al presidente de la junta que dirige la reunión, ejercitando los poderes establecidos por el art. 2371.

En particular, el presidente dirige el desarrollo de la reunión: ello signi- *Desarrollo de la* fica introducir los asuntos en el orden del día, dar la palabra a los asistentes *reunión* que desean hacer declaraciones pertinentes, reclamar el cumplimiento de la duración de las intervenciones de conformidad con lo establecido en el reglamento de la junta o por el mismo presidente con plena igualdad de trato, quitar la palabra y, en los casos más graves, excluir de la junta a quién, con comportamientos obstruccionistas, impide los trabajos, suspender los mismos cuando se produzcan causas que obstaculizan el correcto desarrollo (por ejemplo, la interrupción de los enlaces telemáticos en una junta por videoconferencia), someter a la junta un texto de acuerdo sobre el cual votar, dar curso a la fase de votación con la modalidad prevista en los estatutos, en el reglamento de la junta o, en su defecto, establecidas por el mismo presidente. Tras la votación, el presidente comprueba el resultado, con recuento de los votos favorables, de los votos contrarios y de las abstenciones con proclamación del eventual alcance del quórum deliberativo.

Debe advertirse que, como se deduce del art. 2375, el sistema de voto es- *Votación* cogido tiene que permitir la identificación del votante y del modo en que ha ejercitado el voto con respecto al acuerdo propuesto: ello a fin de controlar, también posteriormente, la legitimación para el voto de los participantes y la incidencia de eventuales votos emitidos en conflicto de intereses, así como la legitimación para la impugnación del acuerdo inválido que está reservado a los socios disconformes. Es, por ello, inadmisible el voto secreto e ilícita la cláusula estatutaria o reglamentaria que lo contemple como confirma la desaparición del art. 147-*ter* T.U.F. de la excéntrica norma que por un breve período y en contra de la opinión general ha impuesto el voto secreto para las elecciones a los cargos sociales de las sociedades cotizadas.

Conflicto de intereses

Con respecto del socio que en relación con un acuerdo específico es portador de intereses, por cuenta propia o de terceros (parientes, socios de negocios, etc.), en conflicto con el interés del sociedad, debemos precisar que ni tiene la obligación de abstenerse de votar ni la de informar a los restantes socios de la propia situación (confróntese el art. 2373. 1, con el art. 2391, sobre el administrador portador de intereses extrasociales: §96) ni, por tal razón, puede verse privado del voto por el presidente o excluido de la junta misma. El derecho de voto es atribuido al socio en interés personal: él, al votar, no tiene (a diferencia de los administradores: §96) la obligación de perseguir el interés social, esto es, el interés que todos los socios realizan a través de la participación social, y puede también vincular el ejercicio del propio voto con acuerdos parasociales.

Es cierto, en cambio, que los conflictos de intereses representan un límite al *poder de la mayoría en junta,* en cuanto producen la anulabilidad del acuerdo según el art. 2377 con la doble condición de que el voto en conflicto sea *determinante* (sin aquel voto se obtiene el quórum deliberativo) y que la deliberación *pueda en concreto acarrear daños a la sociedad:* pero tal peligro de daños debe ser probado por quien impugna el acuerdo, porque nada impide que el acuerdo resulte ventajoso, además de para el socio en conflicto, también para la sociedad (para los aspectos de especial relevancia que asume el conflicto de intereses en los grupos de sociedades: §§142 y ss.).

Poderes del presidente

Los poderes del presidente le son directamente reconocidos por el art. 2371: le corresponden, por lo tanto, de forma originaria, y no en cuanto atribuidos (incluso tácitamente) por la junta; así, la junta no puede pretender condicionar su ejercicio o atribuirse a sí misma las decisiones que son competencia del presidente, a excepción de las decisiones que hallan fundamento no en la ley sino en los estatutos o en el reglamento de la junta y que, por tanto, la junta competente puede modificar o desatender.

Nombramiento del presidente

El desempeño de la delicada función de presidente de la junta se atribuye al sujeto indicado en los estatutos, que normalmente añade este cargo a otro: presidente del consejo de administración, administrador único, etc. Cuando dicho sujeto se encuentre ausente y los estatutos no ofrezcan soluciones, el art. 2371 confía la función a la persona elegida con el voto de la mayoría de los presentes.

En el cumplimiento de los propios deberes, el presidente es auxiliado por un secretario, cuyo nombramiento no es necesario cuando en la junta se halle presente un notario para documentar la reunión.

Secretario

85. ACTA DE LA JUNTA

Del completo desarrollo de la junta, de su comienzo a su conclusión, y de los respectivos acuerdos ha de rendirse cuenta en el pertinente documento escrito, redactado en las juntas ordinarias por el secretario, con la colaboración del presidente, y en las juntas extraordinarias por el notario que la ha presenciado (por otra parte, es facultad de la sociedad solicitar el acta notarial incluso de las juntas ordinarias). Correlativamente, el acta ha de ser firmada por el presidente y el secretario o el notario (art. 2375), aunque la firma del presidente de la junta puede ser sustituida por la del presidente del consejo de administración o del consejo de vigilancia (art. 2379. 3).

Concepto

El acta desempeña una triple función: de *prueba,* para permitir la reconstrucción de las vicisitudes habidas en la junta; de *información* para los socios ausentes y para los terceros interesados; de *control* de la regularidad del procedimiento y de la validez de los acuerdos. Para cumplir tales fines, el acta ha de dar cuenta de la actividad del presidente y de los resultados de las verificaciones por él realizadas (art. 2371), así como de la fecha en que la junta tiene lugar, de las modalidades en que se ha expresado el voto y del resultado que de ello se deriva. Además, en el acta o en un documento adjunto (llamado lista de asistentes) han de ser identificados los participantes (delegados y delegantes) y el capital representado, con especificación de la posición de cada uno de éstos en la fase de votación (voto favorable, voto contrario y abstención).

Función y contenido

En cuanto a las declaraciones emitidas por los asistentes en la fase de discusión, en el acta éstas deben ser resumidas a cargo de quien redacte la misma cuando se solicite por los declarantes y a condición de que las declaraciones sean pertinentes de acuerdo al orden del día. Sin embargo, en punto a las sociedades cotizadas, para las que el interés a la información del mercado asume un relieve preferente, la regulación de la Consob impone

Declaraciones de los asistentes

que las actas arrojen una síntesis de cada intervención incluso a falta de solicitud específica. Además, en el acta de las juntas de s.p.a. «abiertas», las declaraciones de cualquier interviniente relativas a la existencia de pactos parasociales *han de ser transcritas* (art. 2341-*ter*).

Inmediatez del acta   La redacción del acta se realiza en un momento posterior respecto de la junta. El art. 2375, últ. inciso, no requiere la «contemporaneidad», esto es, la redacción del acta al final de la junta y sin solución de continuidad con la misma, sino la «inmediatez» del acta: esto es, su redacción sin tardar, en el tiempo necesario para la inmediata ejecución de las obligaciones de depósito o de publicación que la ley impone a la sociedad, a sus órganos o al mismo redactor.

Transcripción y depósito   El acta queda sometida a inscripción en el libro de actas de la junta, al que podrán acceder los socios y los demás sujetos con este derecho (arts. 2421 y 2422), así como, en ocasiones, a depósito en el registro de empresas cuando se pretenda otorgar a todo interesado el derecho de conocerlas y de pedir copia. En concreto, se prevé el depósito cuando el acuerdo está sujeto a inscripción en el registro de empresas (por ejemplo, art. 2436) y en los demás casos previstos por la ley (por ejemplo, los arts. 2341-*ter* y 2435).

86. INVALIDEZ DE LOS ACUERDOS: CONCEPTO Y CAUSAS

Eficacia   El pleno respeto de las reglas legales y estatutarias sobre el procedimiento asambleario garantiza la adopción de acuerdos válidos y, al menos generalmente, eficaces. Los efectos jurídicos que el acuerdo está llamado a producir comienzan, en general, el día de celebración de la junta y desde el momento en que el acuerdo se somete a votación con resultado positivo: desde entonces nace la obligación de atenerse a lo acordado y, eventualmente, de darle ejecución, así como el poder de llevar a cabo las actuaciones autorizadas por el acuerdo. No son, sin embargo, desdeñables los casos en que la eficacia del acuerdo se difiere a un momento posterior. Así, los acuerdos relativos a las modificaciones estatutarias del art. 2436 —y todos los acuerdos a los que la ley extiende la aplicación de dicho artículo— devienen eficaces sólo tras su inscripción en el registro de empresas (v. §158).

Nada prohíbe que la eficacia de tales acuerdos pueda, por elección de la misma junta, ser aplazada *(término inicial)* o subordinada *(condición suspensiva)* a la verificación de un acontecimiento futuro cierto o incierto. Por el contrario, la eficacia inicial del acuerdo puede ser excluida si una sucesiva junta acuerda la *revocación,* a condición de que los efectos del acuerdo revocado no hayan sido agotados, dando lugar a situaciones en las que no se puede volver atrás (no se puede revocar el acuerdo de fusión después del acto de fusión: v. §§180 y ss.), o no hayan producido derechos subjetivos inatacables (la suscripción de las nuevas acciones impide la revocación del acuerdo de aumento del capital).

La eficacia del acuerdo puede verse comprometida por su invalidez, que se verifica cuando no ha sido adoptado de conformidad con las *reglas de la ley y de los estatutos.* La invalidez del acuerdo puede adoptar dos formas: anulabilidad (art. 2377) y nulidad (art. 2379). Normalmente «la no conformidad con la ley y los estatutos» comporta la anulabilidad del acuerdo. Tan sólo en casos considerados más graves y fijados taxativamente, la falta de respeto a la ley determina la nulidad. *Invalidez*

La invalidez, en las dos formas indicadas, presupone la existencia del acuerdo. Aunque este punto presenta divergencia de opiniones, se tiende a admitir que no puede existir un acuerdo de una junta no celebrada, resultante de un acta falsa o que lo certifica falsamente, y que tampoco puede existir el acuerdo no votado *en una junta real,* que resulte de un acta que falsamente atestigua la adopción del acuerdo. Éstas son las hipótesis de *inexistencia material* del acuerdo. Si han existido la reunión y la votación, en cambio, cualquier irregularidad puede determinar únicamente la invalidez del acuerdo. *Inexistencia material*

En particular, las *causas de nulidad* del acuerdo son: *(a)* la falta de convocatoria de la junta (a falta de los requisitos para la junta universal); *(b)* la falta del acta; *(c)* la imposibilidad e ilicitud del objeto del acuerdo. *Nulidad: causas*

a) No se puede hablar de *falta de la convocatoria,* sino de irregularidad, causa de anulabilidad del acuerdo, si el texto de la convocatoria, aunque se realice sin respetar las modalidades y los plazos legales y estatutarios, proviene de un miembro del órgano de administración o de control de la sociedad y se ha hecho llegar a todos aquellos que tienen el derecho de participar en la junta antes de la fecha en que ésta haya de celebrarse (art. 2379. 3). Además, cuando pueda considerarse que falta la convocatoria, la acción de nulidad no *Falta de convocatoria* puede ser ejercitada por quien —antes, durante o después de la junta— haya prestado su consentimiento al desarrollo de la reunión (art. 2379-*bis.* 1).

Falta de acta

b) Tampoco se puede hablar de *falta del acta,* cuando el acta ha sido redactada de modo no conforme a las disposiciones de ley, con tal de que ésta contenga la fecha de la junta y el objeto del acuerdo adoptado, a condición de que haya sido firmada por el presidente de la junta (o, en sustitución suya, por el presidente del consejo de administración o de vigilancia) y por el secretario o el notario (art. 2379.3). Además, la falta del acta no determina una nulidad insanable, porque la ley admite el acta tardía (o la complementación tardía de un acta incompleta con los datos esenciales *supra* indicados), a condición de que sea perfeccionada antes de la junta siguiente a aquélla de la que trae cuenta. La nulidad del acuerdo viene así sanada por un acta tardía válida y el acuerdo vuelve a recuperar su normal eficacia, sin perjuicio de los derechos adquiridos por terceros de buena fe (art. 2379-*bis,* 2).

Objeto imposible e ilícito

c) El objeto del acuerdo es lo que la junta ha decidido con el voto de la mayoría. El objeto es *imposible* si el acuerdo no puede ser ejecutado por razones naturales: por ejemplo, en el estado actual de la evolución tecnológica no se puede acordar asumir como objeto social la organización de viajes en el tiempo y el ofrecimiento de servicios de teletransporte. De igual manera que para el objeto del contrato, el objeto de los acuerdos es *ilícito* si la decisión entra en conflicto con normas imperativas (impuestas por la ley para la tutela de intereses indisponibles), con el orden público o con las buenas costumbres; y, siempre por analogía con el objeto del contrato, se tiene que recordar que el conflicto puede subsistir *en abstracto,* esto es, con respecto del tipo de acuerdo adoptado (por ejemplo, acuerdo de suscripción de acciones propias en violación del art. 2357-*quater),* o *en concreto,* cuando el acuerdo —aún siendo lícito— manifiesta aspectos de ilicitud dependientes de la situación específica en que viene adoptado (por ejemplo, acuerdo de aprobación de un balance general redactado en violación los arts. 2423 y ss.).

Causas de anulabilidad e irregularidades no invalidantes

Las restantes violaciones de la ley y de los estatutos que afectan al procedimiento asambleario se traducen en *causas de anulabilidad del acuerdo,* pero no siempre, tal y como se deduce del art. 2377. 4. La participación en junta de *personas no legitimadas* no vicia el acuerdo si el voto de quien no está legitimado no ha sido contado o, si ha sido contado, no ha sido determinante para el alcance de los *quórums.* Lo mismo vale para el *voto inválido* aunque procedente de un legitimado y para *el error en el recuento de los votos,* si la eliminación del voto inválido y la rectificación del error de cálculo no impiden el quórum deliberativo requerido. También el *acta incompleta que no contenga* los datos requeridos por la ley e *inexacta* con respecto de los sucesos reales no vicia el acuerdo si no resulta perjudicada la comprobación del contenido, los efectos y la validez del acuerdo. Si fuese de otro modo, el acuerdo deviene anulable, e incluso nulo, si faltan la fecha de la junta, el objeto del acuerdo o la suscripción del acta.

En fin, hay que recordar que *puede* causar la anulabilidad de los acuerdos no sólo la violación de específicas disposiciones de la ley —incluido el voto en *conflicto de intereses* (v. §84 y art. 2373)— o de los estatutos, sino también el incumplimiento de los principios generales de buena fe y de igualdad de trato de los socios en cualquier fase del procedimiento: de la convocatoria a la asistencia a la junta, de la discusión a la votación, así como a la posterior redacción del acta. La *buena fe,* que informa todo el conjunto de relaciones sociales (v. la norma general de los arts. 1175 y 1375), en el procedimiento asambleario se traduce en una obligación general, impuesta a los socios y a los otros sujetos que intervienen (presidente y secretario de la junta, administradores y síndicos, etc.), de comportarse correctamente en el ejercicio de los propios derechos y poderes, salvaguardando los intereses ajenos cuando ello no acarree daños a los propios. Se señala al respecto, como supuestos de particular relevancia, *el abuso en el ejercicio del derecho de voto* por parte de los socios de mayoría cuando el acuerdo haya sido adoptado por ellos sin satisfacer ningún interés sino con la única finalidad de perjudicar a los socios de minoría o de inducirles a ceder las propias acciones. El principio de igualdad de trato, que asume un relieve particularmente acentuado en las sociedades cotizadas y que prescinde de la existencia de comportamientos dirigidos intencionadamente a su violación o incorrectos, impone que todo legitimado para la asistencia sea capaz de ejercitar los propios derechos en la junta de modo sustancialmente no distinto de los restantes legitimados.

Buena fe y paridad de trato

87. INVALIDEZ DE LOS ACUERDOS: REGULACIÓN

El acuerdo inválido puede ser impugnado: *(i) cuando sea anulable,* por los *socios no conformes* (ausentes, disidentes y quienes se abstengan) que tengan

Legitimación activa

acciones con derecho de voto para el acuerdo adoptado, las cuales representen conjuntamente el uno por mil o el cinco por ciento, según se trate de s.p.a. que hacen o no hacen llamamiento al mercado del capital de riesgo, así como por los administradores del consejo de vigilancia y del colegio sindical (art. 2377.1 y 2; en algunos casos la ley extiende la legitimación a autoridades externas como la Consob, la Banca de Italia, el Isvap: por ejemplo, para la Consob, v. arts. 120, 121, 122 y 157 T.U.F.); *(ii)* cuando sea nulo, por *cualquiera que tenga interés,* sea o no sea socio o miembro de órganos sociales y haya consentido o no el acuerdo(art. 2379.1).

Plazo

El plazo para la impugnación del acuerdo inválido: *(i)* si es *anulable* es de *noventa días* desde la fecha del acuerdo si éste no está sujeto a depósito o a inscripción en el registro de empresas y, en caso contrario, desde la fecha del depósito o de la inscripción (art. 2377. 5; para la acción ejercitada por las autoridades *supra* indicadas el plazo es de seis meses); *(ii) si es nulo,* el plazo es de *tres años* desde la trascripción del acuerdo en el libro de actas de la junta si no está sujeto a depósito o a inscripción en el registro de empresas, en caso contrario, desde la fecha del depósito o de la inscripción (art. 2379. 1); sin embargo: *(iii)* no hay límite temporal para impugnar acuerdos de modificación del objeto social nulos por haber previsto el ejercicio de actividad ilícita o imposible (art. 2379. 1); *(iv)* para las s.p.a. «cerradas», el plazo se reduce a ciento ochenta *días* desde la inscripción en el registro de las empresas si se trata de impugnar acuerdos que tengan por objeto el aumento de capital, la reducción de capital *ex* art. 2445 y la *emisión de obligaciones* (art. 2379-*ter.* 1); *(v)* para las s.p.a. «abiertas», a causa de los notables problemas que podrían derivar de los efectos de la invalidez de las acuerdos sobre los derechos de los terceros en la circulación de títulos y bienes, el juez no podrá pronunciar *ni la nulidad ni la anulación* de los acuerdos de aumento y reducción real del capital y de emisión de obligaciones, después de que haya empezado la ejecución (art. 2379-*ter.* 2); *(vi)* las acciones de anulación y de nulidad de los *acuerdos de aprobación del balance general* no pueden ser interpuestas después de que haya sido aprobado el balance general del ejercicio sucesivo (art. 2434-*bis;* en cuanto a las restricciones relativas a la impugnación del acuerdo de aprobación del balance general en las sociedades cotizadas, v. art. 157 T.U.F.).

Nulidad de oficio

Sólo la *nulidad* del acuerdo (y no la anulación) puede ser *instada de oficio* por el juez en los casos y de conformidad con los plazos indicados por la ley (art. 2379. 2).

De estos principios se desprende, en fin, la contraposición entre *eficacia del acuerdo anulable,* removible con efectos retroactivos a través de la anulación, y la *ineficacia* —ya desde su adopción— *del acuerdo nulo.* Sin embargo, *en ambos casos* la invalidez obliga a los administradores, al consejo de gestión y al consejo de vigilancia a adoptar las acciones oportunas; no perjudica los *derechos adquiridos por terceros de buena fe,* esto es, en situación de ignorancia no culposa de la invalidez del acuerdo; no puede ser declarada, si el acuerdo inválido —en cuanto sea posible— viene sustituido por otro acuerdo, de igual contenido, adoptado en la junta sucesiva y de conformidad con la ley y los estatutos (art. 2377.6 y 7, al que remite el art. 2379, últ. inciso).

Efectos del acuerdo invalidado

Por otra parte, mientras la sustitución del acuerdo anulable confirma y hace definitiva la eficacia del primer acuerdo, a la cual se remiten los derechos eventualmente adquiridos por los terceros (art. 2377, últ. inciso, al que no reenvía el art. 2379), la sustitución del acuerdo ineficaz nulo por un segundo acuerdo tiene el solo efecto de privar a cualquiera del interés a actuar para obtener la nulidad del primer acuerdo: cualquier otro efecto y derecho quedan ligados al segundo acuerdo.

Sustitución del acuerdo invalidado

El procedimiento de impugnación ante el tribunal competente según la sede social está regulado en el art. 2378. En primer lugar, tal disposición se ocupa de asegurar el mantenimiento, por parte de los socios impugnantes, de las condiciones de posesión de acciones suficiente (cuando se requiera para la impugnación) a lo largo de todo el procedimiento. En segundo lugar, a fin de evitar que con la ejecución del acuerdo inválido se creen situaciones irremediables y perjudiciales, se da al juez el poder de suspender la ejecución a petición de quien actúe: la decisión judicial sobre el punto tiene que considerar el perjuicio que podría derivarse para el recurrente de la ejecución frente al que podría derivarse para la sociedad de la suspensión de la ejecución; a tal efecto se tiene que oír a los cargos sociales y se puede imponer a quien actúa la obligación de prestar una garantía para el resarcimiento de los daños provocados a la sociedad por la suspensión si el acuerdo al final resultase válido. Si las impugnaciones de un acuerdo proceden de varios legitimados, éstas pueden acumularse, tratarse y decidirse unitariamente. Las decisiones judiciales de suspensión de la eficacia del acuerdo y las sentencias que resuelven el juicio han de ser inscritas en el registro de empresas.

Procedimiento de impugnación

Irregularidad y
responsabilidad

Como se ha podido comprobar, existen irregularidades del procedimiento que no conllevan la invalidez del acuerdo y hay otros casos de invalidez que no siempre permiten al interesado eliminar los efectos o impedir la ejecución de los acuerdos inválidos. En tales casos el remedio proviene de la *responsabilidad civil.* Así, según el art. 2377. 4, los socios que no posean las acciones necesarias para impugnar el acuerdo anulable tienen derecho a pedir el *resarcimiento de los daños* a aquéllos que con el propio comportamiento han causado la adopción de una deliberación anulable y, en algunos casos, a la misma sociedad. Incluso, según el art. 2379-*ter,* últ. inciso, el derecho al resarcimiento de los daños sufridos por socios y terceros es el único remedio cuando no se puede declarar la invalidez de los acuerdos de aumento o reducción real del capital y de emisión de obligaciones. En realidad, tales normas constituyen la aplicación de un principio general. Toda violación de ley o de los estatutos en el procedimiento asambleario puede exponer a sus autores a la responsabilidad por los daños causados, ya sea en el seno de las relaciones sociales, ya sea frente a terceros.

88. PACTOS PARASOCIALES

Sociales y
parasociales:
diferencias

Con la autonomía estatutaria, a través de los *pactos sociales* contenidos en los estatutos, los socios regulan el funcionamiento de la sociedad y la multitud de relaciones entre los órganos y los socios mismos con reglas destinadas a aplicarse y vincular *al socio indeterminado,* esto es, cualquiera que sea o pueda ser en el futuro titular de acciones emitidas por la sociedad. En cambio, con los *pactos parasociales,* normalmente situados fuera de los estatutos, todos o algunos socios, con la eventual participación de terceros, *regulan el ejercicio de sus derechos sociales* (de voto, a los beneficios, a la transmisión de las acciones, etc.), obligándose entre ellos a comportarse de la forma pactada en la gestión de los poderes y facultades inherentes a la participación social. El vínculo así nacido queda, por ello, *limitado a las partes del pacto* y no se extiende a los demás socios, presentes o futuros. También la sociedad, como sujeto jurídico distinto de los socios y como organización creada por éstos, permanece en principio ajena: por lo tanto, ni la sociedad ni sus órganos están obligados a asegurar el respeto de los pactos, ni su violación conlleva la invalidez o la ineficacia de los acuerdos de los órganos sociales.

Los pactos parasociales son *contratos no formales,* a veces con comunión de fines, a veces de intercambio —o incluso cláusulas de varios contratos más amplios (por ejemplo, cesiones de paquetes accionariales, acuerdos de *joint venture,* convenciones de financiación y saneamiento)— de los que se derivan *efectos obligatorios.* De ellos nacen obligaciones de hacer o de no hacer, cuyo incumplimiento se resuelve en la aplicación de los principios y de las normas generales en sede de obligaciones (arts. 1218 y ss.) y de contratos (arts. 1453 y ss.), a las que hay que referirse también para la regulación básica de la relación parasocial. De tales principios se deduce que los actos cumplidos por el socio en violación del pacto (por ejemplo, la venta de las acciones o el voto en junta realizados en violación de lo pactado) son válidos y eficaces, aunque expongan a quien los incumple a varias consecuencias, como la *responsabilidad* por los daños causados, la aplicación de las cláusulas penales pactadas, la *resolución* de la relación y de cualquier otra obligación lícita prevista por el pacto. *[Naturaleza y significación jurídica]*

Que los pactos parasociales sean dignos de protección jurídica y valoración positiva se deriva del hecho de que con ellos el socio regula el ejercicio de los propios derechos de participación que, a su vez, le son reconocidos para satisfacer sus intereses patrimoniales personales. Tan sólo se puede llegar a dudar de su validez respecto del específico contenido y de la función individual de un concreto pacto parasocial: ello ocurriría si un pacto sobre la aplicación de beneficios fuese configurado de modo que violase la prohibición del pacto leonino (art. 2265) o si un pacto sobre el voto obligase a votar la aprobación de un balance falso u otro acuerdo con objeto ilícito. *[Admisibilidad general y valoración concreta]*

Todo ello —admisibilidad de la estructura parasocial, salvo concreta verificación de la licitud del vínculo en toda su extensión—, vale incluso para el tipo de pacto parasocial más importante y más discutido en el pasado, el sindicato de voto, en sus diversas variantes: por unanimidad o por mayoría, según los socios vinculados se obliguen a votar uniformemente sobre la base de lo pactado por los socios mismos (o por un órgano de dirección nombrado por ellos), de común acuerdo o con una determinada mayoría interna; y así para todos o sólo algunos acuerdos de la junta. *[Sindicatos de voto]*

El ordenamiento ha dado relevancia a los pactos parasociales, con especial atención a los sindicatos de voto, primero en múltiples normas sec- *[Normativa aplicable]* toriales (por ejemplo, en la ley *antitrust,* en el T.U.B., en las disposiciones sobre el balance consolidado), luego en los arts. 122 y 123 T.U.F., con respecto de los pactos parasociales relativos a s.p.a. cotizadas y sociedades que las controlan y, en fin, en las normas de carácter general contenidas en los arts. 2341-*bis* y 2341-*ter,* con respecto de los pactos parasociales relativos a s.p.a. y a sociedades no accionariales que controlan una s.p.a.

Intereses tutelados   En todas estas disposiciones los pactos parasociales son considerados, sobre todo, por su relevancia como medio de control individual o, más a menudo, conjunto, de la sociedad o por la influencia que desempeñan sobre la vida y sobre la gestión del organismo social. A propósito de las sociedades cotizadas se ha puesto de manifiesto la necesidad de publicidad y de limitación de la duración de tales pactos: la primera, a fin de que todos —socios, ahorradores, inversores— tengan la información necesaria para identificar los centros de influencia dentro de la sociedad y valorar mejor la oportunidad de la inversión o desinversión; la segunda, a fin de que no se impida durante demasiado tiempo el cambio en el control societario ineficiente. La regulación de las no cotizadas, también para evitar una excesiva distancia con las cotizadas y una consecuente desincentivación de la cotización, vuelve a tomar los aspectos de la duración y de la información, pero en modo bastante atenuado y sólo para las s.p.a. «abiertas».

Los pactos regulados por ley   Las dos regulaciones no conciernen a todos los pactos parasociales sino sólo a los que tienen por objeto el ejercicio del voto o que limitan la transmisión de la participación social, o que tienen por objeto o efecto el ejercicio incluso conjunto de una influencia dominante. En las cotizadas se añaden los pactos que establecen la simple obligación de consultar antes de ejercitar el voto, aquéllos relativos a la adquisición de acciones e instrumentos financieros (como derechos de opción y *warrant)* que dan el derecho de adquirir acciones así como aquéllos dirigidos a favorecer o a comparar los objetivos de una oferta pública de adquisición o de compraventa. En las no cotizadas, en cambio, quedan excluidos de la aplicación de la regulación los pactos que, teniendo el contenido descrito, obedecen no al fin de estabilizar los centros de poder o el gobierno de la sociedad sino a otros como el saneamiento de la empresa en crisis o la defensa de una minoría (ejemplos, por otra parte, nada pacíficos). Y quedan posteriormente exentos los pactos contenidos en acuerdos más amplios de *joint venture* entre todos los socios (socios todos *empresarios)* de la sociedad, para acompañar el desarrollo de la colaboración económica entre las respectivas empresas de principio a fin.

En cuanto a la duración, los arts. 2341-*bis* y 123 T.U.F. prevén que los pactos allí considerados, si son por tiempo determinado, no puedan tener una duración superior, respectivamente, a *cinco* años (no cotizadas) y *tres* (cotizadas), con reducción automática de un eventual plazo mayor y con posibilidad de renovación al vencimiento. Si se trata de pactos a tiempo indeterminado, cada parte puede retirarse libremente con preaviso de seis meses. En las cotizadas, además, la adhesión a una oferta pública de adquisición o de cambio aprobada según los arts. 106 y 107 T.U.F. legitima la separación sin preaviso de cualquier pacto, aunque sea de duración determinada, con tal de que las acciones sean realmente transferidas al oferente.

Duración

En cuanto a la información, el art. 122 T.U.F. prevé un verdadero sistema de publicidad tan sólo para las cotizadas (y sus controlantes), según el cual dichos acuerdos deben ser comunicados a la Consob en el plazo de cinco días, publicados por extracto en la prensa diaria en el plazo de diez días y depositados en el registro de empresas en el plazo de quince días: los plazos se cuentan desde la conclusión del pacto. El incumplimiento de dichas obligaciones comporta graves sanciones: la nulidad del pacto; la prohibición de ejercicio del voto a todos los socios que hayan participado en él, con la consiguiente anulabilidad también a petición de la Consob, de los acuerdos adoptados con el voto determinante ejercitado a pesar de la prohibición; para el pago de la sanción administrativa se reenvía al art. 193 T.U.F. Además de los pactos comunicados a la sociedad, se debe hacer mención en el informe de gestión (art. 123-*bis* T.U.F.).

Publicidad en las sociedadeds cotizadas

Por el contrario, para los pactos relativos a s.p.a. «difusas» (v. §49) y a sus controlantes, el art. 2341-*ter* (que, en principio, no se aplica a las cotizadas: art. 122.5-*bis,* T.U.F.) prevé tan sólo que se comuniquen a la sociedad y se declaren en la apertura de cada junta por los socios miembros del pacto o por los miembros de los órganos sociales que estén al corriente, con sucesiva trascripción de la declaración en el acta de la junta. Por tanto, el acta en que se transcribe la declaración —y no el pacto— tiene que ser depositada en el registro de empresas. La falta de la declaración comporta la prohibición de ejercicio del voto para los participantes en el pacto, so pena de anulabilidad del acuerdo tomado con el voto determinante ejer-

... en las sociedades difusas

citado en violación de la prohibición; pero no se prevé sanción específica alguna para la falta de comunicación del pacto a la sociedad y para la falta de depósito del acta en el registro de empresas.

... en las sociedades cerradas   No se establece una obligación informativa explícita con referencia a los pactos en s.p.a. «cerradas» que no controlan s.p.a. «abiertas». Pero del principio de buena fe en las relaciones sociales cabe deducir la obligación de información recíproca *entre los socios* al respecto.

Sección 4
Administración y controles

Alberto Toffoletto

89. INTRODUCCIÓN: A LA BÚSQUEDA DE UN SISTEMA EFICIENTE DE GOBIERNO SOCIETARIO

Se ha dicho que la sociedad por acciones se caracteriza por ser una organización funcional para el ejercicio eficiente de la actividad de empresa (v. §49); de tal organización ya se ha analizado el primer aspecto organizativo, constituido por la junta de socios (v. §§78 y ss.). La descripción del modelo organizativo de la sociedad por acciones debe ser completada con la ilustración del sistema de administración y de control. La modalidad de organización de este sistema, para asegurar la dirección eficiente de la empresa social y la regularidad de los actos acometidos constituye, en efecto, una cuestión central para la vida de la sociedad.

Finalidad del sistema de gobierno societario

A la discrecionalidad en las elecciones empresariales que caracteriza la gestión de la sociedad, se contrapone la necesidad de articular un sistema integrado por controles internos y externos a fin de minimizar el riesgo de

El interés social

que los sujetos encargados de la gestión puedan dejar de perseguir el interés de la sociedad. Este último constituye, en efecto, por un lado, la finalidad que los administradores han de perseguir y, por otro, el parámetro de referencia de su responsabilidad. La noción de interés social es, por otra parte, compleja: en una primera aproximación, es posible definirlo como el interés de la colectividad de los socios; pero esta definición, aunque es correcta con carácter general, no puede hacer olvidar que los socios no son portadores de intereses homogéneos, sino de una pluralidad de intereses diversos que, especialmente en algunos momentos de la vida de la sociedad, pueden entrar en recíproco conflicto (uno de los conflictos más evidentes es el que se da entre socios de mayoría y socios de minoría, pero la realidad es mucho más compleja). Es, por otro lado, generalmente pacífico que, en el desarrollo de su actividad, los órganos encargados de la gestión de la sociedad están llamados a tener en consideración, y a veces, a tutelar, el interés de otros sujetos (terceros) que tienen, o pueden tener, relaciones con la sociedad (entre éstos, ante todo, los acreedores sociales). Los intereses de estos sujetos no pueden ser comprendidos en la noción de interés social, pero han de ser ciertamente considerados como límite externo al poder de discrecionalidad en la gestión de la empresa social por parte de los administradores, y su lesión puede ser fuente de responsabilidad para estos últimos (art. 2394).

Pluralidad de modelos   Parece ya claro que no existe un criterio que cumpla, mejor que cualquier otro disponible, la tarea de equilibrar la necesaria discrecionalidad en la gestión con la tutela de los intereses implicados, y que la organización interna más eficiente debe ser puesta en relación con las especiales características de cada sociedad. Se ha puesto de manifiesto, así, que la dimensión y la naturaleza de la compañía social (el número de socios, la entidad de la inversión realizada por cada uno, la implicación que se pretende en la gestión de la sociedad), la relación entre la propiedad (los socios) y la gestión (los administradores), el hecho de que la sociedad se proponga recurrir al mercado del capital de riesgo (sociedades con acciones cotizadas en mercados regulados o de accionariado difuso) o que pretenda conservar una estructura accionarial cerrada, inciden de manera significativa sobre el modelo de gobierno societario, incluidos los sistemas de control internos (órganos sociales como el colegio sindical o el consejo de vigilancia) y externos (autoridades públicas, judiciales o no, o profesionales nombrados expresamente, como los auditores).

Consiguientemente, el legislador ha considerado conveniente no realizar una elección apriorística y definitiva para imponer un único modelo de gobierno societario, como ocurría en el sistema del código de 1942, y ha ofrecido a los socios, en función de sus exigencias, la elección entre modelos alternativos, fijando al mismo tiempo una serie de elementos vinculantes, en particular con respecto a los controles.

El legislador ha pretendido conjugar el principio tradicional de la autonomía contractual con la introducción de normas inderogables, impuestas para tutelar a las partes más débiles (los socios de minoría) o a terceros (ante todo, los acreedores), imposibilitados para negociar una protección adecuada.

Como se podrá verificar después, pero es mejor tener en mente desde ahora, un sistema de atribución de poderes de gestión y de control ha de fundarse esencialmente sobre la construcción de un correspondiente mecanismo de responsabilidad: responsabilidad civil por los daños causados a la sociedad, a los socios o a los terceros, responsabilidad administrativa frente a la administración pública por la violación de preceptos impuestos por el interés público, y responsabilidad penal, siempre que la antijuricidad ligada al ilícito sea merecedora de una sanción más grave. *Sistema de responsabilidad*

La eficiencia de un sistema de gobierno societario, y por lo tanto, en última instancia, su capacidad de prevenir actos ilícitos en perjuicio de la sociedad, de sus socios, de los terceros o del interés público, depende en buena medida de la capacidad del sistema de controles y de sanciones para hacer difícil la comisión del ilícito y, en el momento en que es cometido, de reprimirlo, asegurando, por una parte, el resarcimiento de los daños causados y, de otra, una adecuada sanción pecuniaria o represiva para su autor.

Antes de afrontar el análisis de la regulación, y en resumen, se puede afirmar que en el ámbito de las funciones que caracterizan el gobierno de la sociedad, prescindiendo de las normas de la junta de socios, sobre las que se ha discutido anteriormente, es posible distinguir la actividad de gestión y la de control.

90. LA GESTIÓN DE LA SOCIEDAD

El art. 2380-*bis* establece que la gestión de la empresa corresponde exclusivamente a los administradores y que éstos pueden llevar a cabo todas las *Sujetos encargados* operaciones necesarias para la realización del objeto social. La norma contiene dos preceptos importantes; de una parte, al atribuir a los administradores la competencia exclusiva de la actividad de gestión, contribuye a aclarar definitivamente las relaciones existentes entre los acuerdos de la junta en materia de gestión y los actos de los administradores. Estos últimos son el único centro motor de la actividad de gestión y los acuerdos eventualmente adoptados por la junta sobre materias de gestión, en los casos en que los estatutos (v. art. 2364, n. 5) o la ley (v. art. 2357) lo prevean, tienen una mera función autorizatoria que no exime de responsabilidad a los administradores (v. §79 y para las peculiaridades del sistema dualista, §105).

La actividad de gestión   De otra parte, la norma comentada proporciona el contenido de la *actividad de gestión,* aclarando que ésta se basa en el cumplimiento de todas las operaciones necesarias para la realización del objeto social. Entre éstas se hallan, por una parte, las estrategias funcionales a la consecución del objeto social (entre las que se encuentran, a título de ejemplo, la elaboración de los planes estratégicos, económicos y financieros y las políticas de actuación de las estrategias definidas) y, por otra, el cumplimiento de todas las obligaciones que la ley impone a la sociedad (a título de ejemplo, hay que recordar las obligaciones requeridas por las respectivas autoridades de vigilancia para entidades financieras, aseguradoras y otros sectores regulados —*cfr.* §110—, las obligaciones frente a la Consob de las sociedades cotizadas —*cfr.* §109—, las obligaciones en materia de seguridad en el trabajo para las empresas que tienen asalariados, los requisitos cualitativos impuestos por las normas en función de la naturaleza y de las características de los productos, la obligación de llevar los libros de contabilidad —*cfr.* §108—, la adopción de modelos organizativos con las modalidades y las formas requeridas por la naturaleza y las dimensiones de la empresa).

El ejercicio de la función de gestión implica naturalmente también el ejercicio del *poder de representación,* entendido como poder de ejecutar frente a terceros las decisiones adoptadas y de vincular a la sociedad a través de contratos y negocios jurídicos (v. §95).

91. LOS CONTROLES SOBRE LA GESTIÓN

La función de control   Los actos de los administradores han de ser sometidos a control para evitar, como hemos anticipado, que puedan dañar de alguna manera el patrimonio de la sociedad o cometer abusos en detrimento del interés de la sociedad. A este fin se prevén por el legislador distintos tipos de controles internos (esto es, integrados en la organización societaria) y externos (esto es, procedentes de sujetos ajenos a esta organización). Cada tipo de control sirve para un propósito diferente y es un instrumento para la protección de intereses específicos distintos entre sí, aunque todos los controles, en conjunto, están dirigidos a salvaguardar la regularidad en la gestión y, consiguientemente, la integridad del patrimonio de la sociedad. Ha de aclararse, sin embargo, que en virtud de la disposición que asigna a los administradores la competencia exclusiva en relación con la gestión de la sociedad, ningún órgano de control, interno o externo, puede en modo alguno interferir con las decisiones de gestión adoptadas por los administradores (v., por otra parte, §105 para el sistema dualista). El control se dirige, en cambio, a la verificación de la legalidad del acto de los administradores y, por lo tanto, al constante examen de las acciones emprendidas para asegurar que siempre resultan conformes a la ley y al estatuto de la sociedad.

Con respecto de los controles internos, una primera descripción de las funciones de control puede ser extraída del art. 2403. 1, que señala las funciones del colegio sindical (el órgano interno de control en el modelo tradicional, v. §§101 y ss.) y que halla aplicación en el sistema dualista a causa de la remisión del art. 2409-*terdecies,* 1.c), mientras que en el sistema monista el precepto es en gran medida retomado por el art. 2409-*octiesdecies,* 5. *b).* La norma dispone que el órgano de control vigila el cumplimiento de la ley y de los estatutos, el respeto de los principios de correcta administración y, en particular, la adecuación del modelo de organización, administrativo y contable adoptado por la sociedad y su concreto funcionamiento, así como, en lo que concierne a las sociedades cotizadas, la concreta aplicación de las reglas de gobierno societario previstas por los códigos de autodisciplina a los que la sociedad se haya adherido (art. 149. 1. *c)-bis,* T.U.F.). Además, el órgano de control interno tiene el poder de promover la acción social de responsabilidad contra los administradores (v. §97).

Los controles internos

Es así posible, en una primera aproximación, darse cuenta de cuál es la naturaleza de los controles internos. Ante todo, el legislador pone de manifiesto un aspecto de *verificación del cumplimiento* por parte de los administradores *de la ley y de los estatutos.* En segundo lugar, se enuncia la necesidad de que el control esté orientado al *respeto de los principios de*

La naturaleza del control

administración diligente con especial atención a la organización, administración y contabilidad y su concreto funcionamiento.

Los principios
de correcta
administración

La disposición tiene importantes implicaciones también sobre la definición de los deberes de los administradores en cuanto, por una parte, presupone la individualización de un parámetro de administración diligente, y de otra, aclara que tal parámetro tiene que ser individualizado en concreto haciendo referencia específica a la sociedad objeto de análisis. En efecto, es fácil darse cuenta de que la adecuación de la organización, de la que depende el alcance de la diligencia en la administración, variará, además, según la tipología de la actividad y de la dimensión de la empresa o de la estructura accionarial de la sociedad. Ello implica que los administradores tendrán que adoptar todos los mecanismos necesarios para asegurar que cada fase de la vida social, ya sea en el momento decisorio o ejecutivo, sea estructurada adecuadamente a fin de que el resultado obtenido corresponda a un parámetro de administración diligente. Por una parte, los administradores tendrán que adoptar un sistema de organización complejo en cada área de la actividad empresarial (organización, administración y contabilidad) que permita administrar la sociedad según los cánones de diligente administración y, del otro, el órgano de control interno deberá verificar la adecuación de los sistemas introducidos y su correcto funcionamiento.

Se trata de un modelo que ha ido afirmándose en la organización de la empresa y que el legislador ha acogido convirtiéndolo en parámetro normativo. Únicamente un sistema compuesto de operaciones coordinadas es capaz de asegurar un resultado cualitativo apreciable, en cuanto que, con la reducción de la discrecionalidad en las diversas fases del procedimiento, se reduce igualmente la posibilidad de error. Este modelo aplicado a toda la organización empresarial presupone que cada fase de la actividad sea consagrada en un procedimiento y que éste sea evaluado *a priori* para asegurar su adecuación y sea objeto de control en cuanto a su concreta aplicación. Un ejemplo significativo de reconocimiento normativo de este modelo se halla en d.lgs. 231/2001 que, al prever la responsabilidad administrativa de la sociedad por la comisión de algunos delitos por parte de los administradores y otros sujetos a cargo de la dirección, dispone la exención de dicha responsabilidad en los casos de adopción de modelos de organización y gestión adecuados para prevenir la comisión de delitos.

Naturalmente, a fin de permitir al órgano de control el desarrollo adecuado de sus tareas, es necesario atribuirle, por una parte, una serie de poderes funcionales a los respectivos controles, y por otra, determinadas prerrogativas para reaccionar de forma eficaz ante los eventuales incumplimientos del órgano de gestión.

Ha de recordarse, en fin, el control contable, dirigido a verificar la correcta llevanza de la contabilidad por parte del órgano de administración, a fin de asegurar la corrección de la información relativa a la situación patrimonial, financiera y económica de la sociedad, indispensable para socios y terceros.

Control contable

92. LOS SISTEMAS DE ADMINISTRACIÓN Y CONTROL

El art. 2380. 1, prevé que, en ausencia de disposición estatutaria específica, la administración y los controles internos se organizarán según un esquema (que, en cuanto corresponde al modelo adoptado en el pasado por el legislador de 1942, se define como tradicional) fundado sobre la contraposición entre órgano de administración (alternativamente, administrador único o consejo de administración) y colegio sindical. El segundo párrafo, establece que los estatutos pueden alternativamente adoptar un sistema de administración y control fundado sobre el dualismo entre consejo de gestión y consejo de vigilancia (llamado sistema dualista, regulado por los arts. 2409-*octies* a 2409-*quinquiesdecies*) o basado sobre un consejo de administración sometido al control de un comité constituido en su interior (llamado sistema monista, regulado por los arts. 2409-*sexiesdecies* a 2409-*noviesdecies*).

Sistema tradicional y sistemas alternativos

Los sistemas de administración y control se articulan así: *(i) sistema tradicional:* la junta general nombra un administrador único o un consejo de administración (al que compete la gestión) y un colegio sindical (al que competen los controles); *(ii) sistema dualista:* la junta general de socios nombra un consejo de vigilancia (al que competen las funciones de control y funciones que en el sistema tradicional corresponden a la junta, como por ejemplo, la aprobación del balance ordinario, de la forma que será analizada *infra*), y éste nombra un consejo de gestión (al que compete la administración); *(iii) sistema monista:* la junta general nombra un consejo de administración

La articulación de los tres sistemas

(al que compete la gestión) que constituye en su interior un comité para el control sobre la gestión (al que compete la función de control).

El control contable es ejercitado por un auditor externo (como se verá después: v. §108), con la única excepción de los casos de sociedades que *(i)* adopten el sistema tradicional, *(ii)* no recurran al mercado de capital de riesgo y *(iii)* no estén obligadas a la redacción de balance ordinario consolidado, en cuyo caso la auditoría contable puede ser confiada al colegio sindical (art. 2409-*bis).*

Antes de entrar en el detalle de los diversos sistemas hay que advertir que las normas del sistema tradicional desempeñan la función de referencia para los restantes sistemas. En efecto, el art. 2380, últ. inciso, dispone que toda referencia a los administradores se extiende a los miembros del consejo de administración (y, por tanto, al órgano de gestión en el sistema tradicional y en el sistema monista) o a los miembros del consejo de gestión (y, por tanto, al órgano de gestión en el dualista). Además, con respecto al sistema dualista, el art. 2409-*undecies* señala las normas aplicables al consejo de gestión con remisiones específicas a normas del sistema tradicional; el art. 2409-*quaterdecies* desempeña la misma función para el consejo de vigilancia, con referencias a la normativa del colegio sindical; el art. 2409-*quinquiesdecies* realiza las remisiones al control contable mientras otras remisiones ulteriores son efectuadas por normas específicas.

93. EL SISTEMA TRADICIONAL. EL ÓRGANO DE GESTIÓN. LAS VICISITUDES DE LA RELACIÓN ENTRE SOCIEDAD Y ADMINISTRADORES

Composición   Como se ha dicho, en el sistema tradicional el órgano de administración puede estar compuesto por un solo administrador (se habla, en este caso de administrador único) o por varios administradores que obrarán como órgano colegiado en forma de consejo de administración (v. el art. 2380-*bis.* 3). Los estatutos pueden naturalmente dejar abierta la posibilidad de elección entre administrador único y consejo de administración, así como la elección del número de los miembros del órgano (establecidos sólo el mínimo y el máximo), atribuyendo a la junta la facultad de efectuar dichas elecciones.

La administración de la sociedad puede confiarse a socios y a no socios (v. el art. 2380-*bis.* 2), pero los estatutos pueden subordinar la asunción del cargo al cumplimiento de especiales requisitos de honorabilidad, profesionalidad e independencia. A este fin, se puede hacer referencia a los códigos de comportamiento redactados por asociaciones o por sociedades de gestión de mercados regulados (art. 2387). Algunos requisitos (p.ej. honorabilidad y profesionalidad) son impuestos por la propia ley cuando la sociedad tiene determinada actividad, como p.ej. la bancaria (v. art. 26 T.U.B.), la prestación de servicios de inversión (art. 76 cod.ass.), la prestación de servicios de inversión (art. 13 T.U.F.), la actividad aseguradora (v. art. 76 cod.ass.). En otros casos, la posesión de especiales requisitos puede imponerse para situaciones concretas (v. p.j. el art. 38 d.lgs. 163/2006 en materia de requisitos para concursar en adjudicaciones de obra pública). {.margin-note} *Requisitos*

No podrán, en cambio, ocupar el cargo de administradores, y si son nombrados cesarán con efecto inmediato en el cargo, los inhabilitados, los incapacitados, los quebrados, o quien haya sido condenado a una pena que comporte la incapacidad para empleo público o para cargo directivo (art. 2382). La misma disposición se aplica a los sujetos en quienes no concurran los requisitos legal o estatutariamente exigidos (art. 2387). {.margin-note} *Causas de inelegibilidad*

Es dudoso que pueda ejercer el cargo de administrador una persona jurídica (y, en particular, otra sociedad), naturalmente, a través de un representante persona física. El problema, que siempre ha sido objeto de discusión en la doctrina y en la jurisprudencia, puede resolverse hoy en sentido positivo recurriendo a la norma que expresamente prevé la posibilidad que la sociedad por acciones sea socio de la sociedad personalista (art. 2361. 2, y art. 111-*duodecies* disp. att.: v. §20). La solución positiva ha venido de la mano del Consejo Notarial de Milán, que en la resolución núm. 100 de 10 de mayo de 2007 ha tomado posición sobre la validez de una cláusula estatutaria que permite el nombramiento de personas jurídicas para el cargo de administrador. La cláusula ha encontrado varias aplicaciones concretas. {.margin-note} *Administrador persona jurídica*

El nombramiento de los administradores corresponde a la junta, con excepción de los primeros administradores, que vienen nombrados en el acto constitutivo. {.margin-note} *Nombramiento*

El principio del nombramiento por la junta del órgano de administración conoce, sin embargo, de algunas excepciones expresamente indicadas por el art. 2383. En efecto, se exceptúan los casos de nombramiento de los miembros del órgano de administración reservados a los portadores de los instrumentos financieros de los arts. 2346 y 2349, según la remisión del art. 2351, así como los casos de nombramiento de miembros del órgano de administración o de control que pueden ser reservados por los estatutos al Estado o a otros entes públicos en las sociedades en que tales entes tienen una participación en número proporcional a la participación poseída (art. 2449), modificado por la l. 34/2008).

Duración

Los administradores pueden ser nombrados por un período máximo de tres ejercicios y, ante el silencio de los estatutos o del acuerdo de nombramiento, el término coincide con la fecha de la junta convocada para la aprobación del balance del último ejercicio. Salvo disposición estatutaria en contra, los administradores pueden ser reelegidos en el cargo después del vencimiento de su mandato (art. 2383.2 y 3).

Contrato de administración

La relación entre la sociedad y los administradores, en otro tiempo considerada como un contrato de mandato o una posición orgánica, es hoy configurada como contrato de administración que se concluye en el acto de nombramiento y aceptación por parte del administrador.

Retribución

Se trata de un contrato por tiempo determinado que vincula a las partes durante la duración pactada y que tiene naturaleza onerosa. El administrador siempre tiene derecho, en efecto, a una compensación que, si no es establecida por la junta o se establece de manera manifiestamente inadecuada, podrá ser determinada por el juez. La compensación puede ser articulada de distintas formas, incluso combinadas entre ellas. En la práctica, se dan casos de remuneración fija, de remuneración diferida al vencimiento del mandato, de dietas de presencia en las reuniones del consejo, de remuneración variable ligada más o menos directamente a los resultados económicos, e incluso se pueden pactar formas de participación en los beneficios o derechos de adquisición o de suscripción de acciones de la sociedad o de sociedad controlantes o controladas (las llamadas *stock options)* (v. el art. 2389. 2).

Revocación

Sin embargo, en virtud de la necesaria existencia de una relación fiduciaria entre la junta y los administradores de la sociedad, la junta puede revocar a los administradores en cualquier momento (art. 2383. 3), con la única excepción de los administradores nombrados por el Estado o los demás entes públicos con base en el art. 2449, quienes pueden ser revocados tan sólo por el ente que los ha nombrado. Es dudoso el régimen de la revocación para los administradores nombrados por los portadores de los instrumentos financieros de los arts. 2346 y 2349. Ante el silencio de la ley parece deseable una interpretación que reservara a la junta de socios el poder de revocación, con tal de que se garantizara el nombramiento del sustituto por parte de los titulares de los mencionados instrumentos.

La revocación puede carecer por completo de motivación, pero en este caso, como en el caso de motivo infundado, produce una obligación de resarcimiento de los daños a cargo de la sociedad. El daño resarcible viene normalmente cuantificado por la jurisprudencia sobre la base de las compensaciones que el administrador habría debido percibir hasta el normal vencimiento de su mandato. Tales obligaciones resarcitorias no subsisten, en cambio, en caso de que la revocación se funde en justa causa, esto es, en una causa que no permita la continuación, ni siquiera provisional, de la relación.

Un caso específicamente regulado de justa causa es la violación por parte del administrador de la prohibición de competencia (art. 2390), o bien de la prohibición de devenir socio ilimitadamente responsable o de ostentar el cargo de administrador o director general en sociedades competidoras, así como de ejercitar por cuenta propia o de tercero una actividad concurrente, a menos que se obtenga la correspondiente autorización de la junta. El simple conocimiento de parte de todos los socios no es suficiente para eliminar la prohibición, siendo necesaria la adopción de un específico acuerdo de la junta. El incumplimiento de tal prohibición no sólo justifica la revocación del administrador sino que determina su responsabilidad por los daños producidos. *Prohibición de competencia*

Además de la revocación y la muerte, la terminación de la relación entre el administrador y la sociedad puede producirse por la renuncia del administrador o por vencimiento del plazo.

La renuncia, que debe ser comunicada por escrito al consejo de administración y al presidente del colegio sindical, produce efecto inmediato si la mayoría de administradores permanecen en su cargo, mientras que, en caso contrario, tiene efecto desde el momento en que la mayoría haya sido reconstituida a través de la aceptación de los nuevos administradores (así, art. 2385.1). *Renuncia*

En el caso de vencimiento del término, en cambio, el cese de los administradores produce efecto desde el momento en que el consejo de administración es reconstituido (art. 2385.2). Se puede afirmar que, sobre *Transcurso del plazo* la base de esta disposición, el administrador se mantiene en su cargo en régimen de *prorogatio,* tanto en los casos en que todo el consejo ha de ser renovado como en los que la renovación del consejo sea sólo parcial.

Sustitución

Cuando el cese en el cargo de administrador se produce por vencimiento del término, la junta procede a su sustitución. Cuando, en cambio, se produce en el curso del mandato, su sustitución puede realizarse por el mismo consejo de administración (la llamada *cooptación),* aprobada también por el colegio sindical; la cooptación presupone, por otra parte, que la mayoría de los administradores nombrados por la junta permanecen en su cargo. Los administradores así nombrados permanecen en el cargo hasta la junta siguiente, que tendrá la posibilidad de confirmarlos o de nombrar a otros. En el caso de que haya cesado en su cargo la mayoría de los administradores nombrados por la junta, aquéllos que permanezcan en su cargo habrán de convocar la junta para que disponga la sustitución de los cesados. En este caso, salvo disposición estatutaria o acuerdo de la junta en contra, los administradores así nombrados permanecen en sus funciones hasta el cese de todo el consejo (art. 2386).

Claúsula *simul stabunt simul cadent*

Los estatutos pueden prever que la cesación de algunos administradores provoque el cese del consejo por completo, a través de una cláusula definida normalmente *simul stabunt simul cadent,* dirigida a asegurar que se reserva a la junta el nombramiento de los administradores y que, de este modo, se respeta el equilibrio de la sociedad en el seno del consejo (art. 2386. 4). En este caso los administradores que permanecen en sus funciones o, si los estatutos así lo disponen, el colegio sindical, tendrán que proceder a la convocatoria de la junta a fin de que ésta disponga la renovación del conjunto del órgano de administración.

94. ADMINISTRADOR ÚNICO. EL CONSEJO DE ADMINISTRACIÓN Y LOS ÓRGANOS DELEGADOS

Administrador único

Cuando el órgano de administración está constituido por un administrador único los poderes de gestión y los poderes de representación se concentran en una única persona que los ejercita en el ámbito de los límites legales y estatutarios y bajo el control del colegio sindical y, eventualmente, de los auditores externos.

Más complejo es, en cambio, el funcionamiento del órgano cuando la gestión se confía a varias personas. En tal caso, las decisiones son adoptadas de acuerdo al método colegial, esto es, mediante una reunión en la que cada uno de los miembros del órgano —que se denomina consejo de administración— puede contribuir al debate, formarse una opinión, expresar un punto de vista y decidir en consecuencia. La colegialidad se ha actualizado de forma paralela a la evolución tecnológica: así, hoy, si los estatutos lo prevén, la participación en la reunión del consejo puede realizarse, además de mediante la clásica asistencia personal, a través de medios de telecomunicación (art. 2388.1). La jurisprudencia considera idóneo cualquier medio que permita obtener la absoluta certeza sobre la identificación de los participantes y se den las condiciones para que puedan tomar parte en el debate; así, ha de considerarse admisible la participación por video-conferencia, mientras que deberían excluirse medios de comunicación basados sólo en la escritura que no alcancen los requisitos mínimos indicados. *Consejo de administración*

La actividad del órgano colegiado se coordina por el presidente, nombrado, según el art. 2380, últ. inciso, por el mismo consejo de administración si la junta no ha procedido al nombramiento. Salvo disposición estatutaria en contrario, la ley (art. 2381. 1) atribuye al presidente la facultad de convocar el consejo, fijando el orden del día, la de coordinar los trabajos y la de asegurar que los consejeros sean debidamente informados sobre las materias a tratar. *Presidente*

Los estatutos confieren usualmente al presidente la facultad de representar a la sociedad frente a terceros, atribuyéndole la llamada firma social (v. §95).

En el sistema tradicional, el consejo ha de reunirse obligatoriamente al menos una vez al año para discutir y redactar el proyecto de balance general que se ha de someter a la aprobación de la junta y, por medio de órganos delegados, al menos dos veces al año (art. 2381.5). Es, ciertamente, deseable que las reuniones sean más frecuentes y, en efecto, el legislador parece presuponerlo (v. el art. 2381.3). Aun teniendo en cuenta que las labores de administración diarias se llevan a cabo por los órganos delegados, los miembros del consejo tienen naturalmente interés en que se celebren reuniones con una cierta frecuencia, para recibir y discutir toda la información necesaria para un ordenado desarrollo de la actividad social. *Frecuencia de las reuniones*

Los miembros del consejo de administración están normalmente obligados a participar en todas las reuniones (la facultad de ser representado se excluye por el art. 2388. 3) y, por otra parte, todo administrador ha de tener interés en participar para contrastar la adopción de acuerdos perjudiciales o inoportunos para la sociedad.

Quórum
constitutivo y
de adopción de
acuerdos

El consejo, en efecto, puede deliberar aunque no todos los miembros estén presentes: el art. 2388. 1, establece que a fin de que el consejo pueda válidamente celebrarse ha de estar presente la mayoría de los administradores, siempre que los estatutos no prevean un quórum constitutivo más elevado.

Con respecto a los *quórum* de adopción de acuerdos, el consejo, si los estatutos no requieren mayorías más elevadas, decide por mayoría absoluta de los presentes.

Impugación de
acuerdos

El art. 2388. 4, prevé que los acuerdos del consejo de administración no adoptados de conformidad con la ley o los estatutos puedan ser impugnados por el colegio sindical y por los administradores ausentes o disidentes en el plazo de noventa días desde la fecha de la adopción. También los socios tienen la posibilidad de impugnar los acuerdos del consejo de administración, pero sólo cuando éstos lesionen sus derechos. A título de ejemplo, se puede suponer que tal legitimación nace en caso de que se niegue el derecho de separación o en caso de una aplicación incorrecta de los criterios de valoración de las acciones en los casos previstos por la ley o los estatutos o, en fin, ante una incorrecta o inmotivada exclusión del derecho de opción en el ámbito de un aumento de capital acordado por el consejo de administración según el art. 2443.

El procedimiento a seguir es el dispuesto por el art. 2378, que regula la impugnación de los acuerdos de la junta, en cuanto resulte compatible. Es dudoso, en cambio, si respecto de la impugnación por parte del socio, y en virtud de la remisión genérica al art. 2377, se aplica la regla que requiere la posesión de un porcentaje mínimo de capital para la legitimación (v. §87).

La norma precisa que quedan a salvo, en todo caso, los derechos adquiridos de buena fe por terceros sobre la base de la ejecución de los acuerdos, lo que significa que el tercero de buena fe no podrá verse perjudicado por la eventual anulación de un acuerdo ya ejecutado.

El legislador no distingue entre casos de anulación y de nulidad de los acuerdos del consejo de administración. Se podría, por tanto, entender que el código ha pretendido confinar las irregularidades de los acuerdos del consejo bajo esta única forma de invalidez, a fin de asegurar una mayor estabilidad de los acuerdos mismos.

El consejo de administración no puede ocuparse del cuidado de los asuntos cotidianos, actividad que se conjuga mal con un órgano colegiado, a menudo compuesto por un número elevado de miembros (en las sociedades cotizadas de grandes dimensiones no es difícil hallar consejos compuestos incluso por 15 miembros). Para garantizar que la gestión social sea seguida diariamente por alguno de los administradores, la ley prevé que los estatutos o la junta puedan permitir al consejo de administración delegar parte de las propias facultades a un comité ejecutivo o a uno o más de sus miembros (v. el art. 2381. 2).

Delegación de funciones

El comité ejecutivo, compuesto exclusivamente de consejeros, funciona también como órgano colegiado. Al comité ejecutivo se delegan generalmente funciones de preparación de documentos estratégicos para someter al consejo y acuerdos referentes a operaciones de particular importancia que exigen, por una parte, el análisis atento, profundizado y meditado de un órgano colegiado, y de otra, la rapidez y discreción que a veces el consejo de administración no puede garantizar.

Comité ejecutivo

La delegación de funciones a un miembro del consejo de administración origina la figura del llamado administrador delegado. Los administradores delegados pueden ser uno o varios. En el caso de que sean más de uno, no se constituirá un comité ejecutivo, porque los administradores delegados no actúan como órgano colegiado. Puede suceder que varios administradores delegados desempeñen algunas funciones conjuntamente; tampoco en este caso estamos, sin embargo, en presencia de un comité ejecutivo, porque no existe colegialidad.

Administradores delegados

El legislador prevé una lista de materias no delegables entre las cuales se hallan, según el art. 2381. 4, la emisión de obligaciones convertibles y los aumentos de capital delegados, en su caso, al consejo por los estatutos; la redacción del proyecto de balance general de ejercicio; las funciones correspondientes al consejo ante la presencia de pérdidas por encima de un tercio del capital social según los arts. 2446 y 2447; la elaboración del proyecto de fusión y del proyecto de escisión. De igual modo, han de considerarse no

Funciones no delegables

delegables la aprobación de la propuesta del convenio de la quiebra y del convenio preventivo (art. 152. 2. *b*, y 161. 4, l.fall.; para la s.r.l. v. §131). La técnica legislativa, al preveer expresamente las materias indelegables, induce a pensar que, fuera de éstos, cualquier función puede ser objeto de delegación. Sin embargo, parece correcto sostener que algunas funciones, por su naturaleza, son también indelegables: en concreto, así debería decirse del propio poder de atribuir delegaciones a uno o más administradores, así como de las funciones atribuidas al Consejo de administración por el art. 2381.3. Se trata, de hecho, en este último caso, de atribuciones que corresponden a la función central del Consejo como órgano colegiado de verificar y supervisar la actuación de los órganos delegados. En la misma línea de razonamiento, se debería sostener que en presencia de un administrador delegado, el Consejo no puede —sin perjuicio del poder general de revocación de las funciones delegadas que el código le atribuye— recuperar la función de «curar» el aspecto organizativo, administrativo en relación con tales ámbitos, en presencia de delegación, la ley parece atribuir al órgano colegial la función de verificar y controlar tales actos, y no el poder de predisponerlos.

Contenido, límites y modalidades de ejercicio de la delegación El contenido, límites y eventuales modalidades de ejercicio de la delegación son establecidos, más allá de lo indicado *supra*, libremente por el consejo de administración sobre la base de las exigencias operativas de la sociedad. No existen, por tanto, reglas predefinidas con respecto del contenido de la delegación y sus límites.

El administrador delegado asume, en la mayoría de las ocasiones, la tarea de seguir diariamente la gestión de la sociedad y de informar al consejo de administración. El objeto de la delegación son normalmente los poderes de gestión (y, por tanto, el poder de asumir autónomamente decisiones en orden al cumplimiento de los actos que recaen en el ámbito de la delegación) y los poderes de representación conexos para poder manifestar ante terceros las decisiones adoptadas y vincular a la sociedad.

Relación entre delegantes y delegados La relación que existe entre órganos delegados y consejo de administración está fundada sobre una amplia autonomía de los primeros respecto de las funciones delegadas, aunque, por un lado, la delegación puede ser revocada en todo momento (si bien ello puede tener consecuencias económicas negativas si las funciones delegadas iban ligadas a una compensación, pues la sociedad puede ser condenada a indemnizar al administrador), y por otro, el consejo puede siempre atraer para sí, incluso sólo provisionalmente, las funciones delegadas, así como impartir directrices (art. 2381. 3).

La autonomía con que los órganos delegados desempeñan sus funciones no implica que el consejo en su conjunto y los consejeros individualmente puedan desinteresarse de las funciones delegadas. El legislador, en este punto, ha enriquecido la normativa con respecto al pasado, señalando las modalidades con que el consejo y sus miembros deben desempeñar las propias funciones en presencia de actividades delegadas. Así, se ha previsto, de una parte, que respecto de las funciones delegadas, los órganos delegados se ocupen de que la organización, administración y contabilidad sean adecuadas a la naturaleza y a las dimensiones de la empresa y que informen al consejo de administración y al colegio sindical sobre el curso general de la gestión y sobre su previsible evolución, así como sobre las operaciones de mayor relieve efectuadas por la sociedad y por sus controladas con la periodicidad fijada por los estatutos y, en todo caso, al menos cada seis meses, (así el art. 2381. 5). De otra parte, el consejo de administración «sobre la base de las informaciones recibidas, valora la adecuación de la estructura organizativa, administrativa y contable de la sociedad»; una vez elaborados, examina los planes estratégicos, industriales y financieros de la sociedad y, en fin, valora, basándose en los informes de los órganos delegados, el curso general de la gestión» (así el art. 2381. 3). Además, en base al art. 2381, últ. inciso, todo administrador se obliga a estar informado y puede requerir a los órganos delegados que en el consejo le sea proporcionada la información relativa a la gestión de la sociedad.

Deberes del consejo respecto de las funciones delegadas

El modelo diseñado por el legislador impone la creación de flujos informativos adecuados dentro del órgano de administración para permitir al consejo valorar con continuidad y puntualidad el curso de la gestión empresarial, poniendo, si es el caso, los eventuales correctivos necesarios. Respecto de la fórmula adoptada en el pasado que hablaba de un genérico, vacío e irrealizable, deber de vigilancia a cargo de cada administrador, se trata de un nuevo modo de articular los deberes de los administradores. Los administradores tienen el derecho y el deber de recibir las informaciones necesarias para valorar en profundidad las decisiones a adoptar; para hacer esto deben crear, o directamente o a través de los órganos delegados, los sistemas organizativos e informativos idóneos, respondiendo de los daños

Flujos informativos entre órganos delegados y consejo de administración

causados a la sociedad por las carencias que eventualmente se manifiesten. El modelo parece distinguir el momento de la acción, que corresponde normalmente a los órganos delegados, del momento del examen y de la valoración, que corresponde siempre al consejo. Los delegados responderán por las acciones u omisiones y los miembros del consejo desprovistos de delegación responderán de las carencias de los análisis y de las valoraciones efectuadas.

95. EL PODER DE REPRESENTACIÓN

El poder de gestión va insoslayablemente ligado al poder de representar frente a terceros la voluntad social: se habla, es más, del administrador como de un «representante necesario» para subrayar la importancia de la función, de una parte, y para distinguir este supuesto de la representación voluntaria, de otra.

Administradores dotados de poder de representación

La necesaria conexión entre poder de representación y poder de gestión no significa, sin embargo, que tal poder corresponda a todos los administradores: si, en efecto, el administrador único está siempre dotado de tal poder, ya que de otro modo la sociedad no podría expresarse, ante la existencia de un consejo de administración, la representación se atribuye tan sólo a los administradores indicados en los estatutos o en el acuerdo de nombramiento o bien, cuando los estatutos lo permitan, en el acuerdo del órgano de administración (sobre ésta ultima hipótesis, *cfr.* el art. 2365.2), normalmente el presidente y los consejeros delegados. El poder de representación y sus eventuales límites han de recibir la publicidad pertinente mediante inscripción en el registro de empresas (art. 2383.4).

El problema de la tutela de terceros

El ejercicio del poder de representación por parte de los administradores de la sociedad plantea delicados problemas de tutela de los terceros que entran en contacto con la sociedad, sea con referencia a la instrumentalidad del acto respecto del objeto social, sea con relación a la interpretación de eventuales limitaciones. Para solucionar estos problemas, el art. 2384 dispone, respecto de la relación entre la sociedad y los terceros, que el poder de representación es *general*. Las limitaciones que resultan del acto de nombramiento o de los estatutos —incluido el límite derivado del objeto social— no son oponibles a terceros aunque estén publicadas, a menos que la sociedad pueda probar que el tercero *ha actuado intencionadamente en perjuicio suyo.* La exigencia de certeza en el tráfico comercial y de tutela de los terceros prevalece, por tanto, sobre el interés de la sociedad a contrarrestar el abuso del poder de representación de los administradores. La realización por parte de los administradores de actos que vayan más allá de sus poderes es relevante, sin embargo, para la relación interna: por una parte, justifica la revocación de los administradores que se extralimitan en sus poderes y, por otra, da el derecho a la sociedad de solicitar el resarcimiento de los eventuales daños causados.

La misma *ratio* inspira el art. 2383, últ. inciso, que dispone que el tercero ha de ser tutelado incluso en el supuesto de que el acuerdo de nombramiento del administrador dotado del poder de representación sea declarado ineficaz, salvo que la sociedad pueda demostrar que el tercero tenía conocimiento de ello.

Según una interpretación consolidada y recientemente confirmada por la *Cassazione,* la normativa especial de protección del tercero del art. 2384 no se aplica al contrato celebrado por el administrador con poder de representación que se encuentre en una situación de conflicto de intereses. En este caso se aplicará la regla general del art. 1394, en base a la cual el negocio puede ser anulado por la sociedad si el conflicto era conocido o cognoscible por el tercero.

96. INTERESES DE LOS ADMINISTRADORES. OPERACIONES CON PARTES VINCULADAS

Un asunto de gran complejidad es el relativo a la existencia de un interés de los administradores en relación con una operación de la sociedad. El art. 2391 dispone, en su parte preceptiva, que el administrador tiene que informar a los demás administradores y al colegio sindical de cualquier interés del que sea portador en una determinada operación de la sociedad, por cuenta propia o de terceros, precisando la naturaleza de tal interés, sus términos (en la sustancia y el contenido), el origen y el alcance (en otras palabras, la relevancia). El consejo, al aprobar la operación, a pesar del declarado conflicto de uno o varios de sus miembros, debe motivar adecuadamente los motivos de su conveniencia para la sociedad.

Intereses ajenos y deberes de los administradores

El administrador delegado que se encuentre en la misma situación, no sólo debe aportar al consejo toda la información referida *supra*, sino que debe abstenerse de la realización del acto, del que ha de ocuparse el consejo.

En el caso del administrador único, la ley se limita a disponer que debe dar noticia del interés «también a la inmediata junta que se celebre». La norma crea alguna ambigüedad interpretativa, pero parece posible afirmar que el administrador único debe informar del interés al colegio sindical pero que, al contrario del administrador delegado, está legitimado para llevar a cabo la operación, debiéndola comunicar a la junta con posterioridad. No queda claro, sin embargo, cuál será el poder de la junta una vez recibida la comunicación; no parece, de todos modos, en virtud de los principios generales en materia de autorizaciones de la junta (art. 2364.5), que un eventual voto de ratificación pueda tener efectos de exclusión de la responsabilidad para el administrador único interesado. En este sentido se expresa también la *Relazione*.

De la simple lectura de la norma parecen claros los términos de la cuestión. En efecto, es principio común del Derecho de sociedades a nivel internacional, aun con diversos matices, que los administradores desarrollan sus funcionan basándose en una relación de naturaleza fiduciaria que los une a la colectividad de los socios a través de la sociedad. Los administradores, en el ámbito del ejercicio de sus funciones, no pueden tener otra guía que el interés de la sociedad. Repugna la idea de que éstos puedan inspirar sus actos en interés propio o de otros sujetos distintos de la colectividad de socios.

El legislador ha tendido, por tanto, hacia una solución radical: si se es titular de un interés propio o de terceros susceptible de interferir en el ejercicio de la función de gestión, el administrador no debe ocuparse de determinar si su interés propio y el de la sociedad están en conflicto para decidir su participación en el acto, simplemente ha de declarar el propio interés de manera precisa. Corresponde, después, al consejo de administración la valoración y la adopción de un acuerdo motivado que señale explícitamente las razones por las que la operación ha de ser considerada conforme al interés de la sociedad (la norma hace referencia a la conveniencia).

El tercer inciso del art. 2391 prevé que en el caso de que los administradores violen la obligación de información descrita *supra* o cuando el acuerdo del consejo no reúna los requisitos de especificidad y motivación requeridos por la norma, o cuando el acuerdo sea adoptado con el voto determinante del administrador interesado y pueda causar daños a la sociedad, éste podrá ser impugnado por todos los administradores salvo quienes hayan votado favorablemente en caso de haber recibido la debida información y por el colegio sindical, en el plazo de noventa días desde la fecha de la adopción. El administrador responde de los daños causados a la sociedad derivados de su acción u omisión.

La norma precisa, en aras a la protección de la posición de los terceros con respecto de las vicisitudes internas de la sociedad, que quedan a salvo, en todo caso, los derechos adquiridos por los terceros de buena fe con base en los actos realizados en ejecución de los acuerdos anulados.

Un último aspecto conexo concierne a la responsabilidad de los administradores que han causado daños a la sociedad utilizando en beneficio propio o de terceros datos, informaciones u oportunidades de negocios obtenidas en el ejercicio del propio cargo (art. 2391, últ. inciso). Imagínese, por ejemplo, el caso de un administrador de una sociedad que conoce, a causa de su cargo, la existencia de una óptima oportunidad especulativa, y en lugar de concluir el negocio en nombre de la sociedad, lo concluye por cuenta propia. En este caso, el administrador habrá sustraído a la sociedad el provecho obtenido con el negocio y deberá responder por él.

Apropiación de oportunidades sociales

En las sociedades abiertas, en fin, se dicta una regulación específica respecto de la general que se acaba de describir para todo lo que concierne a las operaciones con las llamadas partes vinculadas, es decir, sujetos que se hallen en relación con la sociedad de un modo que pueda implicar un peligro de conflicto con el interés social (art. 2391-*bis*). La normativa dispone, en particular, que los órganos de administración de la sociedad han de adoptar, con referencia a tales operaciones, reglas que aseguren la transparencia y la corrección sustancial y procesal, haciéndolas públicas en el informe de gestión, según los principios generales que han de ser establecidos por la Consob, en términos de competencia decisoria, motivación y documentación. El órgano de control ha de vigilar la observancia de las reglas adoptadas dando cuenta de ello en el informe a la junta (inciso 2). El art. 2391-*bis* precisa que esta regulación es aplicable también a las operaciones realizadas a través de sociedades controladas (inciso 2).

Operaciones con partes vinculadas

La norma precisa, asimismo, que los principios que han de ser estableci-dos por la Consob han de regular las operaciones en términos de competen-cia decisoria, motivación y documentación. La norma no define la noción de «parte vinculada»: una noción, por el momento, aplicable con certeza única-mente a las sociedades cotizadas y contenida en el *reglamento correspondiente a los emisores* (art. 2.1.h) y reenvía al principio contable inernacional IAS/IFRS núm. 24. El *Regolamento Emittenti* establece una regulación específica en relación a las operaciones con partes vinculadas que tengan determinadas características, imponiendo su comunicación al mercado según las modali-dades establecidas por la Consob (art. 71-*bis* y 91-*bis).*

El 9 de abril de 2008, la Consob publica una propuesta de normativa reglamentaria de aplicación del art. 2391-*bis,* destinada a sustituir tam-bién la normativa existente sobre el citado art. 71-*bis.* Según lo previsto en dicho documento, las nuevas normas reglamentarias prevén, en aras de la transparencia, obligaciones específicas de comunicación al mercado de las operaciones con partes vinculadas y, en aras de la corrección, una implicación determinante en el proceso decisional de los administradores independientes, dando así a esta figura un ulterior relieve.

97. LA RESPONSABILIDAD DE LOS ADMINISTRADORES FRENTE A LA SOCIEDAD

La responsabilidad civil en el sistema de sanciones

Como hemos puesto de relieve al inicio de este capítulo, el contrapeso a los poderes de que gozan los administradores en la gestión de la sociedad es representado por la responsabilidad que la ley les atribuye en el caso de incumplimiento de las propias obligaciones. Hemos hablado del complejo sistema de responsabilidad penal, administrativa y civil que sanciona los ilíci-tos cometidos por los administradores. La materia es muy compleja y en esta sede sólo es posible ocuparnos del aspecto civil de la responsabilidad. Como es sabido, en nuestro ordenamiento la función de la responsabilidad civil es eminentemente compensatoria, en el sentido de que se preocupa de indem-nizar al dañado por los daños sufridos. Normalmente, la función punitiva es confiada a otro orden de sanciones como las penales y administrativas.

Ha de recordarse, ante todo, que la responsabilidad de los administra-dores de sociedades por acciones no tiene conexión con las deudas sociales.

La sociedad responde de las obligaciones sociales tan sólo con su propio patrimonio, quedando a salvo todas las excepciones previstas por la ley (v. §§33, 50 y 121). La responsabilidad de los administradores va, por el contrario, siempre unida a un incumplimiento por parte de los administradores o a la comisión de un acto ilícito. Los esquemas aplicables son los de la responsabilidad contractual o extracontractual.

Se puede ahora afrontar el análisis de las normas que regulan la responsabilidad civil de los administradores, que afectan también a quien ha sido nombrado por acuerdo declarado ineficaz y a quien, aun no habiendo sido nombrado formalmente, ejercita de hecho las mismas funciones (el llamado administrador de hecho).

Se identifican tres categorías de sujetos frente a los que responden los administradores: *(a) la sociedad,* respecto de la que los administradores responden a título de responsabilidad contractual por incumplimiento (arts. 2392 y 2393); *(b)* los *acreedores,* frente a quienes los administradores responden por la falta de conservación de la integridad del patrimonio de la sociedad (art. 2394); (c) los *socios* o los *terceros,* a título de responsabilidad extracontractual por acto ilícito (art. 2395).

Sujetos tutelados

Con respecto a la primera y más importante fuente de responsabilidad, la norma central es el art. 2392, que fija, en primer lugar, el parámetro de diligencia que ha de ser respetado por el administrador en el cumplimiento de sus funciones. Dispone esta norma que los administradores deben respetar los deberes que les son impuestos por la ley y los estatutos (que constituyen, junto al contrato entre los administradores y la sociedad, la fuente de todas las obligaciones con la misma) con la diligencia requerida por la naturaleza del cargo y de sus específicas competencias. Los deberes a cargo de los administradores de s.p.a. parecen por lo tanto ser particularmente relevantes; no basta la diligencia del hombre medio sino que es necesaria la diligencia de un buen administrador, determinada, no en abstracto sino en función de la naturaleza del cargo y de las específicas competencias del administrador. En otras palabras, para determinar la diligencia debida se tendrán que considerar la dimensión de la sociedad y de la empresa ejercitada, la tipología de esta última y las cualidades individuales del administrador que han constituido la base para su nombramiento.

Diligencia debida

El nivel de diligencia debido será tanto más elevado cuanto mayor sea la dimensión y la complejidad de la empresa administrada, teniendo en cuenta las capacidades individuales. A mero título de ejemplo, la valoración errónea de las consecuencias de un contrato no podrá producir las mismas consecuencias para un licenciado en química, nombrado por sus competencias específicas en el ámbito del sector productivo, que para un abogado, nombrado por sus competencias en materia contractual. Se trata de un parámetro de diligencia apremiante que fomenta el aumento de la profesionalidad de quien administra la sociedad y pretende hacer desaparecer la mala costumbre del ejercicio de cargos con distracción y desinterés.

Solidaridad

La responsabilidad de los administradores es solidaria, a menos que se trate de atribuciones propias del comité ejecutivo o de funciones atribuidas en concreto a uno o más administradores (art. 2392.1); en estos casos, el párrafo siguiente dispone que los administradores responden solidariamente si, habiendo conocido hechos perjudiciales, no hicieron cuanto podían para impedir el cumplimiento o para eliminar o atenuar las consecuencias dañosas, sin perjuicio de lo dispuesto por el art. 2381.3.

Obligaciones de los consejeros respecto de las funciones delegadas

Como se recordará, esta última norma es la que establece los deberes atribuidos a los miembros del consejo de administración en presencia de facultades delegadas. En caso de delegación de facultades, por tanto, los administradores ya no estarán obligados, como se afirmaba en el pasado, a una constante e imposible vigilancia sobre todos los actos de la sociedad sino que, como se ha dicho anteriormente, tendrán que desempeñar con diligencia las tareas prescritas por la ley de acuerdo a las modalidades previstas en la misma. Si los sistemas organizativos e informativos han demostrado ser eficientes, si los administradores han actuado siempre escrupulosamente, si han pedido y obtenido de los órganos delegados información en cuanto a la evolución de la gestión social, el eventual incumplimiento de un administrador delegado no les puede ser imputado también a ellos. Queda a salvo el hecho de que su cargo les impone una rápida capacidad de reacción ante el descubrimiento de un hecho potencialmente dañoso y una capacidad de intervención dirigida a impedir o mitigar los efectos de tal acto. Ante un incumplimiento de estos deberes, los administradores responderán también por las funciones delegadas.

Exoneración de responsabilidad

El legislador concede la posibilidad de exonerarse de responsabilidad a aquéllos administradores que, estando exentos de culpa (esto es, habiendo hecho todo cuanto podían en cumplimiento de sus deberes), han hecho constar su discrepancia en el libro de actas y de los acuerdos del consejo de administración, dando inmediata comunicación escrita al presidente del colegio sindical (v. art. 2392, últ. inciso).

La acción social de responsabilidad puede ser ejercitada por la sociedad directamente (art. 2393), o por los socios en nombre propio, pero en el interés de la sociedad (art. 2393-*bis*).

La acción social de responsabilidad

La acción puede ser promovida por la sociedad a consecuencia de un acuerdo de la junta o del colegio sindical (incluso cuando la sociedad está en liquidación), o a decisión del administrador de la quiebra. La sociedad se persona en el juicio para obtener una sentencia de condena al resarcimiento de los daños causados por el administrador responsable del incumplimiento. El legislador, a fin de facilitar el ejercicio de la acción incluso frente a los administradores todavía en funciones, ha previsto que el acuerdo pueda ser adoptado en el curso de la junta relativa al balance, a fin de que esté en relación con hechos correspondientes al ejercicio al que se refiere el balance en curso de aprobación, incluso cuando la interposición de la acción de responsabilidad no está comprendida entre las materias del orden del día (art. 2393. 2). La acción puede ser ejercitada (no es suficiente a este fin el acuerdo de la junta, sino que es necesaria la interposición de la acción) en el plazo de cinco años desde el cese del administrador en el cargo (art. 2393. 4).

Acción promovida por la sociedad

La acción social puede ser también promovida por socios que representen un quinto del capital social (o el porcentaje diferente establecido en los estatutos, que, en ningún caso, puede ser superior a un tercio). Dicho porcentaje se reduce a una cuarentava parte en las sociedades «abiertas» (salvo que en los estatutos se establezca un porcentaje inferior) (art. 2393-*bis*).

La sociedad es parte necesaria en el juicio, el cual se gestiona por los socios a través del nombramiento, con mayoría de capital poseído, de uno o más representantes comunes (art. 2393-*bis*. 4). En caso de ganar la acción, la sociedad reembolsa íntegramente a los socios los gastos de la litis y se beneficia del resarcimiento (art. 2393-*bis*. 5). Siempre a favor de la sociedad son los beneficios provenientes de una eventual transacción de la litis con los administradores. También en este caso la renuncia y la transacción pueden ser objeto de oposición en junta por parte de una minoría cualificada de socios, exactamente como ocurre en el caso de la acción promovida por la sociedad (art. 2393-*bis*. 6).

La ampliación de la categoría de los sujetos legitimados para promover la acción social de responsabilidad se justifica por la necesidad de evitar que las mayorías en junta puedan avalar políticas de gestión dañinas para la sociedad. La experiencia del pasado ha demostrado, de hecho, que la acción social de responsabilidad raramente era promovida por la misma mayoría que había nombrado a los administradores, siendo la mayor parte de las veces fruto de la iniciativa de nuevas mayorías en caso de cambios de control o de los síndicos de la quiebra en el sentido del art. 146 l. fall.

… casos de revocación autómatica

La promoción de la acción de responsabilidad no comporta automáticamente la revocación del administrador en su cargo, a menos que el acuerdo sea aprobado por al menos la quinta parte del capital (art. 2393. 5). En su defecto, para que esto suceda, la junta ha de adoptar un acuerdo separado de revocación.

… renuncia y transacción

La acción social de responsabilidad puede ser objeto de renuncia por parte de la sociedad o de acuerdo transaccional con el administrador a condición de que renuncia y transacción hayan sido acordadas por la junta y no haya votado en contra una minoría representativa, al menos, de la quinta parte del capital social (la vigésima parte en la sociedad abierta), o del porcentaje que según los estatutos esté legitimado para ejercitar la acción de responsabilidad (v. art. 2393, últ. inciso). El fin de la norma es evitar, o cuando menos limitar, el riesgo de la comisión de abusos por parte del mayoría.

La norma no dice nada sobre el supuesto de renuncia o transacción cuando la acción de responsabilidad se haya promovido a razón de una decisión del colegio sindical (art. 2393.3). Debería deducirse que, de un lado, el colegio sindical no tiene el poder de renunciar a la acción ni de transigir y, de otro, que la junta (en ausencia del voto en contra de la minoría cualificada de la que se ha hablado anteriormente) tiene dicho poder también cuando la acción se haya promovido por el órgano de control.

98. LA RESPONSABILIDAD DE LOS ADMINISTRADORES FRENTE A LOS ACREEDORES SOCIALES

Los administradores responden frente a los acreedores sociales por el incumplimiento de las obligaciones inherentes a la conservación de la integridad del patrimonio social. La acción puede ser promovida por los acreedores cuando el patrimonio resulte insuficiente para la satisfacción de sus créditos (art. 2394.1 y 2). La conservación de la integridad del patrimonio social no es, por tanto, tan sólo una obligación que tienen los administradores frente a la sociedad sino que asume relevancia también respecto de los acreedores sociales. Ello ocurre, como aclara la norma, no en todo caso sino tan sólo cuando el patrimonio social no sea suficiente para hacer frente a las obligaciones sociales.

Los presupuestos de la acción de responsabilidad de los acreedores sociales son, por tanto, dos: por una parte, los administradores deben haber violado algún precepto normativo específico, alguna disposición estatutaria o la obligación general de diligencia, causando una reducción del patrimonio social y, por otra, este último, en virtud de tal reducción, no ha de ser suficiente para hacer frente a las obligaciones de la sociedad y, por tanto, para satisfacer a los acreedores. Una vez más, no se trata de una excepción al principio de la responsabilidad limitada que caracteriza a la sociedad por acciones, ya que los administradores no deben responder de las pérdidas, pero sí quedan obligados a resarcir a los acreedores por no haber desempeñado correctamente sus deberes, causando un daño al patrimonio social e, indirectamente, a los acreedores mismos. *Presupuestos*

Es discutida la naturaleza de la responsabilidad; para algunos autores es contractual, puesto que está fundada sobre un incumplimiento, para otros es extracontractual, en cuanto que se considera un supuesto de lesión ilícita del derecho de crédito o, alternativamente, de perjuicio de la garantía patrimonial. La calificación tiene algunas implicaciones prácticas, puesto que en el primer caso el acreedor debe probar tan sólo el incumplimiento, mientras que corresponde al administrador, para evitar incurrir en responsabilidad, demostrar la ausencia de culpa. Por el contrario, en el segundo supuesto, el acreedor debe demostrar el hecho ilícito y la existencia de dolo o culpa. *Naturaleza*

Entre las dos acciones descritas, la ejercitada por la sociedad (no importa si directamente o a iniciativa de una minoría de socios) y la ejercitada por los acreedores sociales, existe una relación estrecha, en cuanto que no tendría sentido que los administradores debiesen resarcir dos veces los mismos daños (por esta razón algunos la consideran verdadera acción subrogatoria, art. 2900). *Relación con la acción social*

Estas interferencias entre las dos acciones se deducen nítidamente de la lectura del último inciso del art. 2394, que dispone que la renuncia a la acción por parte de la sociedad no impide el ejercicio de la misma por parte de los acreedores sociales, mientras que la transacción puede ser impugnada por los acreedores sociales tan sólo con la acción revocatoria cuando concurren los requisitos de la misma. La *ratio* de la disposición parece clara: la renuncia de la sociedad no puede impedir las iniciativas de los acreedores ya que normalmente no produce ningún beneficio para el patrimonio social; la eventual transacción, por el contrario, debería llevar a un resarcimiento al menos parcial por los daños causados. En este último caso, la única vía para los acreedores es demostrar que concurren los extremos para poder obtener la declaración de ineficacia de una transacción eventualmente celebrada en perjuicio suyo (los presupuestos del art. 2901).

Utilización práctica   Ha de observarse que en la práctica la acción de responsabilidad es raramente ejercitada directamente por parte de los acreedores sociales; de forma más frecuente, los órganos de los procedimientos concursales de quiebra, liquidación administrativa forzosa y administración extraordinaria actúan en interés de aquéllos (v. lo dispuesto por el art. 2394-*bis)*. En efecto, para el acreedor social es menos costoso obtener la apertura de un procedimiento concursal y compartir con los demás acreedores los gastos y beneficios de los resultados alcanzados por los órganos del procedimiento que sufragar personalmente los costes y riesgos de un litigio que, incluso en caso de victoria, puede no conducir a la consecución del resultado esperado, quizás a causa de la insuficiencia del patrimonio personal de los administradores.

99. LA RESPONSABILIDAD DE LOS ADMINISTRADORES FRENTE AL SOCIO O TERCEROS

No existe ninguna interferencia, en cambio, entre las acciones descritas y la acción que la ley atribuye a los socios individualmente y a los terceros frente a los administradores. En este caso el objeto de tutela no es el patrimonio social, sino el patrimonio personal del socio o del tercero. El supuesto es el del acto ilícito, doloso o culposo del administrador (que se encuadra en el marco de la responsabilidad extracontractual regulada de forma general en el art. 2043, del que el art. 2395, aquí examinado, constituye un especificación) que causa unos daños directos al patrimonio personal del socio o del tercero. El adverbio *directamente* significa que, en este caso, los daños causados al patrimonio social no asumen ningún relieve, pues, como hemos dicho, son objeto de tutela a través de las otras acciones examinadas, produciendo, como máximo, unos daños indirectos al patrimonio del socio, mediante la pérdida de valor de sus acciones.

El ejemplo normalmente utilizado para explicar este supuesto es el del administrador que, redactando un balance general falso (sobre los aspectos penales del caso v. los arts. 2621 y ss.) del que resulta una situación patrimonial mucho más próspera que la real, induce a alguien a adquirir las acciones de la sociedad a un precio elevado. Este comportamiento podría no causar ningún daño a la sociedad, pero ciertamente ha perjudicado al socio, que con una información correcta habría tomado otra decisión en relación con la adquisición y al precio de la misma. El administrador está llamado a responder de estos daños en los cinco años sucesivos a la comisión del acto ilícito en base en la norma examinada, que asume una función muy importante respecto de la tutela de los ahorradores en el ámbito de los mercados financieros.

El art. 2497 prevé un supuesto peculiar de responsabilidad de los administradores en favor de los socios externos y de los acreedores de las sociedades sujetas a dirección y coordinación, en las cuales los administradores, ya sea de la sociedad que dirige, ya de la sociedad dirigida, pueden quedar sometidos a responsabilidad solidaria por los daños en los casos de abuso de dirección y coordinación junto al sujeto que ejercita la actividad de dirección. Se reenvía para este aspecto a los §§142 y ss.

Responsabilidad por dirección y coordinación

100. EL DIRECTOR GENERAL

El art. 2396 se ocupa de forma fugaz de una figura de gran relevancia en el ámbito de la organización empresarial: el director general. Éste representa el vértice de la pirámide organizativa de la empresa y, normalmente, es un trabajador por cuenta ajena, el más elevado en grado, jerárquicamente subordinado tan sólo a los administradores, cuyas órdenes ejecuta. Se entiende que, si está dotado de poderes de representación, él es un factor en el ejercicio de la empresa o de una rama (v. los arts. 2203 y ss.). Su relevancia es tal y sus poderes son tan amplios que el legislador lo ha sometido en algunos casos a la misma responsabilidad que los administradores. Ello ocurre para los directores generales cuyo nombramiento está expresamente previsto en los estatutos o es efectuado por la junta. Este trato riguroso, que se ha equiparado al reservado al dirigente responsable de la redacción de los documentos contables societarios (v. §107), se justifica por el hecho de que en tales hipótesis el director general ascendería a la posición de órgano de la sociedad, no elegido exclusivamente por voluntad de los administradores sino, en alguna medida, impuesto por la voluntad de los socios. La ley precisa por otra parte que esta acción no obsta al ejercicio de las restantes y eventuales acciones que la sociedad puede ejercitar contra el director general en virtud de la relación de trabajo que a ella le liga.

101. EL ÓRGANO DE CONTROL. LAS VICISITUDES DE LA RELACIÓN ENTRE SOCIEDAD Y SÍNDICOS

Composición

El órgano de control en el sistema tradicional está constituido, como hemos dicho, por el colegio sindical. El colegio sindical, según el art. 2397, está compuesto por tres o cinco miembros efectivos (en las sociedades cotizadas, el art. 148 T.U.F. se limita a prever que su número no puede ser inferior a tres) además de dos síndicos suplentes (en las sociedades cotizadas, al menos dos). Estos últimos son nombrados con el único fin de sustituir eventualmente a los miembros efectivos en el curso del mandato, a fin de asegurar una completa constitución del colegio para desempeñar eficazmente las tareas que la ley le asigna.

Los síndicos pueden ser socios o no socios. El legislador ha considerado que la función de control puede ser útilmente desempeñada también por sujetos, como los socios, que tienen un interés directo en la buena marcha de la empresa social.

Requisitos

Vista la naturaleza de los controles que competen al colegio sindical (sobre los cuales v. §102), sus miembros deben tener los requisitos de profesionalidad indicados en la ley. En particular, dispone el art. 2397.2 que al menos un miembro y un suplente tienen que ser elegidos de entre los inscritos en el registro de auditores contables del Ministerio de Justicia, mientras los restantes miembros, si no están inscritos en tal registro, tienen que ser elegidos de entre los inscritos en los registros de profesionales del Ministerio (entre los cuales se hallan el de abogados y el de profesores mercantiles) o entre profesores universitarios de plantilla en materias económicas y jurídicas. Todos los miembros del colegio tendrán, en cambio, que estar inscritos en el registro de auditores contables en caso de que el órgano desempeñe también la función de control contable (art. 2409-*bis*, últ. inciso: v. §102 para los casos en que éste se permite).

Para poder desempeñar eficazmente sus funciones, los miembros del colegio sindical han de ser independientes respecto del órgano de gestión. A tal fin, el art. 2399 prevé que no pueden ser elegidos para el cargo de síndico, y si son elegidos han de cesar de oficio, el cónyuge, los parientes y afines dentro del cuarto grado de los administradores de la sociedad, los administradores de sociedades controladas, de la sociedad controlante y de aquéllas sometidas a control común (así como sus correspondientes cónyuges, parientes y afines); así como aquéllos que tienen, con todas las sociedades que pertenecen al mismo grupo, relaciones de trabajo, colaboración o cualquier relación de naturaleza patrimonial idónea para comprometer su independencia.

Independencia

Del mismo modo que para los administradores, son causas de inelegibilidad, la inhabilitación, la incapacitación, la quiebra y la condena a penas que comporten la inhabilitación para oficio público (v. la remisión realizada por el art. 2397 al art. 2382). Las causas de inelegibilidad, así como la falta de los requisitos subjetivos y la falta de independencia, determinan para los síndicos eventualmente elegidos el cese automático en el cargo.

Inelegibilidad y cese

Los estatutos pueden prever, asimismo, para garantizar la calidad de las prestaciones de los síndicos, un límite a la acumulación de los cargos en colegios sindicales de otras sociedades (art. 2399, últ. inciso). Tal norma ha sido introducida para permitir a las sociedades llevar a cabo una mejor selección de los síndicos y para impedir que los mismos profesionales ocupen cargos sindicales en decenas, e incluso centenares, de sociedades diversas, sin posibilidad material de desempeñar seriamente las propias funciones en algunas de ellas. Para las sociedades cotizadas se prevé un régimen más riguroso, en el que la Consob fija los límites a la acumulación de cargos (v. §107), con la consecuencia de que la superación de dichos límites conlleva el cese en el cargo.

Límites a la acumulación de cargos sindicales

Los primeros síndicos, como los primeros administradores, son nombrados en el acto constitutivo, mientras que los sucesivos nombramien-

Nombramiento

tos corresponden a la junta (a la cual corresponde también el nombramiento del presidente, art. 2400. 1; para el régimen de nombramiento del presidente del colegio sindical de una sociedad cotizada, v. §107), sin perjuicio de los derechos que corresponden a los instrumentos financieros a los que remite el último inciso del art. 2351, así como a las prerrogativas del Estado y de los demás entes públicos con base en los arts. 2449 y 2450. En el momento del nombramiento de los síndicos y antes de la aceptación del encargo, han de ser comunicados a la junta los cargos de administración y de control ocupados por los síndicos en otras sociedades (art. 2400.4), a fin de permitir una valoración consciente de las candidaturas de los síndicos.

Duración   Los síndicos han de permanecer en el cargo durante tres ejercicios y los estatutos no pueden modificar el plazo de duración. El vencimiento del trienio se hace coincidir por el art. 2400.1, con la fecha de la junta convocada para la aprobación del balance general relativo al tercer ejercicio del cargo: el cese de los síndicos en este caso tiene efecto tan sólo desde el momento en que el colegio ha sido reconstituido.

Revocación   Para proteger y garantizar la independencia de los síndicos y la eficacia de sus acciones, que puede ser esencial no sólo para los socios de la sociedad sino también para los terceros, la ley ha establecido que los síndicos sean revocados por la junta exclusivamente con justa causa y que el correspondiente acuerdo sea aprobado por decisión judicial oído el interesado (v. art. 2400. 2).

Sustitución   El art. 2401 dicta las reglas para la sustitución de los síndicos en el curso del trienio por causa de muerte, renuncia o cese, previendo los mecanismos de entrada en el colegio de los suplentes, quienes estarán en funciones hasta la sucesiva junta, que procederá a su confirmación o al nombramiento de nuevos miembros para completar el colegio. Éstos cesarán en su cargo junto a los demás miembros del colegio. Si con los suplentes no es posible completar la composición del colegio, deberá convocarse la junta.

Retribución   La retribución anual de los síndicos, si no está establecida en los estatutos, tiene que ser determinada por la junta para el período completo de duración del cargo (art. 2402). También esta norma es funcional a la protección de la independencia del colegio sindical, que no debe estar condicionado por incrementos o disminuciones de la propia retribución. La fijación del montante al inicio del mandato permite a los síndicos valorar serenamente si aceptan el cargo para desarrollar seguidamente con objetividad sus funciones.

102. DEBERES, PODERES Y OBLIGACIONES DEL COLEGIO SINDICAL

El carácter central del art. 2403, que determina los deberes del colegio sindical, ha sido puesto de manifiesto en el §91, donde se ha discutido el contenido de los deberes que corresponden al órgano de control (vigilancia del cumplimiento de la ley, de los estatutos y de las normas de autorregulación a las que la sociedad se haya adherido, del respeto a los principios de diligente administración y, en particular, sobre la adecuación del entramado organizativo, administrativo y de contabilidad adoptado por la sociedad para su concreto funcionamiento, así como la promoción de la acción social de responsabilidad) y no es necesario repetirlo. Sin embargo, hay que resaltar la función complementaria con respecto a los actos de los administradores, cuyo proceder es objeto de vigilancia y control a fin de asegurar, por una parte, la legalidad y la conformidad con los parámetros de diligente administración (a cuya definición el colegio sindical contribuye en relación a la concreta realidad empresarial) y a fin de verificar, por otra parte, la adecuación de las opciones organizativas, estructurales y operativas efectuadas.

Deberes

El colegio sindical, a diferencia de los órganos de control previstos en los sistemas alternativos, puede desempeñar también la función de control contable (v. art. 2403. 2). Ello puede ocurrir por disposición estatutaria en las sociedades «cerradas» que no están obligadas a la redacción del balance general consolidado (art. 2409-*bis*. 3). Se trata de las sociedades por acciones de estructura más simple desde el punto de vista del entramado de socios y desde el punto de vista de la organización empresarial en cuanto que no tienen sociedades controladas (sobre los presupuestos de la consolidación v. §42).

Control contable

A fin de permitir a los síndicos cumplir con sus deberes, la ley atribuye al colegio sindical y a sus miembros poderes colegiales e individuales. Los síndicos pueden proceder, según el art. 2403-*bis,* incluso individualmente, a actos de inspección y control. Tienen acceso a cualquier información

Poderes

concerniente a la gestión de la sociedad, ya sea de naturaleza contable, administrativa, organizativa o estratégica. La función que los síndicos deben desempeñar impone que no puedan existir restricciones a su derecho de información.

Derecho de información

Para asegurar que el colegio sindical sea siempre tempestivamente informado de la evolución de la gestión social, el art. 2405 prevé que el síndico participe en las reuniones de la junta, del consejo de administración y del comité ejecutivo, y además, el art. 2403-*bis*. 2, dispone que el colegio sindical pueda solicitar a los administradores, tanto en el curso de las reuniones como fuera de ellas, información sobre el curso de las operaciones sociales o sobre determinados negocios respecto de la sociedad o de las sociedades controladas. Se trata de un derecho de información de amplio alcance que el colegio sindical puede ejercer, ya sea de través de propias iniciativas de verificación (inspección y controles), ya sea mediante la colaboración de los administradores.

Derecho de información sobre las sociedades del grupo

El derecho de información de los síndicos concierne no sólo a la sociedad en la que ocupan su cargo sino también a las sociedades controladas por ésta (art. 2403-*bis*. 2; v. §§141 y ss.)

La disposición requiere algunas consideraciones. Ante todo, se ha de subrayar la exigencia de que en presencia de relaciones de control, el conocimiento del colegio sindical no se limite a la actividad de la sociedad, sino que se extienda también a las sociedades controladas por ésta, cuyos resultados se reflejan, tarde o temprano, en la sociedad controlante. En segundo lugar, ha de señalarse cómo, en función de esta exigencia primaria, se establece un límite a la obligación de discreción que normalmente pesa sobre los síndicos (v. art. 2407.1) respecto de los hechos referentes a la vida de la sociedad. En efecto, la previsión de un intercambio de información entre órganos de control presupone su salida del ámbito propio de la sociedad. En fin, hemos de señalar que la referencia normativa al «intercambio» de información entre órganos de control hace suponer un flujo bidireccional, de lo que se deduce que no sólo los síndicos de la controlante podrán obtener información sobre las controladas sino que también los órganos de control de estas últimas podrán obtener información relativa a la sociedad controlante. La disposición es significativa porque advierte de la relevancia que la marcha de la sociedad controlante puede tener sobre las sociedades controladas.

La experiencia demuestra que las crisis de la controlante van seguidas, en la mayor parte de las ocasiones, de las de las sociedades controladas. Esta forma de coordinación entre los órganos de control de las sociedades pertenecientes al mismo grupo, combinada con el control contable sobre las cuentas consolidadas, ayuda a prevenir, o, en cualquier caso, a atenuar situaciones de crisis destinadas a propagarse a la empresa considerada en su conjunto.

Se prevé, en fin, para completar el sistema de flujos informativos, que el colegio sindical y los sujetos encargados del control contable (sobre el cual v. §108), se intercambien las informaciones adquiridas (art. 2409-*septies*).

A fin de que las acciones del síndico sean tempestivas y eficaces, la ley dispone que, en el ejercicio de sus poderes, los síndicos pueden valerse, bajo su propia responsabilidad y a su propio cargo, de dependientes y auxiliares que no se hallen en condiciones de inelegibilidad para el cargo de síndico y, por tanto, sujetos que, además de disfrutar de capacidad plena, deben ser independientes respecto del órgano de gestión de la sociedad (art. 2403-*bis*. 4). A fin de tutelar el interés de la sociedad a la protección y salvaguarda de los propios secretos empresariales, los administradores pueden rechazar el acceso de los dependientes y auxiliares de los síndicos a las informaciones reservadas; rechazo que, como se ha dicho, no puede oponerse al síndico personalmente.

Dependientes y auxiliares del síndico

Todas las actividades de comprobación llevadas a cabo por el colegio sindical y sus miembros individualmente han de ser llevadas a los libros de las reuniones y de acuerdos del colegio sindical (art. 2403-*bis*. 3).

Prescindiendo de las comprobaciones individuales que pueden ser llevadas a cabo por cada síndico de acuerdo a la modalidad oportuna, el colegio sindical tiene que reunirse al menos cada noventa días, incluso a través de medios de telecomunicación si los estatutos lo permiten, debiendo prever, en ese caso, las correspondientes modalidades (art. 2404.1). A fin de que el colegio sindical pueda adoptar acuerdos, es necesaria la presencia de la mayoría de sus miembros, adoptándose el acuerdo por mayoría absoluta de los presentes. El síndico disidente tiene el derecho de hacer constar la propia discrepancia y sus motivos. De la reunión se levantará un acta, suscrita por todos los asistentes, que se transcribirá en el libro de las reuniones y acuerdos del colegio sindical (art. 2404.3 y 4).

Reuniones del colegio sindical

Obligación de
participar en
las reuniones
de los órganos
sociales

Como hemos anticipado, para desempeñar las propias tareas de forma adecuada y, por tanto, en primer lugar, obtener todas las informaciones que permiten cumplir con el deber de vigilancia impuesto por la ley, los síndicos tienen la obligación no sólo de participar en las reuniones del colegio sindical sino también de participar en las reuniones de la junta, del consejo de administración y del comité ejecutivo (art. 2405). La sanción en caso de incumplimiento es muy grave, estando previsto el cese del síndico que en el curso de un ejercicio no participe sin motivo justificado en dos reuniones, incluso no consecutivas, del colegio sindical (art. 2404.2), o en dos reuniones consecutivas del consejo de administración o del comité ejecutivo o en una reunión de la junta (art. 2405).

Facultad de
convocar la
junta

El colegio sindical, con la excepción del supuesto de la falta total del órgano de administración (art. 2386, últ. inciso), no está dotado de ningún poder de gestión. Sus facultades de intervención directa van dirigidas a la restauración de la legalidad, a que se respeten los estatutos y se observe la diligente administración. A este fin, el poder más significativo conferido al colegio sindical con respecto del funcionamiento de la organización es el de convocatoria de la junta en caso de que ésta sea obligatoria y los administradores no hayan procedido a la misma (art. 2406. 1).

Más allá de la violación de la obligación de convocatoria por parte de los administradores, el colegio sindical podrá convocar la junta sólo en caso de que perciba, en el cumplimiento de su cargo, *(i)* hechos censurables de notable gravedad y *(ii)* exista urgente necesidad de convocarla. El colegio sindical tiene que dar comunicación al presidente del consejo de la intención de convocar la junta (art. 2406. 2). En esta situación, el colegio sindical debe convocar la junta para otorgar a los socios una adecuada información y para invitarles a adoptar los oportunos acuerdos que permitan eliminar las irregularidades percibidas.

Intervención a
petición de la
minoría

El colegio sindical debe, asimismo, intervenir en presencia de denuncia de hechos censurables por parte de los socios, realizando las oportunas investigaciones y dando cuenta de ello en el informe anual a la junta (art. 2408.1). En el caso en que la denuncia proceda de uno o más socios que representen al menos la vigésima parte del capital social (la quincuagésima en las sociedades «abiertas», pudiendo prever los estatutos, en ambos casos, un porcentaje inferior) el colegio sindical debe indagar inmediatamente y presentar sus conclusiones y eventuales propuestas a la junta. Si las irregularidades constatadas son de gravedad notable y existe una urgente necesidad de actuar, el colegio sindical deberá proceder, con base en el art. 2406.2, a la convocatoria de la junta.

Con respecto a las sociedades cotizadas, el legislador ha dictado algunas reglas particulares, además de las relativas al nombramiento del colegio sindical y de su presidente, también con referencia a los poderes, a los deberes y a las obligaciones del órgano de control. Éstas serán objeto de específico estudio en el §107.

Reglas especiales de las sociedades cotizadas: remisión

103. LA RESPONSABILIDAD DE LOS SÍNDICOS

Los síndicos deben cumplir sus deberes con la profesionalidad y la diligencia requeridas por la naturaleza del acto (así el art. 2407.1). Cuanto más delicado y complejo sea el acto mayor deberá ser la diligencia empleada por el síndico para realizarlo. A ello debe añadirse la remisión a la profesionalidad, característica que es propia de las obligaciones por parte de todos aquéllos inscritos en registros profesionales. El acreedor de la prestación, en este caso la sociedad, precisamente en virtud del hecho de que el sujeto que debe realizar la prestación reúne ciertas características establecidas por la ley (la inscripción en el registro), tiene derecho a recibir una prestación que reúna todas las características de profesionalidad que pueden esperarse de aquel tipo de profesional.

La diligencia debida

Los síndicos son responsables, de un lado, de la veracidad de sus atestados (esta responsabilidad tiene relevancia penal: arts. 2621 y ss.), del otro, del secreto sobre los hechos y sobre los documentos de los que tienen conocimiento en razón de su cargo (art. 2407. 1). El primer aspecto abarca la actuación completa del colegio sindical, que está obligado a documentar la actividad de verificación efectuada y sus resultados, y asume gran relevancia práctica especialmente cuando la sociedad es sometida a un procedimiento concursal. El segundo aspecto consagra, en cambio, la obligación de discreción a la que están sometidos los síndicos, sin excepciones que no vayan ligadas al interés mismo de la sociedad (a este propósito véase a título de ejemplo los §§102 y 109).

Responsabilidad de los síndicos

Los síndicos son asimismo responsables solidariamente con los administradores por los hechos y las omisiones de éstos cuando los daños no se

Responsabilidad solidaria con los administradores

habrían producido si aquéllos hubiesen vigilado de conformidad con las obligaciones impuestas por su cargo (art. 2407. 2). Normalmente, éste es el aspecto de aplicación práctica más notable de la acción de responsabilidad. Desde esta peculiar composición de los deberes de los síndicos, el análisis deberá ser dirigido, con particular atención, hacia el tema de la suficiencia de los sistemas organizativos, sobre los que debe concentrarse una parte muy importante de la actividad del colegio sindical.

En conclusión, la norma sanciona con una específica responsabilidad cada una de las funciones del colegio sindical y, como ha sido subrayado al inicio de esta sección, constituye el punto de cierre del sistema del gobierno societario. La eficiencia del sistema se apoya, asimismo, sobre la eficacia de los instrumentos sancionadores (que, como se ha visto, incluyen la sanción penal), que constituyen un incentivo esencial a fin de que los sujetos encargados de las diversas funciones las desempeñen con el debido nivel de atención y conocimiento.

Las acciones de responsabilidad

Los síndicos son responsables frente a los mismos sujetos que los administradores y pueden sufrir las mismas acciones (art. 2407.3).

104. EL SISTEMA DUALISTA: ÓRGANO DE GESTIÓN

Características del sistema dualista

En el sistema dualista, como en el sistema tradicional, los órganos a los que se atribuye la gestión y el control de la sociedad son distintos (art. 2409-*octies),* pero, a diferencia de aquél, en el que ambos son nombrados por la junta, el órgano de control (consejo de vigilancia), nombrado por la junta, nombra a su vez al órgano de gestión (consejo de gestión). Además, al consejo de vigilancia se le atribuyen funciones y competencias que en el sistema tradicional pertenecen a la junta.

El informe que acompaña a la normativa aclara que ésta se inspira, además de en los ordenamientos alemán y francés, en el reglamento de la Comunidad Europea, de 8 octubre de 2001, que instituye la Sociedad europea (v. §§10 y 115 y ss.). Según la *Relazione,* el sistema dualista es, desplazando algunas competencias de la junta de socios al órgano de vigilancia, el que mejor realiza la separación entre propiedad (los socios) y control (los gestores) de la sociedad.

Como el consejo de administración en el sistema tradicional, el consejo de gestión tiene el poder exclusivo de administrar la sociedad, pudiendo llevar a cabo todos los actos necesarios para la consecución del objeto social (art. 2409-*novies).*

Poder de gestión

Su funcionamiento se regula en gran medida por remisión a las normas sobre el consejo de administración, como, por ejemplo, en sede de presidencia y delegación de facultades (mediante la remisión del art. 2381), de causas de inelegibilidad y cese (art. 2382), de publicidad del nombramiento y efectos de la invalidez del nombramiento en las relaciones con terceros (art. 2383. 4 y 5), de poderes de representación (art. 2384), de cesación en el cargo (art. 2385), de los requisitos estatutarios de honorabilidad, profesionalidad e independencia (art. 2387), de prohibición de competencia (art. 2390), de responsabilidad (art. 2392 y ss.), a todos ellos se remite, en cuanto sean compatibles, el art. 2409-*undecies,* que prevé también la aplicación de las normas en sede de invalidez de los acuerdos y de intereses de los administradores (art. 2388 y 2391), precisando que la legitimación para impugnar corresponde también al consejo de vigilancia.

Remisiones

Toda las peculiaridades del consejo de gestión con respecto del consejo de administración se concentran en dos normas: el art. 2409-*novies* y 2409-*decies.*

Peculiaridades

El consejo de gestión se constituye por un número de miembros, incluso no socios, no inferior a dos (art. 2409-*novies.* 2). El método colegial resulta inderogable: la norma no prevé la posibilidad de que la administración sea confiada a un administrador único.

Inderogabilidad del método colegial

Salvo los primeros miembros, nombrados por el acto constitutivo, y los puestos reservados a los portadores de los instrumentos financieros, en base al art. 2351, y al Estado y a los demás entes públicos con base en el art. 2449, el nombramiento de los miembros del consejo de gestión corresponde al consejo de vigilancia, que determina también su número dentro de los límites establecidos por los estatutos (art. 2409-*novies.* 3). Ésta es la característica principal del modelo examinado. Es el único supuesto dentro de la normativa sobre sociedades por acciones en que la elección de los gestores no corresponde a la junta de socios sino que se somete a un órgano nombrado por ésta. Al consejo de vigilancia le corresponderá también la facultad de revocación de los miembros del consejo de gestión. La revocación podrá ser realizada en cualquier mo-

Nombramiento, revocación y sustitución

mento, sin perjuicio del derecho al resarcimiento de los daños en favor del consejero revocado en caso de que no exista justa causa (art. 2409-*novies.* 5). También el poder de sustitución se atribuye en exclusiva al consejo de vigilancia, no estando prevista la posibilidad de que el consejo de gestión pueda proceder a la cooptación de los miembros sustituidos (art. 2409-*novies.* 6).

Incompatibilidades Los miembros del consejo de gestión no pueden ser miembros simultáneamente del consejo de vigilancia (art. *2409-novies.* 4). Por tanto, el consejo de gestión no se configura como un comité del consejo de vigilancia sino como órgano separado, sometido a los controles de éste.

Acciones
sociales de
responsabilidad La acción social de responsabilidad puede ser promovida, además de por la junta y por los socios de minoría (con base en los arts. 2393 y 2393-*bis,* a los que remite el art. 2409-*decies),* por el consejo de vigilancia, que adoptará el correspondiente acuerdo por mayoría de sus miembros (no por mayoría de presentes). En el caso de que el acuerdo sea adoptado con el voto favorable de los dos tercios de los miembros, se produce automáticamente la revocación de los consejeros de gestión frente a quienes se haya promovido la acción y el consejo de vigilancia procederá, inmediatamente, a la sustitución de los miembros revocados (art. 2409-*decies.* 2). La atribución al consejo de vigilancia de la facultad de promover la acción social de responsabilidad frente al consejo de gestión representa un elemento tipificador del modelo dualista. Éste constituye un eficaz incentivo para que el consejo de vigilancia lleve a cabo la propia actividad de control en modo intenso y diligente, ya que no se excluye que la falta de revocación *y/o* la falta o retraso en la promoción de la acción de responsabilidad respecto de los consejeros de gestión se revele fuente de responsabilidad para los miembros del consejo de vigilancia.

El consejo de vigilancia puede transigir y renunciar a la acción. En ambos casos debe adoptar un acuerdo al respecto aprobado por mayoría absoluta del consejo de vigilancia sin que exista oposición de un porcentaje de socios igual al previsto en el art. 2393 (art. 2409-*decies.* 4). La renuncia a la acción acordada por el consejo de vigilancia no afecta en algún modo a la acción social aprobada por los socios de minoría con base en el art. 2393-*bis,* así como tampoco a la acción de los acreedores sociales (art. 2409-*decies,* últ. inciso). De igual modo, no debe haber interferencias entre ésta y la acción social aprobada por acuerdo de la junta. Es dudoso, en cambio, si la renuncia por parte de la junta impide la promoción de la acción social de responsabilidad por parte del consejo de vigilancia con referencia a los mismos hechos. A favor de la solución positiva parece inclinarse la consideración de que la voluntad de los socios tiene que prevalecer; por el contrario, el régimen de responsabilidad a que queda sujeto el consejo de vigilancia hace pensar en la solución negativa.

Por cuanto concierne a la transacción se aplica el art. 2394 en referencia a las relaciones con la acción de los acreedores sociales, mientras que existen dudas respecto de los efectos de la transacción sobre la acción aprobada por acuerdo de la junta. Con la transacción los daños son resarcidos y los administradores no pueden ser obligados a resarcirlos dos veces. Si se considera que la transacción autorizada por el consejo de vigilancia vincula a la sociedad y que si la transacción ha sido concluida significa que no ha existido oposición de los socios, tal y como dispone el art. 2409-*decies,* ha de deducirse que la acción social ya no podrá ser promovida por la junta, la cual, en el caso en que el acto haya sido concluido en condiciones gravosas para la sociedad, podrá, en su caso, promover la acción de responsabilidad respecto de los miembros del consejo de vigilancia. La regulación no resuelve algunas dudas, ya que para la oposición de los socios a la transacción no se prevé plazo alguno; probablemente, la ejecución con buena fe de los deberes de los consejeros de vigilancia implica otorgar a los socios la información antes de la conclusión de la transacción, a fin de que éstos puedan ejercer el derecho de oposición que les corresponde.

105. EL ÓRGANO DE CONTROL

La regulación del consejo de vigilancia, como parece lógico a la luz de su naturaleza de órgano de control interno llamado, sin embargo, al nombramiento del órgano de gestión, está en parte inspirada en la del consejo de administración en el sistema tradicional y en parte en la del colegio sindical (v. el art. 2409-*quaterdecies,* que contiene específicas remisiones a la regulación de uno y otro órgano). Debe tratarse de un órgano colegiado compuesto por no menos de tres miembros, incluso no socios, que son nombrados por la junta (a salvo las usuales reservas

Composición y funcionamiento

de competencia a favor del Estado o de los portadores de instrumentos financieros de participación), y que están en funciones durante tres ejercicios, siendo reelegibles (v. art. 2409-*duodecies*. 1, 2, 3 y 5). Los socios que sean miembros del consejo de gestión no pueden votar (art. 2373. 2). Respecto de los modelos extranjeros en que el legislador italiano se ha inspirado, no existe ninguna previsión que permita el acceso al consejo de vigilancia de representantes de los trabajadores (antes bien, la condición de trabajador de la sociedad determina la inelegibilidad por falta del requisito de independencia, como se dirá en breve), y tampoco se impone mecanismo alguno de tutela de las minorías, como podría ser oportuno. En atención a este último aspecto, la tutela deberá conseguirse, en su caso, mediante la introducción de cláusulas estatutarias que aseguren la representatividad de los diversos integrantes de la realidad societaria (v. para las sociedades cotizadas el §107).

Requisitos de honorabilidad, profesionalidad e independencia La asunción del cargo puede ser subordinada por los estatutos a la posesión de especiales requisitos de honorabilidad, profesionalidad e independencia y, al menos uno de sus miembros debe ser elegido de entre los inscritos en el registro de auditores contables instituido en el Ministerio de justicia (art. 2409-*duodecies*, 4 y 6). Las causas de inelegibilidad y cese son enunciadas por la ley a través de la remisión a las previstas para los consejeros de administración en el sistema tradicional (v. el art. 2382), con el añadido de dos elementos indispensables de independencia: no ser miembro del consejo de gestión, no tener relación de trabajo, o de asesoría continuada o de prestación de obra retribuida, con la sociedad, con sociedades controladas o con sociedades sujetas a control común, pues son idóneas para comprometer su independencia (art. 2409-*duodecies*. 10). Los estatutos pueden prever otras causas de inelegibilidad y cese, así como fijar causas de incompatibilidad o límites a la asunción de otros cargos para garantizar una dedicación suficiente, incluso en términos cuantitativos, por parte del consejero de vigilancia (art. 2409-*duodecies*, últ. inciso).

Como el miembro del consejo de administración, a diferencia del miembro del colegio sindical en el sistema tradicional, el consejero de vigilancia puede ser revocado por la junta en cualquier momento, quedando a salvo su derecho al resarcimiento de los daños en caso de que la revocación no esté fundada en una justa causa. Es importante subrayar, sin embargo, que a fin de asegurar una mayor estabilidad e independencia del consejo de vigilancia, la revocación debe ser acordada con el voto favorable de al menos la quinta parte del capital social (art. 2409-*duodecies*. 5). Tampoco en este caso corresponde a los socios miembros del consejo el derecho de voto.

En el consejo de vigilancia no se han previsto mecanismos de cooptación, pero, en caso de necesidad, los miembros serán sustituidos mediante acuerdo de la junta, de inmediata adopción (art. 2409-*duodecies*. 7).

Las competencias del consejo de vigilancia están articuladas de forma que le son atribuidas tareas que, como hemos dicho, en el sistema tradicional corresponden al consejo de administración, al colegio sindical y a la junta de socios.

Competencias

La primera y característica competencia del consejo de vigilancia se individualiza por el art. 2409-*terdecies* en el nombramiento, revocación y fijación de la retribución de los miembros del consejo de gestión. La norma deja la posibilidad de que los estatutos reserven a la junta el poder de fijarla (pero no el de nombramiento y revocación, que corresponden al consejo de vigilancia como nota característica del modelo).

Nombramiento y revocación de los gestores

El consejo de vigilancia controla la gestión de la sociedad desempeñando las mismas funciones que el colegio sindical por remisión explícita al art. 2403. 1, y ha de dar cuenta por escrito a la junta al menos una vez al año sobre la actividad de vigilancia desarrollada, así como sobre las omisiones y sobre los hechos censurables observados. En el ámbito de la función de control se inserta el poder de denunciar ante los tribunales la comisión de graves irregularidades por parte del consejo de gestión, promoviendo el procedimiento previsto en el art. 2409. Ha de señalarse que tal poder no parece tener una particular relevancia en el ámbito del sistema dualista, si se considera que el consejo de vigilancia tiene el poder de revocar a los miembros del consejo de gestión y de promover contra ellos la acción social de responsabilidad (art. 2409-*terdecies*.1. d).

El consejo de vigilancia está investido del poder de aprobar el balance general de ejercicio y, en su caso, también el balance general consolidado (art. 2409-*terdecies*,1. *b)*. Éste es un aspecto muy tipificador del modelo. Se prevé, sin embargo, que los estatutos puedan disponer que, en caso de falta de aprobación del balance general por parte del consejo de vigilancia o en caso de que lo solicite al menos un tercio de los miembros del consejo

Aprobación del balance

de gestión o del consejo de vigilancia, la competencia para la aprobación del balance general de ejercicio sea atribuida a la junta (art. 2409-*terdecies*. 2). Los socios (además de los consejeros de vigilancia ausentes o disidentes, por remisión del art. 2388,) tienen en todo caso el derecho de impugnar el acuerdo del consejo de vigilancia que ha aprobado el balance general según el art. 2377 (v. §87).

El art. 2409-*terdecies*, 1.*f-bis,* dispone que, cuando lo prevean los estatutos, el consejo de vigilancia adoptará acuerdos en relación a las operaciones estratégicas y a los planes industriales y financieros de la sociedad sometidos por el consejo de gestión. La norma precisa que queda a salvo, en todo caso, la responsabilidad del consejo de gestión por los actos realizados de forma análoga a cuanto ocurre en el sistema tradicional con respecto de los acuerdos de la junta relativos a la realización de actos de gestión del art. 2364. 1, 5º. La disposición no determina, por tanto, la interferencia del consejo de vigilancia en la gestión de la sociedad, que permanece según el art. 2409-*novies* como prerrogativa exclusiva del consejo de gestión, pero constituye un importante instrumento para reforzar el poder de supervisión del consejo de vigilancia.

Para las sociedades no cotizadas (y, por tanto, todas las sociedades cerradas y las sociedades con accionariado difuso), la normativa no realiza ninguna remisión a los poderes de inspección y control que corresponden, según el art. 2403-*bis,* 4 y 5, a los síndicos en el sistema tradicional. Por tanto, la actividad de control del consejo de vigilancia queda privada de un poder relevante y deberá fundarse exclusivamente en la facultad de solicitar al consejo de gestión información sobre el curso de las operaciones sociales o en el intercambio de información con los correspondientes órganos de las sociedades controladas en virtud de la remisión contenida en el art. 2409-*quaterdecies* al art. 2403-*bis,* 2 y 3 (para las sociedades cotizadas v. §107).

Diligencia y
responsabilidad

La diligencia debida por los miembros del consejo de vigilancia es asimilable a aquélla a la que vienen obligados los consejeros de administración en el sistema tradicional. El art. 2409-*terdecies*. 3, prevé la responsabilidad solidaria de los miembros del consejo de vigilancia junto con los miembros del consejo de gestión respecto de los daños causados por los actos (u omisiones) de gestión que no se habrían producido si el consejo de vigilancia hubiese vigilado de conformidad con las propias obligaciones. Una vez más, naturalmente, los socios que sean también miembros del consejo de gestión no pueden votar en la junta que decide sobre la acción de responsabilidad respecto de los consejeros de vigilancia (art. 2373. 2).

Teniendo en cuenta la amplitud de los poderes que caracteriza al consejo de vigilancia (baste pensar que se le atribuyen las mismas funciones que corresponden al colegio sindical en el sistema tradicional y, al mismo tiempo, la de nombrar y revocar a los gestores y la de aprobar el balance general), puede imaginarse que la diligencia debida y la consiguiente responsabilidad en caso de incumplimiento serán aplicables por la jurisprudencia de forma muy rigurosa. En particular, la facultad de elegir a los gestores, combinada con la facultad de revocar y promover frente a éstos la acción de responsabilidad, impone al consejo de vigilancia la máxima atención, pues el retraso en la intervención o el rigor insuficiente en la vigilancia pueden resultar muy costosos en términos de responsabilidad.

Debe señalarse, en fin, que para poder desempeñar eficazmente los propios deberes, el consejo de vigilancia está legitimado para asistir a las reuniones del consejo de gestión y está obligado a asistir a las reuniones de la junta (art. 2409-*terdecies,* últ. inciso). En las sociedades cotizadas, la legitimación para asistir a las reuniones del consejo de gestión se transforma en una verdadera obligación que recae, al menos, sobre un miembro del consejo de vigilancia según el art. 149. *4-bis,* T.U.F.

106. EL SISTEMA MONISTA

El tercer sistema de administración y control dispuesto por la ley es el **Estructura** sistema monista, caracterizado por el hecho de que la sociedad no tiene un órgano de control separado del órgano de gestión, sino constituido en su interior. El art. 2409-*sexiesdecies* dispone, en efecto, que si los estatutos lo prevén, la administración y el control serán ejercitados respectivamente por el consejo de administración y por un comité constituido en su seno (el comité para el control sobre la gestión). La *Relazione* precisa que este sistema «articula un modelo de *governance* simplificado y más flexible con respecto a los demás modelos alternativos. Éste tiende a privilegiar la circulación de las informaciones entre el órgano de administración y el órgano de control, consiguiendo un ahorro de tiempo y de costes y una elevada transparencia entre los órganos de administración y de control».

El consejo de administración, a quien corresponde la competencia exclusiva sobre la gestión de la empresa, viene regulado, a causa de las remisiones realizadas por el art. 2409-*noviesdecies,* por las normas relativas al consejo en el sistema tradicional, en cuanto sean compatibles, siempre a salvo de las peculiaridades dirigidas a asegurar la eficacia de los controles internos en ausencia de un órgano separado del consejo mismo.

Órgano colegial La primera de estas peculiaridades es que no resulta posible crear un órgano de gestión unipersonal: a fin de hacer posible el ejercicio de las funciones de control dentro del órgano de gestión es indispensable que éste sea un órgano pluripersonal y colegiado.

Administradores independientes En segundo lugar, al menos un tercio de los miembros del consejo de administración debe estar en posesión de los requisitos de independencia establecidos para los síndicos en el art. 2399. 1, con la posibilidad de que tales requisitos sean ulteriormente reforzados por previsión estatutaria mediante la remisión a códigos de comportamiento redactados por las asociaciones correspondientes o por sociedades de gestión de mercados regulados (art. 2409-*septiesdecies.* 2). Los administradores independientes (de entre los cuales se eligen los miembros del comité para el control sobre la gestión, pero que no coinciden con aquéllos) constituyen, en el ámbito de la función gestora del consejo de administración, un elemento de ponderación respecto de la voluntad de la mayoría de los consejeros, quienes, no siendo independientes, están normalmente muy próximos a los socios mayoritarios.

Comité para el control sobre la gestión El consejo de administración nombra en su interior un comité para el control sobre la gestión, compuesto por un mínimo de dos miembros (tres para las sociedades «abiertas»: art. 2409-*octiesdecies.* 1). Pueden formar parte del comité los administradores que *(i)* sean independientes, *(ii)* reúnan los requisitos de honorabilidad y profesionalidad establecidos en los estatutos, *(iii)* no ocupen cargos operativos dentro de la sociedad (no sean miembros del comité ejecutivo, no tengan delegación de funciones, no desempeñen, ni de hecho, funciones referentes a la gestión de la empresa o de sociedades que la controlan o que son por ésta controladas). Asimismo, al menos uno de los miembros del comité debe estar inscrito en el registro de auditores contables, a fin de constituir un elemento útil de coordinación con el auditor contable externo (art. 2409-*octiesdecies.* 2 y 3).

El comité para el control tiene que: *(a)* elegir al presidente; *(b)* vigilar Funciones
sobre la suficiencia de la estructura organizadora de la sociedad, del sistema
de control interno y del sistema administrativo y contable, así como sobre
su idoneidad para dar cuenta correctamente de los actos de gestión; *(c)* desempeñar las ulteriores tareas que les sean eventualmente confiadas por el
consejo de administración con especial atención respecto de las relaciones
con los sujetos encargados de la revisión contable (art. 2409-*octiesdecies*. 5).
En punto a los deberes del colegio sindical, señalados por el art. 2403, se
omite el deber de vigilar sobre el respeto a la ley y a los estatutos y el deber
de vigilar sobre el respeto a los principios de diligente administración. Dos
diferencias importantes: a pesar de ello, la *Relazione* afirma que «los deberes y facultades del comité coinciden con los del colegio sindical, y pueden
ser completados por códigos de comportamiento». Se deduce de ello que
el legislador, en el ámbito del sistema monista, ha considerado superfluo
atribuir al comité de control deberes de vigilancia (como aquéllos relativos
al respeto a la ley y a los principios de diligente administración) que los
miembros tienen que desempeñar en todo caso por su condición de administradores. Se trataría probablemente de una duplicidad inútil que habría
suscitado la duda de si los otros administradores no estarían sometidos.

Cuestión distinta es la relativa a la eficacia de los controles en el sistema
monista que el legislador ha considerado, sin embargo, completamente
equivalente a la asegurada por los demás modelos: la *Relazione* afirma en
efecto que «la circunstancia de que la vigilancia sobre la administración sea
desempeñada por un comité formado dentro del consejo de administración en lugar de por el colegio sindical no determina un menor rigor de la
actividad de control».

A fin de asegurar que la composición del comité para el control respete Sustitución
siempre la previsión normativa, se establecen reglas particulares para los
supuestos en que sea necesaria la sustitución de sus miembros. El consejo
debe, en primer lugar, elegir de entre los miembros que están en posesión
de los requisitos impuestos por la ley y los estatutos, en segundo lugar, si
esto no es posible, tiene que proceder a la cooptación de un nuevo consejero dotado de los requisitos necesarios (art. 2409-*octiesdecies*. 4). La *ratio*
de la norma hay que buscarla en la necesidad de que los sujetos encargados
del control de la gestión sean elegidos, dentro de lo posible, de entre los
administradores nombrados por la junta de socios.

Normas
aplicables
El comité para el control viene regulado para algunos aspectos por las normas sobre el colegio sindical (v. las remisiones realizadas por el art. 2409-*noviesdecies.* 2). El comité debe, en efecto, reunirse cada noventa días: puede reunirse regularmente si están presentes la mayoría de sus miembros y adopta los acuerdos por mayoría de los presentes. Debe, asimismo, participar en las reuniones del comité ejecutivo. A diferencia de lo establecido para el colegio sindical, no se han previsto ceses en el cargo por la falta injustificada de participación en las reuniones de los órganos sociales, que será tan sólo un indicio de escasa diligencia y eventual fuente de responsabilidad.

Se realiza, en fin, una remisión al art. 2408 en materia de denuncia de hechos censurables al órgano de control. El comité de control tendrá por tanto todas las obligaciones que pesan sobre el colegio sindical en caso de denuncia por parte de los socios.

107. ADMINISTRACIÓN Y CONTROLES INTERNOS EN LAS SOCIEDADES COTIZADAS

Como hemos apuntado, el art. 2325-*bis.* 2, dispone que las normas del código sobre la sociedad por acciones se aplican a las sociedad con acciones cotizadas en todo lo que el Código u otras leyes especiales no dispongan expresamente lo contrario (v. §49). Entre las leyes especiales asume especial relevancia el T.U.F., que dicta una regulación específica para las sociedades cotizadas en materia de administración y controles internos (arts. 147-*ter* y ss. T.U.F.).

Aplicabilidad
de los sistemas
alternativos
El T.U.F. permite expresamente también a las sociedades cotizadas optar por uno de los sistemas de administración y control descritos en los párrafos precedentes, pero dicta reglas especiales dirigidas a: *(i)* permitir también a las minorías accionariales elegir uno o más miembros de los diversos órganos, atenuando con ello la operatividad del principio mayoritario; *(ii)* elevar los requisitos de profesionalidad, honorabilidad e independencia de los cargos societarios; *(iii)* reforzar poderes, deberes y obligaciones de los órganos de control y de los miembros de tales órganos.

La
representación
de las minorías
en el consejo de
administración
El nuevo art. 147-*ter.* 1 y 3 T.U.F., requiere que los estatutos de las sociedades cotizadas prevean sistemas de elección de los miembros del consejo de administración (pero no del de gestión del sistema dualista) funda-

dos sobre el «voto de lista» (v. §81), para asegurar la posibilidad de que al menos un consejero de administración pueda ser expresión de la minoría, y, en particular, de la lista de minoría que haya obtenido el mayor número de votos y que no esté en algún modo vinculada con la que haya resultado primera (es requisito de notable alcance). Las listas pueden ser presentadas por los socios que representen el porcentaje de capital (no superior a una cuarentava parte) determinado por los estatutos o el porcentaje diferente establecido por la Consob, considerando la capitalización, el flotante y la composición accionarial de la sociedad cotizada (v. art. 144-*quater.* Reg. Emittenti). La previsión obligatoria del voto de lista excluye, implícitamente, la posibilidad de confiar la gestión de una sociedad cotizada a un administrador único. Asimismo, se exige que al menos un miembro del consejo de administración o, si el consejo está compuesto por más de siete miembros, al menos dos, posean los requisitos de independencia previstos para los síndicos de la sociedad cotizada (art. 148. 3, TU.F.).

En el sistema dualista se requiere que al menos uno de los miembros sea independiente en el consejo de administración si éste tiene más de cuatro componentes, mientras que no hay requisitos añadidos para los componentes del Consejo en el sistema monista, para los cuales continúa invariable lo dispuesto en el art. 2409-*septiesdecies*. La ley prevé expresamente como causa de caducidad en el cargo la pérdida de independencia de tales sujetos (art. 147-*ter.*, 4, T.U.F.).

El art. 114-*bis.* T.U.F. exige que los sistemas de retribución basados en instrumentos financieros a favor de los administradores (o de los miembros del consejo de administración), dependientes o colaboradores autónomos de la sociedad, así como los de los administradores (o consejeros de administración), dependientes y colaboradores autónomos de las sociedades dominantes o dominadas, sean aprobados en junta ordinaria. Las razones y el contenido de los sistemas de retribución serán además objeto de información al público mediante un informe que debe ser redactado antes de la junta convocada para la aprobación de tales sistemas.

El art. 148 T.U.F. prevé, asimismo, siempre en aras de la tutela de las minorías, que la Consob establezca mediante reglamento las modalidades para la elección con voto de lista de un componente efectivo del órgano de control (en los tres modelos de administración y control) por parte de los socios de minoría (que no estén vinculados con los sujetos que presentan

La representación de las minorías en el órgano de control.

la lista) y la ley impone que el presidente del colegio sindical y del comité para el control sobre la gestión sean elegidos de entre los miembros nombrados por la minoría (v. art. 144-*sexies*. Reg. Emittenti).

Requisitos   Los requisitos de honorabilidad de los sujetos que desempeñan funciones de administración, control y dirección en una sociedad cotizada se establecen en un reglamento del Ministro de justicia (art. 147-*quinquies* y 148.4 TU.F). Requisitos específicos de profesionalidad se requieren, en cambio, sólo para los sujetos que desempeñan funciones de control y también se establecen por un reglamento del Ministro de justicia (art. 148.4 T.U.F.), mientras la Consob establece los límites a la acumulación de cargos (art. 148-*bis* T.U.F. y 144-*terdecies*. Reg. Emittenti); la superación del límite conlleva la caducidad del cargo.

Especiales deberes del órgano de control   En relación con los deberes del órgano de control, se ha de recordar que, además de los descritos anteriormente (§§91, 102, 105 y 106), en las sociedades cotizadas el órgano de control tiene que vigilar *(i)* las modalidades de aplicación concreta de las reglas de gobierno social previstas en los códigos de comportamiento a los que la sociedad, mediante información al público, declara atenerse; *(ii)* la adecuación de las instrucciones impartidas por la sociedad a las sociedades controladas, en aras del respeto a las obligaciones de comunicación al público previstas en el art. 114 T.U.F. (así el art. 149, 1, 4-*bis* y 4-*ter,* T.U.F.).

El órgano de control de las sociedades cotizadas tiene el deber de comunicar inmediatamente a la Consob las irregularidades halladas en la actividad de vigilancia, transmitiendo, asimismo, las actas de las reuniones y de las actuaciones llevadas a cabo, así como cualquier otra documentación útil (art. 149.3 T.U.F.).

Derecho de información del órgano de control   El derecho de información del órgano de control en las sociedades cotizadas se regula más analíticamente que en las sociedades no cotizadas. El art. 150 T.U.F. dispone que los administradores deben informar al órgano de control, según las modalidades previstas en los estatutos y, en cualquier caso, con periodicidad al menos trimestral, sobre las actividades desarrolladas y sobre las operaciones de mayor relieve económico, financiero y patrimonial, efectuadas por la sociedad o por las sociedades controladas, con una particular atención a las operaciones en las que éstos tengan un interés por cuenta propia o de terceros y a aquéllas influenciadas por el sujeto que ejercite la actividad de dirección y coordinación.

Además, los componentes del órgano de control pueden individualmente solicitar a los miembros del órgano de gestión de la sociedad o de sociedades controladas o, también, a los órganos de control de las mismas sociedades controladas, información sobre la marcha de la gestión o sobre determinados negocios, también con respecto a la sociedad y sus controladas (art. 151.1, para el colegio sindical, 151-*bis*. 1, para el consejo de gestión y 151-*ter*. 1, para el comité para el control sobre la gestión, T.U.F.). En lo que concierne al sistema dualista y al sistema monista hay que precisar que tales informaciones han de ser facilitadas, por parte de los miembros del órgano de gestión, a todos los miembros del órgano de control).

Los órganos de control pueden valerse, para el cumplimiento de sus funciones, de trabajadores de la sociedad (art. 151.2, 151-*bis*. 3, y *151-ter*. 3 T.U.F.), pero sólo los miembros del colegio sindical pueden valerse de dependientes y auxiliares propios. Ha de señalarse que en las sociedades cotizadas, para mayor protección de la discreción de las operaciones sociales, esta facultad se reconoce exclusivamente a fin de valorar la adecuación y fiabilidad del sistema administrativo-contable (art. 151.3, T.U.F.). Colaboración de los trabajadores de la sociedad y de auxiliares

Todo miembro del órgano de control puede, asimismo, solicitar al presidente la convocatoria del órgano. El presidente puede rechazar la convocatoria sólo si existen motivos que lo impidan y éstos han de ser comunicados inmediatamente al solicitante y expuestos en la reunión subsiguiente del órgano (art. 151-*bis*. 2, para el sistema dualista y 151-*ter*. 2, para el sistema monista, T.U.F.). Facultad de convocatoria

Los órganos de control están además dotados del poder de convocar a los órganos de gestión previa comunicación al presidente del órgano convocando (en el sistema tradicional y en el monista la facultad de convocatoria puede ser ejercitada también respecto del comité ejecutivo), y tal facultad se atribuye individualmente también a cada uno de los miembros del órgano de control (art. 151.2, 151-*bis*. 3 y 151-*ter*. 3 T.U.F.).

El poder de convocar a la junta de los socios es atribuido, en cambio, al órgano de control o a dos de sus miembros tan sólo en el sistema tradicional y en el dualista (art. 151. 2, y 151-*bis*. 3 T.U.F.), mientras que no se le atribuye al comité para el control sobre la gestión en el sistema monista. Ha de notarse que, en los casos en que tal facultad pueda ser atribuida, podrá ser ejercitada a discreción del órgano de control independientemente de la existencia de irregularidades en la gestión.

El dirigente
encargado de
los documentos
contables
societarios

La estructura organizativa de las sociedades cotizadas se enriquece gracias a la figura del «directivo encargado de la redacción de los documentos contables societarios» por efecto del art. 154-*bis*. T.U.F. Los estatutos deben prever los requisitos de profesionalidad y las modalidades de nombramiento que, en todo caso, pasa por el informe obligatorio del órgano de control. El deber principal del dirigente es el de predisponer procedimientos administrativos y contables adecuados para la redacción del balance general de ejercicio, del balance general consolidado y de cualquier otra comunicación de carácter financiero. A fin de asegurar la efectividad de la función, la ley prescribe que al directivo han de serle conferidos poderes y medios adecuados para el ejercicio de las tareas que le han sido atribuidas. Además, el dirigente, junto con los órganos de administración delegados, debe certificar con un informe sobre el balance el ejercicio, el semestral abreviado y, donde exista, el consolidado: (a) la adecuación y efectiva aplicación de los procedimientos contables (v. *infra*); (b) la conformidad de los documentos contables con los principios internacionales IAS/IFRS; (c) la correspondencia entre los balances y los libros contables; (d) la idoneidad de los balances para hacer una representación verdadera y correcta de la situación patrimonial, económica y financiera de la sociedad y del conjunto de empresas incluidos en la consolidación; (e) la autenticidad de las informaciones contenidas en el informe de gestión. Ha de señalarse que el directivo, como el director general nombrado con base en previsión estatutaria o por acuerdo de la junta (art. 2396: v. §100), queda sometido al mismo régimen de responsabilidad previsto para los administradores (art. 2392 y ss.: v. §§97 y ss.).

108. LOS CONTROLES EXTERNOS. EL CONTROL CON-TABLE

Sujetos
habilitados

Con excepción de las sociedades «cerradas» que no están obligadas a la redacción del balance general consolidado —para las que, como se ha dicho anteriormente (§102), los estatutos pueden prever que el control contable se realice por el colegio sindical—, el control contable se confía a un *auditor externo* (art. 2409-*bis),* que puede ser un auditor contable o una sociedad de auditoría. Dicha alternativa no se permite a las sociedades «abiertas» ni a las sociedades controladas por sociedades cotizadas, cuyo auditor externo debe ser, en todo caso, una sociedad de auditoría.

El sujeto encargado de efectuar el control contable está obligado a: *(i)* **Funciones** verificar, en el curso del ejercicio y con periodicidad trimestral, la llevanza regular de la contabilidad social y la correcta transcripción a los registros de contabilidad; *(ii)* verificar si el balance general de ejercicio y, si se redacta, el balance general consolidado, corresponden a los datos resultantes de los registros de contabilidad y si son conformes con las normas que los regulan; *(iii)* expresar con el informe pertinente un juicio sobre el balance general de ejercicio y sobre el balance general consolidado (art. 2409-*ter.* 1 y, para la sociedad cotizadas, arts. 155.1, y 156.1, T.U.F.).

En cuanto al contenido del informe, el art. 2409-*ter.* 2, prevé, para las sociedades no cotizadas, que el mismo comprenda, entre otros, un «juicio sobre el balance general que indique claramente si éste es conforme a las normas que regulan la contabilidad y si representa de modo verdadero y correcto la situación patrimonial y financiera y el resultado económico del ejercicio». El apartado 3 precisa, además, que «en el caso de que el auditor emita un juicio sobre el balance con observaciones, un juicio negativo o realice una declaración de imposibilidad de emitir un juicio, el informe motivará las razones de la decisión». Para las sociedades cotizadas, el art. 156 T.U.F. contempla que la sociedad de auditoría emita un juicio sin observaciones cuando el balance y el consolidado son conformes a las leyes y representan de modo verdadero y correcto la situación patrimonial y financiera y el resultado económico del ejercicio. La sociedad de auditoría puede, por el contrario, emitir un juicio; en estos casos, la sociedad de auditoría deberá motivar su decisión, debiendo, además informar inmediatamente a la Consob. Los efectos del juicio tienen una relevancia significativa en la individualización de los sujetos legitimados para impugnar el acuerdo de la junta de aprobación del balance general, tal y como dispone el art. 157 T.U.F.

Para el desarrollo de su función, los auditores (con base en el art. **Poderes** 2409-*ter,* último párrafo) pueden solicitar a los administradores documentos útiles para el control y también proceder a inspecciones (el art. 155.2 T.U.F., para las sociedades cotizadas hace referencia también a comprobaciones y controles que parecen, por otra parte, actividades comprendidas en el concepto de inspección). Están obligados a documentar la actividad desarrollada en un libro que ha de hallarse en la sede de la sociedad (v. §42).

Para garantizar la eficiencia global de los controles se prevé que los auditores externos y los miembros de los órganos de control internos intercambien informaciones relevantes para el cumplimiento de sus respectivos deberes. Para las sociedades cotizadas, el art. 155.2 T.U.F., prevé una obligación de información a cargo de los auditores frente al colegio sindical y a la Consob de los actos considerados censurables. Aparte del aspecto relativo a las relaciones con la Consob, peculiaridad de las sociedades cotizadas, ha de considerarse que tal obligación con respecto a los actos censurables está comprendida en el intercambio de información previsto en el art. 2409-*septies.*

El cargo para el ejercicio del control contable se confiere por la junta (salvo para el primer auditor, nombrado por el acto constitutivo: art. 2409-*quater),* oída la opinión del colegio sindical; en las cotizadas el art. 159 T.U.F. dispone que el nombramiento se confiera sobre la base de una propuesta motivada del órgano de control. Contemporáneamente al nombramiento se determina asimismo la retribución para toda la duración del cargo (como pasa con los síndicos). La retribución relativa a los cargos de auditoría de sociedades cotizadas se determina basándose en criterios establecidos por la Consob (v. art. 145-*bis* Reg. Emittenti): en todo caso, la retribución no puede subordinarse a ninguna condición relativa al resultado de la revisión, ni su medida puede ser puesta en relación con la prestación de servicios adicionales por parte de la sociedad de auditoría (art. 159.7 T.U.F.).

En las sociedades cotizadas el acuerdo de la junta que confiere el encargo ha de ser transmitido a la Consob, que, por otra parte, tiene el poder de proceder de oficio al encargo de auditoría en caso de inercia de la junta (art. 159.5, T.U.F.).

La duración del encargo es de tres ejercicios, con vencimiento a la fecha de la junta convocada para la aprobación del balance general del tercer ejercicio y es renovable (art. 2409-*quater.* 2). En las sociedades cotizadas, con base en lo dispuesto por el art. 159. 4, T.U.F., el encargo tiene una duración de nueve ejercicios y, para evitar que un exceso de relajación en la relación entre sociedad y auditor pueda mermar el rigor y la calidad del control, no puede ser nuevamente conferido si no han transcurrido al menos tres años desde la terminación del encargo precedente. El art. 160 T.U.F., para asegurar mejor la independencia de los auditores, establece incompatibilidades para determinados sujetos y, en concreto, dispone que el encargo de responsable de auditoría de los balances de una misma sociedad no puede recaer en la misma persona por un período de más de seis ejercicios, ni esta persona puede asumir nuevamente el encargo, ni siquiera por cuenta de una sociedad de auditoría diferente, si no han transcurrido al menos tres ejercicios desde el término del encargo precedente.

En aras de la protección de la independencia del auditor, el art. 2409-*quater*. 3, dispone que el encargo puede ser revocado, oída la opinión del colegio sindical, tan sólo por justa causa y que el acuerdo de revocación de la junta ha de ser sucesivamente aprobado por el tribunal mediante decreto, oído el interesado. En las sociedades cotizadas, el acuerdo de revocación, junto con el nombramiento de la sociedad de auditoría que sustituye al antecedente, tiene que ser comunicado a la Consob, que puede prohibir la ejecución en caso de que compruebe la ausencia de justa causa. En el plazo atribuido a la Consob para valorar la existencia de justa causa la eficacia del acuerdo de la junta es suspendida (art. 159.5, T.U.F.). El art. 159.2, T.U.F. precisa que, en todo caso, no constituye justa causa de revocación la divergencia de opiniones con respecto a valoraciones contables o a procedimientos de revisión. *Revocación*

La Consob, además, puede disponer de oficio la revocación del encargo de auditoría en caso de que determine la existencia de una causa de incompatibilidad o graves irregularidades en el desarrollo de la actividad de auditoría (art. 159.6 T.U.F.).

Como para el órgano de control interno, también para los auditores contables se prevén causas de inelegibilidad que operan como causas de cese en el caso en que resulte nombrado un sujeto inelegible. Constituyen causa de inelegibilidad, además de todas las causas previstas para el colegio sindical (a través de la remisión al art. 2399.1), el cargo de síndico de la sociedad (salvo la excepción del art. 2409-*bis*. 3), de las sociedades por ésta controladas, de las sociedades que la controlan o de aquéllas sometidas a control común. Los estatutos pueden ampliar las causas de inelegibilidad y fijar, asimismo, ulteriores requisitos de profesionalidad. En el caso de sociedad de auditoría la verificación se efectúa sobre las personas de los socios de la misma y de los sujetos encargados de la revisión (art. *Inelegibilidad y cese*

2409-*quinquies).* Para las sociedades cotizadas un reglamento Consob *(i)* establece las causas de incompatibilidad que impiden el otorgamiento del encargo a una sociedad de auditoría; *(ii)* señala los criterios para establecer la pertenencia de una entidad al grupo de la sociedad de auditoría; (v. arts. 149-*bis* y ss. Reg. Emittenti) *(iii)* determina las características de los cargos y de las relaciones que pueden comprometer la independencia de la sociedad de auditoría (v. arts. 149-*bis.* y ss. Reg. Emittenti). Queda, asimismo, prohibido que la sociedad de auditoría y otras entidades a ésta reconducibles desempeñen una serie de servicios de asistencia y consultoría señalados en la ley (art. 160, 1, 1-*bis.* y 1-*ter.* T.U.F.), mientras que, por otra parte, aquellos que hayan formado parte de la actividad de auditoría para una sociedad no pueden, si no ha transcurrido al menos un trienio desde el fin de la misma, asumir cargos en dicha sociedad o realizar actividades de relieve direccional a favor de la misma y viceversa (art. 160.1-*quinquies* y 1-*sexies,* T.U.F.).

Responsabilidad   A los auditores se aplica también un riguroso régimen de responsabilidad. El art. 2409-*sexies,* en efecto, se remite al art. 2407 en materia de responsabilidad de los síndicos y afirma que los sujetos encargados del control contable son responsables frente a la sociedad, los socios y los terceros por los daños derivados del incumplimiento de sus deberes (análogamente para las cotizadas, v. art. 164.1 T.U.F.). Cuando el control contable se confía a una sociedad de auditoría, los profesionales que desempeñen materialmente el control serán responsables solidarios con la sociedad de los daños causados por cada uno de ellos (para las sociedades de auditoría inscritas en el registro especial de llevanza obligatoria para la Consob, *cfr.* el art. 164 T.U.F.). Se prevén rigurosas sanciones penales para los «responsables de la auditoría» (v., entre otros, el art. 2624 y para la auditoría en las sociedades cotizadas el art. 174-*bis* y ss. T.U.F.). Además, la Consob, en el ámbito de sus poderes de vigilancia sobre el funcionamiento del mercado mobiliario (sobre el cual v. §109), tiene el poder de vigilar la actividad de las sociedades de auditoría inscritas en el registro especial a fin de controlar su independencia y la adecuación técnica. La Consob está dotada de amplios poderes de comprobación y de eficaces poderes sancionadores (arts. 162 y 163 T.U.F.).

A destacar, finalmente, que el art. 24 l. 34/2008 ha delegado en el Gobierno la ejecución de una serie de directivas comunitarias en materia de auditoría de cuentas, según los principios que, entre otros aspectos, obligan a revisar la disciplina de la responsabilidad de los auditores y a reordenar la normativa sancionadora en materia de auditoría.

109. EL CONTROL DE LA CONSOB

La Consob, instituida en 1974 como órgano de control de la bolsa y de las sociedades que colocaban los títulos en el mercado, ha evolucionado a través de los años hasta convertirse en órgano de control del conjunto del mercado mobiliario. Así, la Consob vigila a: *(i)* las *sociedades de gestión de los mercados* (ante todo, la Bolsa Italiana s.p.a., v. arts. 61 y ss. T.U.F.); *(ii)* los *intermediarios* (en colaboración con la Banca de Italia, v. arts. 5 y ss. T.U.F.); *(iii)* los *emisores,* esto es, aquellos sujetos que emiten los títulos negociados en los mercados regulados (arts. 91 y ss. T.U.F.); así como *(iv)* los *sujetos auxiliares,* como las sociedades de auditoría inscritas en el registro llevado por la misma Consob, habilitadas para el control contable de la sociedad cotizadas y de sus controladas (arts. 161 y ss. T.U.F.).

Hemos de considerar en esta sede el control sobre los emisores. A este respecto el art. 91 T.U.F. dispone que la Consob ejerce los poderes que le son atribuidos por la ley teniendo en consideración la tutela de los inversores, así como la eficiencia y la transparencia del mercado del control societario y del mercado de capitales. Por su parte, los emisores que sean sociedades cotizadas tienen que asegurar el mismo trato a todos los portadores de los instrumentos financieros cotizados que se hallen en idénticas condiciones y garantizar los mismos los instrumentos e informaciones necesarias para el ejercicio de sus derechos (art. 92 T.U.F.).

La acción de vigilancia de la Consob se articula principalmente en dos momentos: la llamada al ahorro público y la información societaria.

Siempre que un sujeto pretenda ofrecer al público productos financieros, deberá someterse al control de la Consob respecto de las modalidades del ofrecimiento. En efecto, para proteger al público de iniciativas que, en virtud de su complejidad, pueden ser difícilmente evaluables, se prevé que la Consob intervenga en todas las fases del procedimiento. Así es la Consob quien fija mediante reglamento los requisitos formales de las ofertas, los elementos de contenido necesarios para hacerla com-

Llamada al ahorro público

prensible y evaluable por los destinatarios, y es siempre la Consob quien lleva a cabo un control preventivo sobre la oferta para verificar que han sido respetadas las normas, a fin de que los inversores puedan llegar a un juicio fundado sobre la oferta misma. Los supuestos de llamada al ahorro público son dos: *(i)* la *oferta al público de suscripción y venta de productos financieros,* constituida por toda comunicación dirigida a personas en cualquier forma y por cualquier medio, con el fin de obtener la venta o la suscripción de productos financieros (art. 1.1, *t,* T.U.F.); *(ii) la oferta pública de adquisición o de canje,* definida como toda oferta, invitación a ofrecer o mensaje promocional, efectuados en cualquier forma y dirigidos a la adquisición o al cambio de productos financieros (art. 1 inciso 1. *v,* T.U.F.).

Como puede observarse, se trata de dos operaciones de contenido económico muy distinto (el destinatario de la oferta viene requerido, en el primer caso, a dar dinero para recibir productos financieros y, en el segundo caso, a vender productos financieros a cambio de dinero o a cambio de otros productos financieros), que, sin embargo, tienen en común el objeto (los productos financieros) y el tipo de destinatarios (el público de los inversores). Estos elementos comunes justifican la similitud de la regulación con referencia a las obligaciones informativas que gravan sobre el sujeto que promueve la oferta y el control de la Consob sobre las informaciones otorgadas. Así, en ambos casos el oferente deberá redactar un documento (denominado «prospecto» en la oferta al público de suscripción y de venta y «documento de oferta» en la oferta pública de adquisición o de canje) del cual resulten todas las informaciones necesarias para que los inversores puedan formarse un juicio fundado sobre la oferta (aunque las informaciones requeridas son parcialmente distintas: en la oferta pública de adquisición, los destinatarios estarán esencialmente interesados en valorar la adecuación del precio ofrecido para adquirir sus instrumentos financieros, mientras que en la solicitud a la inversión éstos tendrán que valorar las perspectivas de la inversión que van a efectuar).

Antes de llegar a sus destinatarios a través de la publicación (el público o los portadores de los instrumentos financieros objeto de la oferta pública de adquisición), el prospecto o el documento de oferta ha de ser aprobado por la Consob (arts. 94-*bis* y 102 T.U.F.). La misma Consob puede, en ambos casos, vigilar a fin de que durante la solicitud o la oferta el oferente y los demás sujetos interesados (como por ejemplo el emisor de los instrumentos financieros objeto de la solicitud o de la oferta) actúen con transparencia y corrección respetando el principio de igualdad de trato mencionado.

El segundo tipo de control que el Consob ejerce sobre los emisores de instrumentos financieros concierne de nuevo a la información social. El fin de esta normativa (como resulta claro de su descripción) es el de garantizar que el precio de negociación de los instrumentos financieros cotizados sea el más correcto posible, esto es, refleje correctamente todas las informaciones relevantes para establecer el valor de los instrumentos mismos. Los instrumentos financieros, en efecto, son bienes cuyo valor depende de una serie de factores relativos sea al valor del patrimonio de la sociedad, sea a su capacidad de producir rentabilidad, y estos factores dependen a su vez de las muchas variables que caracterizan la actividad de empresa ejercitada por la sociedad (variables internas, como el proyecto empresarial, las elecciones de inversión, etc. y variables externas, como la marcha del mercado, la competencia, etc.). *La información societaria*

Por ello, es importante que todas las informaciones susceptibles de incidir en el valor de los instrumentos financieros, y por consiguiente en su precio de negociación, se pongan a disposición del mercado para que éste pueda dar a los instrumentos su correcto valor (o un valor razonablemente cercano al «verdadero»).

La regulación de la información social se articula en dos momentos. El primero es aquél en que un instrumento viene introducido por primera vez en el mercado (llamado mercado primario): en este caso el mercado no tiene ninguna información sobre el valor del título y, por ello, la exigencia de proteger el interés a la corrección del precio con que el título viene colocado es máxima. A este interés responde el prospecto de cotización que, con base en el art. 94.2 T.U.F. (al que remite el art. 113 T.U.F.), debe contener en un modo de fácil comprensión, todas las informaciones que, según las características de los productos financieros y de los emisores, son necesarias a fin de que los inversores puedan formarse un juicio fundado sobre la situación patrimonial y financiera, sobre resultados económicos y sobre las perspectivas del emisor, así como sobre los productos financieros y sus respectivos derechos. El prospecto contiene también una nota sobre los riesgos y características esenciales de la oferta. *Mercado primario*

Mercado
secundario

La parte restante de la regulación de la información social concierne, en cambio, a los emisores cuyos títulos ya se cotizan en el mercado (así como, en parte, los emisores de instrumentos financieros difundidos entre el público de manera relevante: art. 116 T.U.F.), y pretende que el precio de negociación de los títulos (llamado mercado secundario) refleje adecuadamente todos los acontecimientos que, en el curso del tiempo, pueda influir en su valor. El tema ya ha sido tratado (§48): queda añadir que la *Consob* puede, a fin de vigilar sobre la corrección de la información al público, solicitar a los emisores (así como a los sujetos que los controlan y a las sociedades controladas) la comunicación de informaciones y documentos, recibir noticias de sus órganos de administración y control, efectuar inspecciones en sus sedes, incluso sabiéndose de las fuerzas del orden y proceder al secuestro de documentos (arts. 115 y 187-*octies* T.U.F.). La Consob puede, en fin, ejercitar la acción de impugnación del acuerdo de aprobación del balance general de ejercicio, en el plazo de seis meses desde la fecha del depósito del mismo en el registro de empresas (art. 157 T.U.F.).

110. EL CONTROL DE LAS AUTORIDADES SECTORIALES

Hay actividades que, en virtud de su relevancia en el ámbito del sistema económico, determinan la necesidad de adoptar controles públicos especiales respecto de los sujetos que las ejercitan.

Sector bancario
y financiero

Resalta por su importancia el sector bancario, sometido a la vigilancia de la Banca de Italia. Los sujetos vigilados son los bancos, los grupos bancarios y los intermediarios financieros. En el ejercicio de la actividad de vigilancia, la Banca de Italia y las otras autoridades crediticias han de velar por la sana y prudente gestión de los sujetos vigilados, la estabilidad global, la eficiencia y la competitividad del sistema financiero, así como el cumplimiento de las disposiciones en materia crediticia (v. art. 5 T.U.B.). Con respecto de los intermediarios financieros, la Consob desempeña la función complementaria de vigilancia dirigida a asegurar la transparencia y la corrección de los comportamientos (art. 5.3 T.U.F.).

Sector
asegurador

El Isvap (Instituto para la vigilancia sobre las aseguradoras privadas y de interés colectivo) vigila, junto con el Ministerio de Actividades

Productivas, las empresas de seguros, ejerciendo poderes de naturaleza autorizativa, prescriptiva, verificativa, cautelar y represiva (art. 5 cod. ass.).

En particular, es tarea del Isvap *(i)* vigilar que las empresas de seguros respeten las leyes y reglamentos relativos a la actividad aseguradora, *(ii)* controlar la gestión técnica y patrimonial de las empresas vigiladas, y *(iii)* examinar y verificar sus balances. A este fin, el Isvap tiene, entre otros, el poder de solicitar a las empresas información, de efectuar inspecciones y de ordenar la convocatoria de sus órganos sociales.

111. EL CONTROL JUDICIAL

Todas las sociedades por acciones están sometidas al control de la autoridad judicial ordinaria. Del control de legalidad de sus actos (como los acuerdos del órgano de gestión o de la junta) ya hemos hablado. Queda por examinar el control sobre la gestión que puede ser desempeñado por la autoridad judicial para restablecer la legalidad eventualmente perdida (art. 2409).

El presupuesto de la intervención de la autoridad judicial es la denuncia dirigida al tribunal de la que resulte la existencia de una sospecha fundada de que los administradores, en violación de sus deberes, han llevado a cabo graves irregularidades en la gestión que pueden causar daños a la sociedad o a sociedades por ésta controladas (art. 2409. 1). Se trata de irregularidades de gestión que no pueden ser solucionadas con los instrumentos de tutela ordinarios, como las impugnaciones de los acuerdos y que requieren una pronta intervención para asegurar la legalidad en la gestión y, a través de ésta, la protección de los intereses de los socios y de los terceros. Tampoco éste instrumento, como cualquier otra forma de control, tiene la naturaleza de un juicio sobre el mérito de los actos de gestión (oportunidad o conveniencia del acto) sino de un control de legalidad sobre las decisiones de los administradores.

Denuncia al tribunal

Están legitimados para presentar la denuncia que da origen al procedimiento los socios que representen la décima parte del capital social o, en las sociedades «abiertas», la vigésima parte (a menos que los estatutos prevean porcentajes inferiores: art. 2409. 1), así como el órgano de control (colegio

Sujetos legitimados

sindical, consejo de vigilancia o comité para el control sobre la gestión: art. 2409, últ. inciso).

En las sociedades «abiertas», en virtud de la necesidad más intensa de asegurar a la generalidad de los socios, aunque sean titulares de una participación de modesta relevancia, una tutela adecuada, así como, probablemente, para proteger el interés general a la legalidad en el ejercicio de las empresas que, dirigiéndose al mercado del capital de riesgo, asumen una mayor relevancia, la denuncia puede ser presentada también por el fiscal (art. 2409, últ. inciso), y, en las sociedades italianas que cotizan en Italia, también por la Consob, cuando haya sospecha de graves irregularidades cometidas por los síndicos o, según el modelo adoptado, por los consejeros de vigilancia o los miembros del comité para el control sobre la gestión (art. 152. 2, T.U.F.).

Procedimiento   El sujeto denunciante no tiene que aportar prueba de la irregularidad sino sólo los elementos que permitan considerar la sospecha fundada. El primer e irrenunciable acto del tribunal es la citación a los administradores y síndicos a fin de que éstos sean oídos en sesión reservada (esto es, no en pública audiencia sino en un procedimiento en el que participan tan sólo los denunciantes y los órganos de la sociedad). En el caso de que la sospecha no desaparezca, el tribunal podrá ordenar la inspección de la sociedad para adquirir todos los elementos útiles para valorar la existencia de las irregularidades (art. 2409. 2).

La junta puede neutralizar el procedimiento sustituyendo a los administradores y síndicos por sujetos de adecuada profesionalidad. En este caso, el tribunal no ordena la inspección y suspende el procedimiento por un período determinado, durante el cual los nuevos órganos tienen que determinar la eventual existencia de las violaciones y, en caso positivo, actuar en consecuencia para eliminarlas, informando al tribunal sobre las actividades realizadas (art. 2409. 3).

Si las violaciones denunciadas subsisten, o si los nuevos órganos sociales no han sido capaces de eliminarlas, el tribunal puede disponer las oportunas disposiciones provisionales y convocar a la junta a fin de que ésta adopte los correspondientes acuerdos (como por ejemplo, la promoción de la acción de responsabilidad: art. 2409. 4).

Administrador judicial   En los casos más graves, esto es, cuando el tribunal considere que la simple sustitución de los órganos sociales por parte de la junta no puede conducir a la superación de las irregularidades en la gestión, el tribunal podrá revocar a los administradores y, en su caso, también a los síndicos y nombrar un administrador judicial, estableciendo sus poderes y la duración de su cargo. El administrador judicial puede promover la acción social de responsabilidad frente a los administradores y síndicos, pero la acción puede ser objeto de renuncia o transacción de acuerdo con las modalidades estudiadas (art. 2409. 4 y 5).

El administrador judicial deberá, antes del vencimiento de su cargo, *(i)* dar cuenta al tribunal; *(ii)* convocar y presidir la junta para el nombramiento de los nuevos órganos sociales o, en su caso, para proponer la liquidación de la sociedad o la solicitud de un procedimiento concursal.

SECCIÓN 5

La sociedad comanditaria por acciones

Niccolò Abriani

> **Sumario:** 112. Características generales. Socios colectivos y comanditarios. 113. Prerrogativas de los comanditarios y reglas de funcionamiento de los órganos sociales. 114. Utilización de la sociedad comanditaria por acciones como sociedad *holding* de grupo.

112. CARACTERÍSTICAS GENERALES. SOCIOS COLECTIVOS Y COMANDITARIOS

La sociedad comanditaria por acciones constituye una variante de la sociedad por acciones, caracterizada por la particular composición de su órgano administrativo, cuyos componentes son denominados socios *colectivos*. Estos gestionan institucionalmente la sociedad y responden ilimitadamente por las obligaciones sociales. Los accionistas que no forman parte del órgano de administración se denominan *comanditarios* y su responsabilidad queda limitada, según las reglas generales de las sociedades de capital, a la cuota de capital suscrita (art. 2452).

Comanditaria por acciones a comanditaria simple

A pesar de la identidad terminológica, hay que evitar paralelismos equívocos con la sociedad comanditaria simple: mientras esta última es una sociedad de personas, modelada sobre la disciplina de la sociedad colectiva (art. 2315: v. §22), la comanditaria por acciones es una sociedad de capital regida por la normativa de la sociedad por acciones, en virtud del reenvío general contenido en el C.C. (a través del filtro de la compatibilidad, no obstante: art. 2454). A excepción de los términos y la diferente graduación de la responsabilidad que a cada término viene atribuida, no es posible establecer ninguna analogía entre las dos sociedades comanditarias.

Colectivos y comanditarios

En particular, hay que subrayar que los socios de la sociedad comanditaria por acciones son accionistas del mismo modo que lo son los socios de la sociedad por acciones. En cuanto tales, están obligados al cumplimiento de las obligaciones que les son atribuidas, comenzando por el desembolso de las aportaciones, y tienen todos los derechos de participar en la vida corporativa desde la junta (donde se vota según el principio capitalista, es decir, de acuerdo al número de acciones poseídas).

Traducida a términos objetivos, tal regla implica que los socios colectivos y comanditarios no ostentan posiciones accionariales diferentes: sus respectivas acciones son iguales y no forman categorías distintas en el sentido de los arts. 2348 y 2376 (v. §57). Es el hecho de ser llamados —originaria o sucesivamente— a realizar funciones administrativas, y no el hecho de poseer determinadas acciones, lo que implica las concretas prerrogativas y la responsabilidad ilimitada que distinguen a los dos tipos de accionistas. El accionista deviene colectivo desde que es denominado administrador y queda «degradado» a comanditario en caso de cese de dicho cargo. Asimismo, en caso de transferencia de la entera participación del socio colectivo (*inter-vivos* o *mortis causa*), el adquirente no deviene socio colectivo-administrador sino simplemente accionista comanditario con responsabilidad limitada. La adquisición de la condición de socio es condición necesaria pero no suficiente para devenir socio colectivo, a cuyo fin es necesaria una designación *ex-novo* como administrador.

De tales aspectos se deriva, de un lado, que la calificación como administrador presupone la condición de socio (a diferencia de la sociedad anónima, en la que se puede confiar la administración de la sociedad a no socios: art. 2380-*bis*.2) y, de otro lado, que el investir al socio con un cargo administrativo determina automáticamente la adquisición de la condición de socio colectivo, de modo que todo socio colectivo forma parte del órgano de administración (a diferencia de la sociedad comanditaria simple, en la que pueden existir socios colectivos no administradores). Coincidencia entre colectivos y administradores

Esta correlación biunívoca entre calificación de colectivo y poder de gestión viene determinada en el código en las disposiciones que prevén: *(i)* que los socios indicados como colectivos en el acto constitutivo son administradores de derecho (art. 2455), generalmente sin límite temporal; *(ii)* que el nuevo administrador asume la cualidad de socio colectivo desde el momento de la aceptación (art. 2457.2); *(iii)* que el socio colectivo que cesa en el ejercicio de la administración no responde por las obligaciones de la sociedad posteriores a la inscripción del cese en el registro de empresas (art. 2461.2).

Dichas reglas implican que la responsabilidad ilimitada es la «contrapartida» de la función administrativa atribuida a uno o más socios de Responsabilidad ilimitada de los colectivos modo que dura en tanto en cuanto se es socio colectivo. El colectivo responde ilimitadamente frente a terceros por *las obligaciones sociales nacidas en el periodo durante el cual ha revestido tal condición*, con exclusión tanto de las nacidas tras la inscripción del cese en el registro de empresas como de las anteriores a la asunción de tal condición. En ello reside una ulterior diferencia respecto del régimen de los socios colectivos de la sociedad comanditaria simple (y en general de los socios ilimitadamente responsables de las sociedades de personas: art. 2269). El ámbito más reducido de la responsabilidad no evita, sin embargo, que la quiebra de la sociedad comanditaria por acciones comporte su quiebra personal automática, en el sentido del art. 146.1 l.fall.

Si bien más restringida, la responsabilidad ilimitada de los socios colectivos está modelada sobre la de los socios de la sociedad colectiva en cuanto a su naturaleza y presupuestos: es, en efecto, ilimitada, solidaria y subsidiaria, gozando el colectivo del mismo beneficio de excusión concedido a los socios ilimitadamente responsables de las sociedades de personas del art. 2304 (al cual remite el art. 2461: v. §13).

113. PRERROGATIVAS DE LOS SOCIOS COLECTIVOS Y REGLAS DE FUNCIONAMIENTO DE LOS ÓRGANOS SOCIALES

La responsabilidad ilimitada constituye, como hemos dicho, el *pendant* de la peculiar posición de preeminencia acordada por el legislador al accionista colectivo. Tal posición se sustenta, además de sobre los poderes administrativos y el carácter permanente de su oficio, en una serie de prerrogativas que trascienden el ámbito estrechamente administrativo, condicionando sensiblemente incluso los poderes y las reglas de funcionamiento de la junta, respecto de las que se registran algunas visibles variantes en relación con la disciplina de la sociedad anónima.

Revocación y nombramiento de los administradores

El código impone, ante todo, un cociente reforzado para la revocación de los administradores, que conlleva la «retrocesión» de colectivo a comanditario: incluso pudiendo prescindir (como en la sociedad anónima) de la existencia de una justa causa, tal decisión debe ser tomada con la mayoría prescrita para la junta extraordinaria (art. 2456). A la junta extraordinaria está reservada, además, la designación de los nuevos administradores sustitutos de los que han cesado en el cargo. Por otra parte, en caso de que otros administradores permanezcan en el cargo, la designación no produce efectos hasta que no sea aprobada unánimemente por ellos (art. 2457).

La mencionada regla es común a todas las modificaciones del acto constitutivo que, además de ser adoptadas en junta extraordinaria, deben ser aprobadas —en la misma junta o en un acto sucesivo y autónomo— por todos los socios colectivos (art. 2460).

Modificaciones del acto constitutivo

A fin de atemperar las prerrogativas gestoras y los poderes de veto, el código prevé que los socios colectivos no tengan derecho de voto en las deliberaciones de la junta que se refieran al ejercicio de la acción de responsabilidad (art. 2459). En las sociedades comanditarias por acciones cotizadas o sujetas a revisión contable obligatoria, los socios colectivos son excluidos de los acuerdos relativos al nombramiento y revocación del encargo de la revisión contable del balance de ejercicio y del balance consolidado, en su caso (art. 159.3 TUF).

Acuerdos relativos a síndicos y acciones de responsabilidad

De entre los acuerdos en los que los socios colectivos no tienen derecho de voto, la actual fórmula del art. 2459 contempla los relativos a la designación y revocación de los miembros del *consejo de vigilancia*. La norma parece presuponer la posible adopción del modelo dualista previsto en los arts. 2409-*octies* y ss., en alternativa al modelo tradicional (v. §§104 y 105), incluso en la sociedad comanditaria por acciones (s.a.p.a).

Sistema dualista

Por otra parte, tal sistema no puede ser objeto de una traslación automática sino que requiere una adaptación a las peculiaridades de la sociedad comanditaria por acciones. En concreto, ha de considerarse que la designación y revocación de los consejeros de gestión debe quedar reservada a la junta en sede extraordinaria. En relación a los componentes del consejo de gestión, deben aplicarse las normas relativas a los socios colectivos. La única peculiaridad, ligada a la estructura pluripersonal del órgano, está representada por la exigencia de que los colectivos sean al menos dos (art. 2409-*novies*.2), mientras que en el sistema tradicional es posible el colectivo único.

Queda excluida ciertamente la adopción por parte de las s.a.p.a del sistema monista: y ello no sólo por la falta (y de hecho problemática) de extensión de la prohibición del voto en relación con la designación de los administradores independientes sino por la dificultad de conciliar los requisitos de independencia requeridos por el art. 2409-*septiesdecies* para el tercio de los componentes del órgano de administración (y por la entereza del comité de control designado en su sede: v. §106) con el rol empresarial y la conexa responsabilidad que distingue a todos los administradores-colectivos.

Denominación social

Otras particularidades alejadas de la normativa de la sociedad por acciones conciernen a la denominación social, que debe estar compuesta, al menos, por el nombre de uno de los socios colectivos (además de la indicación de sociedad comanditaria por acciones: art. 2453), y a la peculiar causa de disolución que consiste en el cese judicial de todos los administradores.

Cese de oficio de los colectivos

Con referencia a este último supuesto, el art. 2458 establece que la sociedad se disuelve si al cabo de ciento ochenta días no se ha procedido a la sustitución de los socios colectivos y a la aceptación del cargo por los sustitutos. Durante dicho intervalo, las tareas de la administración ordinaria se realizarán por un administrador provisional, no responsable por las deudas sociales, designado por el colegio sindical (o, en el caso de adopción del sistema dualista, por el comité de vigilancia).

114. LA UTILIZACIÓN DE LA SOCIEDAD COMANDITARIA POR ACCIONES COMO HOLDING DE GRUPO

De la disciplina de la sociedad comanditaria por acciones hemos de subrayar la indudable potenciación de los poderes gestores de los colectivos, a los que se les garantiza una mayor estabilidad en el cargo (que, como hemos dicho, es por tiempo indefinido) y un derecho individual de veto sobre cualquier cambio importante de la estructura societaria. Para vencer la oposición de un colectivo disidente a ejecutar una decisión adoptada por mayoría, los restantes accionistas deben proceder a la revocación del mismo, pero incluso esta drástica vía, además de las obligaciones resarcitorias que implica, puede revelarse imposible cuando los accionistas colectivos sean titulares de un porcentaje del capital que pueda impedir la adopción del acuerdo, respecto del que no se encuentran en conflicto de intereses y para el que los estatutos pueden prever cocientes reforzados (no es susceptible de aplicación a la s.a.p.a la prohibición de elevar estatutariamente las mayorías para la revocación de los cargos sociales enunciado, en referencia a la junta ordinaria de la s.p.a., por el art. 2369.4).

Estas características permiten programar la transmisión del poder en el ámbito de la sociedad comanditaria por acciones: el mecanismo de cooptación de los nuevos colectivos-administradores por parte de quien ya ocupa el cargo, aunque sea con el necesario apoyo de la mayoría reforzada del capital, ofrece, de hecho, amplias garantías —incluso a los acreedores y al mercado— en relación a la continuidad de la gestión, poniendo al mismo tiempo la sociedad al resguardo de posibles escaladas. Estas son las razones que han permitido apreciar en la sociedad comanditaria por acciones el esquema jurídico más ventajoso para las sociedades de control que se colocan en el vértice de grupos empresariales (es ejemplar el caso de Giovanni Agnelli & C. s.a.p.a, a la que han sido conferidas las acciones ordinarias I.F.I s.p.a, propiedad de los ya numerosos descendientes del fundador de la FIAT s.p.a).

La comanditaria por acciones como caja fuerte familiar

El recurso a la sociedad comanditaria por acciones permanece todavía extremadamente circunscrito y limitado a *holding*s familiares que, limitándose a asegurar la estabilidad del control y siendo casi inoperantes en las relaciones con terceros, tienden a sustraerse al riesgo empresarial. Fuera de tales hipótesis el precio de la responsabilidad personal de los administradores es demasiado alto para justificar la elección de este tipo social. Por otro lado, a los grupos de control no les interesa que los administradores adquieran una autonomía que los emancipe de su control; prefieren, más bien, tener en su mano todo el poder y ejercerlo directamente o a través de personas de confianza, sin correr riesgos patrimoniales directos.

Papel marginal de la s.a.p.a.

A la luz de estas especificaciones se comprende el rol marginal al que queda relegada la sociedad comanditaria por acciones: en marzo de 2008 se encontraban inscritas en el registro de empresas sólo 158 s.a.p.a. La inclinación por la sociedad comanditaria por acciones ha quedado atenuada tras la reforma del derecho de sociedades que, por un lado, permite obtener los mismos objetivos de estabilidad de gobierno a través del recurso al seguro instrumento de la nueva y dúctil sociedad de responsabilidad limitada (v. §§118 y ss.); y por otro, introduce un régimen de responsabilidad de las sociedades que ejercen una actividad de dirección y coordinación destinado a acrecentar el riesgo de asunción de obligaciones por parte de la sociedad *holding* y, en consecuencia, cuando lo sea una s.a.p.a, de sus socios colectivos (v. §144).

Sección 6
La Sociedad Europea

Giuseppe A. Rescio

Sumario: 115. Fuentes normativas y objetivos perseguidos. 116. Estructura organizativa. 117. Constitución y traslado del domicilio dentro de la Unión Europea.

115. FUENTES NORMATIVAS Y OBJETIVOS PERSEGUIDOS

El reg. CE 2157/2001

El reglamento comunitario 2157/2001, en vigor desde el 8 de octubre de 2004 y con eficacia directa en todos los Estados de la Unión Europea (UE), contiene el estatuto, esto es, la regulación normativa de la «*Societas Europaea*» (SE). El reglamento ha vivido una historia complicada. Inicialmente, se pretendía dar cuerpo a un tipo de sociedad por acciones propio, dotado de una disciplina uniforme, independientemente de su lugar de constitución, de ubicación del domicilio y ejercicio de la actividad, mediante la elaboración de una normativa exclusivamente comunitaria que no necesitase ser complementada mediante reenvíos a las legislaciones nacionales.

SE como tipo general incompleto

Tal solución no fue finalmente adoptada debido a las notables diferencias entre los ordenamientos de los Estados miembros, especialmente sobre grupos de sociedades y participación de trabajadores. Así, se optó finalmente por una normativa sólo parcialmente uniforme y completada en gran parte mediante reenvíos a las legislaciones nacionales, previamente armonizadas gracias a las directivas en materia de s.p.a. Sin embargo, a causa de la existencia de diferencias relevantes entre ordenamientos y de la alta frecuencia de reenvíos, la SE acaba siendo un modelo o «tipo general» incompleto de estampa comunitaria, destinado a concretarse en las variantes o «tipos específicos» realizados por los distintos ordenamientos estatales y dirigido, principalmente, a las empresas de dimensión mediana-grande, ya operantes a escala europea.

Fuentes normativas

Su normativa deriva, por tanto, en jerarquía descendente, de las normas comunitarias reglamentarias, de las cláusulas estatutarias expresamente autorizadas por el reglamento, de las normas locales expresamente dictadas para la SE, de las normas locales sobre s.p.a a las que reenvía expresa o implícitamente el reglamento cuando no regula la materia, y de las cláusulas estatutarias autorizadas por la legislación local (art. 9 reg. *cit.*).

A propósito de las normas locales específicas para la SE, hay que recordar que el retraso de la entrada en vigor del reglamento se justificaba en el objetivo de permitir a los legisladores nacionales transponer la dir. CE 86/2001 sobre participación de trabajadores en la SE (v. d. lgs. 188/2005) y adoptar los mecanismos necesarios para su constitución y funcionamiento (que en Italia no ha ocurrido todavía). La *implicación de los trabajadores* se confía a la negociación entre los órganos directivos de las sociedades involucradas y los representantes sindicales, aunque se prevé una tutela mínima —en términos de información y consulta a los trabajadores— asegurada incluso en caso de fracaso de las negociaciones. En cuanto a la auténtica *participación de los trabajadores en el órgano administrativo*, ésta se prevé sólo cuando ya exista, con determinadas dimensiones mínimas, en al menos una de las sociedades.

Implicación de los trabajadores

116. ESTRUCTURA ORGANIZATIVA

Las disposiciones generales (arts. 1 y ss. reg.) diseñan la SE como una sociedad provista de *personalidad jurídica*, enmarcada en el modelo de la s.p.a., con *capital mínimo* de 120.000 euros dividido en acciones. Su domicilio debe estar situado en el seno de la UE, en el Estado en que se encuentra la *administración central*: ello, a fin de determinar con certeza la ley nacional aplicable a la SE, siglas que deben aparecer al inicio o al final de la *denominación*.

Características generales

La personalidad jurídica se obtiene mediante *la inscripción en el registro de sociedades existente localmente* (aunque se debe publicar la inscripción y cancelación en el Diario Oficial de las Comunidades Europeas). En caso de realizarse actos en nombre de la SE antes de su inscripción, sin que la SE los asuma con posterioridad, aquéllos que los hayan realizado responderán solidaria e ilimitadamente por los mismos, salvo disposición en contra (art. 16 reg.).

Inscripción

Gobierno societario: sistema dualista

Para la configuración de las funciones de gestión y control, existe la alternativa, a disposición de los interesados, de optar entre el *sistema dualista* y el monista. En el primero coexisten un *órgano de dirección* con funciones de gestión (art. 39 reg.) y un *órgano de vigilancia* con función exclusiva de control de la gestión (art. 40 reg.): tales órganos deben estar compuestos por miembros necesariamente diferentes. En el seno del órgano de dirección se admiten, si la legislación local lo permite, las *delegaciones de gestión*, con las consiguientes consecuencias sobre la responsabilidad de los componentes del órgano.

La designación y revocación de los directores corresponde al órgano de vigilancia, salvo que la ley local o los estatutos afirmen la competencia de la junta en esta materia. A la junta, a salvo los derechos de participación de los trabajadores, en su caso, le corresponde la *designación de los miembros del órgano de vigilancia* al que la dirección debe dar cuentas de la marcha de la sociedad, al menos cada tres meses, de su probable evolución y, en tiempo útil, de los hechos que puedan tener repercusiones sensibles sobre la situación de la SE. Al órgano de vigilancia le corresponde la facultad de solicitar informes y de proceder a verificaciones e inspecciones, así como, si los estatutos lo prevén, el poder de autorizar el cumplimiento de operaciones de gestión (las normas internas pueden reservar algunos de los actos de gestión a la iniciativa del órgano de vigilancia).

… sistema monista

Para el *sistema monista*, caracterizado por la presencia de un único órgano de gestión, con las posibles delegaciones permitidas por la legislación local, existe un amplio reenvío a esta última. Se requiere únicamente que: el número de miembros no sea inferior a tres, se asegure la participación de los trabajadores, la designación de los miembros corresponda a la junta, sin perjuicio de los casos de «cogestión», y que el órgano se reúna al menos cada tres meses.

Balances y control contable

De cualquier modo, independientemente del sistema elegido, el reenvío a las legislaciones nacionales es pleno en lo que concierne a la *contabilidad* y los *balances* anuales y consolidados, su *control* y la correspondiente *publicidad* (art. 61 reg.).

Composición de los órganos y responsabilidad

Los miembros de los órganos, cuyo cargo no puede exceder de seis años, salvo reelección (art. 46), pueden ser *entidades jurídicas* (si no está prohibido por la legislación local): pero éstas deben designar sus representantes personas físicas en el seno del órgano (art. 47 reg.). Salvo disposición estatutaria en contra, el quórum deliberativo es la mayoría de los presentes, con voto dirimente del presidente en caso de empate (art. 50 reg.). Todos los miembros de los distintos órganos son *responsables de los daños causados a la SE* por incumplimiento de sus obligaciones de acuerdo con lo establecido por las normas internas (art. 51 reg.).

Son pocas las normas reglamentarias específicamente dedicadas *a la junta*, para la que la remisión es general en materia de organización, desarrollo y votación. En concreto, se establece que la primera junta anual se celebrará, como fecha máxima, dentro de los dieciocho meses siguientes a la constitución, mientras que las sucesivas juntas habrán de celebrarse en los seis meses siguientes al cierre de cada ejercicio. Se prevé el derecho de las respectivas minorías de socios representativas del diez por ciento del capital (umbral que los estatutos o la norma local pueden rebajar) a convocar la junta y establecer o completar el orden del día. El quórum para adoptar acuerdos, salvo disposición contraria, es la mayoría de votos válidos expresados (art. 57 reg.), sin contar las abstenciones (art. 58 reg.). Dicho quórum resulta reforzado para las modificaciones estatutarias: dos tercios de los votos expresados, salvo disposición en contra (art. 59 reg.). *Junta general*

En caso de que haya distintas categorías de acciones, se reproduce el conocido sistema de las juntas especiales: la eficacia de la deliberación de la junta general queda subordinada a la conformidad de la junta especial, adoptada de acuerdo a las mismas mayorías previstas para la junta general (art. 60 reg.). *Juntas especiales*

117. CONSTITUCIÓN Y TRASLADO DEL DOMICILIO EN LA UE

Las modalidades de constitución de la SE están indicadas de modo taxativo en el art. 2 reg., que prevé: *Supuestos constitutivos*

a) la fusión entre (exclusivamente) s.p.a. con domicilio y administración central en Estados miembros diferentes: la sociedad resultante de la fusión o la absorbente será SE (arts. 17 y ss. reg.).

b) la creación de una holding, esto es, de una sociedad madre de control a la que se transfieren las acciones o participaciones de s.p.a. o s.r.l. con domicilio y administración central en Estados miembros diferentes o en el mismo Estado pero (desde al menos dos años) con filiales o sucursales en otros Estados miembros: la sociedad *holding* creada por las sociedades hijas será SE (art. 32. reg.).

c) la creación de una filial, esto es, una sociedad participada y controlada en común por sociedades u otros entes públicos o privados que se encuentren en las condiciones descritas para la *holding*: la sociedad filial será SE (arts. 35 y ss. reg.).

d) la transformación de s.p.a, exclusivamente, que desde al menos dos años tengan una filial en otro Estado miembro de la UE (art. 37 reg.): sólo en este caso la SE no será un nuevo sujeto jurídico sino una vestidura organizativa para una sociedad ya existente y persistente.

Las SE pueden dar lugar a otras SE mediante fusión y constitución de *holding* y filiales, estas últimas incluso como unipersonales (art. 3 reg.). Asimismo, pueden transformarse en s.p.a. enteramente reguladas por la ley local, pero no antes de dos años desde la constitución ni desde la aprobación de las primeras dos cuentas anuales (art. 66 reg.).

SE holding   Mientras la fusión, transformación y constitución de una filial se pueden reconducir, aún con variantes, a figuras bien conocidas para el sistema italiano, la creación de una sociedad *holding* representa una verdadera novedad. Se trata de una modificación organizativa similar a la que se verifica en una fusión en sentido estricto, en cuanto que da lugar a la confluencia de los socios de las sociedades constituyentes en la SE creada, con la diferencia de que: las sociedades constituyentes no se fusionan y no se extinguen ni disuelven; las acciones o participaciones en el capital no se anulan sino que se transfieren a la *holding* a cambio de acciones emitidas por la SE; si no se adhieren socios de modo que la *holding* obtenga al menos la mitad del capital votante de cada una de las sociedades promotoras no se podrá proceder a la constitución de la SE (art. 33 reg.).

Reglas procedimentales   Salvo el caso de creación de una filial, para el que son aplicables las normas locales sobre constitución de s.p.a., todos los procedimientos constitutivos indicados parten de un proyecto redactado por los órganos gestores y debidamente publicado, y requieren la aprobación por parte de las juntas de las sociedades participantes. Para la fusión y la constitución de una *holding*, si el ordenamiento local lo requiere (así lo hace el italiano), el procedimiento concluye con el acto de fusión o constitutivo redactado por los representantes legales de las sociedades constituyentes.

El art. 8 reg. regula el traslado del domicilio de la SE de un Estado miembro a otro, subrayando el carácter de decisión interna de la sociedad que, adoptada desde la óptica de la continuidad operativa de la empresa social, no comporta la disolución de la sociedad en el Estado de origen ni la constitución de una nueva sociedad en el de destino. Se superan de este modo las incertidumbres y las diversas soluciones que en los diferentes Estados rigen la materia del traslado del domicilio al extranjero.

Traslado de domicilio

Ello no obsta para que el traslado del domicilio a otro Estado de la UE sea una materia rica en notables consecuencias para los socios y para los terceros interesados. Por ello, el correspondiente procedimiento —ejecutable sólo cuando la sociedad no esté en causa de disolución, liquidación, insolvencia o similares y no de forma contemporánea con la constitución de SE por transformación (art. 37.3 reg.)— viene rodeado de cautelas y se inicia con un proyecto redactado por los administradores y debidamente publicado. Éste debe indicar, además del nuevo domicilio, los nuevos estatutos de la sociedad (necesario por las normas locales aplicables), las consecuencias en la implicación de los trabajadores, el calendario previsto para la transferencia y los derechos eventualmente fijados para accionistas y acreedores. La junta aprueba el proyecto, pero las legislaciones locales están llamadas a introducir formas de oposición a favor de los acreedores y, facultativamente, a favor de los accionistas disidentes. La inscripción del acuerdo en el registro de destino tiene valor constitutivo: a partir de la inscripción tienen valor, incluso en las relaciones entre socios, el traslado del nuevo domicilio y la adopción de los nuevos estatutos sociales.

Procedimiento y cautelas

En materia de disolución, liquidación, insolvencia y cesación de pagos, la remisión a las normas locales es plena, añadiéndose una causa especial de disolución (art. 64 reg.) determinada por la ubicación —durante la vida de la SE— de la administración central en un Estado diverso de aquél donde está situado el domicilio legal y la no subsanación de tal irregularidad en el periodo que establezca cada Estado.

Disolución y crisis

Capítulo VI
La sociedad de responsabilidad limitada

Disposiciones generales. Aportaciones. Participaciones

Mario Stella Richter *jr.*

Sumario: 118. Disposiciones generales. 119. El carácter personal de la sociedad. 120. Relevancia de la persona y el acto constitutivo. 121. Responsabilidad por las obligaciones sociales. 122. Aportaciones y financiación. 123. Participaciones sociales. 124. Operaciones sobre las participaciones.

118. DISPOSICIONES GENERALES

La sociedad de responsabilidad limitada asume una posición particular en el panorama de los modelos organizativos de la actividad empresarial tanto individual como colectiva, que es central en las opciones de política legislativa. En este sentido, la normativa que regula este tipo contenida en el capítulo VII del título V del libro V del C.C. ha constituido una de las novedades más significativas de la reforma del Derecho de sociedades de 2003.

También destaca su importancia desde el punto de vista práctico, puesto que es el tipo más difundido de sociedades: en marzo de 2008 existían en Italia 828.784 sociedades de responsabilidad limitada, frente a 59.183 sociedades simples, 492.171 sociedades colectivas, 387.051 sociedades comanditarias simples, 45.015 SA, y 158 sociedades comanditarias por acciones. El número de las sociedades de responsabilidad limitada está destinado a aumentar, en detrimento, ya de la sociedad por acciones, ya de las sociedades de personas. Todo ello sin considerar la notable potencialidad del nuevo modelo de la sociedad de responsabilidad limitada, tanto para articular grupos de sociedades como para la organización de *joint ventures* entre empresas (pudiéndose así articular la gran cantidad de pactos que acompañan la creación de estas organizaciones, v. §119).

Difusión

Personalidad jurídica y limitación de responsabilidad

Se trata, de hecho de *(i)* una sociedad a la que el legislador reconoce la *personalidad jurídica* (art. 2331, al que remite el art. 2463); *(ii)* una sociedad que *responde por las obligaciones sociales sólo con su propio patrimonio* (art. 2462.1, salvo las excepciones del párrafo segundo, v. §121); *(iii)* una sociedad que, sin embargo, puede revestir caracteres fuertemente personalistas.

Así, el legislador parece haber pensado en la sociedad de responsabilidad limitada en términos de «*sociedad de personas de responsabilidad limitada*». Sin embargo, la amplia libertad del socio para dictar las reglas de funcionamiento, en sede de redacción o modificación del acto constitutivo, hace que en la práctica el rol central atribuido a la persona del socio pueda desaparecer casi totalmente y que los estatutos puedan ser asimilados a los de la sociedad por acciones, con el límite que supone la imposibilidad de que las participaciones sociales puedan representarse como acciones ni ser objeto de oferta al público de productos financieros, esto es, de solicitud pública de inversión (art. 2468.1 y §123).

Con la reforma de 2003, el modelo de la sociedad de responsabilidad limitada viene regulado por primera vez de forma autónoma, dotándose de una normativa propia en la que las remisiones puntuales a la sociedad por acciones tienen un carácter marginal (problema diferente plantea el colmar las lagunas, siempre presentes, mediante el procedimiento analógico, v. §120).

Precedentes históricos

Parece que llega a su fin, así, el largo proceso evolutivo de un modelo intermedio entre las sociedades de personas y las sociedades por acciones. En el C.Co de 1882 no existía más que un tipo fundamental de sociedad de capital: la Sociedad Anónima. La normativa de la Sociedad Anónima por cuotas —el antepasado más lejano de nuestra sociedad de responsabilidad limitada— estaba de hecho comprendida, como simple variante, en el tipo más general de la Sociedad Anónima (faltaba un régimen autónomo de las sociedades comanditarias por acciones, siendo éstas un subtipo de la sociedad comanditaria simple, v. §2). No obstante, en Alemania ya en 1892 había sido regulado un tipo autónomo de sociedad con garantía limitada —la *Gesellschaft mit beschränkter Haftung*— cuyas características diferían notablemente de la sociedad por acciones (*Aktiengesellschaft*). El modelo alemán dio prueba de óptimos resultados ya desde el principio y fue seguido en otros Estados.

La exigencia de regular un tipo, por así decir, «intermedio», de sociedad de responsabilidad limitada fue advertida en Italia y, por ejemplo, el proyecto Vivante de reforma del C.Co (de 1922) intentó dar una respuesta. Sin embargo, este y otros intentos de reforma sufrieron un drástico redimensionamiento y debió esperarse hasta la promulgación del C.C. de 1942 para asistir al nacimiento de la «sociedad de responsabilidad limitada» en Derecho italiano. Tal tipo mostraba escasas diferencias con la sociedad por acciones, de modo que, a la luz de los hechos, resultó ser más bien una especie de «pequeña sociedad por acciones sin acciones».

Por otra parte, la exigencia de ofrecer a los operadores un modelo de sociedad intermedio entre las sociedades de personas y las de capital no fue advertida sólo por el legislador alemán y sus seguidores. De hecho, recientemente se ha introducido un modelo de sociedad de personas con personalidad jurídica y beneficio de la responsabilidad limitada a las aportaciones en prácticamente todos los Estados de EEUU, en Gran Bretaña y Brasil. Se trata, respectivamente de la *Limited Liability Company* (véase para todas el *Uniform Limited Liability Company Act* de 1996). la *Limited Liability Partnership* (v. el *Limited Liability Partnerships Act* de 2000, que entró en vigor en 2001) y la *Sociedade Limitada* (arts. 1502 y ss. del nuevo C.C. de Brasil). Modelos extranjeros

119. EL CARÁCTER PERSONAL DE LA SOCIEDAD

Hoy en Italia, como se ha apuntado, la nueva sociedad de responsabilidad limitada se presenta como un modelo efectivamente autónomo e intermedio.

Sin embargo, es necesario detenerse todavía en el significado real y en las implicaciones de dicho *slogan* (v. §118), según el cual la sociedad de responsabilidad limitada sería como una «*sociedad de personas de responsabilidad limitada*». La exigencia de profundizar en ello viene determinada por el hecho de que las categorías o clases de las «sociedades de personas» y de las «sociedades de capital» han desarrollado tradicionalmente un papel sólo descriptivo (v. §8).

Desde el punto de vista del C.C., no se puede negar que la sociedad de responsabilidad limitada pertenece al grupo de las sociedades de capital. Sociedades de capital y s.r.l.

Ello se deduce, por ejemplo, de la lectura del capítulo VIII del título V del libro V, titulado «Disolución y liquidación de las sociedades de capital» que se dirige a las sociedades por acciones, sociedades comanditarias por acciones y *sociedades de responsabilidad limitada* (art. 2484). Asimismo, de la comparación entre la rúbrica y el texto de los arts. 2500-*septies* y 2500-*octies*, en sede de transformación de o en sociedad de capitales o de la letra del art. 37.1 d.lgs.5/2003, donde se habla de «sociedades de responsabilidad limitada *y* sociedades de personas» (aclarando así que aquélla no se identifica con éstas equiparándolas, al mismo tiempo, desde el punto de vista de la normativa). Ello es suficiente para concluir que, técnicamente, la sociedad de responsabilidad limitada es una sociedad de capital (v. §7).

La sociedad de responsabilidad limitada se considera todavía una sociedad de capital, puesto ya que los socios (al menos normalmente) no se caracterizan por su capacidad de solvencia, en razón del régimen de la responsabilidad por las deudas sociales (v. §120). La referencia a las sociedades de personas no se realiza para contraponer las sociedades de responsabilidad ilimitada a las de responsabilidad limitada y aún menos para asimilar la sociedad de responsabilidad limitada a aquellas sociedades con autonomía patrimonial imperfecta, esto es, privadas de la personalidad jurídica (v. §§8 y 12).

Sociedad de personas de responsabilidad limitada

Hecha esta advertencia, es necesario añadir que la expresión «la sociedad de personas de responsabilidad limitada» puede servir para manifestar el papel y el sentido de la normativa autónoma e intermedia de este tipo social y, en particular, de su carácter personal. Sirve, en otras palabras, para clarificar que es un modelo regulado con la finalidad de hacer visible con mayor nitidez la relevancia de la persona del socio, tanto sobre la base de algunas disposiciones legales inderogables (como la relativa al régimen de financiación de los socios, v. art. 2467 y §122) como de los principios generales (como la presencia de una obligación fiduciaria más estricta de buena fe y corrección entre socios) y de la potencialidad reconocida a la autonomía estatutaria (v. §120).

En este sentido es clarísima la misma *Relazione*, donde se explica que la sociedad de responsabilidad limitada «como ya ha ocurrido en otros ordenamientos, deja de presentarse como una pequeña sociedad por acciones y abandona la tradición de nuestro ordenamiento que la ligaba, como antecedente histórico, a la sociedad anónima *por acciones*. Ésta se caracteriza, sin embargo, por ser una sociedad de personas que, aunque con el beneficio de la responsabilidad limitada, puede eludir la aplicación de las estrictas normas de la sociedad por acciones». El legislador pretende ofrecer a los operadores económicos «un instrumento caracterizado por una *significativa y acentuada elasticidad*, basado fundamentalmente en la *consideración de las personas de los socios y de sus relaciones personales*» (énfasis añadido).

120. RELEVANCIA DE LA PERSONA Y EL ACTO CONSTITUTIVO

Por tanto, el *slogan* de la «la sociedad de personas de responsabilidad limitada» se justifica a la luz del hecho de que la autonomía de las partes es libre para organizar y regular la sociedad como si, prácticamente, fuese una sociedad de personas.

Autonomía negocial

Por ejemplo, todos los socios podrán, en virtud de los estatutos, ser administradores y su poder de gestión podrá ejercerse conjunta o separadamente. Las decisiones de los socios podrán casi siempre ser adoptadas sin celebración de junta y, por tanto, mediante técnicas no colegiales; la transmisión de las participaciones podrá ser subordinada a la autorización de todos los socios, sin perjuicio del derecho de separación del art. 2469.2. La modificación del acto constitutivo podrá acordare por decisión unánime, a los socios se les podrán reconocer derechos especiales modificables sólo con el consentimiento de todos los socios, etc.

Estos ejemplos sintéticos no recogen sino algunas de las muchas posibilidades de la autonomía negocial para dar relevancia concreta a las personas de los socios.

A este propósito ha de señalarse la posibilidad de prever en el acto constitutivo supuestos específicos de exclusión del socio por justa causa, añadidos al caso previsto por la ley relativo a la morosidad del socio en las aportaciones (art. 2473-*bis*).

Causas de exclusión

El socio excluido tendrá derecho a obtener «el reembolso de la propia participación en proporción al patrimonio social». Esto es, tendrá derecho a la liquidación de su parte en base al «valor de mercado» del patrimonio

social en el momento de la exclusión (art. 2473.3). Dicho reembolso podrá efectuarse de acuerdo con las mismas modalidades previstas para los
restantes casos de separación: a través de la adquisición de la parte por los
demás socios o un tercero, o a través de la utilización de reservas disponibles y la correlativa anulación de la participación del excluido, pero sin
reducción del capital (art. 2473.4).

En caso de exclusión no se podrá utilizar la técnica del reembolso basada en la reducción del capital social (art. 2473-*bis*). De ello se deduce que
—excluido un socio sin que proceda la adquisición de su parte al valor de
mercado y sin que sean suficientes las reservas disponibles— la sociedad
deberá ser liquidada y el derecho a la cuota de liquidación sustituirá al
derecho a la liquidación de su participación.

Cláusula de
arbiraje

Debe recordarse, asimismo, que el acto de constitución de la sociedad
de responsabilidad limitada, como el de las sociedades de personas (pero
no el de las sociedades accionariales, v. §19), puede prever mecanismos de
resolución de conflictos en la gestión recurriendo a un arbitraje externo
(art. 37 d.lgs. 5/2003).

Lagunas y
remisión a
una regulación
residual

Es particularmente significativo señalar que el acto constitutivo de la
sociedad de responsabilidad limitada puede prever el régimen residual para
la sociedad, en cuanto no haya nada dispuesto por ley ni en los estatutos,
mediante el reenvío a la normativa de la sociedad colectiva (y, por tanto,
también de la sociedad simple) o bien a la sociedad por acciones. En el
primer caso se acentúa el carácter personal de la sociedad y en el segundo
se reduce. Tanto en un caso como en otro, dicha cláusula nos parece oportuna ya que otorga al intérprete una guía útil para colmar las lagunas de un
sistema que, a pesar de ser autónomo, no es del todo exhaustivo: en este
sentido resulta significativa la circunstancia de que las cláusulas de cierre
son usualmente previstas en las legislaciones extranjeras relativas a tipos
similares a nuestra sociedad de responsabilidad limitada.

Acto
constitutivo
y pactos
parasociales

Las numerosas potencialidades de la autonomía negocial y, sobre todo
las mencionadas *supra*, tienden a exaltar el carácter personal del tipo y
hacen que en una sociedad de responsabilidad limitada pueda preverse
estatutariamente casi todo lo que en la sociedad por acciones debe ser
confinado al plano parasocial (v. los epígrafes siguientes con respecto
a la obligación de recapitalización o a la responsabilidad más allá de la
aportación). En este sentido es significativo el hecho de que el C.C. no

prevea un régimen de los pactos parasociales en sede de sociedad de responsabilidad limitada, a diferencia de cuanto hace en sede de sociedad por acciones.

En conclusión, tras la reforma de 2003 la sociedad de responsabilidad limitada constituye un sistema totalmente distinto de la sociedad por acciones, ya por el reforzamiento de sus caracteres personalistas (necesarios o eventuales), ya por el reconocimiento de un mayor espacio negocial. Se trata de un *tipo social nuevo*, no sólo respecto de la sociedad por acciones y sociedad comanditaria por acciones sino, sobre todo, respecto de la vieja sociedad de responsabilidad limitada del sistema de 1942.

Por lo que se refiere al contenido necesario del acto constitutivo de la sociedad de responsabilidad limitada (art. 2463), no difiere sustancialmente del de la sociedad por acciones, excepto en lo que atañe a determinadas particularidades (denominación, capital social mínimo, reparto de funciones entre órganos sociales y socios, sistema de administración y control, objeto y modalidades de adopción de decisiones, para las que se reenvía a §149). *[margen: Contenido del acto constitutivo]*

En lo que afecta a la estructura, en la sociedad de responsabilidad limitada, el acto constitutivo resultará normalmente de un único contexto documental, siendo menos difundida que en la sociedad por acciones la práctica de instituir las reglas de funcionamiento en un documento separado llamado «estatutos». Sin embargo, así como en la sociedad por acciones la contraposición entre acto constitutivo y estatuto no comporta una diversa naturaleza jurídica de los documentos (siendo considerados en cualquier caso un único acto jurídico unitario, art. 2328.3 y §147), nada obsta a que se pueda practicar tal división también en el seno de la sociedad de responsabilidad limitada, sin perjuicio de la consideración unívoca, tanto del acto como de su naturaleza jurídica. *[margen: Estructura del acto constitutivo]*

121. RESPONSABILIDAD POR LAS OBLIGACIONES SOCIALES

La sociedad de responsabilidad limitada puede estar integrada —ya sea desde la constitución, ya desde un momento posterior— por una o varias personas físicas o jurídicas (art. 2463.1) y la naturaleza unipersonal o plu- *[margen: Constitución unipersonal y pluripersonal]*

ripersonal no incide, en principio, sobre el régimen de la responsabilidad por las deudas sociales.

S.r.l.
unipersonal

Los únicos supuestos de responsabilidad ilimitada y subsidiaria del socio expresamente previstos van ligados al incumplimiento de obligaciones específicamente impuestas al socio único. El art. 2462.2 dispone, en efecto, que en caso de insolvencia de la sociedad, el socio único será responsable de las deudas sociales nacidas durante el periodo en que dicha persona poseía el conjunto de participaciones de la sociedad siempre que las aportaciones no hayan sido enteramente desembolsadas (art. 2464.4 y 7) o cuando la composición del capital no haya sido publicada a través del Registro de empresas (art. 2470. 4 a 8). La pérdida de la responsabilidad limitada no se verifica, no obstante, en el caso de que se incumpla la obligación de indicar en la correspondencia y en actos sociales que la sociedad tiene un único socio (art. 2250.4; v. también para la s.p.a. §50).

Queda por determinar si son admisibles y si, en caso afirmativo, tienen carácter social o puramente parasocial (v. §120): *(i)* las cláusulas que prevén que cada socio (o un cierto socio) responda de las deudas sociales más allá de su aportación o por una suma múltipla de la misma (v. este sentido el art. 417 del Proyecto preliminar del libro V del C.C de 1942, que preveía expresamente que «el acto constitutivo puede establecer que, en caso de insolvencia de la sociedad, cada socio responda de las deudas sociales, más allá de su propia aportación, por una suma múltipla de la misma»), *(ii)* las cláusulas que obligan a los socios a recapitalizar la sociedad en caso de pérdidas (puede citarse aquí el art. 2467 y §122). Este tema será tratado más detenidamente en el siguiente epígrafe, utilizando argumentos relativos al régimen de las aportaciones.

122. APORTACIONES Y FINANCIACIÓN

El carácter marcadamente personal de la sociedad de responsabilidad limitada es perceptible con especial nitidez en la materia de las aportaciones, por determinadas razones.

Aportaciones y
participación

En primer lugar, se reconoce a la autonomía negocial la posibilidad de desvincular la relación de directa proporcionalidad entre la *medida de la aportación y la medida de la participación social* (además de prescindir, como se verá en §123 de la rígida proporción entre *participación social y derechos sociales*, véase el art. 2468.3).

De hecho, sólo si el acto constitutivo no dispone lo contrario, las participaciones de los socios se determinan de forma proporcional a la aportación (art. 2468.2). Así, la norma es, ante todo, análoga a la contenida en el art. 2263.1, dictada en sede de sociedad de personas (es necesario destacar que se prevé una apertura similar también en el ámbito de las sociedades por acciones en el art. 2346.4).

Se permite así dar relevancia, desde el punto de vista de la participación, a las aportaciones de los socios de carácter estrictamente personal (como por ejemplo la fama ligada a un cierto nombre) que escapan a una valoración económica (juzgada por los mismos socios) suficientemente objetiva.

En segundo lugar, es posible aportar a la sociedad de responsabilidad limitada, del mismo modo que en las sociedades personalistas, todo aquello susceptible de valoración económica (art. 2464.2) y, por tanto, no sólo dinero (que sigue siendo el medio natural con el que cumplir con la obligación de aportación, en virtud del art. 2464.3), créditos y bienes *in natura* (para lo que se remite al §153, también para el estudio de las modalidades de liberación y del procedimiento de valoración), sino también prestaciones de carácter personal. Los elementos que pueden aportarse a la sociedad de responsabilidad limitada coinciden con los aludidos por el art. 2247, de forma que los socios podrán aportar a la sociedad, por dar algún ejemplo, derechos sobre marcas u otros signos distintivos, derechos de patentes, derechos de autor, el llamado *know-how* y el fondo de comercio.

En este sentido nos debemos preguntar si el socio puede obligarse a garantizar las deudas de la sociedad más allá de su propia cuota de participación. Se trataría, evidentemente, de un rasgo ulterior de la relevancia de la persona del socio. El problema reside en establecer el valor de tal previsión: al reconocimiento de una eficacia real parece oponerse una característica esencial de la sociedad de responsabilidad limitada constituida por la limitación de la responsabilidad, al menos en cuanto que la obligación del socio sea la de responder con todo su patrimonio. En tal caso a la obligación del socio sólo podrá reconocérsele eficacia inter-partes, es decir, limitada al ámbito interno de la sociedad. Quizás sea distinto el caso de la obligación de responder de las deudas sociales mediante una suma múltipla de

Objeto de las aportaciones

la aportación, que podría ser considerada respetuosa con la mencionada característica esencial y, por ello, podría atribuírsele eficacia genuinamente social (y, por tanto, «real»).

Aportaciones de obra y servicios

Además, es ciertamente posible aportar a la sociedad de responsabilidad limitada *prestaciones de obra y servicios*, es decir, *prestaciones de marcado carácter personal*. Dicha obligación debe ser asumida por el socio de forma conjunta con el otorgamiento de una póliza aseguradora, de una garantía bancaria o (cuando el acto constitutivo lo prevea) de una caución en dinero a favor de la sociedad. Dichas pólizas fiduciarias y cauciones no deben entenderse como el verdadero y propio objeto de la aportación (que sigue siendo la prestación personal del socio), sino más bien como *garantías necesarias* (pero alternativas entre sí, art. 2464.6) de la misma. Con ello el legislador ha buscado el justo equilibrio entre el perfil personalista de la sociedad y la exigencia de garantizar la correcta formación e integridad del capital social.

La aportación de obra y servicios parece presuponer, de igual forma que cualquier aportación no dineraria, la valoración de las prestaciones prometidas (y, por tanto, la aplicación del art. 2465).

Prestaciones accesorias

Esta posibilidad no excluye que se prevea estatutariamente la obligación para ciertos socios de realizar *prestaciones accesorias más allá de la aportación*. Esta hipótesis de prestaciones accesorias no está expresamente regulada en sede de sociedad de responsabilidad limitada (a diferencia de la sociedad por acciones, para la cual v. art. 2345, probablemente aplicable por analogía en ausencia de norma específica, v. también §58), pero es ciertamente justificable por la mayor autonomía estatutaria de la sociedad de responsabilidad limitada respecto de la sociedad por acciones.

Ejecución de la aportación

La prestación de la garantía, necesaria en caso de aportación de prestaciones de obra y servicios, está prevista como instrumento alternativo a la transferencia de dinero en caso de aportación dineraria. De hecho, el socio que está obligado a realizar su aportación en dinero debe, en el acto de la suscripción de la cuota, desembolsar al menos la cuarta parte de la suma a la que está obligado y el resto cuando sea requerido por los administradores (o en cualquier momento si se convierte en socio único, art. 2464. 7). Sin embargo, se contempla la posibilidad de que el primero o sucesivos desembolsos sean sustituidos por la suscripción de una póliza aseguradora o una garantía bancaria (art. 2464.4) por el importe correspondiente y con las características previstas por un reglamento del Presidente del Consejo de ministros.

Naturalmente, debido a la naturaleza accesoria y eventual de estas garantías financieras, el socio podrá en cualquier momento «sustituir» la póliza o la garantía por el pago del correspondiente importe en dinero, es decir, podrá sustituir la garantía, extinguiéndola, por la prestación garantizada.

El carácter marcadamente personal de la sociedad de responsabilidad limitada presente en toda la materia de las aportaciones, vuelve a aparecer, además, en el régimen más general de la financiación. Desde esta perspectiva, asume particular relevancia la disposición del art. 2467, según el cual el reembolso de la financiación de los socios a favor de la sociedad queda postergado respecto de los demás acreedores. Tal previsión evidencia, en efecto, la relevancia de la persona del socio en las relaciones con la sociedad, hasta el punto de presumir la presencia de una *causa societatis* en todas aquellas contribuciones en dinero del socio a la sociedad (cualquiera que sea su calificación formal) en cualquier situación de la sociedad «en la que hubiese sido razonable una aportación» verdadera y propia o «en un momento en que, considerando el tipo de actividad ejercida por la sociedad, se produce un excesivo desequilibrio entre el endeudamiento y el patrimonio neto» (art. 2467.2). Financiación de los socios

Como se observa, se trata de la formulación de dos parámetros generales que la jurisprudencia está llamada a completar con un contenido preceptivo concreto. Del mismo modo, sólo desde la realidad de la distancia efectiva entre la sociedad de responsabilidad limitada y las sociedades por acciones se podrá determinar si dicha regla, dictada únicamente en sede de sociedad de responsabilidad limitada (y, sin embargo, paralela a las disposiciones en tema de financiación a favor de cualquier tipo de sociedad de parte de quien ejerce actividades de dirección y coordinación: art. 2497-*quinquies* y §145), es aplicable por analogía respecto, quizá, de las sociedades por acciones cerradas, es decir, con pocos socios o incluso uno solo.

Todavía en tema de financiación, debemos señalar la posibilidad para la sociedad de responsabilidad limitada de emitir títulos de crédito (art. 2483). Consciente del papel que la sociedad de responsabilidad limitada está llamada a desarrollar desde el punto de vista práctico para las empresas de pequeñas o medianas dimensiones, tan difundidas en Italia, el legisla- Título de deuda dor ha pretendido dotarlas de instrumentos de financiación añadidos a los recursos personales de los socios y al tradicional crédito bancario.

Naturalmente, al regular dicha posibilidad se ha debido atemperar la exigencia derivada del acceso al mercado del capital de crédito con la necesaria salvaguarda de los ahorradores. Surge así una solución de este tipo: que los títulos de deuda pueden ser suscritos exclusivamente por «inversores profesionales sujetos a vigilancia prudencial» (art. 2483.2 y, entre otras, los bancos, sociedades de inversión mobiliaria, sociedades de gestión del ahorro, las s.i.c.a.v., las compañías aseguradoras y los fondos de pensiones, etc., argumento deducible de los arts. 6.2-*quinquies* y 2-*sexies* T.U.F. y 26.a) Consob 16190/2007, del cual v. también el *Allegato* 3), los cuales, mientras hagan circular tales títulos, incluso en el mercado secundario, responden *ex lege* de la solvencia de la sociedad frente a sucesivos adquirentes (que, a su vez, no sean inversores profesionales o socios de la s.r.l emisora). Se prevé, así, una especie de obligación en vía de regreso de quien suscribe obligaciones, análoga a la del art. 2412 en el caso de emisión y suscripción de obligaciones de sociedades por acciones más allá de los limites cuantitativos puestos por el mismo artículo (v. §66). En este sentido, como en aquél caso, los inversores cualificados están llamados a dar una valoración del mérito crediticio de la sociedad emisora, asumiendo, en consecuencia, la correlativa responsabilidad.

La emisión de los títulos de deuda y sus modalidades, incluida la determinación de la competencia para asumir la decisión (atribuible alternativa o cumulativamente a la decisión de los socios o de los administradores), presupone una expresa previsión del acto constitutivo. Éste podrá, además, prever los límites generales para el recurso a dicho instrumento de financiación. También desde este punto de vista, resulta confirmado, por tanto, el amplio reconocimiento reservado a la autonomía estatutaria.

La decisión (o deliberación) de emitir dichos títulos debe prever las condiciones del préstamo y puede prever que, previa aprobación de la mayoría de los poseedores de los títulos, la sociedad pueda modificar dichas condiciones. La decisión última sobre la emisión se inscribirá en el registro de empresas (art. 2483.3).

A pesar de que las posibilidades dejadas a la autonomía estatutaria son amplias, parece que los títulos de deuda deban representar necesariamente la posición activa (o una fracción) de una relación de financiación en sentido estricto (préstamo, asociación en participación, etc.). Desde esta perspectiva, por ello, resultarán inadmisibles en una sociedad de responsabilidad limitada los títulos «híbridos» o «participativos» (v. §71), quedando excluido, al parecer, el recurso a títulos de deuda «convertibles» en participaciones de la sociedad (v. §70).

Además de la emisión de estos títulos, no se permiten ulteriores formas de financiación a través de instrumentos financieros o títulos de masa y la sociedad de responsabilidad limitada no podrá instituir patrimonios destinados en el sentido de los arts. 2447-*bis* y ss. (v. §§72 y ss.).

123. PARTICIPACIONES SOCIALES

Incluso la participación en sociedades de responsabilidad limitada se acomoda al carácter personal del tipo. Las participaciones sociales (o cuotas) no pueden ser, como hemos recordado, representadas por acciones ni constituir objeto de «oferta al público de productos financieros» (art. 2468.1), puesto que por producto financiero debe enterderse (al menos en el sentido del art. 1.1. v) T.U.F.) cualquier forma de inversión de naturaleza financiera. Que no puedan constituir objeto de solicitud pública de inversión significa reiterar, no sólo la clausura de este tipo de sociedad sino, sobretodo, su carácter personal y la relevancia de los socios. Carácter y relevancia que, evidentemente, no toleran técnicas indiscriminadas de adhesión a la sociedad: otra confirmación por tanto, del carácter no «anónimo» de la sociedad de responsabilidad limitada.

La prohibición de oferta al público y de la solicitud pública de inversión comporta la imposibilidad de concurrir a la estipulación del acto constitutivo por medio de suscripción pública que, a diferencia de la sociedad por acciones, no está contemplada en sede de sociedad de responsabilidad limitada.

El que las participaciones en la sociedad de responsabilidad limitada no puedan estar representadas por acciones significa prohibir el recurso a un criterio de identificación de la medida (y de la unidad) de la participación que la contemple de modo abstracto sobre la base de una relación matemática y que, por tanto, considere a la persona del socio un *posterius* respecto de la determinación de su participación (v. §54). En positivo,

Prohibición de solicitud a la inversión

Participaciones y acciones

hay que decir que la participación en la sociedad de responsabilidad limitada se distingue por su carácter personal. La persona del socio es un *prius* lógico-jurídico, de modo que, entre socios y cuotas se establece una relación biunívoca (salvo el caso de copropiedad de la participación): el número de cuotas es igual al número de socios que participan en la constitución de la sociedad y cada uno de ellos deviene titular de una única participación.

De todo ello se deriva que la medida de cada participación no es constante, como en el caso de las acciones, sino que varía, ya en razón de las diferentes aportaciones iniciales (o de los diversos acuerdos tomados en sede de constitución o de aumento del capital social), ya en razón de los sucesivos avatares circulatorios de las cuotas.

Así, si las *acciones* con valor nominal son necesariamente de la *misma cuantía* y si las acciones sin valor nominal representan cada una la *misma fracción* del capital social, las cuotas pueden ser, y normalmente son, de *diversa cuantía* y representan *diferentes porcentajes de participación*.

De ello deriva, asimismo, que mientras las acciones son participaciones sociales autónomas y distintas (v. §54), la cuota representa de modo unitario aquella cierta participación social. Queda así excluido, por ejemplo, que con la misma cuota de participación se pueda expresar un *voto* articulado diversamente (es decir, *divergente*).

Del mismo modo, finalmente, mientras las acciones pueden ser, y normalmente son, representadas por títulos-valor o quedan sujetas a la ley cambiaria (v. §59), las cuotas no pueden ser incorporadas, bajo ninguna circunstancia, a documentos sujetos a la normativa de los títulos-valor. Un eventual documento representativo de la participación en una sociedad de responsabilidad limitada podrá, como máximo, tener valor de certificación de la cualidad de socio y de la medida de su participación, tal y como resulta del libro registro de socios en un determinado momento (pero ni mucho menos con las formas y efectos de la circulación cartular, art. 1992 y ss.).

Admisibilidad de derechos especiales del socio — Coherentemente con el carácter personal de la sociedad de responsabilidad limitada y con la naturaleza de la participación en la misma, está prevista expresamente la posibilidad de atribuir a los socios, en razón de la importancia de su propia persona, *derechos particulares respecto* tanto de *la administración de la sociedad* como de *la distribución de beneficios* (art. 2468.3).

Tal previsión —que, como dijimos, manifiesta el carácter personal de la sociedad de responsabilidad limitada— colorea la entera relación social, de modo que la modificación de aquellos derechos particulares no podrá decidirse sino mediante unanimidad (no basta la mayoría, ni siquiera cuando cuenta con la aprobación del socio interesado), siempre que en el acto constitutivo no se haya dispuesto un régimen diferente para su modificación (art. 2468.4). En este segundo caso, esto es, cuando la modificación de los derechos especiales se haya producido sin unanimidad, la ley reconoce al socio disidente el derecho de separación de la sociedad (art. 2473.1). La inclusión de la modificación de los derechos especiales del socio entre aquéllas que constituyen un presupuesto para el ejercicio del derecho de separación *ex lege* confirma cuanto hemos dicho en relación al fuerte papel caracterizador del tipo que representa la previsión de aquellos derechos especiales y confirma, sobre todo, la centralidad de las personas de los socios en este tipo social.

Modificación de los derechos especiales

Concretamente, la fijación de *los derechos especiales respecto de la distribución de beneficios* debe hacerse respetando la prohibición del pacto leonino. En efecto, el art. 2265, dictado en sede de sociedad simple pero que parece expresión de un principio de carácter general aplicable, por tanto, también a las sociedades genuinamente de capital (esto es, también a las sociedades accionariales. v. §58), halla aplicación *a fortiori* en relación con el tipo, de carácter más marcadamente personalista (acentuado, precisamente, por la previsión de los «derechos especiales»), de la sociedad de responsabilidad limitada.

Pacto leonino

Se deduce que serán inadmisibles aquellas previsiones que excluyan a ciertos participantes del beneficio de la sociedad o que se lo reconozcan, independientemente de las pérdidas de la sociedad.

Serán, por el contrario, admisibles las cláusulas contractuales que reserven a uno o más socios unos porcentajes cualificados (y, por tanto, desligados de la medida de su participación social), ya sea de los beneficios que se acuerda distribuir, ya de aquéllos simplemente obtenidos (con la consecuencia de que el socio tendrá derecho a la liquidación de su parte prescindiendo del acuerdo general en relación a su distribución).

Por cuanto concierne a los derechos especiales de carácter administrativo, éstos pueden consistir, ya en la posibilidad de reservar a algunos socios la elecciones de los administradores, ya en la posibilidad de prever una

Derechos concernientes a la administración

especie de derecho de veto o de decisión del socio individual sobre actos de gestión específicos o en la posibilidad de reservar a dicho socio la función de administrador o el derecho de designar a un administrador y, naturalmente, también un derecho de voto particular o «reforzado» sobre aquellas materias.

Naturalmente, en la persona del mismo socio podrán subsistir derechos especiales de naturaleza administrativa y de naturaleza patrimonial.

Deberíamos preguntarnos si la referencia normativa a los derechos relativos a la administración de la sociedad o la distribución de los beneficios puede ser interpretada extensivamente, comprendiendo, asimismo, derechos de naturaleza patrimonial distintos del derecho al dividendo (y, por tanto, el derecho a ser postergado en las pérdidas o a ser privilegiado en la obtención de la cuota de liquidación) o de tipo corporativo distintos de los relativos a la administración (esto es, derechos reforzados de control) o de naturaleza intermedia (derechos especiales de separación). A dicha cuestión parece que deba darse una respuesta positiva.

Transmisibilidad de las participaciones con derechos especiales

Es, por el contrario, opinable, si todas las participaciones a las que se ligan derechos especiales son libremente transferibles incluso en ausencia de cláusulas limitativas de la circulación de las cuotas (cuya previsión es, por otra parte, sumamente oportuna precisamente en relación a la introducción de los derechos especiales). En una serie de casos, la participación podrá considerarse libremente transferible, pero sin que el derecho especial (que es siempre un derecho «especial del socio») pase al adquirente de dicha cuota (por tanto, a otro socio): ello ocurrirá cuando tenga relación con la atribución de un derecho de naturaleza patrimonial. En otras circunstancias, esto es, cuando la participación esté distinguida por un carácter efectivamente personal (por ejemplo, atribuye al titular un especial poder administrativo), la misma *modificación de la persona del socio* parece implicar un *cambio* sometido a la normativa del art. 2468.2 y, por ello, *no* libre (v. §124), en cuanto que es relevante, no sólo para su titular sino también para los restantes socios.

Inadmisibilidad de categoría de cuotas

La cuestión de la admisibilidad de la creación estatutaria de categorías de cuotas, esto es, de clases de participación distintas entre sí sobre la base del reconocimiento abstracto de derechos (u obligaciones) especiales de sus titulares (prescindiendo de la concreta identidad personal) está, en ciertos aspectos, relacionada con el problema del régimen de la circulación de las participaciones con derechos especiales. A este respecto debe decirse que si por categoría de cuotas se entiende (como en rigor debe hacerse) la creación de una serie de participaciones estandarizadas, dotadas de derechos especiales independientemente de sus titulares, se impone una respuesta a favor de su admisibilidad. Y ello se deduce, además del carácter personal general de la participación social y del art. 2468.3 y 4, de la *Relazione*, donde se lee que «se considera coherente con las características personales del tipo societario de la sociedad de responsabilidad limitada (....) no prever la posibilidad de categorías de cuotas que implicaría su objetivización y, por tanto, una pérdida del nexo con la persona del socio». Viceversa, no hay dificultad en admitir la posibilidad de prever estatutariamente que algunas participaciones sociales, dotadas de derechos especiales y asignadas a determinados socios en sede de constitución de la sociedad, puedan ser por éstos (más o menos libremente) *transferidas con el derecho especial* (por ejemplo, al dividendo): en este (y sólo en este) sentido (lato), se podría entonces considerar admisible la creación de una «categoría» de participaciones «especiales».

124. OPERACIONES SOBRE LAS PARTICIPACIONES

El carácter personal de la participación en las sociedades de responsabilidad limitada conforma su régimen circulatorio, aunque sin elevar a regla supletoria un régimen de transmisibilidad limitada de la cuota (como, por ejemplo, ha sucedido en España con el art. 29 LSRL, en Francia con el art. L.223-14 del *Code de Commerce*, o en Brasil con el art. 1057 del *Código Civil*).

La natural transferibilidad, sea *inter vivos* o *mortis causa*, de las participaciones, puede ser, no sólo limitada de muchas formas a través del acto constitutivo (mediante cláusulas de autorización, de adquisición preferente, de rescate, etc., v. §61), sino también excluida (art. 2469.1).

Conforme al carácter personal de la sociedad y, sobre todo, de su participación, será también posible que el acto constitutivo prevea la exclusión o limitación de la circulación de determinadas participaciones sociales (y, es probable que la misma conformación de los derechos especiales sobre ciertas participaciones presuponga la limitación o la exclusión de su transmisibilidad, v. §123).

Régimen diferenciado para partipaciones concretas

Limitaciones a la sucesión

Siempre que la circulación de la participación venga excluida, ya sea *inter vivos* o *mortis causa*, el acto constitutivo podrá prever las modalidades para calcular la liquidación de la cuota del socio difunto a sus herederos o legatarios. Ante el silencio del acto constitutivo puede surgir la duda sobre si se debe recurrir a la analogía con base en los principios del art. 2289 o a la interpretación extensiva del art. 2473.2 y 3.

Es preferible esta segunda solución. Piénsese que la exclusión o la limitación de la transmisibilidad a través de la mera autorización o mecanismos que en la práctica impidan la transmisión *mortis causa* hace surgir en favor de cada socio un derecho de separación de acuerdo al art. 2473 (así el art. 2469.2). En tales casos el acto constitutivo puede establecer un plazo, no superior a dos años desde la constitución de la sociedad o desde la asunción de las participaciones, antes del cual no puede ser ejercido el derecho de separación.

Indivisibilidad

A la previsión de intransmisibilidad de la participación va ligada su indivisibilidad e, incluso antes, la imposibilidad de que la participación quede en situación de comunidad. En ausencia de limitaciones a la transmisibilidad de la participación o a su exclusión, será libremente divisible (habiendo sido derogado con la reforma del 2003 incluso el límite del valor mínimo de un euro y del valor de sus múltiplos enteros); naturalmente, sin incidir sobre el régimen circulatorio de las participaciones, el acto constitutivo puede excluir la divisibilidad de la cuota. Es este último caso, así como cuando no se proceda a una división concreta, la participación podrá caer en situación de comunidad y los derechos de los comuneros deberán ser ejercitados necesariamente por un representante común, elegido de conformidad con las reglas del administrador de la comunidad (art. 2468.5). Esta última es absolutamente coincidente con la prevista en materia de comunidad de acciones (lógicamente, siendo la acción indivisible por naturaleza, art. 2347, v. §54).

Expropiación

Prescindiendo de su régimen negocial de transmisión, la participación social puede, de todas formas, ser objeto de expropiación. La regulación de la ejecución forzosa es válida tanto para los casos de ejecución individual como colectiva (art. 2471.4). La pignoración se realiza mediante notificación al deudor y a la sociedad y sucesiva inscripción en el registro de empresas. En ese momento, los administradores proceden sin demora a la correspondiente anotación en el libro de socios (art. 2471.1).

La disciplina de la participación en sociedades de responsabilidad limitada coincide, pues, con la de las participaciones en sociedades por acciones incluso en relación a cuanto concierne a los regímenes de prenda, usufructo y embargo (art. 2471-*bis*), a los cuales se reenvía (§§54, 60 y 82 y art. 2352).

Derechos fraccionarios

Hay diferencia, no obstante, en la disciplina relativa a las operaciones sobre las propias participaciones: mientras la adquisición de acciones propias se permite con determinadas condiciones, (v. §62), la asunción, adquisición y aceptación en garantía de las propias participaciones, así como la asistencia financiera para su adquisición por parte de un tercero están siempre prohibidas (art. 2474) y son incluso sancionadas penalmente (art. 2628). Esta diferencia parece justificarse precisamente en razón del carácter personal de la sociedad de responsabilidad limitada: en este tipo social, a diferencia de las sociedades por acciones, la relevancia de la persona del socio no permite pensar en una participación propia ni siquiera en presencia de todo tipo de cautelas dirigidas a eliminar los riesgos típicos de la operación. En definitiva, no se puede pensar en una participación sin socio real (es decir, diferente de la misma sociedad).

Operaciones sobre las propias participaciones

En caso de adquisición o asunción directa o indirecta de las propias cuotas, se entiende que la reacción civil es la prevista para la suscripción de acciones propias en aplicación analógica del art. 2357-*quater.* 2 y 3 y, por tanto, se entenderán asumidas por los socios fundadores o, en caso de aumento de capital o adquisición, por los administradores personalmente.

La participación social se transmite entre las partes por mutuo consentimiento. El acto de transmisión debe, sin embargo, revestir la forma de escritura privada autenticada o acto público a los fines de su publicidad y de su eficacia frente a la sociedad. Dicha escritura o acto público deber ser depositados por el oficial del registro de empresas en la circunscripción del domicilio de la sociedad cuya participación ha sido transmitida (art. 2470.2).

Transmisión de la participación

En caso de doble enajenación de la misma participación prevalece el adquirente que, de buena fe, haya obtenido la inscripción del acto con antelación en el registro de empresas y, por tanto, no necesariamente aquél cuya adquisición sea anterior (art 2470.3). Naturalmente el estado subjetivo de buena fe debe presumirse (art. 1147.3), pero ésta no juega si la ignorancia de estar lesionando derechos ajenos deriva de culpa grave, que se equipara, por tanto, al dolo (art. 1147.2). Se trata de una previsión de notable relevancia sistemática, desde el momento en que con ella se atribuye —por primera vez— a la publicidad comercial y al registro de empresas la función de mecanismo de solución de conflictos entre varios adquirentes, deber que ha sido tradicionalmente propio de la publicidad inmobiliaria.

La transmisión de las participaciones no surte efecto, sin embargo, frente a la sociedad y, por tanto, no legitima el ejercicio de los derechos sociales, antes de que sea inscrita en el libro de socios (art. 2270.1, norma análoga a la del art. 2344.1 en sede de circulación de acciones no representadas por títulos, v. §60). Esta inscripción puede realizarse a instancia, ya del vendedor, ya del adquirente mediante la exhibición del título que da lugar a la transmisión en el registro de empresas (art. 270.2). De ello deriva que, como se apuntaba, la inscripción del acto de transmisión (y aún antes la forma cualificada que es su presupuesto) deviene un requisito necesario para obtener la inscripción en el libro de socios.

Responsabilidad del vendedor   En el caso de transmisión de la participación, el vendedor queda obligado a la ejecución todavía debida del desembolso dinerario, por un periodo de tres años desde la inscripción de la transmisión en el libro de socios (v. §122); se trata de una forma de responsabilidad subsidiaria respecto de la obligación del adquirente (art. 2472).

Sección 2

Decisiones de los socios. Administración y control

Niccolò Abriari

125. LA ESTRUCTURA ORGANIZATIVA

La estructura organizativa de la sociedad de responsabilidad limitada es objeto de una disciplina autónoma y peculiar que confiere a dicho tipo societario una fisonomía original, diferenciándolo de las demás sociedades de capital.

Una primera diferencia fundamental de la s.p.a. reside en el carácter generalmente derogable y supletorio de las reglas relativas a las decisiones de los socios y la administración de la sociedad. El legislador ha pretendido prever una «libertad de formas organizativas» general, reconociendo una «amplia autonomía estatutaria respecto de las estructuras organizativas, de los procedimientos decisorios de la sociedad (art. 2479) y de los instrumentos de tutela de los intereses de los socios» (art. 3.1.c. y d., l. 366/2001, desarrollada mediante d.lgs. 6/2003). *Libertad de formas organizativas*

En desarrollo de tales principios, el código dicta una disciplina extremadamente simplificada y dúctil, coherente con la estructura más marcadamente personalista de este tipo societario respecto del modelo accionarial. Desde esta perspectiva, a los socios y sus decisiones se les ha asignado un papel particularmente significativo.

La ley somete en primer lugar a la voluntad de los socios expresada en el acto constitutivo el reparto mismo de las competencias entre socios y administradores. En la disciplina de la s.r.l. no vienen reproducidos ni los *Competencias de socios y administradores* límites a la atribución a los socios de decisiones en materia gestora existentes para las sociedades accionariales en el art. 2364.5 (sobre el cual v. §79), ni el principio general de que «la gestión de la empresa compete exclusivamente a los administradores» (sin embargo, en materia de s.p.a. los recordados arts. 2380-*bis*, 2409-*novies* y 2409-*septiesdecies*: v. §79 y 90).

Las únicas materias reservadas al órgano de administración son la redacción del balance de ejercicio y de los proyectos de fusión y escisión (v. art. 2475, último párrafo). Más allá de estas hipótesis, el acto constitutivo de las sociedades de responsabilidad limitada puede conferir a la voluntad de los socios cualquier decisión administrativa y puede, asimismo, reconocer a éstos, colectiva o individualmente, un poder de veto o de impartir instrucciones respecto de determinadas operaciones gestoras. En cualquier momento y sobre cualquier materia, cualquier administrador y los socios que representen al menos un tercio del capital social pueden solicitar, asimismo, una decisión de los socios.

126. LAS DECISIONES DE LOS SOCIOS. LAS COMPE-TENCIAS

Si en línea de principio corresponde al contrato social distribuir las competencias decisorias entre los administradores y los socios, la ley señala algunas decisiones que, por su relevancia, presuponen una manifestación de voluntad por parte de los socios y no les pueden ser sustraídas estatutariamente.

Materias reservadas a los socios Según el art. 2479, quedan reservadas a la competencia de los socios «en cualquier caso»: (1) la aprobación del balance y la aplicación del resultado; (2) la designación, si está prevista por el acto constitutivo, de los administradores; (3) la designación, en su caso, de los síndicos y del presidente del colegio sindical o del auditor; (4) las modificaciones del acto constitutivo; (5) las decisiones de realizar operaciones que comporten una sustancial modificación del objeto social determinado en el acto constitutivo, o una modificación relevante de los derechos de los socios.

A este respecto, hemos de señalar:

– *sub 2)*, que el acto constitutivo puede reconocer a cada socio el derecho de administrar, reproduciendo la coincidencia entre posición de socio y administrador que caracteriza a la sociedad simple y a la colectiva, desvinculando, por tanto, la carga administrativa de un acto de nombramiento por parte de la sociedad (§120).

- *sub 3)*, que la designación de los síndicos o de un auditor es necesaria sólo para las s.r.l. que lo prevean estatutariamente, o que superen los límites de capital o dimensionales del art. 2477 (y en este último caso se impone la constitución del colegio sindical: v. §135).

- *sub 4)*, que el acto constitutivo puede atribuir a la competencia de los administradores las decisiones relativas a modificaciones importantes del acto constitutivo, como el aumento de capital (art. 2481, sobre el cual v. §159; y sobre la posibilidad de que dicha decisión venga asumida por los administradores en modo no colegial v. art. 2475, último párrafo), la reducción obligatoria por pérdidas (arts. 2482-*bis* y 2466, último párrafo y §162) y la fusión por incorporación de sociedades poseídas enteramente o, al menos, al noventa por ciento (arts. 2505 y 2505-*bis*, 2 y v. §182).

Una manifestación expresa de la voluntad de los socios se requiere, de forma inderogable, en todas las s.r.l., sólo para la aprobación del balance y aplicación del resultado, para las modificaciones del acto constitutivo distintas de las mencionadas *supra* y para el cumplimiento de las operaciones que comportan una modificación sustancial del programa de actividades descrito en el objeto social (como, por ejemplo, la transferencia del establecimiento principal o la adquisición de una participación importante en otra sociedad) o en caso de modificación relevante de los derechos de los socios (piénsese en operaciones que, determinando la dependencia económica de otra empresa, sometan a la sociedad a la influencia dominante —y, por tanto, a la actividad de dirección y coordinación— de esta última).

A la voluntad de los socios se somete, asimismo, la decisión relativa a la asunción de participaciones en sociedades personales o en otras empresas que impliquen una responsabilidad ilimitada por las obligaciones de las mismas: en efecto, si bien no hay remisión expresa al art. 2361.2, la regla que subordina la adquisición de tales participaciones a la autorización preventiva de la junta debe entenderse aplicable por analogía a la sociedad de responsabilidad limitada. Siempre que la operación comporte una modificación sustancial del objeto social o una modificación sustancial de los derechos de los socios, la decisión vendrá asumida de forma asamblearia y con quórum reforzado (según el art 2470. 2 y 5; v., asimismo, el art. 111-*duodecies* disp. att., que impone a las sociedades colectivas o a las comanditarias simples cuyos socios sean únicamente sociedades de responsabilidad limitada u otras sociedades de capital, la obligación de redactar sus balances de acuerdo a las normas previstas para las sociedades por acciones: *supra*, §16).

La autorización de los socios se requiere, asimismo, para las llamadas «adquisiciones peligrosas»: el código prevé, en efecto, que la adquisición por parte de la sociedad de bienes o créditos de socios fundadores, de los socios o de los administradores, por un valor igual o superior a la décima parte del capital social, en los dos años siguientes a la inscripción de la sociedad en el registro de empresas, debe ser autorizada por acuerdo de la junta según el art. 2479 (el art. 2465.2, no obstante, permite disposición estatutaria en contra). El contrato social debe, sin embargo, determinar el órgano competente para emitir los títulos de deuda (v. §122).

Según el art. 2479.1, cualquier decisión —incluso inherente a la administración ordinaria de la sociedad— viene sometida a la valoración de los socios, cuando ello sea solicitado por uno o más administradores o por socios que representen al menos un tercio del capital social. El acto constitutivo podría derogar tal principio seleccionando las materias susceptibles de ser acordadas por los socios, hasta el punto de circunscribir la solicitud de convocatoria de la junta únicamente para las materias reservadas a los socios por ley. Asimismo, el acto constitutivo podría elevar el quórum necesario para solicitar la convocatoria de la junta, o atribuir la legitimación a un determinado número de administradores. En cualquier caso, debe considerarse válida la reducción del porcentaje para la legitimación (por ejemplo, al 20 o al 10 por ciento).

Materias sometidas a la decisión de los socios

127. ACUERDOS DE JUNTA Y DECISIONES NO COLEGIALES

Igualmente amplia es la libertad que la ley otorga a la autonomía estatutaria en relación a las modalidades mediante las cuales los socios pueden asumir las decisiones reservadas a su competencia.

El procedimiento de formación de la voluntad de forma colegiada que rige la regulación de la junta de socios en la sociedad por acciones (v. §78), se ve relegado en la s.r.l. a un principio esencialmente derogable, destinado a ser aplicado sólo en ausencia de previsión estatutaria en contra: según el art. 2479.3, el acto constitutivo puede, de hecho, prever que las decisiones de los socios sean adoptadas «mediante consulta escrita» o «sobre la base del consentimiento expresado por escrito».

El método asambleario es, sin embargo, impuesto para algunas decisiones de particular relevancia, susceptibles de alterar la estructura de la sociedad y la posición de los socios, tales como: *(i) las modificaciones del acto constitutivo* (art. 2479.4 y 2480); *(ii)* la aprobación de operaciones que impliquen *una modificación sustancial del objeto social o una modificación relevante de los derechos de los socios* (art. 2479.4); *(iii)* la determinación de las soluciones a adoptar en caso de *pérdidas que incidan sobre el capital social en más de un tercio* (art. 2482-*bis*); *(iv)* la *disolución anticipada* de la sociedad (art. 2484.1, n.6); *(v)* la designación y revocación de los *liquidadores* y la determinación de los criterios de liquidación (art. 2487); *(vi) la revocación del estado de liquidación* (art. 2487-ser); *(vii)* finalmente, para las s.r.l. sujetas a revisión contable obligatoria, el nombramiento y revocación *del auditor* del balance de ejercicio y, eventualmente, del balance consolidado (arts. 159 y 165 T.U.F.). Acuerdos de la junta impuestos por la ley

Para todas las decisiones restantes —como las relativas a la aprobación del balance (incluso en fase de liquidación, art. 2490), la aplicación del resultado, emisión de títulos de deuda, nombramiento de los cargos sociales y determinación de compensaciones— el acto constitutivo puede prever un procedimiento de formación de la voluntad social no sometido a las reglas asamblearias y, por tanto, más rápido e informal. Acuerdos no tomados por la junta

Las dos alternativas previstas por la ley son la «consulta escrita» de los socios y el «consentimiento expresado por escrito» por los socios. En el primer supuesto, cada socio es invitado a expresar su posición favorable o contraria a la propuesta de decisión predefinida e inmodificable, mientras que en el segundo los socios manifiestan su consentimiento en ausencia de consulta previa. Consulta y consentimiento escrito

Tanto las adhesiones a la propuesta objeto de consulta como los consentimientos manifestados en ausencia de consulta, se han de expresar en documentos suscritos por los socios, de los que «deben resultar con claridad el objeto de la decisión y el consentimiento a la misma» (art. 2479.3). Forma

Cuando los estatutos prevean el consentimiento escrito de los socios, la voluntad social puede formarse a través de la progresiva obtención de los consentimientos de los socios y también puede estar contenida en un único documento, suscrito por todos los socios conformes. Por el contrario, en caso de preverse la consulta escrita, la voluntad social es el resultado de la convergencia de los documentos individuales en los que los socios han manifestado su posición a la propuesta. Se trata, por tanto, normalmente, de mecanismos de formación de la voluntad social por grados, en relación a los cuales parece oportuno indicar los sujetos legitimados para asumir la iniciativa, las modalidades de solicitud de consentimiento (o de las adhesiones) y el plazo en el que deben de ser expresados.

Información y participación

La ley reconoce a todos los socios —que resulten inscritos en el libro de socios (según el art. 2470.1, v. §124) siempre que no sean morosos (art. 2466.4)— el derecho de participar en la formación de la voluntad social (art. 2479.5) y de ser informados adecuadamente sobre las decisiones a tomar, sancionando con la nulidad las decisiones adoptadas en ausencia absoluta de información (art. 2479-*ter*.4).

Quórum

La voluntad social se forma cuando convergen las adhesiones a la propuesta objeto de consulta, o los consentimientos individuales son expresados en un número que cumple con los quórum requeridos por la ley o por el acto constitutivo. En ausencia de previsión estatutaria en contra, el código establece que todas las decisiones extra-asamblearias, independientemente de su objeto, han de ser adoptadas con el voto favorable de una mayoría que represente, al menos, la *mitad del capital social* (art. 2479, último párrafo). Sin embargo, es posible cualquier disposición del acto constitutivo en contrario, el cual puede, por tanto, reducir los quórum o elevarlos posteriormente —incluso para las decisiones relativas a la aprobación del balance y a la designación o revocación de los cargos sociales— o establecer distinciones dependiendo del objeto de la decisión (se podría prever un quórum reforzado para la aprobación del balance de liquidación o para la designación del auditor o del colegio sindical).

Acuerdos de la junta requeridos por socios y administradores

Incluso en las materias para las que el acto constitutivo prevé la consulta o el consentimiento escrito, las decisiones de los socios deben ser adoptadas mediante deliberación de la junta cuando lo solicite un número de socios que represente un tercio del capital social o uno o más administradores (art 2479.4).

Del sistema acogido por el código se deduce, por tanto, que todo socio titular de una participación cualificada y todo administrador —incluso cuando no sea socio— pueden solicitar la decisión de los socios para cualquier materia (así, el mencionado art. 2479, y sobre su derogabilidad v. *supra*, §126) y pueden imponer que, incluso en presencia de una disposición estatutaria en contra, tal decisión sea adoptada mediante un acuerdo, verdadero y propio, de la junta.

128. LA JUNTA GENERAL

Siempre que para la formación de la voluntad social haya de seguirse el método asambleario —por la ausencia de una previsión estatutaria en contra, porque ha sido impuesto por la ley o porque ha sido solicitado por los socios o administradores— el código simplifica sustancialmente su desarrollo con respecto de las disposiciones en sede de sociedad por acciones, permitiendo que la autonomía estatutaria conforme el procedimiento a medida de las exigencias de la empresa social.

Así, la regulación de la convocatoria se somete al acto constitutivo. En ausencia de previsión en contrario, la convocatoria debe ser efectuada mediante carta certificada enviada a los socios, al menos ocho días antes de la reunión, al domicilio que resulte del libro de socios. Sin embargo, el acto constitutivo puede contemplar cualquier otra posibilidad, siempre que asegure la información completa sobre los asuntos a tratar (art. 2479-*bis*.1). *Convocatoria*

La ley no prevé límite alguno para la representación en la junta y, por tanto, no rigen las restricciones existentes para la s.p.a. (art. 2372, v. §83). Por otra parte, se permite una regulación más rigurosa en sede estatutaria, que podría introducir límites cuantitativos o subjetivos e, incluso, prohibir radicalmente el voto por representación. *Voto por representación*

A la autorregulación estatutaria se somete, asimismo, el desarrollo de las fases de asistencia, discusión y votación. Al respecto, el art. 2479-*bis* se limita a prescribir la necesidad de garantizar el derecho del socio a participar en las decisiones y a documentar el procedimiento mediante el acta de la junta. En la s.r.l. también encuentran aplicación los principios dictados en sede de s.p.a. en relación con las modalidades y los plazos de redacción *Desarrollo* del acta (v. §85), que deberá, por tanto, ser suficientemente analítica (v. el reenvío realizado por el art. 2479-*ter*, último párrafo, al art. 2377.4, 3º, según el cual el acta debe permitir conocer el contenido, los efectos y la validez de la decisión) y habrá de ser redactada tempestivamente (y no necesariamente en el momento de la adopción de la decisión, v. además de la remisión realizada por el art. 2479-*ter*, último párrafo al art. 2379-*bis*, el art. 2481 que permite al notario redactar «sin demora» el acta del acuerdo de aumento de capital delegado). El acto constitutivo puede, asimismo, permitir la intervención en la asamblea mediante medios telemáticos, o la expresión del voto por correspondencia (análogamente a cuanto se prevé expresamente para la s.p.a. por el art. 2370, último párrafo, sobre el que se reenvía al §82).

Presidente

En relación con el desarrollo de la junta, la ley impone confiar la presidencia a la persona indicada en el acto constitutivo o, en su ausencia, a la persona elegida por los presentes. El presidente tiene la tarea de verificar la regularidad de la constitución, de comprobar la identidad y legitimación de los presentes, de regular el funcionamiento de la misma y de verificar los resultados de las votaciones.

Junta Universal

Aún en ausencia de convocatoria formal, la junta se reputa constituida regularmente cuando concurra la totalidad del capital social, presente o representado, y todos los administradores (y, en su caso, los síndicos) estén presentes o sean informados de la reunión y no se opongan a que en la junta se traten los asuntos propuestos (art. 2479-*bis*, último párrafo). A fin de configurar dicha junta universal, basta, por tanto, con que todos los administradores (y los síndicos) *sean informados de la reunión*. Cuando concurra dicho requisito, la presencia de la totalidad del capital social legitima a los socios para decidir válidamente sobre cualquier asunto, incluso en ausencia de mayoría (e incluso de la totalidad) de los componentes de los restantes órganos sociales. Bajo esta perspectiva, parece nítida la diferencia respecto de la correspondiente disposición en sede de s.p.a. (v. §80), que exige la participación en la junta de la mayoría de los componentes de los restantes órganos administrativos y de control, e impone comunicar tempestivamente a los administradores y síndicos los asuntos tratados (art. 2366.4 y 5).

Quórum de constitución y de adopción de acuerdos

Salvo disposición contraria del acto constitutivo, la junta se constituye regularmente con la presencia de la mitad del capital social y adopta los acuerdos con el voto favorable de la *mayoría absoluta* del capital presente o representado en la junta (art. 2479-*bis*.3).

La ley exige el voto favorable de una mayoría que represente, al menos, *la mitad del capital social* para los acuerdos que tengan por objeto modificaciones del acto constitutivo y la aprobación de operaciones que comporten una modificación sustancial del objeto social o una modificación relevante de los derechos de los socios (art. 2479-*bis*.3). El mismo *quórum* reforzado está previsto para la designación y revocación de los liquidadores, para la determinación de los criterios de liquidación (art. 2487) y para la revocación del estado de liquidación.

Se requiere un quórum más elevado para la renuncia o transacción de la acción de responsabilidad contra los administradores: tal decisión exige, de hecho, el voto favorable de los socios que representen, al menos, *dos tercios del capital social*, además de la falta de oposición por parte de los socios titulares de, al menos, el diez por ciento del mismo capital (art. 2476.5). El voto favorable de los dos tercios del capital es, asimismo, requerido, para la transformación llamada «heterogénea» (art. 24500-*septies*, v. §175) y para la introducción o la supresión de las cláusulas compromisorias (art. 34 d. lgs. 5/2003, sobre el cual se remite al §149).

Se requiere, finalmente, *el consentimiento de todos los socios* para la modificación de las cláusulas del acto constitutivo que prevean la atribución a los socios de derechos especiales relativos a la administración de la sociedad o la distribución del beneficio (art. 2468.3 y 4, sobre los cuales se reenvía al §123, sobre el reconocimiento del derecho de separación del socio disidente; si los estatutos permiten que la decisión sea adoptada por mayoría, v. §165). Al consentimiento unánime de todos los socios se subordina la posibilidad de limitar o excluir el derecho de asunción preferente en ausencia de disposición estatutaria en contrario, y en sede de aumento de capital consiguiente a la reducción del mismo por debajo del mínimo legal (arts. 2481-*bis* y 2482-*ter*: §160).

Salvo este último supuesto —en el que el reconocimiento a todos los socios del derecho de asunción preferente y el consiguiente derecho de veto respecto de sus limitaciones o exclusiones tiene carácter inderogable—, en todos los demás casos mencionados, los criterios indicados por la ley son puramente supletorios: el contrato social puede reducirlos libremente (introduciendo incluso, a tal fin, el instituto de la segunda convocatoria) o,

Derogabilidad

por el contrario, aumentarlos. El acto constitutivo puede requerir mayorías más elevadas incluso para las decisiones relativas a la aprobación del balance y a la designación y revocación de los cargos sociales, con referencia a las cuales la norma correspondiente en sede de s.p.a. excluye, sin embargo, el incremento de las mayorías (art. 2369.4: v. §81).

Cláusula de unanimidad

El margen ilimitado a las disposiciones estatutarias en contrario, otorga a la autonomía contractual el más amplio espacio. En este marco debe resolverse positivamente la cuestión relativa a la posibilidad de introducir, incluso en el ámbito de las decisiones de los socios de s.r.l. —a diferencia de cuanto ocurre en la s.p.a. (v. §81)— el principio de unanimidad que la ley establece como regla para las modificaciones del contrato social en las sociedades de personas (v. §18). El consentimiento de todos los socios es requerido por el legislador, como decíamos, para algunas modificaciones del contrato de sociedad de responsabilidad limitada. En el nuevo contexto normativo, una aquilatada extensión de la cláusula de unanimidad podría revestir un alcance operativo preciso, excluyendo mutaciones radicales de la originaria sociedad que el enorme espacio acordado a la autonomía estatutaria —ya sea en sede de constitución, ya en pendencia de la relación social— permitiría realizar a la mayoría.

Voto pro cuota

En cuanto a los criterios de cálculo, la ley prevé que el valor del voto de cada socio sea proporcional a su participación (art. 2479.5, último párrafo). La norma encuentra aplicación independientemente del modo de formación (en junta o fuera de ella) de la voluntad social, y hay que ponerla en relación con el principio general sobre la base del cual, en la s.r.l. «los derechos sociales corresponden a los socios en medida proporcional a la participación poseída por cada uno» (art. 2468.2), con la única excepción de los derechos eventualmente atribuidos por el acto constitutivo a los socios, concernientes a la administración o a la distribución del resultado (según el mencionado art. 2468: v. §123).

Una lectura coordinada de estas disposiciones induce a dudar de la legitimidad de cláusulas que introduzcan, para todas o para algunas decisiones de los socios, el criterio del voto por cabeza o que deroguen la regla de proporcionalidad entre la participación y el derecho de voto (cláusulas de voto limitado, condicionado, progresivo o múltiple).

129. INVALIDEZ DE LAS DECISIONES DE LOS SOCIOS

Las características que identifican las decisiones de los socios de la s.r.l. se reflejan en una peculiar regulación de su invalidez, que se aleja en muchos aspectos de las normas relativas a la impugnación de los acuerdos sociales en sede de sociedades por acciones (arts. 2377 y ss., sobre los cuales v. §§86 y 87).

Según el primer párrafo del artículo 2479-*ter*, son impugnables (anulables) en el plazo de noventa días desde su inscripción en el libro social, las decisiones de los socios —en junta o fuera de ella— «que no sean adoptadas de conformidad con la ley o con el acto constitutivo». Acuerdos anulables

La impugnación puede ser interpuesta por los socios que no hayan votado a favor del acuerdo, por cada uno de los administradores o por el colegio sindical. En relación a la sociedad por acciones, es necesario señalar la diferencia consistente en la extensión de los sujetos que pueden promover la impugnación: la legitimación se reconoce a *todos los socios* disconformes (independientemente del porcentaje de capital poseído) y *a todos los administradores* individualmente (en lugar de al órgano de administración en su conjunto, como se tiende a afirmar para la s.p.a.). La legitimación se reconoce al colegio sindical en su conjunto, pero no al auditor contable responsable del control de las cuentas según el art. 2477.1. Sujetos legitimados

El plazo para ejercitar la acción es, como para la s.p.a., de noventa días. Dicho plazo se cuenta, sin embargo —para todas las decisiones, incluidos los acuerdos sujetos a inscripción— desde el día de la trascripción de la decisión en el libro de acuerdos de los socios. Plazo

Por exigencia normativa expresa, son de aplicación a las sociedades de responsabilidad limitada las reglas sobre el procedimiento de impugnación dictadas para la s.p.a. por el art. 2378, y los límites para la anulación impuestos por el art. 2377 en los casos de participación en la junta de personas no legitimadas, de invalidez de los votos, de errores en su cálculo y de eventuales inexactitudes del acta. Asimismo, son aplicables las reglas que imponen a los administradores la asunción, bajo su propia responsabilidad, de los procedimientos dirigidos a la anulación del acuerdo, exceptuándose los derechos adquiridos de buena fe por terceros sobre la base de actos realizados en ejecución del mismo (art 2377.7). Procedimiento

Sustitución del
acuerdo

Por el contrario, la sustitución de los acuerdos inválidos se regula de modo particular, previéndose que el tribunal competente del juicio, si lo considera oportuno, pueda conceder un plazo no superior a ciento ochenta días para la adopción de un nuevo acuerdo apto para eliminar la causa de invalidez (así, el inciso final del art. 2479-*ter*.1). Quedan a salvo, no obstante, los derechos adquiridos por terceros sobre la base del acuerdo sustituido (art. 2377, último párrafo, al que reenvía el art. 2479-*ter*).

Conflicto de
intereses

La regulación del conflicto de intereses se configura, sin embargo, sobre la base de la regulación relativa a la sociedad por acciones: el acuerdo adoptado con participación de los socios que tengan, por cuenta propia o de terceros, un interés en conflicto con el interés social, es anulable siempre que pueda ocasionar daños a la sociedad y el voto (o el consentimiento) del socio en conflicto haya resultado determinante (art. 2479-*ter*.2).

En presencia de quórum referidos al capital social existente, puede resultar oportuno precisar en el acto constitutivo que las cuotas para las cuales el derecho de voto no sea ejercitado como consecuencia del conflicto de intereses no han de ser computadas para el cálculo de la mayoría y de la cuota de capital requerida para la aprobación del acuerdo. Dicha cláusula vendría a facilitar la formación de la voluntad social y a resolver preventivamente el problema de la aplicabilidad por vía analógica de la regla dictada en sede de s.p.a. por el art. 2368, último párrafo.

Acuerdos nulos

Según el tercer párrafo del art. 2479-*ter*, pueden ser impugnados por cualquier persona que demuestre interés, las decisiones que tengan un *objeto ilícito* o imposible y aquéllas adoptadas *en ausencia absoluta de información*. La impugnación ha de ser instada en los tres años (a excepción de los acuerdos que modifiquen el objeto social previendo actividades imposibles o ilícitas que son impugnables sin límite temporal). Como en el caso de la s.p.a. el plazo se reduce a ciento ochenta días para los acuerdos de aumento y de reducción voluntaria de capital social (así, el art. 2379-*ter*, al que reenvía el art. 2479-*ter*. Dicho reenvío podría inducir a extender el plazo también a los acuerdos de emisión de títulos de deuda del art. 2483). El transcurso del plazo se inicia, de la misma manera que para los acuerdos anulables, desde el momento de la trascripción del acuerdo en el libro de acuerdos de los socios (art. 2478.2º). Hay que señalar, por otra parte, que a tal libro no tienen acceso los sujetos ajenos a la empresa social (en primer lugar, los acreedores sociales), que pudiesen resultar interesados —y, por tanto, legitimados— a solicitar la anulación del acuerdo.

El reenvío al art. 2434-*bis*, efectuado por el art. 2479-*ter*, último párrafo, determina la aplicación a la s.r.l. de la exclusión de impugnación de los acuerdos de aprobación del balance después de haber sido aprobado el balance del ejercicio sucesivo, y de la limitación de la legitimación únicamente a los socios que representen el cinco por ciento del capital, cuando el balance haya recibido la aprobación sin salvedades del auditor de cuentas.

Acuerdos de
aprobación del
balance

130. LA ADMINISTRACIÓN

Los mencionados principios de libertad y flexibilidad de las formas de organización, que caracterizan a la nueva sociedad de responsabilidad limitada, se manifiestan plenamente en la regulación de la administración social. Al respecto, la ley permite a la autonomía contractual los espacios más amplios, dejando libertad de elección casi absoluta en relación a la configuración de la relación de administración, individualización de las personas que han de hacerse cargo de la misma y a la determinación de la forma en que éstas han de actuar.

Respecto de la administración, el código se limita a dictar una normativa extremadamente sucinta y casi totalmente derogable por parte del acto constitutivo: en el contrato social han de determinarse las reglas de la administración y representación (art. 2463.2.7º), las personas que se harán cargo de la administración (art. 2463.2,8º) y la eventual atribución de derechos de administración a los socios (art. 2468.3).

Remisión
al acto
constitutivo

Salvo disposición contraria del acto constitutivo, la administración de la sociedad se confía a uno o más socios nombrados por acuerdo de junta o, si los estatutos lo permiten, fuera de junta (art. 2475.1). El nombramiento de los administradores es decidido, en general, según las mayorías establecidas por el acto constitutivo o, a falta de ellas, por la ley (v. §§127 y 128).

Fundamento
y atribución
del poder de
administración

El acto constitutivo puede, sin embargo, reconocer a los socios —o a algunos de ellos— el derecho de administrar, reproduciendo la natural inherencia del cargo de administrador a la posición del socio que caracteriza a las sociedades personalistas. En tal caso, el nombramiento prescinde del acto de voluntad de los socios, pues se basa directamente en el acto constitutivo (y ello se refleja, como veremos, en la regulación del cese). El principio de la relevancia central de los socios que informa la nueva sociedad de responsabilidad limitada, induce a excluir la legitimidad de cláusulas que atribuyan el poder de nombramiento a sujetos ajenos a la compañía.

Aun en presencia de un órgano de administración elegido por los socios, el acto constitutivo de las sociedades de responsabilidad limitada puede: *(a)* reservar competencias gestoras relevantes a la colectividad de los socios (llamados a decidir en sede de junta ex art. 2479); *(b)* atribuir prerrogativas en materias de gestión a los socios individualmente, requiriendo su autorización para determinadas operaciones (art. 2468.3); *(c)* contener cláusulas con las que se defieren a uno o más terceros los conflictos entre quienes tienen el poder de administración en relación con las decisiones de gestión (art. 37 d. lgs. 5/2003: v. §§19 y 20). Es, por tanto, neta la diferencia respecto de la sociedad por acciones que está inderogablemente fundada sobre la exclusiva competencia de los administradores en materias de gestión (v. §§79 y 90).

Nombramiento

En ausencia de disposición en contra del acto constitutivo, los administradores deben ser elegidos de entre los socios; el contrato social puede, sin embargo, permitir el nombramiento de terceros como administradores. La ley no prevé causas de inelegibilidad, remitiendo al acto constitutivo la definición de las condiciones que se oponen a la asunción del cargo de administrador (destinadas a completar las derivadas de las reglas generales en sede de capacidad de obrar y de ulteriores disposiciones legales) o de eventuales requisitos positivos (por ejemplo, de profesionalidad).

Publicidad

Incluso en la sociedad de responsabilidad limitada encuentran aplicación las prescripciones dictadas en sede de s.p.a. en referencia a las formalidades de publicidad del nombramiento de los administradores, quienes deben solicitar la inscripción en el registro de empresas en el plazo de treinta días desde la noticia de su nombramiento, indicando sus nombres y apellidos, fecha y lugar de nacimiento, domicilios y nacionalidad. Asimismo, se ha de señalar a quiénes de entre ellos, conjunta o separadamente, se atribuye la representación de la sociedad (art. 2383.4, al que remite el art. 2472.2).

El legislador no dicta norma alguna, ni siquiera supletoria, en relación con la duración y terminación del cargo. Corresponde, por tanto, a los socios indicar la duración en el acto constitutivo (que, a diferencia de la s.p.a., no tiene límites máximos y puede ser incluso por tiempo indeterminado) así como regular las causas extintivas de la relación de administración, sus efectos y el procedimiento a seguir para la sustitución de los administradores cesados. En particular, pueden ser introducidos mecanismos de cese simultáneo a consecuencia del cese de ciertos administradores (cláusulas llamadas «*simul stabunt simul cadent*») o de cooptación transitoria —y, por tanto, hasta la siguiente junta o decisión de los socios— sobre la base de lo previsto en el art. 2386 (esta disposición no parece aplicable por analogía a la s.r.l.). *[margen: Duración y cese del cargo]*

El acto constitutivo deberá, asimismo, prever los presupuestos y consecuencias del cese de los administradores. En ausencia de previsión estatutaria, la correspondiente decisión podrá ser siempre sometida por los restantes administradores o por los socios que representen al menos un tercio del capital a la decisión de los socios y podrá ser aprobada aun en ausencia de justa causa (sin perjuicio del derecho al resarcimiento del daño por el administrador cesado, según la regla en sede de s.p.a. del art. 2383: v. §93). Tal aspecto de la normativa está, por otra parte, inseparablemente conectado a la configuración dada por el acto constitutivo a la relación de administración: cuando se reconoce a todos los socios, o a alguno de ellos, el derecho a ser administrador, también la decisión en relación a su cese queda sustraída a la competencia de la junta o de la decisión extraasamblearia mayoritaria. La estabilidad del cargo de administrador podría ser asegurada también a través de la previsión en el acto constitutivo de cocientes tan elevados que sometan la decisión al veto de todos los socios (como se ha manifestado, en la s.r.l. se permite la elevación de los quórum incluso para el cese de cargos sociales: v. §§127 y 128). *[margen: Revocación]*

De cualquier forma, debe reconocerse el derecho de la sociedad de poner fin anticipadamente a la relación de administración cuando concurra justa causa. En tal caso, podría discutirse la legitimación de los socios a solicitar el cese de los administradores de conformidad con lo previsto en las sociedades personalistas por el art. 2259 (sobre el que se reenvía al §21 para la expresa previsión de la legitimación del socio para solicitar el cese por vía judicial en casos de graves irregularidades en la gestión social, en el ámbito de la acción de responsabilidad, v. §134).

Retribución y prohibiciones

En el acto constitutivo han de regularse, en fin, las *retribuciones* que corresponden a los administradores y las eventuales *prohibiciones* para el cargo. Bajo el primer aspecto, debe reconocerse en línea de principio un derecho del administrador a la retribución, según las reglas del mandato, y a solicitar la determinación equitativa por un tribunal cuando los socios no la prevean. Bajo el segundo aspecto, hay que señalar la ausencia de previsión de la prohibición de competencia. Dicha laguna parece que puede colmarse en sede de interpretación —cuando el acto constitutivo no haya previsto una cláusula al respecto— mediante la aplicación analógica de la regla dictada para los administradores de sociedades por acciones (art. 2390).

131. ESTRUCTURA Y REGLAS DE FUNCIONAMIENTO DEL ÓRGANO ADMINISTRATIVO

Incluso la estructura y el diseño del órgano de administración son susceptibles de ser conformados libremente por los socios en el acto constitutivo.

Configuración del órgano de administración

El contrato social puede prever un órgano unipersonal (administrador único) o una pluralidad de administradores. En relación con esta segunda hipótesis, el art. 2475 permite optar entre distintas alternativas: *(a)* un órgano pluripersonal que actúe colegiadamente (órgano de administración de colegialidad plena); *(b)* un órgano pluripersonal que asuma las decisiones gestoras sin reunirse, mediante consulta escrita o sobre la base del consentimiento expresado por escrito (consejo de administración de colegialidad atenuada); *(c)* una pluralidad de administradores que actúen solidariamente (administración solidaria); *(d)* una pluralidad de administradores que actúen conjuntamente, normalmente por unanimidad (administración mancomunada).

Consejo de administración a colegialidad plena

En ausencia de previsión en contra, los administradores constituyen el consejo de administración y actúan por mayoría de personas (según el modelo indicado sub a, sustancialmente coincidente con el órgano de administración de las sociedades por acciones).

Consejo de administración a colegialidad atenuada

El acto constitutivo puede, sin embargo, prever que las decisiones del consejo sean adoptadas mediante consulta escrita o sobre la base del consentimiento expresado por escrito (modelo indicado sub b); en tal caso, de los documentos redactados por los administradores debe deducirse claramente el asunto objeto de la decisión y el consentimiento al mismo (sobre la correspondiente previsión en sede de decisiones de los socios v. §127).

Por el contrario, siempre que los estatutos prevean sistemas de administración solidaria o mancomunada, el código remite a las reglas previstas para las sociedades personalistas (para dicha disciplina v. §19) y, por tanto, en el primer caso (modelo sub c), al art. 2257, que otorga a cada administrador la facultad de llevar a cabo individualmente todas las operaciones comprendidas en el objeto social y oponerse preventivamente a la ejecución de operaciones de gestión de los restantes administradores, solicitando un acuerdo de los socios sobre su oposición; en el segundo supuesto (modelo sub d), hemos de remitirnos al art. 2258, que subordina el cumplimiento de las operaciones sociales al consentimiento de todos los componentes del órgano de administración, sin perjuicio de la posibilidad del cumplimiento individual de los actos urgentes. *Administración solidaria o mancomunada*

Como en las sociedades personalistas, los dos sistemas pueden ser combinados, siendo necesario el consentimiento de todos los administradores para determinadas categorías de operaciones de mayor relieve, y permitiéndose la actuación solidaria para las restantes. No todos los aspectos de la regulación de las sociedades de personas son, por otra parte, susceptibles de traslación automática: así, por ejemplo, cuando los porcentajes de participación en los beneficios no sean proporcionales a las cuotas de capital, es dudoso si la decisión sobre la oposición preventiva ha de ser adoptada por los socios sobre la base de las primeras (art. 2257) o de las segundas (a las que hace referencia la regulación de la s.r.l. sobre los cocientes asamblearios o extra-asamblearios); el interrogante afecta, asimismo, a las decisiones adoptadas por los administradores en sede de administración mancomunada, que es, por otra parte, configurable sólo cuando todos los componentes del órgano de administración sean, asimismo, socios.

La ley también atribuye al acto constitutivo la definición de las reglas de funcionamiento del órgano de administración —la convocatoria, las modalidades de desarrollo de las reuniones, los quórum constitutivos y de adopción— limitándose a imponer la transcripción en el acta de las decisiones en el «libro de las decisiones de los administradores» previsto en el art. 2478.3º. La amplitud de la autonomía estatutaria implica que, en *Funcionamiento del consejo de administración* relación con el supuesto de consejo de administración (configuración más difusa, en la forma pura o de «colegialidad atenuada»), el contrato social puede prescindir de quórum constitutivos o contentarse con un número de participantes inferior respecto de la mayoría de consejeros (mientras que en la s.p.a. el art. 2388 subordina la validez de los acuerdos del consejo a la presencia de la mayoría de administradores, permitiendo al estatuto prever sólo «un mayor número de presentes»).

El acto constitutivo puede, en fin, definir libremente los cocientes deliberativos y establecer, como expresamente se permite para la s.p.a., que la presencia en las reuniones del consejo pueda ser telemática. Más dudosa parece, no obstante, la legitimidad de la cláusula que permite a los consejeros expresar su voto por representación: en su contra puede aducirse la naturaleza personalísima del cargo de gestión y el principio general de la indelegabilidad de los encargos del mandatario (*delegatus non potest delegare*: art. 1717.1); a favor de la validez de la cláusula se puede invocar la falta de reproducción de la prohibición del art. 2388.3 para la s.p.a., la posibilidad reconocida por el art. 2375 de atenuar sensiblemente la colegialidad del órgano de administración en la sociedad de responsabilidad limitada (con introducción del consentimiento por escrito o de la consulta escrita) y, sobre todo, la atribución de amplias competencias de gestión a la junta en cuyo ámbito los socios pueden otorgar libremente representaciones de voto (a los mismos administradores: §128).

Admininistradores delegados

Aun en ausencia de expresa previsión normativa, también en la sociedad de responsabilidad limitada está permitida la creación de órganos delegados (comisión ejecutiva y administradores delegados); la autorización de la delegación debe resultar, sin embargo, del acto constitutivo, no siendo suficiente, en ausencia de una norma equivalente al art. 2381, el consentimiento expreso de los socios en el acto del nombramiento de los administradores. Si hay delegaciones, sigue correspondiendo a los administradores no ejecutivos el deber de actuar de modo informado y valorar la gestión ordinaria de la sociedad sobre la base de los informes de los órganos delegados y ulteriores informaciones que tienen el derecho de solicitar (v., para la s.p.a. el art. 2381, v. §94).

Acuerdos indelegables

Independientemente del régimen de administración elegido en el acto constitutivo, la ley reserva al órgano de administración la redacción del proyecto del balance, de los proyectos de fusión o escisión, las decisiones de aumento de capital eventualmente atribuido a su competencia por el acto constitutivo (art. 2475, último párrafo), así como la aprobación de la propuesta de los convenios de la quiebra y preventivo (art. 152.2.b y 161.4 l.fall.; para la s.p.a. v. §94): la paternidad de y la responsabilidad por tales decisiones serán asumidas inderogablemente por todos los administradores.

A pesar del amplio espacio reservado a la autonomía estatutaria en la configuración del órgano de administración, hay serios obstáculos para la adopción por parte de las sociedades de responsabilidad limitada de los sistemas de administración y control dualistas o monistas previstos para las sociedades por acciones en alternativa al modelo tradicional (§§104 y 106). El sistema dualista (art. 2409-*octies*), resulta incompatible con el principio de la relevancia central de los socios que distingue al tipo de la s.r.l. y que se traduce, entre otras cosas, en la regla que reserva inderogablemente a la competencia de los socios las decisiones relativas a la aprobación del balance y nombramiento de administradores, así como las decisiones administrativas susceptibles de incidir sustancialmente sobre el objeto social y sobre los derechos de los socios (§96). Ambos modelos chocan, además, con el art. 2477, que impone el «nombramiento del colegio sindical» en las sociedades de responsabilidad limitada que alcancen el nivel de capital o superen los otros parámetros dimensionales indicados por tal disposición (§135). Las normas mencionadas parecen dejar, por tanto, poco margen a la posible adopción del sistema monista (art. 2409-*sexiesdecies*) y únicamente para las sociedades de responsabilidad limitada de menores dimensiones (en relación a las que tal modelo se muestra, no obstante, excesivo desde varios puntos de vista).

¿Sistema dualista o monista?

132. LA REPRESENTACIÓN DE LA SOCIEDAD

La regulación del poder de representación, en gran parte, viene modelada sobre su correspondiente normativa en sede de sociedad por acciones: también se reconoce a los administradores de la sociedad de responsabilidad limitada un poder de representación general de la sociedad (art. 2475-*bis*, 1), y sustancialmente idéntico es el régimen de la oponibilidad a los terceros de los vicios del nombramiento y de las limitaciones del poder de representación. La sociedad de responsabilidad limitada queda por tanto vinculada:

a) por los actos de los administradores inválidamente nombrados, salvo prueba de que el tercero contratante conocía el vicio que afectaba al nombramiento (art. 2383.5, al que reenvía el art. 2475.2).

b) por los actos de los administradores realizados infringiendo las limitaciones de su poder de representación impuestas por el acto constitutivo o por el acto de nombramiento, aunque hayan sido publicadas, salvo prueba de que el tercero haya actuado intencionalmente en perjuicio de la sociedad (la llamada *exceptio doli*, art. 2475-*bis*, 2).

Esta regla es aplicable para los actos realizados por el administrador investido del poder de representación, pero privado del poder de gestión. Por tanto, también en la s.r.l. quedan sin relevancia externa —salvo la *exceptio doli*—, ya sea la ajenidad del acto al objeto social (los llamados actos *ultra vires*), ya sean las disociaciones entre poder de decisión y poder de representación en relación con los actos para los que se requiera una decisión del entero órgano administrativo o de los socios. Este último aspecto cobra una relevancia peculiar en las sociedades de responsabilidad limitada, cuyo acto constitutivo puede libremente distribuir las competencias de gestión entre los administradores y socios (§125). Tales articulaciones del poder de gestión, al igual que la ajenidad respecto del objeto social, agotan su relevancia en el plano de las relaciones *internas* a la sociedad: la estipulación de contratos sin los correspondientes poderes de gestión, como de negocios *ultra vires*, representa un incumplimiento de las obligaciones impuestas a los administradores por el acto constitutivo y puede, por tanto, servir de justa causa para el cese y de base para una acción de responsabilidad ex art. 2476, así como, en presencia del colegio sindical, como motivo de denuncia en el sentido del art. 2408. Ni el defecto de los poderes de administración del representante ni la ajenidad del acto respecto del objeto social, inciden sobre las relaciones externas que, en tutela de terceros, siguen siendo válidos y vinculantes para el ente. Para desvincularse de la obligación asumida por el representante legal, la sociedad debe proporcionar una ardua prueba de la intención del tercero de causarle un perjuicio —y, por tanto, del *dolo*— no siendo suficiente la demostración del conocimiento de los límites a los poderes de representación o de la ajenidad del acto respecto del objeto social o de la ausencia de voluntad del órgano competente para la correspondiente decisión.

Este régimen, que elimina la regla de la eficacia externa de las limitaciones a la representación publicadas (propia de las empresas individuales y de las sociedades mercantiles personalistas: v. §19), en beneficio de la seguridad de los negocios y de su multiplicación, presupone, por otra parte, la *titularidad* del poder representativo de quien ha suscrito el negocio en nombre de la sociedad. Si, ante el silencio del acto constitutivo, tal titularidad se reconoce a todos los administradores, la reserva estatutaria del poder de firma a algunos de ellos (por ejemplo, el presidente o el administrador delegado), es relevante frente al exterior, permitiendo a la sociedad oponer a los terceros la falta de dicho poder de los restantes componentes del órgano de administración (y la confirmación de que la regulación de la representación se refiere a actos suscritos por «administradores que tienen el poder de representar a la sociedad», v. los arts. 2475-*ter*, 1 y 2383.5, al que reenvía el art. 3475.2). Titularidad

A los límites estatutarios al poder de representación se contraponen, usualmente, las llamadas «limitaciones legales» del poder de los administradores: éste es el caso de los negocios dirigidos a adquirir participaciones en sociedades personalistas (o en otras empresas que conlleven una responsabilidad ilimitada por las deudas sociales), o de las operaciones que implican una modificación sustancial del programa de actividades descrito en el objeto social, o una modificación relevante de los derechos de los socios. Es dudoso, sin embargo, si se trata de limitaciones que afectan al poder de representación o sólo a la competencia de gestión del órgano de administración: esta última interpretación induciría a sujetar tales límites a la regla general de la inoponibilidad frente a terceros; así, cuando el administrador investido del poder de representación realizara operaciones que recayeran en tales categorías en ausencia del acuerdo de los socios, la sociedad podría desvincularse de las obligaciones contraídas sólo recurriendo a la *exceptio doli*. Límites legales

Se establece una regulación especial para los contratos concluidos por los administradores con poder de representación de la sociedad que se encuentren en conflicto de intereses (y, más en general, en los casos de «abuso de representación»). De conformidad con el principio general enunciado para los contratos concluidos por el representante en situación de conflicto de intereses (art. 1394), el primer párrafo del art. 2475-*ter* establece que tales negocios pueden ser anulables a petición de la sociedad si el conflicto era conocido o conocible por el tercero. Contratos
concluidos por
representantes
en conflicto de
intereses

La norma está destinada a aplicarse en relación con los contratos estipulados en una situación de conflicto de intereses por parte de administradores únicos, administradores delegados dotados de poder de representación, e incluso de gestión, que recaigan dentro de la delegación que les ha sido conferida, administradores dotados de poder de representación pero sin poderes de gestión (como sucede a menudo para el presidente del consejo) o administradores representantes en régimen de administración solidaria.

En estos casos, la sociedad puede impugnar el negocio en el plazo quinquenal de prescripción del art. 1442, si suministra la doble prueba de la posición objetivamente de conflicto del representante y el conocimiento (o posibilidad de conocer, según la ordinaria diligencia) del tercero en el momento de la conclusión del contrato.

Contratos concluidos sobre la base de un acuerdo viciado por conflicto de intereses

Es distinta la normativa aplicable en relación con los negocios concluidos por el representante legal en ejecución de una decisión de los administradores viciada por conflicto de intereses (ya sea adoptada en sede de consejo o de administración mancomunada). En tal caso, a fin de que la sociedad pueda desvincularse de las obligaciones, es necesario que la decisión haya sido impugnada en plazo y que el tercero conozca el vicio que la invalida (así, el inciso final del art. 2475-*ter*, 2. según el cual la anulación de la decisión no ha de perjudicar los derechos adquiridos por terceros de buena fe). Si la sociedad resulta, así, capacitada por la circunstancia de que la prueba de la buena fe recae sobre el tercero contrayente, resulta más problemático el primer presupuesto, constituido por la intervención de la anulación de la decisión por conflicto de intereses (sobre los obstáculos a una impugnación de tales decisiones v. las indicaciones del §siguiente).

133. CONFLICTO DE INTERESES E INVALIDEZ DE LAS DECISIONES DE LOS ADMINISTRADORES

Con referencia a las operaciones que conciernen a los intereses de los administradores, el código civil dicta una normativa que se aleja notablemente respecto de la que está en vigor en sede de sociedad por acciones (art. 2391, examinado en §97). Se definen con términos diversos, en efecto, tanto los presupuestos de aplicación como las reglas aplicables en su presencia.

Bajo el primer aspecto, la regla enunciada por el segundo párrafo del art. 2475-*ter*, se aplica, únicamente, en el caso de que el administrador tenga un interés objetivamente en conflicto con el de la sociedad, cuando, según el art. 2391, es suficiente la mera subsistencia de un interés del administrador en la operación, incluso si no es calificable como conflictivo. Presupuestos de aplicación

En relación con la conducta requerida a los administradores, la regulación en sede de sociedad de responsabilidad limitada, por un lado, no menciona esos deberes de información preventiva que corresponden al administrador delegado y los de motivación adecuada de la correspondiente decisión que, sin embargo, se contemplan para la sociedad por acciones. Por otro lado, subordina la impugnación de las decisiones del consejo (o las decisiones administrativas no colegiales) adoptadas con el concurso determinante de la voluntad en conflicto de intereses a la prueba de que éstas «*produzcan un daño patrimonial*» a la sociedad (art. 2475-*ter*, 2). Regulación

A fin de impugnarlas parece, por tanto, necesaria la doble prueba *(a)* de la incidencia del voto del administrador en conflicto para su aprobación (llamada prueba de resistencia) y *(b)* del daño *efectivamente* ocasionado al patrimonio social por la decisión.

Respecto de las otras normas dictadas por el código en materia de conflicto de intereses, que consideran suficiente la mera potencialidad del daño (así, con respecto del supuesto paralelo del conflicto de intereses del socio en la s.r.l., el art. 2479-*ter*, 2, y para la s.p.a. los arts. 2373 y 2391), este último presupuesto constituye una singularidad que sugiere una lectura no literal de la disposición conforme a la cual se podrá otorgar relevancia a la objetiva idoneidad de la decisión de gestión influenciada de modo decisivo por el administrador en conflicto de intereses susceptible de ocasionar un daño al patrimonio social.

El requisito del daño efectivo subraya los problemas aplicativos a la luz del plazo de caducidad de noventa días al que la ley sujeta la acción de anulabilidad. De hecho, cuando se considere que la decisión no es susceptible de ser impugnada hasta que no se verifique el evento dañoso, parece suficiente remitir su ejecución a un momento sucesivo al nonagésimo día desde su adopción (o de su trascripción al libro de decisiones: §129) para impedir *de raíz* la posibilidad de la impugnación. La exigencia de impedir tal interpretación ha de llevarnos a posponer el inicio del transcurso del plazo al momento en que el perjuicio se produce (o, más correctamente, sea perceptible por Plazo los sujetos legitimados para la impugnación). Así, la acción de anulabilidad vería comprometida su función preventiva, mientras que a la sociedad y a los socios les quedaría la posibilidad de ejercitar la acción de responsabilidad frente a los administradores en conflicto de intereses y frente a los restantes que, conociendo el conflicto hayan aprobado la decisión.

Legitimación   Hay que señalar la extensión del número de legitimados a la acción de anulabilidad que el código permite ejercitar a todos los administradores —y, por tanto, también a los que consintieron a su adopción, cuando menos si no conocían el conflicto— y a los «sujetos previstos por el art. 2477», con inclusión no sólo de los componentes del colegio sindical sino también el auditor que ha de verificar las cuentas (quien, como se ha visto, no está legitimado para impugnar las decisiones de los socios ex art. 2479-*ter*, v. §129).

Invalidez de los acuerdos del consejo   La restrictiva regulación del art. 2475-*ter* para la anulación de las decisiones viciadas por conflicto de intereses constituye el único supuesto de impugnabilidad de decisiones de los administradores de sociedades de responsabilidad limitada expresamente contemplada por la ley. Es dudoso si la falta de regulación equivalente a la prevista para las s.p.a. por el art. 2388, refleja una opción legislativa dirigida a circunscribir selectivamente la impugnabilidad de los acuerdos del consejo. Para las s.r.l. con connotación marcadamente capitalista parecen subsistir los presupuestos para una aplicación analógica de las reglas de las s.p.a., con la consiguiente posibilidad de ejercer acciones de nulidad y anulabilidad de las decisiones de los administradores por vicios de procedimiento o de contenido distinto del conflicto de intereses, y el reconocimiento a los socios de la legitimación para impugnar las decisiones directamente lesivas de sus derechos.

Remedios preventivos   Hay que reconocer, en todo caso, la posibilidad para la sociedad y los socios de requerir inhibitorias por vía cautelar para el cumplimiento de operaciones ilícitas potencialmente dañosas, en el sentido de los arts. 700 y ss. c.p.c. El espectro aplicativo del procedimiento cautelar atípico regulado por estas disposiciones (más incisivo, en materia societaria, por la conservación de su eficacia independientemente de la promoción del juicio sucesivamente: art. 23 d.lgs. 5/2003) parece registrar una sensible ampliación en la sociedad de responsabilidad limitada, incluso en conexión con la falta de previsión de un remedio típico correspondiente al contemplado, para las sociedades por acciones, por el art. 2409 (v. §135).

Hay que recordar, en fin, que la ley concede a cada administrador y a los socios titulares de al menos un tercio del capital social, el derecho de someter a acuerdo de los socios cualquier decisión de gestión, requiriendo que tal acuerdo sea adoptado mediante una verdadera deliberación en junta (art. 2479, 1 y 4). El socio de minoría titular del mencionado porcentaje (o que sea administrador) puede, por tanto, sustraer la competencia de decidir sobre la operación a los administradores y devolverla a la voluntad de los socios, poniendo las bases para una sucesiva impugnación de la decisión según el art. 2479-*ter*. En particular, en relación con los casos en que exista un conflicto de intereses para los administradores, la devolución de la decisión a la competencia de los socios determina una expansión de los presupuestos de la impugnación y del conjunto de sujetos legitimados para el ejercicio de la acción de anulabilidad (no sólo administradores y síndicos, sino también los socios que no hayan consentido la decisión: art. 2479-*ter*, 1 y 3). Desde esta perspectiva puede resultar oportuna la inserción en el acto constitutivo de una cláusula que requiera la autorización preventiva de los socios para operaciones de gestión que afecten a los intereses de los administradores.

Devolución a la junta

134. LA RESPONSABILIDAD DE LOS ADMINISTRADORES

Los administradores de la sociedad de responsabilidad limitada deben cumplir con las obligaciones impuestas por la ley y el acto constitutivo, y son solidariamente responsables frente a la sociedad por los daños derivados de su incumplimiento. La sociedad de responsabilidad limitada puede actuar, por tanto, frente a los administradores para obtener una sentencia de condena al resarcimiento de los daños sufridos por el incumplimiento de alguno de los numerosos deberes específicos impuestos por la ley o por el acto constitutivo, o del deber general de diligente administración. Aun en ausencia de expresa previsión normativa, la coherencia sistemática induce a concluir que a los administradores de la sociedad de responsabilidad limitada también se les impone una diligencia de naturaleza profesional, determinada en función de la naturaleza del cargo o de sus específicas competencias (así, para las s.p.a., el art. 2392, §97). Tal parámetro está previsto

Responsabilidad frente a la sociedad

para los liquidadores de las sociedades de responsabilidad limitada por el art. 2489 (§188), mientras que a los administradores de las s.r.l. que se sitúan en el vértice de un grupo, como *holding*, les es impuesta la observancia de los «principios de correcta gestión societaria y empresarial» de las sociedades sobre las que llevan a cabo actividades de dirección y coordinación (art. 2497, §144).

Naturaleza

La responsabilidad de los administradores hacia la sociedad se configura, como para la s.p.a., como responsabilidad resarcitoria de naturaleza contractual, que grava *in solido* a todos los administradores. Por otra parte, se trata de una responsabilidad por hecho personal: la ley precisa que ésta no se extiende a los administradores que demuestren estar exentos de culpa y que, conociendo el acto, hayan hecho constar su oposición (art. 2376, 1). La cláusula de exención hay que interpretarla y adaptarla en relación con el sistema de administración previsto en el acto constitutivo: así, por ejemplo, la anotación de la oposición no puede realizarse en supuestos de administración solidaria o mancomunada (en las que el administrador disidente podrá, respectivamente, ejercitar la oposición preventiva o impedir con su veto la operación). Si hay delegación, parece que se deberá aplicar el criterio dictado en sede de sociedad por acciones por el art. 2392: cuando el incumplimiento de las obligaciones gestoras recaiga en el ámbito de funciones atribuidas a uno o más administradores (o propias de la comisión ejecutiva), los consejeros no investidos de funciones ejecutivas no pueden considerarse exentos de culpa si, conociendo los actos perjudiciales, no han hecho todo lo posible para impedir su ejecución o atenuar sus consecuencias dañosas.

Legitimación individual para el ejercicio de la acción social

Si los presupuestos de la responsabilidad hacia la sociedad coinciden, en gran parte, con los previstos para la s.p.a., existe un diferencia en relación con la legitimación para el ejercicio de la acción. El legislador, en consideración de la estructura contractual que caracteriza a la sociedad de responsabilidad limitada, reconoce la legitimación para promover la acción social de responsabilidad *a todo socio*: cada socio, independientemente del valor de su cuota de participación, puede actuar en juicio para obtener la condena de los administradores para resarcir a la sociedad el daño sufrido como consecuencia de su *mala gestio* (art. 2476.3).

Revocación judicial

En caso de graves irregularidades en la gestión de la sociedad, el socio actor puede solicitar al tribunal la revocación de los administradores. Se trata de un procedimiento cautelar cuya adopción puede ser subordinada por el juez a la presentación de una caución por parte del socio y que presupone la subsistencia de irregularidades gestoras lesivas del patrimonio social (siendo irrelevantes las irregularidades que, aunque graves, no resulten perjudiciales para la sociedad). El nombramiento de los nuevos administradores llamados a sustituir a los cesados por el tribunal corresponde a los socios (como en las sociedades de personas: art. 2259, último párrafo; para el administrador judicial v., sin embargo, en sede de s.p.a. el art. 2409 y §111).

En el caso de que se estime la demanda, la sociedad debe reembolsar al socio las costas y gastos ocasionados por el proceso, sin perjuicio de su derecho de repetición frente a los administradores condenados.

Gastos procesales

El reconocimiento a todo socio de la legitimación para ejercer la acción social de responsabilidad en interés propio no excluye la legitimación de la sociedad misma, que siempre es la deudora por la obligación de gestión incumplida y la titular del eventual derecho de resarcimiento. En cuanto tal, debe poder actuar en juicio en litisconsorcio necesario y puede transigir o renunciar a la acción, aun cuando haya sido ejercida por el socio individualmente (v. a continuación). Por lo demás, si bien la promoción de la acción social de responsabilidad no está contemplada entre las competencias inderogables de los socios por el art. 2479, esta última disposición permite a los socios titulares de un tercio del capital social solicitar en cualquier momento la adopción de un acuerdo por la junta (o una decisión extra colegial) al respecto. La decisión de promover la acción social de responsabilidad no implica, sin embargo, en ausencia de disposición estatutaria expresa, la revocación de los administradores demandados, incluso cuando haya sido adoptada con el voto favorable de socios titulares de una porción cualificada del capital social (sobre la distinta regulación en sede de s.p.a., art. 2393.5, §97).

Acción social promovida por la sociedad

Tratándose de una acción social, el código deja a la sociedad misma la facultad de disponer de la acción sobre la base de mayorías particularmente elevadas: el art. 2475.5 prevé que la acción de responsabilidad contra los administradores, independientemente del sujeto que la ejerza (y salvo distinta previsión estatutaria) es renunciable o transigible por parte de la sociedad a fin de que tal decisión sea aprobada con el voto favorable de, al menos, la décima parte del capital social. Como en la s.p.a., la aprobación del balance por parte de los socios no implica la liberación de los admi-

Transacción y renuncia

nistradores —ni, cuando haya, de los síndicos— por la responsabilidad incurrida en la gestión social (art. 2476, último párrafo).

Responsabilidad frente a socios y terceros

También en las sociedades de responsabilidad limitada, la ley prevé la responsabilidad de los administradores por daños causados directamente a terceros o a socios (art. 2476.5). Como ya se ha observado en relación con la sociedad por acciones (§99), tal acción tiene naturaleza extracontractual y presupone que el acto doloso o culposo realizado por los administradores en el ejercicio de su cargo haya causado un *daño directo* al patrimonio de un socio (considerado como un tercero) o de un tercero. En estos casos, junto a la responsabilidad de los administradores a quienes quepa imputar el acto, puede configurarse una responsabilidad concurrente de la sociedad en cuyo nombre hayan operado. Los sujetos lesionados pueden, por tanto, extender la demanda de resarcimiento frente al ente que gozará, a su vez, de derecho de repetición contra los administradores.

Responsabilidad frente a los acreedores sociales

No ha sido regulada, no obstante, la acción de responsabilidad de los acreedores sociales. Más precisamente, el código no contempla una norma de carácter general, correspondiente con la dictada, para las s.p.a. por el art. 2394. La acción de los acreedores sociales está prevista, no obstante, para las sociedades de responsabilidad limitada en fase de liquidación (arts. 2485, 2486 y 2491) y para aquellas sociedades sujetas a una actividad de dirección y coordinación (art. 2497). Fuera de estos casos (sobre los que se remite, respectivamente, a §§188 y 144), debe reconocerse la posibilidad para los acreedores de actuar frente a los administradores que hayan violado las obligaciones inherentes a la conservación de la integridad del patrimonio social, haciéndolo insuficiente para la satisfacción de sus créditos. En caso de concurso de la sociedad —que constituye la sede de la acción examinada— la legitimación para el ejercicio de la acción corresponde exclusivamente al administrador concursal (conforme a la regla en sede de s.p.a. del art. 2394-*bis*, §98).

Sujetos responsables

De notable relieve es la disposición que afirma la responsabilidad solidaria con los administradores de los «socios que han decidido o autorizado intencionalmente la ejecución del acto dañino para la sociedad, socios o terceros» (art. 2476, 7 y v. el nuevo art. 146, 2, b, l. fall., en que se precisa que también la acción contra tales socios corresponde, en caso de concurso, al administrador concursal). Esta es una norma de «clausura», que representa un corolario lógico desde el punto de vista de la *responsabilidad*, de las articulaciones peculiares que el *poder* de administración puede asumir en las sociedades de responsabilidad limitada: como se ha visto, el acto constitutivo puede deferir a la voluntad de los socios cualquier decisión en materia administrativa (arts. 2475 y 2479) y reconocer a éstos, colectiva o individualmente, poderes de veto o de instrucción para determinadas operaciones gestoras (arts. 2468 y 2479); además, los socios que posean un tercio del capital social pueden sustraer a los administradores la competencia de decidir sobre las operaciones inherentes a la gestión, solicitando en cualquier momento una decisión vinculante de los socios. La ley aclara, por tanto, que la devolución (estatutaria o voluntaria) de las competencias administrativas a los socios determina su responsabilidad, *in solido* con los administradores por los daños derivados de los actos dañosos que hayan autorizado o decidido. Análoga responsabilidad se puede predicar respecto de los socios que hayan influido en la realización de la operación dañosa en ausencia de una previsión estatutaria que legitime la intervención.

Hay que señalar que la responsabilidad solidaria de los socios contemplada en la disposición examinada, está circunscrita al perjuicio derivado de las operaciones gestoras a cuya realización éstos hayan, legítima o ilegítimamente, concurrido. Si se demuestra, no obstante, que un sujeto, aun sin revestir la condición de administrador, ha ejercitado de modo continuado los poderes típicos inherentes a tal función, será calificado como *administrador de hecho* y responderá, igual que los administradores de derecho, por el incumplimiento del conjunto de normas que la ley impone a los administradores para una correcta gestión de la sociedad de capital: el deber de diligente administración, la prohibición de actuar en conflicto de intereses, numerosas obligaciones en relación a la conservación del patrimonio, la prohibición de realizar operaciones de gestión no funcionales a la conservación de la integridad y del valor del patrimonio social en caso de disolución de la sociedad (art. 2486, §188).

Administrador de hecho

Aun pudiéndose apreciar en todas las sociedades de capital, la figura del administrador de hecho encuentra su aplicación en las sociedades de responsabilidad limitada en las que, como se observaba en la *Relazione*, «muy a menudo el efectivo poder de administración no se corresponde con la apariencia» y en las que, sin embargo, tal disociación «no puede convertirse en un instrumento para eludir la responsabilidad que incumbe a quien gestiona efectivamente la sociedad» (para la extensión paralela de la responsabilidad penal del administrador de hecho v. el art. 2639, así como, en relación a la responsabilidad administrativa de las sociedades, el art. 5. 1, a, d.lgs. 231/2001).

Plazo

Para las acciones de responsabilidad frente a los administradores de sociedades de responsabilidad limitada el código no prevé una regulación autónoma de los plazos de prescripción (o de caducidad: sobre las limitaciones dictadas al respecto por los art. 2392 y ss., v. §§97 y 99). Siguen siendo, por tanto, aplicables las reglas generales en base a las cuales el derecho *de la sociedad* al resarcimiento prescribe en cinco años desde que es perceptible el daño derivado del incumplimiento de los deberes de administración (art. 2949.1), con suspensión de la prescripción mientras los administradores permanezcan en su cargo (art. 2941.7); mientras la acción de *los terceros* (o los socios) directamente perjudicados subyace al plazo establecido en materia de responsabilidad extracontractual por el art. 2947 (cinco años desde el perfeccionamiento del ilícito o, si éste integra un tipo delictivo o un ilícito administrativo, el plazo más amplio establecido para el delito).

135. LOS CONTROLES SOBRE LA GESTIÓN Y LA CONTABILIDAD

La connotación marcadamente personalista y la estructura eminentemente contractual de la sociedad de responsabilidad limitada se reflejan en la regulación de los controles, cuyas características se pueden resumir de la siguiente manera: *(a)* reconocimiento de incisivos poderes de control para todos los socios no administradores, independientemente de la cuota de capital que posean; *(b)* carácter meramente facultativo del órgano de control interno, cuyo nombramiento se impone sólo si se superan ciertos umbrales legales; *(c)* falta de previsión de formas de intervención judicial sobre la regularidad de la gestión correspondientes a las previstas para las s.p.a. en el art. 2409.

Control individual de los socios

En la sociedad de responsabilidad limitada los socios que no participan de la administración tienen derecho de obtener de los administradores información sobre el desarrollo de los negocios y de consultar los libros sociales y los documentos concernientes a la administración de la sociedad (art. 2476.2). Este amplio y característico derecho de control está reconocido individualmente a todos los socios no administradores de todas las sociedades de responsabilidad limitada, independientemente de la presencia de un órgano de control interno.

Tal control se despliega mediante la solicitud a los administradores de informaciones relativas al funcionamiento de la sociedad, así como mediante la consulta, incluso a través de profesionales, de los libros sociales obligatorios y de toda la documentación que contenga datos útiles sobre la administración social. Por tanto, los socios pueden consultar, ciertamente, los documentos sobre cuya base se toman las decisiones de gestión (incluidos contratos y acuerdos, correspondencia, actos judiciales y administrativos que conciernan a la sociedad, memorias y dictámenes de profesionales). Más dudoso es que el derecho de consulta se extienda a los libros y la documentación contable; la fórmula utilizada por la ley («documentos relativos a la administración») parece, con todo, suficientemente amplia como para fundar la pretensión de los socios de examinar también dichos documentos al igual que los registros llevados para el IVA o en observancia de otras disposiciones legales (por ejemplo, registro de accidentes o de la producción de energía eléctrica), así como facturas, informes sobre avances, en su caso, de los trabajos, extractos de cuentas e informes bancarios. Contenido

Sobre la base de las informaciones recibidas, el socio puede promover la acción social de responsabilidad, requiriendo, si procede, la revocación judicial del administrador. Si es titular de un tercio del capital el socio puede, asimismo, solicitar la convocatoria de la junta (o la adopción de una decisión) de los socios para someterles las acciones que pretenda interponer contra los administradores.

El derecho de control se concede textualmente a los «socios que no participan de la administración». Parece, no obstante, que ha de reconocerse que a los socios administradores no pueden concedérseles prerrogativas inferiores. El control tiende a configurarse para éstos como un poder-deber: cuando se haya procedido a un reparto de los deberes de gestión, cada administrador tendrá el derecho de ser informado de la situación y de los propósitos de los restantes administradores para decidir si consiente o no la operación, si solicita una decisión de los socios o si ejercita una oposición (cuando se prevea la administración solidaria). Titularidad

Colegio sindical

La institución de un órgano de control interno es obligatoria sólo para las sociedades de responsabilidad limitada de mayores dimensiones. La ley impone el nombramiento del colegio sindical si el capital de la sociedad no es inferior al mínimo establecido para las sociedad por acciones o si se superan durante dos ejercicios sociales consecutivos dos de los umbrales señalados en el art. 2435-*bis* para la redacción abreviada del balance (art. 2477, 2 y 3). Deben proceder al nombramiento del colegio, así, las sociedades de responsabilidad limitada que tengan un capital igual o superior a ciento veinte mil euros o que, sin tenerlo, superen durante dos ejercicios sociales consecutivos dos de los umbrales siguientes: 1) total del activo resultante del estado patrimonial: 3.650.000 euros; 2) cifra anual de negocios: 7.300.000 euros; 3) media de los trabajadores empleados en el ejercicio: 50 trabajadores. En conclusión, la sociedad queda exonerada de la obligación si durante dos ejercicios sociales consecutivos no se superan dos de los umbrales mencionados.

Deberes y facultades

Cuando el nombramiento del colegio sindical sea obligatorio, se aplicarán las disposiciones en materia de sociedades por acciones (art. 2477, último párrafo). A los síndicos les corresponden, por tanto, los poderes y funciones indicados por las respectivas normas de la s.p.a. Sobre esta materia se da una paradoja: mientras que en las sociedades por acciones el papel de los síndicos se basa sobre el control de la gestión junto a, en su caso, el control contable (se da, en efecto, una cláusula estatutaria en dicho sentido permitida sólo para las s.p.a. no abiertas o no obligadas a la redacción del balance consolidado: §§102 y 108), en las s.r.l. el colegio sindical está llamado, ante todo, a desarrollar el «control legal de las cuentas» (así lo expresa el art. 2477, también aludido en el art. 2463.2.8º). Al principio —característico en la s.p.a.— de la incompetencia contable del órgano interno de control (art. 2409-*bis*) se opone en este punto la regla según la cual el control contable viene ejercido por el colegio sindical, salvo que el acto constitutivo disponga otra cosa (art. 2477, último párrafo). En ausencia de dicha previsión derogatoria, el colegio sindical de la s.r.l. deberá estar enteramente constituido por auditores contables inscritos en el registro del Ministerio de Justicia según el art. 2409-*bis*, 3 (para las s.r.l. sujetas a auditoría obligatoria, v. *infra*).

Siempre en defecto de disposición en contra, el colegio sindical es competente para el control del balance consolidado a cuya redacción están obligadas las s.r.l. *holding* (arts. 25 y 42 d.lgs. 127/1991: §42). Los socios podrán optar, así, por confiar la tarea a un auditor externo (sobre la diversa regulación en sede de sociedad por acciones del art. 2409-*bis*, 3, v. §102).

Esta destacada impronta contable pone en segundo plano las funciones de control sobre la gestión, en relación con las cuales se registra una superposición entre los poderes-deberes del colegio sindical y el concurrente poder de control sobre la administración que la ley reconoce a cada socio incluso cuando existe órgano de control interno. Para evitar dicha superposición, el acto constitutivo podría delimitar el derecho de consulta de los socios (por ejemplo, permitiendo acceder únicamente a los libros sociales o revisar la contabilidad una vez al año); la introducción de dicha cláusula parece requerir el consentimiento de todos los miembros de la sociedad.

Incluso en ausencia de tales previsiones estatutarias, las prerrogativas del colegio sindical en el control de la gestión resultan más amplias respecto de las concedidas a los socios. Los síndicos pueden proceder a verdaderos actos de inspección, visitando las instalaciones y examinando los movimientos de caja, y su poder de solicitar información sobre la marcha de las operaciones sociales o sobre determinados negocios se extiende a las informaciones relativas a las sociedades controladas (art. 2403-*bis*).

Control contable y control de gestión se traducen documentalmente en el informe sobre el balance que, en base a la remisión del el art. 2478-*bis* al art. 2429, el colegio sindical de las sociedades de responsabilidad limitada está obligado a redactar, poniéndolo a disposición de los socios y depositándolo en el registro de empresas, según las reglas propias de las sociedades por acciones. A los síndicos de las s.r.l. se les aplica la regulación de los deberes y responsabilidades del colegio sindical de las s.p.a., si bien con las debidas adaptaciones. Así, por ejemplo, el deber de vigilancia sobre la adecuación de la organización, administración y contabilidad de la sociedad y su correcto funcionamiento hay que coordinarlo con la libertad de adoptar estructuras organizativas elementales y embrionarias (como la administración solidaria) que la ley concede a las s.r.l., incluso cuando superen los mencionados límites de capital o dimensionales. A su vez, el deber de participar en las reuniones de los órganos sociales asume una especial connotación respecto del diseño del órgano administrativo y de la posible formación extra-asamblearia de la voluntad de los socios sobre todas las decisiones fisiológicas (la primera, la aprobación del balance). No parece que la presencia del colegio sindical incida sobre este aspecto, como confirma el hecho de que la ley permite al acto

Control sobre la gestión

Deberes y responsabilidad

constitutivo prever el método no colegial para el nombramiento del colegio así como fijar libremente los cocientes correspondientes. En tales casos, el deber de participación se sustituye por una obligación de comunicación a los síndicos de la decisión adoptada.

Acciones de responsabilidad

A la voluntad de la mayoría social se somete la decisión de ejercer la acción social de responsabilidad frente a los síndicos, quedando sustraída a la iniciativa individual del socio (se requiere la posesión de una participación cualificada, el art. 2477 reenvía, a través del art. 2407, al art. 2393-*bis*, sobre el que *supra* §97), a diferencia de cuanto ocurre respecto de los administradores. De los reenvíos «en cascada» realizados por el art. 2477 al art. 2407, y de este último a las normas de responsabilidad de los administradores de s.p.a., se deduce que los síndicos de la s.r.l. están expuestos a la acción de los acreedores sociales de los arts. 2394 y 2394-*bis* (esta acción corresponde al administrador concursal en caso de quiebra, v. el nuevo art. 16, 2, a, l. fall.).

Hay que señalar, en fin, que la falta de previsión en la s.r.l. de la denuncia de graves irregularidades impide a los síndicos activar el procedimiento de control y de sustitución judicial de los administradores previsto en el art. 2409: y ello cuando las graves irregularidades sean el fruto de un intento fraudulento de todos los socios que, por tanto, se abstendrán de promover las acciones de control y de responsabilidad que la ley ha concebido en clave sustitutiva respecto de la denuncia de graves irregularidades.

Órgano de control facultativo

La mayor parte de las sociedades de responsabilidad limitada, por sus reducidas dimensiones, no están obligadas al nombramiento del colegio sindical. Éstas pueden, sin embargo, decidir si se dotan voluntariamente de un órgano de control interno a fin de ofrecer mayores garantías en la contabilidad llevada por los administradores y, en particular, del balance (exigencia que se advierte de modo más acusado cuando se intenta disfrutar de financiación pública o en presencia de acreedores cualificados, como bancos o poseedores de títulos de crédito emitidos según el art. 2383). No hay que olvidar que el juicio positivo sin salvedades sobre el balance de ejercicio por parte del auditor —aunque voluntario— circunscribe la legitimación para impugnar la aprobación (art. 2434-*bis*, 2). Por éstas y otras razones, el acto constitutivo puede siempre prever el nombramiento de un colegio sindical o de un auditor contable, determinando sus competencias y poderes (art. 2477.1).

A diferencia de los casos en que el órgano de control es obligatorio —en los que se ha de proceder siempre al nombramiento del colegio sindical, con aplicación imperativa de las normas en sede de s.p.a.—, la ley deja a la autonomía de los socios la configuración del órgano de control facultativo (auditor o colegio sindical) y la determinación de sus competencias y de los relativos poderes. El acto constitutivo puede, por tanto, circunscribir la competencia únicamente al control contable o extenderla al control de la gestión. Es posible, igualmente, la remisión a las normas relativas al colegio sindical de las sociedades por acciones, que vendrían a modelar el órgano de control facultativo sobre el colegio sindical obligatorio. También el nombramiento del órgano de control facultativo corresponde inderogablemente a los socios (art. 2479.3º, sobre el que v. §126).

Hay que recordar, asimismo, que en algunos supuestos, las sociedades de responsabilidad limitada están sometidas a la auditoría contable obligatoria. En particular, cuando se trata de s.r.l. que controlan sociedades por acciones cotizadas en mercados regulados, o cuando son controladas por éstas (o sometidas a control común), la actividad de auditoría se confía a sociedades de auditoría inscritas en el registro especial llevado por la Consob según el art. 161 TUF (arts. 159, 165 y 165-*bis* TUF, de los que se deduce que la atribución y revocación de la labor de revisión competen a la junta de socios). De tal obligación están exentas las sociedades controladas (o sometidas a control común) que no revistan relevancia a fin de redactar el balance consolidado, según los criterios determinados por la Consob. Las sociedades de responsabilidad limitada sujetas a revisión contable presentan, por tanto, normalmente, dimensiones tales que imponen el nombramiento del colegio sindical que queda «atrapado» entre la competencia (exclusiva) de la sociedad de auditoría sobre el control de las cuentas y los poderes (concurrentes) de control individual de cada socio.

Auditoría contable obligatoria

Capítulo VII
Participaciones cualificadas y grupos de sociedades

Giuseppe Guizzi

136. POSESIÓN DE UNA «PARTICIPACIÓN CUALIFICA-DA» Y PROBLEMAS DERIVADOS

Analizando la figura de la participación social hemos tenido ocasión de señalar (§4) como ésta, aún constituyendo la forma jurídica de un acto de inversión, no se resuelve en un conjunto de disposiciones jurídicas subjetivas de contenido exclusivamente patrimonial —como la caracterización financiera de la operación económica que subyace permite entender— a las que se conecte una pluralidad de posiciones de diversa naturaleza y que, según la terminología usual, se definen como administrativas o corporativas. Prerrogativas y derechos que, como se ha visto, vienen reconocidas al socio debido a la peculiar caracterización de la operación societaria. Ya que, si la sociedad es —como se ha dicho en §4— una estructura organizativa (autónoma, sin embargo) instrumental a la realización de una ganancia repartible entre los socios mediante el ejercicio de la actividad, de ello se deduce, al menos en sentido normal, que es inevitable la atribución a los mismos también del poder de «participar» en la organización y en la toma de decisiones para la realización del interés común de un modo proporcional, como sucede con los derechos de contenido patrimonial, a la entidad de la inversión. De este modo, cuanto mayor es la inversión mayor será

Significados de la participación social

también la influencia del socio en el seno de la organización, al menos, en principio (v. §54).

Como es natural, esta doble caracterización de las posiciones jurídicas en que la participación social se articula, implica, sobre todo cuando se considera desde la perspectiva del inversor, que a su adquisición se le pueden atribuir dos significados. Puede ser considerada como una mera operación destinada a garantizar una rentabilidad del capital o, asimismo, como un instrumento que permite al socio —aunque el fin último sea siempre el de obtener un beneficio— influir en la actividad de la empresa que constituye el objeto social. De este modo, el socio puede ejercer un poder de dirección, tanto más intensamente cuanto mayor es la participación en relación al capital social. Un poder que bien puede definirse, en sentido lato, como empresarial.

Esta última consideración permite explicar el motivo por el que el ordenamiento no puede eximirse de prestar atención al fenómeno de la asunción de participaciones «cualificadas». Esto es, de entidad tal que otorgan a quien las ostenta la capacidad de incidir constructivamente en los mecanismos de formación de las decisiones sociales, permitiéndole participar en los criterios que sirven para dirigir y orientar la actividad. Y, sobre todo, la razón por la que el ordenamiento no puede ser insensible a las eventuales vicisitudes circulatorias —aunque pueda desentenderse de la «circulación» de tales participaciones, confiando a la autonomía de los contratantes la tarea de diseñar el modo de satisfacer las recíprocas expectativas, sobre todo en términos de garantía de efectividad y de consistencia real de la sociedad en la que se va a participar (el hecho de que el objeto de las operaciones sean las acciones, o un bien de segundo grado, hace inaplicable la regulación típica de los vicios de la cosa vendida cuando el adquirente se da cuenta de que el valor del patrimonio social no se corresponde con el precio manejado como base de la negociación)— por los reflejos que ésta puede desplegar en el plano de la organización societaria y debe, por tanto, tomar en consideración el hecho mismo de la adquisición antes mismo que el de la influencia que de ella deriva. Es en el momento de la adquisición de una simple participación cuando cambia el contexto en que se asumirán las decisiones que condicionarán el desarrollo de la actividad social.

De ello deriva la necesidad de regular el fenómeno atendiendo *(i)* no sólo a su aspecto dinámico, es decir, no sólo al momento del efectivo *ejer-*

cicio del poder de dirección que va ligado a la participación «cualificada» a fin de regular sus efectos sobre el sujeto que lo ejerce y sobre el objeto sobre el cual se ejerce (la sociedad) *(ii)* sino también a su aspecto «estático». Esto es, al simple hecho de la posesión que es asumida como verdadero supuesto generador de obligaciones y deberes a cargo de quien ostenta dicha participación.

137. PARTICIPACIÓN CUALIFICADA Y GRUPOS DE SO-CIEDADES

La doble exigencia que hemos descrito, si bien se manifiesta por el solo hecho de que se venga a ostentar una participación «cualificada» independientemente de quien la ostente, resulta más evidente cuando el sujeto ya ejerce, a su vez, una actividad de empresa, y en particular una sociedad. En tales supuestos, la relación de participación no sólo se convierte en un instrumento para crear formas de integración entre una pluralidad de actividades diferentes —las que constituyen el objeto de las sociedades vinculadas— sino que termina por tener otras connotaciones potenciales por la ya mencionada naturaleza instrumental de la figura societaria.

Integración entre sociedades

A tal fin, es suficiente tener presente que el reconocimiento de la sociedad como sujeto de derecho se justifica y se explica sólo desde la lógica del discurso jurídico, pues el recurso a la «figura» societaria constituye un instrumento eficaz cuando en ella participe otra empresa en medida suficiente para asegurar el poder de dirección, con la que los socios obtienen un sucesivo fraccionamiento del riesgo del ejercicio de la actividad de empresa que se percibe como objetivamente unitaria. Ha de considerarse, a título de ejemplo, la siguiente hipótesis: la sociedad Alfa tiene por objeto la producción y venta de electrodomésticos. Sin embargo, mientras la producción es realizada directamente por Alfa, la venta es realizada por la sociedad Beta, cuyo capital social está en manos de Alfa en un 75 por ciento. De este modo, los socios de Alfa financian ambas actividades, pero el riesgo que corren en la actividad de Beta está limitado a lo que Alfa aporta a Beta.

Lo que pretendemos subrayar es, en resumen, que instaurando un sistema de relaciones de naturaleza participativa entre una pluralidad de sociedades —o, creando una agregación, un «grupo» de sociedades a tra-

El grupo como modelo de organización y de empresa

vés del instrumento de la participación— los socios de la que se sitúa en el vértice del sistema así dibujado terminan por adoptar un nuevo y más sofisticado modelo de organización de empresa alternativo, ya sea respecto del clásico de la articulación plurisectorial por «divisiones» o «ramos de negocio», ya respecto del realizable a través de la figura del patrimonio separado (la separación patrimonial de los art. 2447-*bis* y ss. Para la segmentación de la actividad de empresa y el fraccionamiento del riesgo correlativo: v. §72). El modelo del grupo —en la medida en que cada sociedad continúa como centro autónomo de imputación de relaciones jurídicas— hace renacer el problema del ejercicio del poder de dirección y coordinación de la actividad. Precisamente, porque el ejercicio de tal poder, si bien explicable a la luz del carácter unitario de la actividad correspondiente al sofisticado modelo organizativo elegido, debe siempre medirse con las legítimas exigencias de los centros de imputación individuales en que el fenómeno empresarial, económicamente unitario, se divide jurídicamente. Y en especial, con las legítimas aspiraciones de quien haya otorgado crédito a las sociedades individuales que son parte integrante de aquel sistema y de quien (los llamados socios externos) haya invertido sin invertir también en las restantes sociedades ni participar en la sociedad situada al vértice. Se trata de sujetos cuya satisfacción del interés a la remuneración no depende de los resultados de la actividad globalmente considerada, sino sólo de los del segmento imputado a la sociedad en la que se ha colocado la inversión.

138. LA POSESIÓN DE PARTICIPACIONES CUALIFICADAS: SUPUESTOS Y REGULACIÓN

La relevancia jurídica de las participaciones cualificadas

El ordenamiento reconoce la posesión de participaciones, cuando es de entidad significativa en relación al capital social, sobre todo como hecho cuya simple verificación genera obligaciones a cargo del sujeto que la ostenta. La posesión de participaciones cualificadas no constituye, sin embargo, un hecho unitario.

Lejos de identificar, de una vez por todas, un umbral de relevancia de la participación cuya superación haría nacer especiales obligaciones de comportamiento, el legislador opta por un modelo más plural: bien distinguiendo entre diversos grados de importancia de la participación a los que asigna diversos efectos, bien diferenciando los efectos en atención al sujeto que la ostenta, según se trate de persona física o de otras sociedades. Estos distintos grados están destinados a cambiar en el caso de que las participaciones se posean en sociedades que recurren al mercado de capitales para obtener los recursos financieros que necesitan.

En el contexto diseñado por la vigente normativa, la figura que, con expresión hasta ahora técnica y descriptiva, ha sido definida como participación cualificada se descompone, en una pluralidad de supuestos. Supuestos diferentes porque son diferentes los intereses y las instancias que adquieren relieve con la variación de la entidad de la participación, siendo por ello dignos de tutela.

139. LA PARTICIPACIÓN RELEVANTE

Conviene partir del examen de la regulación de las sociedades «abiertas». En tal contexto, de hecho, el legislador dedica mayor atención al fenómeno de las participaciones de entidad significativa a causa de la multitud de intereses en juego, a menudo en conflicto mutuamente.

La primera hipótesis que ha de ser considerada está representada por la posesión de una participación de entidad equivalente o superior al 2 por ciento del capital (llamada participación relevante: art. 120.2 TUF).

La participación relevante

Se trata de una participación que, considerada en abstracto, no parece indicar una auténtica capacidad de dirigir la actividad de la sociedad participada. Si el ordenamiento se ocupa de ella, no obstante, es porque las sociedades que se financian recurriendo al mercado de capitales son (o mejor, quizá deberían serlo) de «accionariado difuso» que no se presenta, al menos en teoría, especialmente cohesionado y en las que el interés que lo mueve es casi exclusivamente financiero (esto es, dirigido a obtener una ganancia, realizable, no sólo mediante el dividendo sino mediante la plusvalía derivada de la venta de la participación en el mercado).

En realidad, en este tipo de sociedades, la posesión del 2 por ciento puede indicar, concretamente, una propensión del sujeto titular de la misma a poner en valor el significado corporativo de la participación y, en todo caso, una potencialidad por así decir latente y directamente proporcional al grado de difusión del accionariado, susceptible de incidir en la determinación del sistema de equilibrios de los poderes internos a la organización.

La obligación de comunicación

Desde la perspectiva descrita, es del todo coherente la opción legislativa de considerar la posesión de una participación de la medida indicada como un hecho que produce para el socio que la posee la obligación de comunicar la participación poseída, así como sus variaciones. Así existen otros márgenes llamados de «atención» del 5, 7, 5 y 10 por ciento y sus sucesivos múltiplos de 5 (establecidos por el art. 117.1.a de la Consob 11971/1999). Esta obligación subsiste, ya frente a la sociedad participada, ya de la misma Consob y, a través suyo, frente al «mercado» mismo.

Finalidad

Se trata de obligaciones cuya *ratio* se encuentra precisamente en la exigencia de asegurar la mayor transparencia posible en relación con la estructura de la propiedad que distingue a las sociedades que recurren al mercado de capitales y, más concretamente, en la exigencia de asegurar la transparencia de la estructura de poder, considerando que, a tal fin, pueden ser relevantes incluso aspectos no ligados a la posesión de acciones (hay que señalar que el art. 120.4 TUF dispone que corresponde a la Consob determinar los casos en que existe deber de comunicar en razón de la disponibilidad de derechos de voto independientes de la posesión de acciones y, en concreto, cuando ésta dependa de la posesión de instrumentos financieros diversos de las acciones pero que, según el art. 2351, último párrafo, atribuyen tal derecho; v. §§51 y 70).

Esta exigencia viene impuesta por la necesidad —incluso para realizar una consciente elección de inversión a cuantos pretendan invertir en la sociedad— de identificar constantemente a los sujetos que, ostentando posiciones que les permitan participar constructivamente en las decisiones sociales, terminan no sólo por dirigir la gestión de la actividad sino por poder, *lato sensu,* condicionarla.

Todo ello vale para explicar la elección del legislador, tanto en relación con los criterios para establecer cuándo se consigue dicha participación cualificada —y concretamente, por qué el legislador exige contabilizar sólo las acciones con derecho de voto y las posesiones indirectas (mediante trámite fiduciario o por persona interpuesta o sociedad controlada), en cuanto que pueden asegurar al poseedor fiduciario la disponibilidad de tal derecho de voto— como respecto de la medida en que quepa sancionar, desde la perspectiva civilista, el incumplimiento de los deberes descritos de comunicación, y que consiste en la suspensión del voto.

El aspecto central que asume la disponibilidad del derecho de voto a los fines de esta disciplina y el motivo por el que a la violación de la obligación se reacciona con la esterilización de tal derecho, se explica a la luz del hecho de que es, precisamente, en esta posición organizativa donde se manifiesta, en su máxima expresión, el poder de incidir sobre la asunción de las decisiones relativas a la estrategia societaria.

Sanción por falta de comunicación

140. PARTICIPACIÓN RELEVANTE Y OBLIGACIÓN DE LANZAR UNA O.P.A.

Como se ha visto, a medida que se acrecienta la posesión de acciones o de los instrumentos financieros distintos de las acciones que atribuyen la disponibilidad del derecho de voto, más aumenta la posibilidad de influir en los mecanismos de formación de las decisiones sociales, de modo que la participación social puede devenir, ya en cuanto tal, ya en conjunción con estos otros instrumentos financieros que permiten hacer valer los llamados derechos administrativos, el medio para ejercer un auténtico poder de gestión incluso cuando —a causa del mencionado fenómeno de difusión accionarial— la misma no integre los elementos de la llamada en lenguaje técnico «participación de control» (v. §141).

Frente a tal eventualidad, es fácilmente explicable por qué el legislador ha advertido la necesidad de individualizar el margen del 30 por ciento del capital social como umbral de relevancia en las sociedades que acuden al mercado de capitales. Este umbral ha sido calculado teniendo como parámetro, únicamente, las acciones que otorgan derecho de voto en las decisiones relativas al nombramiento y cese de las personas encargadas de la gestión (administradores o miembros del consejo de vigilancia; art. 105.2 TUF) y, en ocasiones, computando, además de las acciones que atribuyen el derecho de voto en asuntos distintos pero con impacto en la gestión (*cfr.*, art. 105.3), incluso aquellos instrumentos que, en rigor, no representan una «participación social» —por no haberse imputado al capital la correspondiente aportación (v. §§51 y 70)— esto es, los restantes instrumentos

Superación del umbral del 30 por ciento

financieros que aseguran derechos de voto sobre las mismas materias (distintos de las acciones, cuya individualización corresponde a la Consob, art. 106.3-*bis* T.U.F). Y, sobre todo, se explica por qué el legislador liga a la superación de dicho umbral la obligación de promover una oferta dirigida a adquirir la totalidad de las acciones y de los otros instrumentos que atribuyan el derecho de voto, incluso limitado a determinados asuntos (art. 101-*bis*.2 T.U.F.), cuando tal efecto sea consecuencia de adquisiciones efectuadas por cualquier título, para aquéllos a quienes corresponde dicha «participación» —o a quienes ésta es atribuible colectivamente, en caso de que las adquisiciones sean imputables a uno o más sujetos entre los que existan vínculos que hagan presuponer la coordinación de su voto (llamado «concierto» del que el art. 101-*bis*.4 señala los supuestos con presunción *iuris et de iure*)—.

Fundamento de la obligación de o.p.a.

En dichas figuras societarias —en las que el recurso al ahorro difuso es típico— a la exigencia de quien, habiendo adquirido una «participación» de entidad tal que permite influenciar constructivamente las estrategias societarias, tiene «derecho» a ejercitar el poder de dirección de la actividad social, se contrapone la exigencia de quienes (la mayor parte de los accionistas), concibiendo la participación en la sociedad como una pura inversión financiera tienen interés, frente a acontecimientos que pueden modificar el factor principal del que dependen sus perspectivas de remuneración y de valorización de la inversión, en poder liquidarla sin quedar vinculados a una iniciativa no querida.

Se trata de dos exigencias opuestas cuyo punto de equilibrio se encuentra obligando a aquél que, por efecto de adquisiciones a título oneroso, viene a ostentar una posición de relevancia en cuanto a la capacidad de influir en la gestión a comprar las acciones de todos aquéllos que quieran recolocarlas, mediante el pago de un precio no negociado libremente sino autoritariamente impuesto. El precio ofrecido deberá ser, en efecto, no inferior al precio pagado por el oferente (o quien actúe en concierto con él) en los doce meses precedentes a la oferta, o bien, si en tal periodo no se han realizado adquisiciones, simplemente al precio medio ponderado (art. 106.2 TUF); pero la Consob puede incluso imponer un precio distinto, mayor o menor, cuando considere que el precio de mercado no es significativo por haber sido influenciado por circunstancias excepcionales o haber sido objeto de manipulación (art. 106.3.c. y d. T.U.F.).

Y bien, la *ratio* de la norma parece residir en esto: parece más equitativo —en una valoración que comprende los intereses en juego— que quien pretende imprimir su propia dirección sea quien soporte los costes que derivan de la elección de los demás accionistas de desinvertir en una sociedad destinada a ser gestionada de una forma que no comparten, antes que poner las eventuales consecuencias a cargo de la sociedad (como sería si —v. el art. 2437-*quater.*5 y 6— se atribuyese a los socios el derecho de separación), o atribuir el riesgo de la inversión sobre los propios socios salientes (como ocurriría si el legislador, sin prever la adquisición obligatoria ni el derecho de separación, sometiese la posibilidad de liquidar la inversión a la libre negociación de mercado, con todas las contingencias que ello comporta, ya en relación con la posibilidad misma de desinversión, ya en relación con el precio).

Por otra parte, que la oferta pública de adquisición obligatoria represente, sobre todo, un instrumento de garantía de la inmediata liquidez de la inversión accionarial es una conclusión confirmada, además por la normativa dictada por el art. 108 TUF —desde el momento en que la previsión de una obligación de adquisición a un precio impuesto también a cargo de quien, incluso moviéndose desde una posición de control de derecho (v. §141), venga a ostentar más del 90 por ciento de las acciones ordinarias (o de las restantes categorías de acciones relevantes según el art. 105 TUF), se justifica sólo por la premisa de que la concentración de tal cantidad de acciones en una única mano deprime, objetivamente los intercambios, haciendo ineficaz la garantía de liquidez de la inversión que la presencia del mercado debe asegurar—, especialmente, en los casos en que no nazca la obligación de promover una oferta. Tal obligación, en efecto:

a) no sólo no está ligada a la simple participación superior al umbral descrito, que debe ser alcanzada como consecuencia de adquisiciones por cualquier título, y siempre que la superación de dicho umbral dependa de la voluntad del adquirente; sino que no nace tampoco

Casos de inexistente obligación de o.p.a.

b) cuando la superación del umbral del 30 por ciento haya sido completada adquiriendo acciones en el mercado, siempre que: *(i)* la sociedad resulte ser participada por sujetos que, solos o conjuntamente, sean poseedores de una participación de control, en el sentido técnico del término; *(ii);* la adquisición tenga un carácter transitorio es decir, se caracterice por la finalidad de reventa en el mercado en un período breve; *(iii)* la adquisición derive de una oferta pública de adquisición lanzada voluntariamente por el adquirente sobre la totalidad de las acciones; *(iv)* la adquisición tenga lugar en el marco de un procedimiento de salvamento de una sociedad en crisis (se trata de las llamadas exenciones del art. 106.5 TUF).

La razón de que en estos casos no surja la obligación de oferta reside en lo siguiente: en todos estos casos no se verifica el cambio potencial de la dirección de la actividad social, en presencia del cual se pone de manifiesto la exigencia de asegurar la posibilidad de una desinversión provechosa.

O.p.a. en caso de consolidación del control

Dicho aspecto es bien evidente en el primer caso (posesión superior al 30 por ciento que subsiste independientemente de las adquisiciones): la participación significativa se ostenta, por así decirlo, de modo originario, caracterizando *a priori* el sistema de equilibrios internos de la organización. En este caso, podrá ser sólo su consolidación sucesiva, realizada a fin de conseguir el control de derecho, lo que genere la obligación de promover la oferta (según el art. 106.3.b T.U.F. corresponde, en efecto, a la Consob determinar la medida a partir de la que la eventual consolidación hace surgir la obligación de oferta; hasta hoy dicha medida se establece en el 3 por ciento anual). Precisamente porque, en tal caso, es la estabilización de dicho poder de dirección la que constituye una situación que, evitando futuras contiendas sociales, puede tener como consecuencia privar de la posibilidad de liquidar la inversión.

Ratio de las excepciones ex art. 106 T.U.F.

Pero, en definitiva, es análoga la *ratio* subyacente a las llamadas hipótesis de exención contempladas por el art. 106 TUF. En los supuestos señalados por dicha norma, la inexistencia de la obligación de oferta se explica por un triple orden de razones, recurrentes entre sí.

En primer lugar, porque la adquisición de una participación superior al 30 por ciento, no poseía con anterioridad por el adquirente, constituye un hecho no idóneo para alterar las directrices de la gestión. Éste es el supuesto más frecuente y, de hecho:

a) así es en relación con sociedades en que estén presentes otros sujetos que ya tienen capacidad, solos o conjuntamente —por ejemplo, porque están vinculados por un pacto parasocial: v. §58— de ejercitar una influencia determinante sobre la gestión sin tener la exigencia de coordinarse en sus correspondientes criterios con aquél que acaba de adquirir una participación de entidad sólo objetivamente significativa;

b) así es, incluso, cuando la participación se adquiere sólo temporalmente para ser enajenada en breve, pues en este caso queda excluido, en principio, a que la obtención de dicha participación pueda representar un instrumento para ejercitar la influencia sobre la gestión social.

En segundo lugar, porque la exigencia de asegurar la posibilidad de una desinversión provechosa ha sido satisfecha *a priori*: es la razón que explica la exención en caso de adquisición efectuada tras la preventiva presentación de una oferta voluntaria total sobre las acciones en circulación.

En fin, —y es el caso de adquisición superior al 30 por ciento en el ámbito de un procedimiento de salvamento de empresas en crisis— porque el cambio del sujeto que ejercerá el poder de gestión representa una circunstancia impuesta por la necesidad de conservar lo que queda del valor de una empresa fallida y, por tanto, funcional al intento de conservar cuanto ha sido invertido por los mismos accionistas, de modo que las exigencias que determinan dicho cambio prevalecen sobre las exigencias que normalmente se impondrían, a quien asume una participación de un alcance organizativo similar, las cargas económicas necesarias para asegurar a quien haya invertido un instrumento que le permita salir, fácil y provechosamente, de la sociedad.

La peculiar naturaleza de los intereses que fundan la previsión de la obligación y la función que tal instrumento asume, concurren a caracterizar la misma regulación del procedimiento de oferta, el cual, no casualmente, tiene su momento central en la publicación del documento de oferta (v. §109). Documento que está destinado no sólo *(i)* a ilustrar los términos económicos de la operación, en concreto el precio —precio que, sobre todo, como se ha dicho, en las ofertas obligatorias no está sometido, en línea general, a la libre y discrecional determinación del oferente (aquél impuesto, es en efecto, un precio mínimo, por lo que nada impide que el oferente pueda, si lo estima oportuno, fijarlo a un nivel más elevado)— sino que también (y sobre todo), *(ii)* a informar a los destinatarios sobre los programas futuros del oferente en cuanto a la sociedad que emite las acciones objeto de la oferta. Aspecto éste que ha de ser señalado sólo si se tiene presente: por un lado, que a través de la adquisición de una participación superior al 30 por ciento del capital, el sujeto adquirente viene investido de una posición que le permite influir sobre la gestión, de modo que es lógico que declare en qué forma preten-

Procedimiento y función del documento de oferta

de ejercitar dicho poder; por otro, que la previsión de la obligación de oferta es funcional para garantizar la posibilidad de liquidar la inversión a los accionistas y titulares de otros tipos de instrumentos participativos que consideren alteradas las perspectivas de la inversión por el cambio en la gestión. Así, no sólo es lógico sino necesario, a fin de permitir un criterio consciente de desinversión, que se ofrezcan a los destinatarios indicaciones sobre las directrices que se pretende imprimir a la actividad social como consecuencia de la participación cualificada.

141. PARTICIPACIONES CUALIFICADAS DE SOCIEDA-DES EN OTRAS SOCIEDADES: LOS SUPUESTOS DE CONTROL Y DE VINCULACIÓN

Estos casos no son los únicos en que el legislador considera la posesión de participaciones de entidad significativa como hecho jurídicamente relevante en cuanto tal. Junto a éstos, el ordenamiento —incluso fuera de las sociedades que se financian recurriendo al mercado de capitales— conoce otras hipótesis de relevancia de las participaciones cualificadas, preocupándose de regular su posesión cuando el sujeto que las ostenta es otra sociedad. Una elección que se justifica —como se ha anticipado en §137 y como quedará más claro en §§143 y 144)— a causa del singular significado de dicha participación social. Por razón de la relación de naturaleza participativa que se instaura entre varias sociedades, (y que, además, no se establece necesariamente entre sociedades de capital; superándose hoy las dudas del pasado en el art. 2361.2, que admite expresamente que una sociedad de capital pueda adquirir participaciones en sociedades de personas, siendo necesario únicamente en tales casos —con derogación del principio contenido en el art. 2380-*bis* que reserva los actos de naturaleza gestora a la competencia exclusiva de los administradores: v. §90— que la operación sea adoptada por la junta) representa un instrumento que hace posible la integración entre las respectivas actividades.

Desde esta perspectiva, hemos de distinguir entre el caso de que la participación sea de una entidad tal que asegure a la sociedad que la ostenta la posibilidad de ejercitar una *influencia dominante* sobre la participada y el caso de que la participación, incluso objetivamente significativa si se calcula en relación con el capital social, permita ejercitar sobre la participada sólo una *influencia notable*.

En el primer caso, la relación que se establece entre las sociedades integra el supuesto del «control». Éste concurre, según el art. 2359, en los dos siguientes supuestos:

Noción de control mediante participación

a) Ante todo, cuando la entidad de la participación es tal que garantiza a la sociedad que la ostenta la disponibilidad de la mayoría absoluta de los votos ejercitables en la junta. En este caso —que, por otra parte, no coincide necesariamente con el supuesto de que la participación sea equivalente a la mayoría absoluta del capital social, pues la condición esencial para el control es sólo la disponibilidad de la mayoría absoluta de los derechos de voto (la cual, piénsese en el usufructo y prenda de acciones, puede no estar ligada a la titularidad de la participación)— se habla de control de derecho, porque en tal caso, quien ostenta dicha participación con el propio derecho de voto es, en línea de principio —sin tener que coordinarse con otro socio— capaz de escoger a los administradores, de revocarlos y de hacer aprobar cualquier propuesta de éstos llevada a la junta.

b) Cuando la participación atribuye la mayoría, incluso no absoluta, de los derechos de voto ejercitables en la junta. En este caso, de hecho, es presumible —si bien es necesario verificarlo en concreto— que la posesión de la participación garantice la posibilidad de determinar el desarrollo de la actividad de la sociedad participada.

Menos intuitiva es la identificación de la medida que debe asumir la participación para que pueda decirse que la sociedad que la ostenta ejerce la influencia notable sobre la participada: supuesto, éste, que puede designarse con el término de «vinculación» (v. art. 2359.3).

Noción de vinculación entre sociedades

Parece claro que la existencia de la figura hay que determinarla caso por caso, a la luz del grado de difusión del accionariado. A modo de primera aproximación, cabe decir, en apariencia, que existe «vinculación» entre sociedades siempre que la participación ostentada sea de entidad insuficiente para determinar las estrategias de la sociedad en positivo, pero haga irreal que la actividad social pueda ser dirigida por los demás socios ignorando sistemáticamente las posiciones de quien la ostenta. En tal sentido, según el art. 2359, último párrafo, se presume la relación de vinculación, con presunción sólo relativa, en presencia de una participación del 20 por ciento del capital social (10 por ciento en las sociedades cotizadas en bolsa). Esto es, en presencia de una participación que —cuando haya también socios que ostenten participaciones de medida más conspicua e incluso de control— tiene la potencialidad de condicionar el sistema de equilibrios de poder desde el momento en que habilita a su titular a ejercer todos los principales derechos de minoría (desde la convocatoria de la junta a la impugnación de los acuerdos; a la propuesta de la acción de responsabilidad de los administradores sin pasar por la autorización de la junta; a la facultad de promover el procedimiento de control judicial *ex* art. 2409).

Las figuras del «control» y de la «vinculación» tienen una relevancia jurídica sensiblemente diversa.

Relevancia jurídica de la vinculación

La importancia jurídica de la vinculación es, en realidad, bastante modesta. La existencia de una relación participativa para la sociedad que la ostenta es, de hecho, fuente de obligaciones sólo en sede de redacción del balance de ejercicio (sobre el mismo v. §§43 y 44). Especialmente, ésta sirve (a salvo de algunas obligaciones informativas particulares que incumben a la gestión a cargo de los administradores de sociedades cotizadas y difusas vinculadas con sociedades extranjeras, v. más en detalle §44), para privar a los administradores de la sociedad participante de la posibilidad de considerar la participación ostentada como una mera inversión —ello permitiría valorar el establecimiento empresarial en el balance según el valor de mercado— imponiendo su consideración, a la inversa, como un «inmovilizado», esto es, un bien destinado a ser mantenido de forma duradera en el patrimonio de la sociedad, con la consiguiente aplicación de los respectivos criterios de valoración (coste histórico o valores equivalentes al porcentaje correspondiente del patrimonio neto de la participada; art. 2426.4). Una calificación, ésta, que bien se justifica a la luz del significado sustancialmente empresarial que, como hemos dicho, asumen las participaciones significativas.

Aspectos de relevancia jurídica del control

Mejor articulada está, por el contrario, la relevancia jurídica del supuesto del control. Siendo un elemento central en la construcción del modelo organizativo del grupo, es considerado por el ordenamiento bajo, al menos, tres aspectos diversos.

En primer lugar, el control es considerado como supuesto que genera la obligación de elaborar —en interés de quien pueda relacionarse con la sociedad que controla o la controlada— un balance consolidado de las actividades que se imputan a las sociedades.

Se trata de una obligación que —como ya se ha visto (v. §42)— tiene la función de hacer posible una representación sintética de la dimensión económica, patrimonial y financiera de la empresa, así como de su funcionamiento, y su existencia se justifica recordando (v. §137) que —cuando las relaciones de naturaleza participativa es establecen entre varias sociedades—, lejos de poderse hablar de tantas empresas como sociedades forman la agregación del grupo, se debe hablar de una empresa única que resulta de la integración de las actividades que constituyen el objeto de cada sociedad. Tal cosa permite explicar los concretos criterios que deben presidir la formación del balance consolidado, así como, en particular, las razones por las cuales no se pueden expresar en dicho balance ni el valor de las participaciones poseídas por la controlante ni siquiera las provisiones y las cargas derivadas de las relaciones internas mantenidas con las sociedades controladas. Es evidente, en efecto, que si el balance consolidado debe representar la realidad económica de la empresa ejercitada a través del modelo organizativo del grupo, las operaciones que se dan entre sociedades que son parte integrante del mismo no tienen ninguna relevancia a tal fin, en cuanto operaciones puramente internas de las empresas, resultando, desde esta perspectiva, que no se diferencian en nada de las que, por ejemplo, pueden producirse entre dos divisiones diferentes de una empresa organizada según el clásico criterio sectorial.

Control y obligación de consolidar el balance

En segundo lugar, el control constituye el hecho que hace nacer a cargo de la sociedad controlada la prohibición de ser adquirente de participaciones en la sociedad controlante, si no es observando los mismos límites previstos para la adquisición de acciones propias (v. art. 2359-*bis*). Este límite tiene la función de introducir un elemento que elimina el riesgo de que se obtenga, mediante operaciones de la controlada sobre las acciones de la controlante, el mismo resultado prohibido por el art. 2357 (v. §62).

Prohibicion de adquirir acciones de la controlante

En fin, todo ello pone de manifiesto que el presupuesto para la aplicación de la normativa dictada por los arts. 2497 y ss., en el caso de que exista y se ejercite sobre la sociedad participada, es el poder de dirección y coordinación de la actividad.

Se reenvía así para un completo análisis a lo que se ha manifestado en los §§144 y 145. En esta sede, no obstante, hemos de señalar que el

Presunción de la actividad

de dirección y
coordinación

legislador considera el control como hecho que permite presumir —con presunción *iuris tantum*— el ejercicio de un poder similar (art. 2497-*sexies*). Una presunción que, por otra parte, a pesar del diferente tenor literal de la disposición citada (el art. 2497-*sexies* reenvía sin límite alguno al art. 2359)— parece presentar alguna utilidad en la hipótesis de control de derecho contemplada en el art. 2359.1.1º. En todos los demás casos enumerados por la disposición, el recurso al mecanismo presuntivo —que implica que de un hecho cierto se infiera otro ignorado— no es de gran relevancia, desde el momento en que, cuando se dan las circunstancias descritas, el control constituye un hecho que hay que demostrar en concreto y que hay que probar demostrando que, a través de la participación, o de los vínculos contractuales particulares con la sociedad (el control, de hecho, según el art. 2359.3º puede realizarse incluso con instrumentos distintos de la participación), se ejercita una influencia determinante sobre la actividad de la sociedad. O demostrando la existencia en concreto de dicho poder de dirección y coordinación que del control se debería presumir.

142. EL EJERCICIO DEL PODER DE DIRECCIÓN: CONSIDERACIONES GENERALES

Desde el momento en que, por el hecho de la participación cualificada, y más concretamente de la participación de «control», el sujeto que la ostenta está en condiciones de influir sobre el desarrollo de la actividad, el otro aspecto sobre el que hay que detenerse, a fin de reconstruir la regulación aplicable a la posesión de dicha participación, es el relativo al ejercicio de dicho poder de dirección de la gestión social.

Poder de dirigir
la gestión

El problema que en este supuesto se plantea al intérprete —que sitúa en el vértice la participación cualificada en las sociedades de capital y que es independiente de la naturaleza (persona física, sociedad u otra organización colectiva) del sujeto que es su titular— es entender si el ejercicio del poder en cuestión, para el que está legitimado el poseedor de la participación, es absolutamente libre en cuanto instrumental a la realización de un interés propio o debe, al contrario, considerarse vinculado en alguna medida porque está atribuido también en vista de la satisfacción del interés de otros. Intereses que representarían un límite a su ejercicio, permitiendo así reconstruir dicho poder como contenido de una situación jurídica sustancialmente dependiente.

La importancia de la cuestión, también desde el punto de vista práctico, se manifiesta desde el momento en que las indicaciones expresadas por el socio titular de la participación de control con motivo del ejercicio del poder de dirección conduzcan a los administradores de la sociedad participada a asumir decisiones de gestión contrarias al principio de razonabilidad y perjudiciales para la integridad del patrimonio social. En tal circunstancia hemos de preguntarnos si —más allá de la responsabilidad de los administradores, seguramente existente a la luz de los principios generales, y a la que no pueden sustraerse imputando a otros la «paternidad» de la gestión según el art. 2364.5º (v. §90)— no cabe afirmar también una responsabilidad autónoma de quien haya tomado tales decisiones.

El problema del mal uso del poder de dirección

Dicha conclusión parece oportuna desde el punto de vista de política legislativa, si no incluso debida, considerando que, como ya se ha señalado (v. §99), los socios individuales no pueden actuar directamente contra los administradores cuando el perjuicio se concreta en una reducción del valor de la inversión como reflejo de la reducción del valor patrimonial y que, por otra parte, en casos como éste puede resultar difícil que la sociedad haga valer la responsabilidad de los administradores en las formas indicadas por el art. 2393 (v. §97). Sin embargo, esta solución sólo puede ser visualizada, en ausencia de una norma que la autorice expresamente, previa reconstrucción de la naturaleza de dicho poder.

De nuevo, el problema ha de ser resuelto pensando en la verdadera esencia del fenómeno societario; su estructura instrumental creada para la gestión de una inversión colectiva para financiar una actividad, siendo el interés que mueve a los accionistas la expectativa de la valorización de su inversión.

Ahora bien, si se tiene en cuenta el aspecto, señalado en principio (v. §4) de la afinidad existente entre la operación económica subyacente al fenómeno societario y la subyacente a un mandato colectivo que tiene por objeto la gestión de una determinada cuantía para aumentar su valor, se deriva que, si de un lado el poder de dirección ejercitado por el socio de control es un dato fisiológico (del mismo modo en que el poder de dirigir la actividad del mandatario constituye una prerrogativa que caracteriza la

Poder de dirección y conflicto de intereses

posición subjetiva que nace a favor del mandante en cualquier tipo de mandato) y si su vinculación hacia los otros socios se justifica a la luz de las reglas que presiden la organización del grupo, por otro lado tal poder de dirección, atendida la naturaleza colectiva del fenómeno, encuentra su límite en que su ejercicio está al servicio del interés común.

La observación que precede comporta, por tanto, que en el caso de que el ejercicio del poder de dirección se manifieste conduciendo a una gestión con perjuicio para el patrimonio social, dicha circunstancia no basta para fundar —junto a la responsabilidad de los administradores— una responsabilidad de quien ejercita dicho poder, por cuanto, en razón de su posición de control y de los principios de organización de la sociedad él es el intérprete legítimo, por así decirlo, del interés común. Para que ésta pueda darse no basta, por tanto, con que el poder en cuestión esté simplemente mal ejercido sino que no ha de estar dirigido, ni siquiera abstractamente, a la realización de un interés común por estar al servicio de un interés propio de quien lo ejerce, ajeno a la lógica de la operación societaria y no realizable sino con daño al patrimonio social.

Fundamento de la responsabilidad del socio de control

En otros términos, sólo en el caso de que a través del ejercicio del poder de dirección de la actividad el socio persiga un interés en conflicto con el interés social, con perjuicio del patrimonio social, se podría pensar en su propia responsabilidad hacia el resto de socios por la disminución del valor de la participación. Responsabilidad que constituye un instrumento de tutela complementario de los ya existentes (piénsese en las acciones para impugnar los acuerdos de la junta adoptados con el voto determinante de un socio en conflicto de intereses, v. §§56 y 57) y seguramente más beneficioso para los socios. Un instrumento más beneficioso porque se puede activar incluso cuando el ejercicio del poder en aras de un interés extrasocial se realice —como es habitual— de hecho sin formalización mediante acuerdo.

Si se acepta esta interpretación, queda por resolver, naturalmente, el problema de su fundamentación jurídica. Ahora bien, bajo esta perspectiva hay dos itinerarios que pueden recorrerse (para quien no pretenda reconducir esta responsabilidad al ámbito del art. 2043, con énfasis en su carácter ilícito o si se prefiere abusivo, de la conducta). La existencia de una responsabilidad del socio que orienta el desarrollo de la actividad social puede justificarse configurando —como ha ocurrido otras veces— la posesión de la participación de control como hecho que sirve para concretar el deber de comportamiento de buena fe que subsiste a cargo de los socios según los art. 1175 y 1375, atendida la naturaleza contractual (o mejor, negocial) del fenómeno societario (v. §7); deber de buena fe, que se traduciría para el socio de control en el deber de ejercitar el poder de dirección teniendo siempre como referencia el interés común y sin perseguir fines propios, que no tienen relación ni con las exigencias de los socios ni con —como suele decirse de la empresa— las concernientes a la actividad social. O bien, alternativamente, identificando el ejercicio del poder de dirección y coordinación a la estela del ejercicio de hecho de un poder dirigido a la gestión de un interés no sólo propio sino también ajeno —de todos los restantes socios—, de modo tal que se genere una verdadera obligación de contenido administrativo, atendida la idoneidad de dicho supuesto de hecho a ser configurado por el ordenamiento (los arts. 2028 y ss. lo demuestran) como fuente autónoma de obligaciones en el sentido del art. 1173.

143. EL EJERCICIO DEL PODER DE DIRECCIÓN LIGADO A PARTICIPACIONES CUALIFICADAS EN LOS GRUPOS DE SOCIEDADES

El hecho de que el ejercicio del poder de dirección de la actividad social sea considerado como generador de responsabilidad para el socio de control cuando éste influya en la gestión para realizar un interés propio, que no se corresponde con el común de los socios, explica el motivo que impulsa al ordenamiento a intervenir dictando una disciplina específica cuando el supuesto en estudio se realiza dentro de un «grupo de sociedades».

Poder de dirección en grupos de sociedades

Como hemos señalado (v. §137), el grupo constituye un modelo organizativo para el desarrollo de una actividad de empresa en que la unidad, desde el punto de vista económico, del fenómeno empresarial se contrapone a una pluralidad subjetiva —las sociedades del grupo—. En tal contexto, el recurso a la figura del conflicto de intereses como criterio para individualizar las hipótesis en que puede nacer dicha responsabilidad del socio de control se caracteriza por una gran ambigüedad, que puede hacerlo inutilizable.

Unidad del
fenómeno
empresarial del
grupo

Es verdad, de hecho, que el ejercicio del poder de dirección por parte de la sociedad situada en el vértice del grupo, precisamente porque es expresión de un poder empresarial, debe inspirarse en una valoración que tenga cuenta de las exigencias de la empresa en su conjunto; exigencias que pueden requerir —si no imponer— que se dé preferencia a unas necesidades respecto de otras, de vez en cuando.

El criterio del
conflicto de
intereses

Pero no es menos cierto que el hecho de que todas las sociedades del grupo conserven formalmente su autonomía como sujetos de derecho comporta que el ejercicio de dicho poder corre el riesgo de desembocar en opciones administrativas que, consideradas desde la perspectiva de las diversas sociedades controladas, pueden desembocar en un daño para una de ellas y a la vez en una ventaja para otra sociedad controlada. Es decir que, enfatizando el elemento de autonomía subjetiva de cada sociedad, dichas opciones pueden ser tachadas de estar dirigidas a la realización de un interés *extrasocial*.

Las consideraciones que preceden parecen sugerir la conclusión de que es imposible valerse del conflicto de intereses como criterio del que hacer depender, en los grupos, la valoración de la licitud de las formas en que se manifiesta el poder de dirección de la actividad social y de la responsabilidad de quien lo ejerce, induciendo a utilizar un canon diferente. Un canon que no puede ser otro que el de la naturaleza funcional de las instrucciones impartidas en su ejercicio a la satisfacción de un interés de grupo, o de la empresa unitariamente considerada. Un criterio que, si se comparte, debe conducir a mantener que el ejercicio del poder de dirección en sociedades controladas por la sociedad situada en el vértice —llamada *holding*— no pueda ser fuente de responsabilidad para ella (o para sus administradores, a través de los que ésta actúa) ni frente a acreedores ni frente a los socios de la sociedad cuyo patrimonio ha sido perjudicado por una gestión de los administradores conforme con las instrucciones recibidas, cuando dicho perjuicio no subsista para el grupo en su conjunto porque el mismo ha supuesto una ventaja para otra sociedad del mismo grupo. Piénsese, como caso emblemático, en una instrucción impartida por la *holding* a una sociedad controlada para que emplee sus propios excedentes en la financiación de otra sociedad controlada en situación de crisis. En este caso la operación, observada en conjunto es neutra, pues los recursos financieros se quedan en el seno del grupo.

Dicha solución, aun siendo parcialmente justificada, no tranquiliza. Una valoración de la licitud del ejercicio del poder de dirección que renuncie al conflicto de intereses como criterio de valoración y se centre exclusivamente en la consideración del interés del grupo, de modo que se pueda inferir la inexistencia de responsabilidad por no haber daño para este último, parece no tener cuenta de la posibilidad de que las sociedades individuales establezcan vínculos con sujetos que no tienen relación de ningún tipo con las restantes sociedades del grupo, así que mientras se resienten del perjuicio sufrido por la sociedad por las instrucciones de la *holding* no se benefician de la ventaja producida a la otra sociedad controlada. Piénsese —como supuesto típico— en el caso en que el acreedor (por vínculos financieros o comerciales) de la sociedad perjudicada no lo sea de la beneficiada por la política del grupo, o en los llamados socios externos, esto es, en los socios de la sociedad perjudicada que no lo son de la beneficiada ni de la *holding*.

(margen: Política unitaria de grupo y patrimonio de la controlada)

Y bien, observada desde el punto de vista de estos sujetos, no hay duda de que la instrucción de la sociedad controlante, aunque persiga un interés de empresa de grupo merecedor de tutela en abstracto, se presenta susceptible de ser considerado como de naturaleza extrasocial respecto de la controlada y, por tanto, capaz de poner de manifiesto un supuesto de ilicitud en el ejercicio del poder de dirección.

144. LA DISCIPLINA DE LA DIRECCIÓN Y COORDINACIÓN DE SOCIEDADES

En aras de componer las distintas circunstancias que se han descrito, —y que consideradas conjuntamente parecen ser reflejo de la duplicidad de significado (empresarial o financiero) que la participación social puede asumir considerada desde el punto de vista de cada socio—, el legislador ha regulado el ejercicio del poder de dirección y coordinación en los grupos en los arts. 2497 y ss.

El ordenamiento parte de la premisa de que donde se dé esta multiplicidad de figuras subjetivas de imputación de actividad que representa la esencia del modelo de organización definible como «grupo», y, por tanto, donde una sociedad u otro ente (fórmula utilizada para aludir a

(margen: Relevancia jurídica)

cualquier otra forma organizativa de la actividad empresarial) posea participaciones en otras sociedades en medida tal que le atribuyan el poder de influir y dirigir la actividad, el ejercicio de dicho poder por la controlante para satisfacer exigencias trascendentes a la sociedad individual e incluso suponerle un perjuicio constituye un elemento fisiológico que, sin embargo, no puede desembocar en un perjuicio para aquéllos cuyo interés está ligado a la conservación de la integridad del patrimonio de las sociedades individuales.

De ahí cabe deducir una triple intervención.

Obligaciones de publicidad

La primera se basa en la previsión de los mecanismos que permitan a quien se relacione, de cualquier modo, con una sociedad ser inmediata y constantemente informado si la gestión puede verse influida no de modo ocasional sino de forma sistemática por un poder de dirección que, desde un punto de vista rigurosamente formal, puede considerarse dirigido a un fin *extrasocial*. Dicha exigencia es satisfecha (art. 2497-*bis*) poniendo a cargo de la sociedad sujeta al poder de dirección y coordinación de otra sociedad la obligación de información especial desde el momento en que se produce la relación de sujeción y hasta que cesa, ya sea (i) a través de la inscripción en una sección especial del registro de empresas dedicada a las sociedades sometidas a un poder de dirección y coordinación —cuyo incumplimiento hace a los administradores de la sociedad responsables por los daños sufridos por socios y terceros a causa del desconocimiento de dicha relación—, ya sea (ii) obligando a la sociedad a indicar dicha situación de sujeción incluso en los propios actos y correspondencia (también en este caso el incumplimiento hace a los administradores de la sociedad responsables por los daños causados a socios y terceros).

Obligaciones de transparencia

La segunda intervención concierne más directamente a la disciplina de los modos de ejercicio del poder de dirección y responde a la exigencia de hacer ostensible a los terceros qué decisiones de los administradores de la sociedad controlada responden a la influencia o instrucciones de la controlada y qué procedimientos decisorios les han inducido a acatarlos.

Se trata de una exigencia satisfecha en dos niveles distintos.

Ante todo, (art. 2497-*ter*) se impone a los administradores de la controlada la obligación de motivar analíticamente las decisiones gestoras que acaten las instrucciones recibidas, indicando cuál es el interés de la sociedad al que han de atenerse. Esta obligación se tiñe de términos todavía más estrictos para las sociedades que recurren al mercado de capitales de acuerdo con lo establecido por el art. 2391-*bis*, que impone a la sociedad definir *estándares* y reglas de funcionamiento que aseguren modalidades transparentes de adopción de las decisiones de gestión, así como procedimientos que garanticen su corrección sustancial cuando impliquen operaciones con «partes vinculadas». En esta última noción entran, en línea de principio, las otras sociedades del grupo (estando a la definición que de tal supuesto realiza el art. 2.h, del. Consob 11971/1999). En segundo lugar, a fin de satisfacer la exigencia mencionada *supra* se impone a los administradores de la sociedad controlada la obligación de dar cuenta de las decisiones que han sido influidas por la *holding*, y más en general, de las condicionadas por la observancia de la política empresarial de grupo en el informe de gestión que acompaña al balance (v. §47). Dicho informe deberá indicar sintéticamente cuáles han sido las relaciones mantenidas con la sociedad que ostenta tal poder o con otras sociedades sujetas al mismo durante el ejercicio, así como los efectos que las concretas manifestaciones de dicho poder han tenido sobre el resultado y el patrimonio (art. 2497-*bis*, 5). Una obligación que aparece más acentuada respecto de los grupos multinacionales de los que son parte sociedades italianas cotizadas o difusas: en tal caso, cuando otras sociedades del grupo tengan su sede en Estados extranjeros y estén sujetas a exigencias informativas menos rigurosas para con terceros que las del Derecho italiano, favoreciendo la opacidad de las dinámicas de gestión y de la situación patrimonial de la empresa (la identificación de las regulaciones extranjeras que no satisfacen dichos requisitos queda confiada —art. 165-ter TUF— a un decreto del Ministerio de Justicia todavía no redactado), la sociedad italiana, cualquiera que sea su posición en el seno del grupo (controlante o controlada e incluso únicamente vinculada) estará obligada (arts. 165-*quater*, 165-*quinquies*, 165-*sexies*, TUF) a una indicación detallada de las operaciones mantenidas con dichas sociedades extranjeras, además de a una ilustración analítica de las respectivas posiciones acreedoras o deudoras (incluso, cuando la sociedad italiana sea la *holding* del grupo multinacional, ésta quedará obligada a unir al propio balance los balances de las sociedades extranjeras). Todo ello, naturalmente, a fin de garantizar que el ejercicio del poder de dirección se realice en un contexto de transparencia que permita a todos los sujetos con interés en la conservación de la integridad del patrimonio de la sociedad que está sometida a dicho control valorar sus efectos. Y tal cosa con el fin de permitirles una decisión consciente en punto al uso de los instrumentos de tutela ofrecidos para el supuesto de que dicho interés resulte perjudicado.

Responsabilidad

La tercera intervención —y es el aspecto más significativo— consiste en la previsión (art. 2497) de una disciplina específica de la responsabilidad para la sociedad que ostenta el poder en el caso de que lo ejercite incorrectamente y ello cause un daño al patrimonio de la sociedad controlada; responsabilidad, ya sea frente a los acreedores, cuando dicho ejercicio provoque la insuficiencia de patrimonio para saldar deudas, ya sea frente a los socios por los daños sufridos en la rentabilidad y en el valor de la participación. Estos daños no son más que el reflejo de una disminución del patrimonio social y, exactamente, reflejo de la reducción de los elementos que componen el patrimonio neto, teniendo en cuenta que:

a) la expresión «lesión de la rentabilidad de la participación» parece indicar la imposibilidad para el socio de obtener de la misma la remuneración que le es propia y, por tanto, de aprehender los beneficios que se realizan a través del desarrollo de la actividad. Alude, por ello, a una circunstancia típica en los casos de pérdida del capital social o de destino de los beneficios más allá de la sociedad;

b) la fórmula «lesión del valor de la participación» parece aludir a los casos de disminución del valor real de la participación que es, concretamente, consecuencia de la reducción del valor del patrimonio neto.

La norma se mueve en una lógica que se podría definir de compromiso entre la consideración unitaria del grupo y la «puesta en valor» de la autonomía de las sociedades individuales que forman parte del mismo.

Fundamento de la responsabilidad

La norma parece considerar lícito el ejercicio de poder de dirección, incluso en perjuicio de la controlada, siempre que concurra la condición de la razonabilidad de la decisión perjudicial, según una valoración desde la óptica de la gestión de la empresa de grupo —subrayando, así, la atención a la unidad del fenómeno económico—. Sin embargo, también requiere, para dejar inmune a la sociedad que lo ejercita, que exista una ventaja específica y concreta para la sociedad controlada que derive de su pertenencia al grupo y que el perjuicio causado pueda considerarse neutralizado, pues de otro modo hay que concluir que la dirección, aunque realizada en beneficio del grupo en su conjunto, persigue un interés ajeno respecto de la controlada que ha sufrido el daño.

La disciplina así planteada introduce, pues, un instrumento de tutela (que se pretende) fuerte para los acreedores de la sociedad sometida a la *holding* y, asimismo, para los llamados socios externos.

Un instrumento de tutela fuerte, sobre todo para estos últimos, porque les permite actuar ante la falta de utilización por parte de la sociedad —que, en cuanto sujeto inmediatamente perjudicado por la dirección incorrecta, queda legitimada para la reparación del daño, ya mediante la acción ordinaria *ex* arts. 2392 y 2393 (v. §97) contra los propios administradores que han recibido instrucciones no conformes con el interés social, ya contra la sociedad controlante si se acepta la interpretación mencionada en el §142, ya frente a los administradores de esta última en cuanto sujetos a través de los cuales se expresa el poder de dirección— de los remedios ofrecidos por el ordenamiento para la reintegración del patrimonio social.

Presupuesto de
la acción

Desde tal perspectiva se explica, por tanto, que la falta de reintegración del patrimonio social sea asumida implícitamente como presupuesto, también de naturaleza procesal, para que cada socio pueda aspirar a obtener en vía de reparación del daño (el menor valor de la participación) que en realidad es el reflejo del daño al patrimonio social. Así es como se explica que la eliminación, por cualquier medio, del daño sufrido por el socio impida a éste la posibilidad de promover la acción resarcitoria. Lo que resulta menos explicable es la solución propuesta por el art. 2497.3, en la que se prevé que el socio pueda exigir responsabilidad a la *holding* cuando no haya sido reparado por la sociedad de la que él participa y que subyace al poder de dirección y coordinación. Tal norma establece un tipo de intervención de esta última que satisfaga la pretensión del socio al resarcimiento de los daños frente a la *holding*; una intervención que —incluso cuando no se reconduzca al plano del cumplimiento espontáneo de una obligación ajena por parte de un tercero según un esquema no distinto de la *delegatio solvendi* (se trata de la única solución concebible y coherente con los principios del ordenamiento, desde el momento en que la sociedad sujeta al poder de dirección y coordinación no puede ser considerada como un sujeto obligado al resarcimiento *in solido* con la sociedad que ejercita dicho poder, pues no es coautora del hecho lesivo sino más bien la víctima)— suscita algunas perplejidades. Aunque sea porque permite a la sociedad que ejercita el poder sustraerse a la responsabilidad aun en ausencia de una reparación integral del daño sufrido por el socio legitimado para ejercitar la acción (el socio, de hecho, manteniendo su participación en la sociedad que se hace cargo de la obligación resarcitoria de la *holding*, termina, aunque sea *pro quota*, por soportar el coste del resarcimiento y por perder, en dichos límites y consecuentemente, el resarcimiento recibido).

Los otros sujetos responsables

La sociedad (o el ente) *holding* no es, por otra parte, el único sujeto llamado a responder por los daños causados a la sociedad que subyace a la dirección frente a socios externos y terceros. Desde la óptica del reforzamiento de la tutela de estos últimos se contempla (art. 2497.2) la responsabilidad concurrente solidaria de cualquiera que haya participado en el hecho lesivo, así como la responsabilidad de la sociedad que ha obtenido el beneficio del ejercicio de la dirección unitaria por el solo hecho de haber sido beneficiada mediante el daño a la otra sociedad y en los límites de la ventaja obtenida.

En cuanto a la previsión de la obligación de resarcir los daños por el tercero que haya participado en el hecho lesivo, no hay duda de que el legislador pretende aludir —además de a los administradores que han recibido las instrucciones ilícitas (como se ha señalado en §142, éstos no se pueden exonerar atribuyendo a otros la paternidad de los criterios de gestión que han producido el daño)— a la existencia de una responsabilidad concurrente, sea *(i)* de los administradores de la sociedad *holding*, a través de los cuales se ejercita institucionalmente dicho poder, sea *(ii)* de quien ejercite de hecho dicho poder, como por ejemplo, el socio de control o titular de una participación cualificada de la sociedad matriz si se determina que ha participado en la adopción de la decisión.

La responsabilidad de los administradores de la controlante

Se trata de una disposición que permite resolver el delicado problema que se plantea frente a un comportamiento ilícito imputable a una organización colectiva (como es el mal ejercicio del poder de dirección por la sociedad u otro ente controlante): es decir, si la responsabilidad debe ser adscrita sólo al sujeto colectivo o también a las personas físicas a través de las que aquél actúa y que, por tanto, jurídicamente no son sujetos de derecho sobre los que recaen los efectos de sus propios actos, sino sólo figuras para llevar a cabo la acción de la organización colectiva. La norma —que extiende el número de sujetos responsables hasta comprender al titular del órgano de administración e impide a los administradores de la *holding* «eclipsar su propia subjetividad», como se ha afirmado con acierto— debería operar como instrumento para promover un ejercicio más atento de las propias prerrogativas por parte de los administradores de la controlante que, además, son competentes para la gestión de la empresa de grupo.

Menos intuitiva es, no obstante, la reconstrucción del significado de la disposición del art. 2497.2, que establece la obligación de la sociedad beneficiada por el «ilícito» ejercicio de poder de dirección y coordinación, de responder por el daño. En este caso no es fácil explicar la obligación que recae sobre la sociedad de grupo beneficiada por el ejercicio del poder de dirección como una obligación resarcitoria.

La obligación de la sociedad beneficiada

La existencia de una obligación de tal naturaleza presupone que se pueda adeudar al sujeto gravado por ella la responsabilidad por el daño causado a terceros. Pero en el ordenamiento italiano, la imputación de responsabilidad presupone que el sujeto que ha de hacerse cargo del resarcimiento haya contribuido a la producción del daño participando, si no con culpa, al menos objetivamente a la producción del hecho lesivo. Ahora bien, precisamente tal elemento falta en el presente caso, puesto que la otra sociedad del grupo no participa en el hecho lesivo —que es el ejercicio incorrecto del poder de dirección— sino que sólo obtiene la ventaja derivada de dichas decisiones de gestión.

En un contexto similar parecería preferible considerar que la obligación de la sociedad beneficiada no tiene naturaleza resarcitoria sino indemnizatoria, reconducible al ámbito de la cláusula general del art. 2041.

Incluso tal solución puede parecer poco tranquilizadora, considerando que, si se tratase de una obligación indemnizatoria reconducible a la lógica de la neutralización de un enriquecimiento injusto, ésta —además de afectar al sujeto directamente empobrecido (la sociedad controlada), también afecta a los socios cuyo empobrecimiento es indirecto— resultaría que esta regulación se alejaría del supuesto base en, al menos, tres aspectos.

Ante todo, porque la obligación indemnizatoria puede ser configurada, en punto al sujeto que ha obtenido la ventaja, sólo cuando se ha sido consciente de haber obtenido una ventaja a cargo del patrimonio ajeno; elemento irrelevante en el art. 2041.

En segundo lugar, porque dicha obligación prescinde de cualquier valoración en torno a la validez jurídica del título que ha permitido, mediante el desplazamiento patrimonial, la obtención de la ventaja a otra controlada e, incluso cuando exista dicho título legitimante desde un punto de vista jurídico (como, por ejemplo, en el caso, de que el empobrecimiento de una sociedad controlada y la ventaja de otra sociedad controlada encuentren su fundamento en contratos estipulados entre ellas), si bien queda superado el principio que, al menos según la doctrina civilista dominante, informa la disciplina del instituto. Esto es, que la ausencia de justificación debe contemplar no el enriquecimiento como tal (en cuanto acontecimiento económico, cabría decir), sino más bien el hecho que lo produce, no pudiéndose aplicar si el desplazamiento patrimonial se basa en un título contractual.

Y, en fin, porque la obligación indemnizatoria no constituye un instrumento de tutela residual —como debería serlo desde la óptica del art. 2041—, coexistiendo, incluso con vínculos de solidaridad, con la obligación resarcitoria que nace del ilícito ejercicio de la dirección unitaria.

145. LOS RESTANTES EFECTOS DEL EJERCICIO DEL PODER DE DIRECCIÓN

La necesidad de garantizar la tutela a los intereses de los acreedores de las sociedades individuales y de los llamados socios externos, se pone de manifiesto incluso antes de que el ejercicio del poder de dirección por parte de la sociedad cabeza del grupo inicie sus manifestaciones patológicas ya descritas e, incluso, cuando el mismo se ejercite de forma legítima, formalmente correcta y no intrínsecamente dañosa para la consistencia del patrimonio de las sociedades individuales.

Desde esta perspectiva, esta posición puede verse de manera distinta según se analice desde la posición de los socios o de los acreedores.

Modificación de las condiciones de la inversión

En cuanto a los primeros, el problema que se presenta es el del ejercicio de las propias prerrogativas por parte de la *holding* para imprimir a la actividad del grupo en su conjunto una dirección estratégica que modifique las perspectivas de remuneración de las inversiones realizadas por los socios externos en la participación de las sociedades individuales, y ello sin que haya modificaciones que afecten directamente a dichas sociedades.

Poder de dirección y financiación del grupo

Por lo que concierne a los acreedores sociales, el riesgo principal, cuando se recurre a dicha articulación organizativa de la empresa, es que, habiendo una relación directa de integración de las sociedades participadas, la sociedad cabeza del grupo puede considerar que, para financiarlas, en lugar de inmovilizar la riqueza en forma de aportación, es mejor recurrir al instrumento más flexible que representa la concesión de crédito dotándolas, así, según las circunstancias del caso concreto, de los recursos necesarios para realizar los programas empresariales de cada una. Una política financiera legítima —que, incluso, bajo ciertos aspectos garantiza la óptima distribución de la riqueza de que dispone la *holding*, permitiéndole modular las tareas, privilegiando las más productivas—, la cual, sin embargo, aunque no sea dañosa para la sociedad (al contrario, en la mayoría de casos resulta ventajosa para la sociedad financiada: piénsese en los casos en que la sociedad controlante concede a la controlada financiación sin intereses o remunerada con intereses inferiores a los establecidos en el mercado de capitales), puede dañar gravemente a los acreedores de esta última. Y todo ello porque, de este modo, el socio, por el hecho de haber concedido capital de crédito en lugar de capital de riesgo viene a ser equiparado a los acreedores sociales, beneficiándose de una posición privilegiada sobre el valor de las actividades y superando la posición residual, cuantitativamente dependiente y cualitativamente subordinada que —como se ha visto— le correspondería de otro modo.

Precisamente desde esta perspectiva de la solución de ambos tipos de problema han de ser leídos los arts. 2497-*quater* y 2497-*quinquies,* que completan el cuadro de los efectos ligados a la existencia y al ejercicio del poder de dirección y coordinación que se corresponde a la participación de control ostentada por otra sociedad.

En cuanto a la exigencia de garantizar a los socios minoritarios de las sociedades que se someten al poder de dirección y coordinación la tutela contra el riesgo de que, de su ejercicio, ya sea legítimo, dirigido a la satisfacción del interés del grupo, puedan derivarse efectos que alteren indirectamente las condiciones de inversión, resulta satisfecha a través del reconocimiento a estos últimos del derecho de separarse de la sociedad si se dan las circunstancias que hacen presumible un cambio de perspectiva, tanto en lo que se refiere a las posibilidades de remuneración de la inversión como a las modificaciones de su valor.

La regulación del derecho de separación

Desde esta lógica se explica el reconocimiento de dicho derecho, ya desde el nacimiento de la situación de sujeción a un poder de dirección ajeno, así como desde su extinción. Precisamente porque, como se ha subrayado, incluso cuando no se trata de hechos potencialmente dañosos (como es el caso —nada infrecuente: *cfr.* §178— de que la adquisición del control de una sociedad se efectúe recurriendo a una política de endeudamiento cuyos costes se desplazan por el adquirente —gracias a la titularidad del poder de dirección y coordinación— hacia la adquirida), la constitución y la extinción del poder de influir en la gestión son eventos que modifican el contexto en que se coloca la inversión, de modo que es natural que se dé al socio la posibilidad de liquidarla, al menos cuando no existe un mecanismo alternativo que garantice la posibilidad de movilizar la inversión (éste es el significado de la inexistencia del derecho mencionado —según el art. 2497-*quater.* c)— cuando las acciones de la sociedad sometida a dirección sean negociadas en mercados regulados y haya sido promovida una oferta voluntaria dirigida a la totalidad de las acciones).

Así, se justifica el reconocimiento del derecho de separación incluso ante decisiones adoptadas por la sociedad que ejerce la dirección, concernientes a la modificación del propio objeto, tratándose de modificaciones que se reflejan siempre en la sociedad sujeta a dirección porque alteran el contexto en que se inscribe la actividad de la controlada.

Así, en fin, se explica porqué se reconoce al socio el derecho de separación incluso en el caso de que haya obtenido, con sentencia firme, la condena de la sociedad controlante por el ejercicio del poder de dirección que produjo el daño al patrimonio social, teniendo en cuenta que en tales circunstancias decrece el interés en la conservación de la inversión, sobre todo, por la reducción de la confianza en quien dirige la actividad social de cuyos éxitos dependen las expectativas de remuneración.

Regulación de la financiación del grupo Por lo que concierne a la exigencia de los acreedores sociales de no verse privados, en beneficio del socio de control, de la posición privilegiada, ya mencionada, sobre los valores del activo, ésta se satisface —art. 2497-*quinquies*— postergando los créditos del socio respecto de los créditos de los restantes acreedores de la sociedad. Este resultado, el de la postergación del socio, que se asegura a los restantes acreedores, no ya haciendo inexigible el crédito del socio una vez que éste venza —la plena exigibilidad del crédito encuentra su confirmación en el hecho de que el problema de la revocabilidad de su pago, para el caso de concurso de la sociedad, viene resuelto por el legislador (art. 2467.1) agravando la regulación del art. 67.2, l. fall., para el pago de los créditos líquidos y exigibles (y no aplicando la disciplina más

rigurosa prevista por el art. 66 l. fall. en relación con los créditos no vencidos)— sino haciendo no definitiva la atribución patrimonial eventualmente
realizada por la sociedad a su favor. Y todo ello en el sentido de que el socio,
además del riesgo de la revocatoria en caso de concurso de la sociedad, queda
de todas formas expuesto a la posibilidad de que los restantes acreedores,
cuando el patrimonio sea insuficiente, promuevan contra él una acción dirigida a ver satisfechos sus créditos hasta el límite de lo recibido.

La postergación viene, así, a realizar una forma de integración de la garantía patrimonial a favor de los acreedores de la sociedad, en cuanto que
éstos podrán hacer valer las propias pretensiones, además de sobre el patrimonio social, sobre el valor ya reembolsado al socio. Integración de la
garantía de los acreedores que, sin embargo, no opera sin limitación. A fin
de asegurar un justo equilibrio entre los dos intereses en conflicto, ambos
merecedores de tutela —en este caso, frente al interés de los acreedores a que
el socio de control no asuma instrumentalmente la posición de financiador
para sustraerse a la posición residual sobre los valores del activo que de otro
modo le correspondería, se halla el del socio a poder adoptar las políticas
de financiación de la sociedad que estima más eficientes—, el legislador ha
considerado que debe hacer aplicable dicho mecanismo de integración de la
garantía para los acreedores sólo cuando la financiación haya sido otorgada
por el socio en presencia de indicios sintomáticos de que la forma elegida
no responde a una efectiva exigencia empresarial. Es decir, sólo cuando haya
elementos que justifiquen que el recurso al crédito tenga una finalidad elu-
siva de la disciplina imperativa sobre aportaciones, apareciendo, así, como
un instrumento dirigido a realizar un abuso en perjuicio de acreedores. Lo
que sucede sobre todo en el caso —indicado por el art. 2467.2, al que reenvía el art. 2497-*quinquies*— de que el desequilibrio entre endeudamiento y
patrimonio neto manifieste que la sociedad se dirige hacia una situación no
óptima desde el punto de vista de la financiación, de modo que una política de gestión inspirada en cánones de razonabilidad habría sugerido que la
necesidad de la sociedad de disponer de nuevos recursos fuese satisfecha a
través del incremento del capital de riesgo (es decir, a través de un aumento
de capital mediante nuevas aportaciones).

Tercera parte
Las modificaciones de la organización de las sociedades de capital

Capítulo VIII
Constitución

Lucia Calvosa

146. EL PROCEDIMIENTO DE CONSTITUCIÓN

La constitución de las sociedades de capital —a diferencia de lo que ocurre en las sociedades de personas (v. §23)— es el resultado de un *procedimiento* (o, de un *negocio jurídico de formación sucesiva*). Mientras que en las sociedades de personas el proceso de formación de la sociedad se cumple instantáneamente con la celebración del contrato social (la inscripción en el registro de empresas es sólo un requisito de regularidad de la sociedad con forma mercantil), la constitución de los tipos societarios capitalistas se articula en una secuencia de actos dirigidos a la producción del efecto constitutivo final. La naturaleza procedimental

La secuencia procedimental viene regulada de modo uniforme para todas las sociedades de capital: los arts. 2329-2331, relativos a la constitución de la sociedad por acciones son aplicables, tanto a la sociedad comanditaria por acciones (a la que, por efecto del reenvío general del art. 2454, se aplica también el art. 2328 dentro de los límites de su compatibilidad), como a la sociedad de responsabilidad limitada (en virtud de la remisión del art. 2463.3). Las fases del procedimiento

En todas las sociedades de capital, por tanto, la constitución pasa a través de dos fases: *(a)* la estipulación del acto constitutivo en la forma de acto público; *(b)* la inscripción del documento en el registro de empresas.

La constitución de la sociedad según la normativa del tipo elegido, y la adquisición de la personalidad jurídica, se producen sólo como El resultado final consecuencia de la inscripción del acto constitutivo en el registro de empresas (art. 2331.1). El elemento imprescindible para la producción del efecto constitutivo es la inscripción en el registro de empresas de un documento —acto constitutivo—, que indique, cuando menos, el tipo social (que se «autocalifique» como acto constitutivo de s.p.a., s.a.p.a. o s.r.l.). Tal cumplimiento es por sí mismo suficiente para permitir la aplicación de la normativa del tipo de sociedad indicada (comprendida la disciplina que se resume en el concepto de «persona jurídica») y, por tanto, para producir la *existencia* de la sociedad como s.p.a., s.a.p.a. o s.r.l. (v. §152).

Diversos tipos de sociedad

El esquema procedimental descrito puede completarse con contenidos parcialmente distintos según la forma elegida para el ejercicio de la empresa: la normativa dictada por el código civil se diversifica en algunos aspectos relevantes de la fase de formación de la sociedad por razón de las peculiaridades de los estatutos organizativos de cada tipo.

La constitución por acto unilateral

La regulación de la constitución se resiente del carácter unipersonal o pluripersonal de la iniciativa societaria. Es sabido que las sociedades se constituyen, normalmente, por contrato: es normal que en la estipulación del acto constitutivo participen dos o más socios fundadores. Esta regla contractual y la necesidad de una pluralidad de socios fundadores, no obstante, han perdido hoy su carácter absoluto tradicional. La s.p.a. y la s.r.l. pueden constituirse *también por un acto unilateral* (arts. 2328, 1 y 2363, 1). La unipersonalidad originaria no hace nula la sociedad y no determina, por sí misma, la pérdida de la responsabilidad limitada del socio único (arts. 2335 y 2462). La exigencia de protección a los terceros (y a los acreedores, en particular) frente a posibles comportamientos abusivos del socio único ha inducido, no obstante, al legislador a condicionar el mantenimiento de la responsabilidad limitada al respecto de reglas especiales, algunas de las cuales asumen relevancia ya desde el procedimiento de constitución de la sociedad (v. §§150 y 154).

147. EL ACTO CONSTITUTIVO Y LOS ESTATUTOS

Valor organizativo

El análisis del aspecto negocial del nacimiento de las sociedades de capital no puede partir sino de la constatación del natural valor organizativo del acto constitutivo. El principal efecto producido por dicho acto —ya sea un contrato o un acto unilateral— no es tanto la constitución, modificación o extinción de las relaciones jurídicas de las partes (que es propio de los contratos con causa de intercambio, como la compraventa), sino más bien, la previsión de reglas instrumentales dirigidas a regular el desarrollo de la actividad social: el acto constitutivo pone las reglas de organización de la actividad que será desarrollada por la sociedad.

La reglas que rigen la actividad social pueden estar contenidas únicamente en el acto constitutivo o también —como sucede habitualmente— en un documento distinto llamado *estatutos*. Puede decirse que, mientras el acto constitutivo contiene, además de la manifestación de voluntad de constituir la sociedad, sólo los datos esenciales de la estructura organizativa, los estatutos contienen las «normas relativas al funcionamiento de la sociedad» (art. 2328.3). En la s.r.l., por otra parte, el legislador abandona toda referencia a los estatutos, colocando «las normas relativas al funcionamiento de la sociedad» en el ámbito del contenido del acto constitutivo (art. 2463.2, n. 7). En cualquier caso (y, también en la s.r.l.) no parece dudoso que la eventual colocación de las reglas organizativas en dos documentos separados asuma un relieve esencialmente *material*, sin invalidar la *unidad funcional* entre acto constitutivo y estatutos. De hecho, «los estatutos (…) aunque forman parte de un acto separado, constituyen parte integrante del acto constitutivo» (art. 2328.3). La duplicidad de documentos puede dar lugar, no obstante, a antinomias entre las normas del acto constitutivo y las de los estatutos (es posible que se prevean normas incompatibles para un mismo hecho): en tal caso prevalecen las últimas (para las sociedades por acciones, art. 2328.3) (v., asimismo, §120).

Eventual pluralidad de documentos

A cada tipo de sociedad de capital le corresponde un determinado (más o menos flexible) *estatuto organizativo,* respecto del cual, las modalidades de constitución y las reglas y datos contenidos en el acto constitutivo y en los estatutos han de tener una relación de coherencia. La elección del tipo social puede influir, tanto sobre las modalidades de estipulación del acto constitutivo como sobre el contenido del mismo, y sobre la individualización de las llamadas condiciones para la constitución de la sociedad.

La regulación en los distintos tipos de sociedad

148. LAS MODALIDADES DE ESTIPULACIÓN DEL ACTO CONSTITUTIVO

Las modalidades de estipulación del acto constitutivo —como se ha mencionado *supra*— pueden variar dependiendo del tipo social elegido por los socios. El código civil prevé dos diferentes modalidades: *la constitución simultánea* y *la constitución por suscripción pública*, que representan dos técnicas diferentes para la formación del capital social inicial (que debe ser inmediata e integralmente suscrito: art. 2329.1; v. asimismo, §53).

La constitución simultánea

La constitución simultánea es la regla para todas las sociedades de capital: el acto constitutivo es estipulado, y el capital social íntegramente suscrito, directamente por quienes asumen la iniciativa para la constitución (los mismos socios fundadores).

La constitución por suscripción pública

La constitución por suscripción pública está prevista, en cambio, sólo para las sociedades por acciones (art. 2333.1) en el intento de favorecer iniciativas económicas que necesitan, ya en la fase inicial, de ingentes medios propios: en tal caso, el acto constitutivo puede ser estipulado y el capital suscrito por sujetos diversos (los socios fundadores) de quienes han asumido la iniciativa de la constitución de la sociedad (denominados promotores), de modo que se permite la obtención del capital inicial de los inversores (de ahí la ya pacífica aplicabilidad de la normativa de la oferta al público de productos financieros de los arts. 93.bis-101 TUF). Para alcanzar tal resultado es necesario, sin embargo, seguir un procedimiento bastante complejo (arts. 2333-2336) que, en resumen, se puede articular en cuatro fases: *(a)* los promotores hacen público un programa (precedentemente depositado ante notario) que contiene los datos y normas esenciales del acto constitutivo y de los estatutos de la sociedad, que contienen las suscripciones ya realizadas por los promotores mismos; *(b)* los promotores, sobre la base del programa, proceden a la obtención de las suscripciones de las acciones por parte del público (que deben resultar de escritura pública o privada autenticada) y los suscriptores deben proceder a depositar en un banco el veinticinco por ciento de las aportaciones en dinero; *(c)* la asamblea de suscriptores —convocada por los promotores según el art. 2334.3— decide por mayoría (calculada por cabezas) sobre los asuntos indicados en el art. 2335.1; *(d)* en fin, los participantes en la junta estipulan el acto constitutivo en representación, asimismo, de los ausentes.

El carácter gravoso del procedimiento descrito es la causa principal del escaso interés demostrado por los operadores por la constitución por suscripción pública: en la práctica, aunque la empresa necesite de capital inicial muy elevado se prefiere recurrir a la estipulación inmediata del acto constitutivo con el recurso a técnicas alternativas para la obtención de capital (constitución simultánea y sucesivo aumento del capital, suscripción de acciones por parte de intermediarios financieros con sucesiva oferta al mercado).

Obtención del capital inicial en la práctica

149. EL CONTENIDO DEL ACTO CONSTITUTIVO

La elección del tipo social incide —como es natural— sobre el contenido del acto constitutivo (que, como se ha dicho, puede resultar de la combinación entre acto constitutivo y estatutos, dado que la ley considera al segundo documento como «parte integrante» del primero: v. §147). Esta influencia se manifiesta, esencialmente, en dos direcciones: *(a)* en los distintos tipos de sociedades, cambia, en parte, el contenido mínimo del acto constitutivo, esto es, el conjunto de *datos* relativos a la estructura de la sociedad que deben ser insertados; *(b)* en los distintos tipos sociales cambia, asimismo, el grado de imperatividad de la normativa legal, esto es, el espacio dejado a la autonomía estatutaria para dictar reglas relativas al desarrollo de la actividad social, integradoras o modificadoras de las normas legales.

Los datos que forman el contenido del acto constitutivo son enumerados por el art. 2328.2 para las s.p.a. y (en virtud de la remisión del art. 2454) para las s.a.p.a., y por el art. 2463.2 para las s.r.l. Éstos son comunes, en parte, a todas las sociedades de capital. El acto constitutivo debe contener las siguientes indicaciones:

Los datos relativos a la estructura de la sociedad

– *El apellido y nombre o denominación, fecha y lugar de nacimiento o de constitución, el domicilio y la nacionalidad de cada socio* (art. 2328, 2, n. 1 y 2463, 2, n. 1) así como, en las sociedades accionariales, *el número de las acciones asignadas a cada socio* (art. 2328, 2, n. 1). En las s.p.a. constituidas por suscripción pública tales datos deben ser facilitados también por los promotores. La peculiar conformación organizativa de la s.a.p.a. hace necesaria, en este tipo de sociedad, también la *indicación de las personas de los socios colectivos* (art. 2455, 1).

– *La denominación de la sociedad* (arts. 2328, 2, n. 2 y 2463, 2, n. 2) que debe contener siempre la indicación del tipo (s.p.a., s.a.p.a. o s.r.l.: arts. 2326, 2453 y 2463, 2, n. 2). La indicación del tipo social permite, una vez inscrita, la aplicación de la relativa regulación (v. §146). En la s.a.p.a., la denominación social debe contener, asimismo, la indicación del nombre de, al menos, uno de los socios colectivos (art. 2453).

– *El municipio en que radica la sede de la sociedad y las eventuales sedes secundarias* (arts. 2328, 2, n. 2 y 2463, 2, n. 2). No es necesaria la indicación del domicilio (calle y número) donde está situada la sede social y las secundarias. De ello se deriva que el cambio de domicilio dentro del municipio no es, generalmente, una modificación del acto constitutivo y puede, por tanto, ser decidido por el órgano de administración (obligado en tal caso a proceder a los trámites informativos del art. 111-ter disp. att.).

– *La actividad que constituye el objeto social* (arts. 2328, 2, n. 3 y 2463, 2, n. 3.). El objeto social (llamado también fin-medio en contraposición con el fin último de la sociedad), indica el tipo de actividad económica desarrollada por la sociedad. La predeterminación, en el acto constitutivo (cuando menos), del sector de actividad programada se requiere al efecto de delimitar preventivamente las condiciones del riesgo de la inversión de los socios: debe, por tanto, considerarse —aunque la ley calle al respecto— que la indicación estatutaria del objeto social debe presentar un grado suficiente de especificidad porque un objeto social descrito de modo genérico haría inoperante una serie de normas dictadas para la tutela de los socios, frente a una excesiva alteración del riesgo de su inversión ligada al cambio de la actividad desarrollada por la sociedad (piénsese en el derecho de separación de los arts. 2437, 1, a. y 2473, 1).

– *La cuantía del capital suscrito y del capital desembolsado* (arts. 2328, 2, n. 4 y 2463, 2, n. 4). La cifra del capital social (nominal) debe ser determinada en el acto constitutivo en una cantidad no inferior al capital mínimo establecido por la ley para cada tipo, esto es, en una medida no inferior a ciento veinte mil euros en la s.p.a. y s.a.p.a. (art. 2327), y a diez mil euros en la s.r.l. (art. 2463, 2, n. 4). La previsión de un capital mínimo tiene la función de imponer una especie de umbral de seriedad para el acceso a los tipos capitalistas (sobre todo, con el propósito de impedir la utilización del modelo accionarial a empresas colectivas de mínimas dimensiones), pero no tiene la función de dotar a la empresa de medios propios suficientes para la obtención del objeto social. Se discute sobre la posibilidad de completar, por vía interpretativa —a la estela de lo que ocurre en otros ordenamientos europeos— la regla del capital mínimo con la regla según la cual la cifra del capital (además de respetar el mínimo legal) no debe ser manifiestamente inadecuada a la consecución del objeto social (la llamada prohibición de la infracapitalización material). Esta última solución es rechazada por la doctrina mayoritaria que considera suficiente, al efecto de constituir la sociedad, la indicación de una cifra de capital manifiestamente inadecuada con tal de que no sea inferior al mínimo legal.

– *El número y el eventual valor nominal de las acciones, sus características y las modalidades de emisión y circulación en las s.p.a. y s.a.p.a.* (art. 2328, 2, n. 5), *o la cuota de participación de cada socio en la s.r.l.* (art. 2463, 2, n. 6). La diversidad de datos requeridos para la identificación de la participación social es consecuencia de la distinta modalidad de subdivisión del capital nominal adoptada en los tipos accionariales frente a la s.r.l. (v. §§54 y 123). La indicación del valor nominal de las acciones es meramente eventual: se admiten, de hecho, acciones sin indicación del valor nominal *(v. §55).*

– *El valor atribuido a los créditos y a las aportaciones no dinerarias,* así como, en la s.r.l., *las aportaciones de cada socio* (arts. 2328, 2, n. 6 y 2463, 2, n. 5).

– *El número de los administradores (con indicación de cuáles de entre ellos disponen del poder de representación de la sociedad) y de los miembros del colegio sindical* así como *el nombramiento de los primeros administradores (o consejeros de gestión) y síndicos (o de los primeros miembros del consejo de vigilancia) y, en su caso, del sujeto a quien se solicita el control contable* (art. 2328, 2, núms. 9, 10 y 11). La previsión se refiere, únicamente, al acto constitutivo de s.p.a.: en la s.a.p.a., de hecho, el nombramiento de los primeros administradores es superfluo a la vista de la norma que dispone que los socios colectivos son de derecho administradores de la sociedad (art. 2455, 2). En la s.r.l., la ley se limitar a requerir —por razón de la distinta regulación de la administración y del control (v. §130)— *la indicación de los sujetos a quien se confía la administración y de los eventuales sujetos a quien se confía el control contable* (art. 2463, 2, n. 8): es necesaria, de cualquier modo, la indicación, en el acto constitutivo, de los primeros síndicos, si subsisten desde la constitución de la sociedad las condiciones que hacen necesario el nombramiento del colegio sindical en la s.r.l. (sobre éstas v. §135). Además, las menciones *de que se trata se refieren, en cuanto al nombramiento de los primeros administradores, únicamente al sistema de administración llamado tradicional de la s.p.a. (que es el sistema aplicado en defecto de previsión estatutaria); con respecto de los restantes sistemas, está previsto que: (a)* el acto constitutivo de s.p.a. en que se opte por el sistema dualista, debe contener la determinación del número de componentes y el nombramiento de los primeros miembros, ya del consejo de gestión (*art. 2409-novies, 2 y 3), ya del consejo de vigilancia (arts. 2328, 2, n. 11 y 2409-duodecies, 1 y 2); (b)* el acto constitutivo de s.p.a. en que se opte por el sistema monista, debe contener la determinación del número de componentes y el nombramiento de los primeros miembros del consejo de administración (se mantiene la competencia del consejo de administración, tanto para la determinación del número como para el nombramiento de los miembros del comité para el control de la gestión: art. 2409-*octiesdecies, 1).*

– *El importe global, al menos aproximativo, de los gastos para la constitución, a cargo de la sociedad* (arts. 2328, 2, n. 12 y 2463, 2, n. 9).

– *La duración de la sociedad.* La indicación de la duración de la sociedad (normalmente determinada en un día fijo del calendario gregoriano: por ejemplo, 31 de diciembre 2050) es meramente facultativa porque el código civil permite la constitución de sociedades de capital por tiempo indeterminado (arts. 2328, 2, n. 13 y 2473, 2). La exigencia de garantizar al socio una vía de desinversión ha inducido al legislador a prever correctivos legales a la falta de predeterminación estatutaria de la duración de la sociedad, (sólo) cuando no subsista la posibilidad de una rápida y fácil enajenación de la participación. Esta última posibilidad está garantizada sólo por el hecho de que las participaciones (accionariales) se coticen en un mercado regulado. Cuando la participación social no sea negociada en un mercado regulado, el C.C. establece el contrapeso necesario de no haber establecido previamente la duración en el derecho de separación del socio: tanto en las sociedades por acciones no cotizadas como en las s.r.l., constituidas por tiempo indeterminado, se atribuye a todos los socios el derecho a separarse *ad nutum* de la sociedad con preaviso de al menos seis meses, plazo que puede ser prolongado hasta un año por los estatutos (arts. 2437, 2 y 2473, 2) (v. §§164 y 165).

Las normas contenidas en el acto constitutivo El acto constitutivo (y/o los estatutos), además de los datos relativos a la estructura social ya señalados, puede contener (y normalmente contiene) también un cuerpo de reglas concernientes al funcionamiento de la sociedad (arts. 2328, 3 y 2463, 2, n. 7). El acto constitutivo de s.p.a., por ejemplo, puede contener las *normas que regulan el reparto de los beneficios y las eventuales ventajas otorgadas a favor de los promotores o socios fundadores* (art. 2328, 2, núms. 7 y 8), así como la indicación *del sistema de administración adoptado y de los poderes de los administradores* (art. 2328, 2, n. 9). La previsión en el acto constitutivo de tales reglas no es necesaria para el buen fin del procedimiento de constitución porque, en su defecto, se aplicará la regulación legal del tipo (en la s.p.a., por ejemplo, en ausencia de una regla estatutaria diversa, la distribución de los beneficios, el sistema de administración y los poderes de los administradores están regulados, respectivamente en los arts. 2433, 2380.1 y 2380-*bis*).

Las reglas contenidas en el acto constitutivo adquieren relevancia cuando están dirigidas a derogar o integrar la regulación legal, adaptándola a las exigencias concretas de los socios y a las características de la iniciativa económica emprendida: tal adaptación de la normativa legal es, sin embargo, admisible —so pena de la nulidad de la cláusula estatutaria integradora o derogatoria— en los límites en que las reglas impuestas por la autonomía privada no violen normas imperativas, o no sean incompatibles con los rasgos caracterizadores del tipo. La posibilidad de modificar la normativa legal a través de previsiones estatutarias (la autonomía estatutaria) se presenta con diferente amplitud en los diversos tipos de sociedades de capital: es mucho más extensa en la s.r.l. (cuya regulación legal tiene generalmente un carácter dispositivo) y tiende a reducirse sensiblemente en las sociedades accionariales y, todavía más, en las s.p.a. «abiertas» (art. 2325-*bis*).

En el acto constitutivo (o en los estatutos) de la s.r.l. y de las sociedades por acciones «cerradas» es posible introducir cláusulas compromisorias dirigidas a someter a un árbitro, derogando la competencia ordinaria de los jueces, la decisión de las controversias entre los socios y la sociedad, así como aquéllas promovidas contra los miembros de los órganos administrativos y de control (art. 34.1 y 4, d.lgs. 5/2003). Tales cláusulas son válidas en los límites en que tengan por objeto controversias sobre «derechos disponibles relativos a la relación social» con respecto de los cuales «la ley no prevé la obligatoria intervención del Ministerio Fiscal» y siempre que el poder de nombramiento de los árbitros sea conferido a un

Las cláusulas compromisorias

sujeto ajeno a la sociedad (art. 34.1, 2 y 5, d. lgs. 5/2003). Dichas resoluciones vinculan a la sociedad y a todos los socios, así como, si se prevé en el acto constitutivo, a los componentes del órgano administrativo y de control y a los liquidadores (art. 34.3 y 4, d.lgs. 5/2003; v., asimismo, §§81 y 164).

150. LAS CONDICIONES PARA LA CONSTITUCIÓN

Las condiciones para la constitución se refieren a elementos externos al contenido del acto constitutivo, cuya presencia es necesaria para el buen fin del procedimiento de constitución. Éstas deben existir ya en el momento de la suscripción del acto constitutivo, de modo que el notario encargado de elevar a público el acto pueda verificar su existencia con carácter preventivo (v., por otra parte, el art. 233-*quater*, 1, disp. att.)

La normativa común
Las condiciones para la constitución vienen indicadas de forma general para todas las sociedades de capital por el art. 2339 (al que remite —como ya se ha dicho— el art. 2463.3 para la s.r.l. y el art. 2454 para la s.a.p.a.), siendo las siguientes:

1) la suscripción íntegra del capital social (pero no su desembolso íntegro),

2) el respeto de las previsiones relativas a la ejecución de las aportaciones y a la valoración de bienes no dinerarios y de créditos de los arts. 2342 y 2343 en la s.p.a. y s.a.p.a. y de los arts. 2464 y 2465 en la s.r.l. Para proceder, por tanto, a la constitución de una sociedad de capital, es necesario lo siguiente:

    a) ejecución parcial o íntegra de las aportaciones: desde el momento de la suscripción del acto constitutivo, las acciones o participaciones correspondientes a aportaciones de bienes *in natura* y de créditos deben ser íntegramente liberadas y las aportaciones en efectivo deben ser ingresadas en una entidad de crédito en la medida mínima del veinticinco por ciento (v., asimismo, §§53 y 122);

    b) valoración de las aportaciones de los bienes in natura y de los créditos. Se debe presentar un informe elaborado por un experto de valoración de los bienes *in natura* y de los créditos de conformidad con lo dispuesto en el art. 2343 para la s.p.a. y s.a.p.a., y en el art. 2465 para la s.r.l. En cualquier caso, dicho informe debe acompañar al acto constitutivo (y ser depositado en el registro de empresas) y debe contener «la descripción de los bienes y créditos aportados, la confirmación de que su valor es al menos equivalente al que se les ha atribuido para la determinación del capital social y del eventual sobreprecio», así como la indicación de «los criterios de valoración seguidos» (arts. 2343, 1 y 2465, 1). El experto es responsable civil (art. 2343, 2) y penalmente (art. 64 c.p.c.) por la veracidad de las afirmaciones del informe (v. §53).

3) subsistencia de las autorizaciones y otras condiciones requeridas por la ley especial para la constitución de la sociedad en relación con su objeto particular. La constitución de sociedades que tengan por objeto social el ejercicio de actividades de particular relieve está condicionada, en base a lo dispuesto por leyes sectoriales, al cumplimiento de determinados requisitos añadidos a los previstos por la regulación del tipo, así como a la autorización previa por parte de la autoridad administrativa (v., por ejemplo, para la constitución de las s.i.c.a.v, el art. 43 TUF).

La normativa descrita se diferencia por razón del tipo de sociedad elegido así como por razón de la naturaleza pluripersonal o unipersonal. Ello, sobre todo por efecto de la distinta normativa, en las mencionadas hipótesis, del desembolso inicial de las aportaciones dinerarias y de la valoración de las aportaciones de bienes *in natura* y de créditos (v. §§53 y 122).

La articulación de la normativa común

Si la sociedad (ya sea una s.r.l. o una s.p.a.) se constituye por un acto unilateral (la llamada *unipersonalidad originaria*), el único socio fundador está obligado a desembolsar en un banco el montante completo de las aportaciones dinerarias en el momento de la suscripción del acto constitutivo (arts. 2342, 2 y 2464, 4) (v. §§50 y 121).

… la constitución por acto unilateral

En la determinación de las condiciones para la constitución en cada tipo social existen algunas diferencias (no irrelevantes) en materia de aportaciones. Ello en relación con dos aspectos.

… las diferentes regulaciones entre sociedades accionariales y s.r.l.

a) En la s.r.l. —a diferencia de las sociedades por acciones— se permite la adopción de una técnica alternativa al desembolso inicial de las aportaciones en efectivo: puede ser sustituido por la estipulación de una póliza aseguradora o una garantía bancaria (art. 2464.4: v. §122). El socio puede, por tanto, optar entre las dos modalidades descritas en el momento de la suscripción del acto constitutivo, sin perjuicio de que, si se opta por la póliza o la garantía bancaria, puede siempre sustituir ésta por el desembolso efectivo.

b) En las sociedades por acciones, la ley prevé cautelas adicionales —además de la ya mencionada responsabilidad civil y penal del experto— a fin de asegurar la independencia del juicio del experto y la corrección y veracidad de la relación de valoración de las aportaciones de bienes no dinerarios y de créditos. En la s.p.a. y s.a.p.a., de hecho, el informe ha de ser realizado por un experto designado a solicitud del socio, por el tribunal del domicilio de la sociedad (art. 2343, 1). En la s.r.l., en cambio, la ley permite al socio que efectúe la aportación de los bienes *in natura* o de créditos, elegir autónomamente al experto, siempre que tal elección recaiga sobre un sujeto «cualificado» profesionalmente: el informe debe ser realizado por un experto o una sociedad de auditoría inscritos en el registro de auditores o por una sociedad de auditoría inscrita en el correspondiente registro (art. 2465, 1) (v. §153).

151. LA FORMA DEL ACTO CONSTITUTIVO Y EL CONTROL NOTARIAL

La forma pública

El acto constitutivo de todas las sociedades de capital debe ser estipulado mediante escritura pública y debe ser, por tanto, redactado por un notario (arts. 2328.2 y 2463.2). La falta de estipulación del acto constitutivo en la forma pública es causa de nulidad de la sociedad (art. 2332, 1, n. 1) (v. §155).

El significado de la forma pública

Semejante prescripción en cuanto a la forma, se inscribe en el contexto del procedimiento constitutivo, a fin de comprender su significado efectivo. La forma pública del acto constitutivo de sociedades de capital no puede ser del todo equiparada, bajo el aspecto funcional, a una forma negocial requerida so pena de nulidad del contrato (por ejemplo, la forma solemne prevista para la donación del art. 782): la imposición de acto público para la constitución de las sociedades de capital está dirigida, de hecho, a asegurar, a través de la intervención de notario, una forma de control sobre la regularidad del procedimiento constitutivo previo al momento final de la inscripción en el registro de empresas (es decir, previo al momento en que la sociedad nace como tal).

El control sobre la regularidad del procedimiento de constitución se confía, exclusivamente, al notario encargado de elevar el acto a público, quien, ante la no concurrencia de las condiciones exigidas por ley, debe rechazar la elevación a público y no seguir con el procedimiento de constitución. Se deriva de ello que el control del notario sobre el procedimiento de constitución es un control preventivo.

El control preventivo del notario

El control del notario: *(a)* es un control de legalidad y no de mérito: el oficial público no puede valorar la oportunidad de la iniciativa económica que se pretende emprender; *(b)* se extiende a la verificación de la legalidad formal del procedimiento de constitución: el notario debe verificar, tanto la existencia de las condiciones para la constitución según el art. 2329 (v. §150), como la corrección documental del acto constitutivo (v. §149). Se considera que el notario ha de efectuar, asimismo, *(c)* un control de legalidad sustancial en relación con las reglas contenidas en el acto constitutivo, debiendo rechazarlo cuando compruebe la presencia de cláusulas estatutarias contrarias a normas imperativas o incompatibles con la regulación del tipo.

El ámbito del control norarial

152. LA INSCRIPCIÓN EN EL REGISTRO DE EMPRESAS

Con la estipulación del acto constitutivo termina la primera fase del procedimiento de constitución de las sociedades de capital y se crean, al mismo tiempo, los presupuestos para pasar a la ulterior y definitiva fase del procedimiento: la inscripción de la sociedad en el registro de empresas. A tal fin, la ley liga a la estipulación del acto constitutivo algunos efectos inmediatos que cesan si el acto constitutivo pierde eficacia: lo que ocurre si la inscripción de la sociedad no se produce en los noventa días siguientes a la estipulación del acto constitutivo (o desde la fecha de las autorizaciones necesarias según el art. 2329.1, n. 3).

Los efectos inmediatos del acto constitutivo

Desde la estipulación del acto constitutivo, se crea un vínculo de indisponibilidad sobre la parte de las aportaciones en dinero ya desembolsadas en el banco por los socios en el momento de su suscripción, según los art. 2342.2 y 2464.4. Tanto es así, que el banco depositario no puede conceder dichas sumas a los administradores durante el periodo entre la estipulación del acto constitutivo y la inscripción de la sociedad en el registro de empresas (hasta que éstos prueben que se ha procedido a dicha inscripción), ni puede restituir dichas sumas a los suscriptores del acto constitutivo (hasta que, transcurridos noventa días sin que se haya producido la inscripción, el acto constitutivo pierda eficacia) (art. 2331.4).

Asimismo, siempre como efecto inmediato de la estipulación del acto constitutivo, nace para el notario la obligación de impulsar el procedimiento hasta su total culminación (art. 2330.1): el notario está obligado a proceder, en el plazo de veinte días, al depósito del acto constitutivo en el registro de empresas de la circunscripción del domicilio social, junto con los documentos que prueban la concurrencia de las condiciones para la constitución del art. 2329 (v. §150). Si el notario (o el órgano de administración nombrado en el acto constitutivo) no procede al depósito en dicho plazo, cualquier socio puede hacerlo a cargo de la sociedad (art. 2330.2).

El control de oficio del registro de empresas

La inscripción de la sociedad en el registro de empresas se solicita al mismo tiempo que se realiza el depósito del acto constitutivo. Según el art. 111-*ter* disp. att., la solicitud debe contener, entre otros, la indicación completa de la dirección donde radica el domicilio social, calle y número (indicaciones que no han de estar contenidas necesariamente en el acto constitutivo: v. §149). El oficial del registro de empresas, antes de proceder a la inscripción de la sociedad, debe verificar exclusivamente «la regularidad formal de la documentación» (art. 2330.3).

El efecto constitutivo de la inscripción

La inscripción en el registro de empresas tiene *eficacia constitutiva*: en el sentido de que es el elemento final del negocio constitutivo de las sociedades de capital. Por efecto de la inscripción, la sociedad *adquiere personalidad jurídica* y «nace», según la elección de los socios, como s.p.a., s.a.p.a. o s.r.l. La afirmación según la cual con la inscripción en el registro de empresas «se crea» la sociedad —persona jurídica como sujeto autónomo de derecho respecto de los socios— debe ser apreciada en su auténtico significado *normativo*. El efecto constitutivo de la sociedad —como se ha dicho (v. §146)— se basa en que sólo desde el momento de la inscripción en el registro de empresas se permite la aplicación de la normativa del tipo indicado en el acto constitutivo (comprendida la normativa de la «persona jurídica»): desde el momento de la inscripción en el registro de empresas, las reglas típicas de los contratos ceden el paso a las reglas propias de los estatutos del tipo (y, en particular, la regla de la unanimidad cede a la regla mayoritaria, incluso para las modificaciones del contrato). Con la inscripción en el registro de empresas surge la organización societaria (entendida como conjunto de reglas de imputación y organización de la actividad común del tipo elegido).

La inscripción del acto constitutivo en el registro de empresas produce, asimismo, el efecto declarativo positivo típico de la publicidad mercantil (art. 2193.2): con la inscripción devienen oponibles a terceros las reglas derogatorias o integradoras de la normativa legal contenidas en el acto constitutivo (salvo que la oponibilidad esté excluida por otra disposición: v., por ejemplo, el art. 2384.2). La eficacia declarativa de la publicidad del acto constitutivo —a diferencia del efecto constitutivo que es inmediato— se produce transcurridos quince días desde la fecha de la inscripción: en relación con las «operaciones realizadas antes del día quince» desde la inscripción en el registro de empresas, el contenido del acto constitutivo no es oponible «a los terceros que prueben que no podían conocer el acto» (art. 2448.2).

El efecto declarativo de la inscripción

Los datos del registro en que la sociedad ha sido inscrita y el número de inscripción han de ser indicados, junto con el domicilio social, en los actos y correspondencia de la sociedad (art. 2250.1): en estos últimos debe constar también el capital social desembolsado y existente según el último balance (art. 2250.2: v. §36).

153. EL CONTROL DE LA VALORACIÓN DE LAS APOR-TACIONES. LAS ADQUISICIONES PELIGROSAS

Con la inscripción del acto constitutivo en el registro de empresas —como hemos dicho— concluye el procedimiento de constitución de la sociedad de capital. En la fase inicial, se impone el cumplimiento de algunas conductas (parcialmente diferentes en las sociedades por acciones y en la s.r.l.), dirigidas a velar por el cumplimiento de las normas relativas a la valoración de las aportaciones de bienes *in natura* y de créditos (arts. 2343.1 y 2 y 2465.1 y 3: v. §150). Dichas reglas conciernen al control de la valoración de las aportaciones *in natura* (art. 2343, 3 y 4) y a las llamadas adquisiciones peligrosas realizadas en los dos años sucesivos a la inscripción de la sociedad (arts. 2343-*bis* y 2465.2 y 3).

En las sociedades por acciones, el órgano administrativo está obligado a controlar, durante ciento ochenta días desde la inscripción de la sociedad,

El control de la valoración

las valoraciones contenidas en el informe de las aportaciones de bienes *in natura* y de créditos elaborada, según el art. 2343.1 y 2, por el experto nombrado por el tribunal (v. §120) y, si existen motivos fundados, debe proceder a la *revisión de la valoración* (art. 2343.3).

Hasta que las valoraciones sean controladas, las acciones correspondientes a las aportaciones de bienes *in natura* y de créditos son inalienables y deben quedar depositadas en la sociedad (art. 2343.3).

Si del resultado de la revisión realizada por el órgano de administración, se desprende que el valor de los bienes o créditos es inferior en más de un quinto del valor de las acciones emitidas, la sociedad debe reducir el capital proporcionalmente mediante la anulación de las acciones que resulten sin cobertura (art. 2343.4). El socio aportante puede, sin embargo, *depositar la diferencia en dinero* o *separarse de la sociedad* con derecho, en este caso, a la restitución, si todavía es posible, de la aportación *in natura* efectuada (art. 2343.4).

Para la s.r.l. no está expresamente prevista ninguna forma de control de las valoraciones del informe elaborado por el experto, aunque, según una parte de la doctrina, tal control debería considerarse impuesto a los administradores en virtud del llamado deber de diligencia.

las adquisiciones peligrosas La finalidad de desincentivar comportamientos fraudulentos, dirigidos a eludir la obligación de valorar las aportaciones de bienes *in natura* y de créditos en la fase constitutiva, es la base de la regulación de las llamadas *adquisiciones peligrosas* (arts. 2343, *bis* y 3465.2 y 3). La obligación de que un experto elabore el informe de valoración podría ser eludida mediante un acuerdo dirigido a «disfrazar», bajo forma de aportación en dinero, lo que en realidad es una aportación *in natura*.

... los supuestos de hecho La ley pone algunos límites a dichas maniobras elusivas en la fase inicial cuando la operación, por su entidad y posición de la contraparte de la sociedad, sea particularmente «peligrosa» para el patrimonio social. De hecho, en todas las sociedades de capital la ley considera «peligrosas» las adquisiciones por parte de la sociedad de bienes o créditos: *(a)* efectuados en los dos años siguientes a la inscripción de la sociedad en el registro de empresas (la norma no se aplica en sede de aumento de capital); *(b)* para montantes no inferiores al diez por ciento del capital social; *(c)* cuando la contraparte de las sociedad sean los promotores, fundadores, socios o componentes del órgano de administración; *(d)* las no celebradas en las condiciones normales de las operaciones corrientes de la sociedad, ni en un mercado regulado, o bajo el control de la autoridad judicial o administrativa (arts. 2343-*bis*.1 y 4 y 2465.2 y 3).

Las «adquisiciones peligrosas», como han sido definidas, se someten a una normativa análoga a la prevista para la valoración de las aportaciones *in natura*. El transmitente debe presentar una relación jurada de valoración redactada, en las sociedades por acciones, por un experto nombrado por el tribunal y, en la s.r.l., por el experto «cualificado» del art. 2465.1. La relación de valoración debe contener, además de la descripción de los bienes o créditos y la indicación de los criterios de valoración adoptados, la indicación del valor de cada bien o crédito y de la valoración pactada y debe cerrarse con la certificación de que el valor de los bienes o créditos adquiridos por la sociedad no es inferior a la valoración pactada (arts. 2343-*bis*.2 y 2465.2).

... la regulación

En las sociedades por acciones, la adquisición debe ser autorizada por la junta ordinaria (art. 2343-*bis*, 1) y en la s.r.l., salvo disposición contraria del acto constitutivo, por decisión de los socios según el art. 2479.2).

La violación de la regulación descrita determina la responsabilidad solidaria del transmitente y de los miembros del órgano de administración por los daños causados a la sociedad, a los socios y a los terceros (arts. 2343-*bis*, último párrafo y 2465, último párrafo).

... las sanciones

154. LA ACTIVIDAD DESARROLLADA EN NOMBRE DE LA SOCIEDAD ANTES DE LA INSCRIPCIÓN

Antes de la inscripción del acto constitutivo en el registro de empresas —como se ha dicho (v. §152)— no pueden aplicarse íntegramente los estatutos organizativos propios de la s.p.a., de la s.a.p.a. o de la s.r.l. Sin embargo, la actividad en nombre de la sociedad en formación puede iniciarse antes de la inscripción en el registro de empresas. Es más, en algunos casos, el inicio anticipado de la actividad puede revelarse útil, si no necesario, a fin de impedir que se produzca un daño (piénsese en el caso de que se aporte una empresa en funcionamiento). Se plantea el

El problema

problema, por tanto, de la determinación de las reglas que rigen la actividad anterior a la inscripción y, sobre todo, el problema de establecer si, y dentro de qué límites, la sociedad, una vez constituida, responde de las obligaciones contraídas en su nombre en pendencia del procedimiento de constitución.

La normativa   El código civil regula la responsabilidad por las deudas por operaciones realizadas en nombre de la sociedad con anterioridad a la inscripción (art. 2331.2 y 3). Esta regulación ha de coordinarse con las normas que exigen que el acto constitutivo indique «el importe global, al menos aproximado, de los gastos para la constitución, a cargo de la sociedad» (arts. 2328.2, n. 12 y 2463.2, n. 9). La regulación puede ser reconstruida del siguiente modo.

a) Puede hablarse de operaciones realizadas antes de la inscripción en el sentido del art. 2331 (con aplicación de este artículo), sólo en el caso de que el acto constitutivo de sociedad de capital ya haya sido estipulado y no haya perdido su eficacia por el transcurso del plazo de noventa días previsto por el art. 2331.4. El ejercicio de una actividad de empresa en nombre de la sociedad antes de la estipulación del acto constitutivo, o cuando éste ya haya perdido su eficacia, se coloca fuera del supuesto del art. 2331: las aportaciones no están todavía (o ya no están) vinculadas al resultado del procedimiento de constitución de una sociedad de capital y puede configurarse una sociedad de hecho entre quieres han formado parte de la actividad (una s.n.c. irregular o una sociedad simple, según la actividad tenga naturaleza comercial o no).

b) los actos realizados en nombre de la sociedad en formación en el sentido del art. 2331 son actos válidos y eficaces: no se les aplica la regulación del Derecho común en materia de representación sin poder (art. 1398). Respecto de tales operaciones, se verifica —se puede afirmar así— una escisión entre la imputación de los *efectos activos* (derechos) y la imputación de los *efectos pasivos* (obligaciones).

c) Los *efectos activos* de las operaciones anteriores a la inscripción —no regulados expresamente— se imputan automáticamente a la sociedad una vez constituida, sin necesidad de aprobación específica por parte de los órganos sociales competentes.

d) Los *efectos pasivos* de las operaciones anteriores a la inscripción son directamente imputables a sujetos distintos de la sociedad en formación.

De las obligaciones por los actos anteriores a la inscripción son responsables, solidaria e ilimitadamente: *(i)* necesariamente, aquéllos que los han realizado, independientemente de que sean miembros del órgano administrativo nombrado en el acto constitutivo («aquéllos que han actuado»); *(ii)* en su caso, los socios que, aun no habiendo realizado el acto, han «decidido, autorizado o consentido la realización de la operación» en el acto constitutivo o en acto separado (art. 2331.2).

e) Los *efectos pasivos* de los actos anteriores a la inscripción no recaen, automáticamente, sobre la sociedad constituida: la sociedad asume responsabilidad por tales obligaciones sólo en la medida en que, con posterioridad a la inscripción, haya aprobado la operación (art. 2331.3). En este último caso, tiene lugar una especie de acumulación de la deuda naciente por la operación aprobada por parte de la sociedad, en cuanto: *(i)* en las relaciones externas, la sociedad que ha aprobado la operación responde de dicha deuda solidariamente con «quienes han actuado» (y en su caso, también con los socios que han consentido la operación de cualquier forma): la aprobación por parte de la sociedad no determina la eliminación de la responsabilidad de «quienes han actuado»; *(ii)* en las relaciones internas entre diversos co-obligados, la sociedad que ha aprobado la operación está obligada a dejar indemnes a «quienes han actuado» en el caso de que estos últimos sean obligados a pagar.

f) la regulación de la responsabilidad por las operaciones anteriores a la inscripción no se aplica —según la tesis preferida— a las obligaciones contratadas antes de la inscripción para hacer frente a los gastos de constitución, en el límite del importe de estos últimos indicado en el acto constitutivo (arts. 2328.2, n. 12 y 2463.2, n. 9). Los efectos pasivos de tales operaciones se imputan automáticamente a la sociedad una vez inscrita en el registro de empresas, sin necesidad de específica aprobación según el art. 2331.3.

La regulación mencionada —común a todas las sociedades de capital— presenta una peculiaridad en el caso de constitución por acto unilateral. En tal supuesto, responde el socio único fundador por las obligaciones derivadas de operaciones anteriores a la inscripción junto con «quienes han actuado» (art. 2331. 2). La responsabilidad del socio único —a diferencia de la eventual responsabilidad de los socios en caso de constitución pluripersonal— es una *responsabilidad de posición*: existe, incluso aunque el socio fundador no haya «decidido, autorizado o

Peculiaridades en caso de constitución

consentido la operación» (e, incluso, aunque haya intentado impedir su cumplimiento).

En las sociedades por acciones, la regulación de las operaciones realizadas en pendencia del procedimiento constitutivo se completa con la *prohibición de emitir acciones* antes de la inscripción de la sociedad en el registro de empresas, y por la correspondiente prohibición de una oferta al público de productos financieros que tenga por objeto las acciones, antes de la inscripción, a excepción del caso de constitución por suscripción pública (art. 2331, último párrafo).

La norma pretende tutelar a los inversores contra posibles fenómenos de especulación sobre las participaciones de una sociedad todavía no operativa: está dirigida a evitar la creación de un mercado de participaciones en pendencia del procedimiento constitutivo (como demuestra la prohibición de la solicitud de inversión). Coherentemente con esta finalidad, la prohibición de emisión de acciones se refiere a la emisión de los títulos accionariales y, por tanto, a la *acción-título de crédito*: se trata, en sustancia, de una prohibición de incorporación de la participación accionarial a un documento para evitar que, antes de la inscripción, la participación pueda circular según los mecanismos de la circulación cartular (o en forma desmaterializada: v. §60). Se permite, no obstante, la circulación de la *acción-participación contractual* según las reglas de Derecho común de la cesión del contrato (arts. 1406 y ss.).

155. LA NULIDAD DE LA SOCIEDAD

El procedimiento de constitución puede presentar vicios y anomalías: el contenido del acto constitutivo puede estar viciado o ser incompleto, la estipulación puede ser omitida en el acto público o pueden faltar las condiciones para la constitución. Sin embargo, cuando, a pesar de estos vicios, se proceda a la inscripción del acto constitutivo en el registro de empresas, la sociedad, aunque inválidamente constituida, surge como organización y está habilitada para desarrollar la propia actividad de empresa en el mercado afectando a una pluralidad de terceros (clientes, proveedores, personal dependiente, mercados de capital, etc.). La inevitable afectación de intereses externos a la empresa colectiva no permite que la actividad desarrollada por la sociedad pueda ser cancelada por cualquier vicio inherente a la fase constitutiva. Se impone, por tanto, la exigencia de conservar la empresa ya constituida en forma de sociedad de capital incluso frente a posibles anomalías de la fase inicial.

Precisamente para permitir la conservación de la empresa y tutelar los múltiples intereses afectados, el art. 2331 (aplicable a todas las sociedades de capital: arts. 2454 y 2463.3) prevé una regulación de la nulidad de la sociedad inscrita que se separa claramente de la regulación común de la nulidad contractual. Tras la inscripción en el registro de empresas, las reglas ordinarias de la nulidad contractual son sustituidas por las reglas específicas de la nulidad de la sociedad que se diferencian de las primeras, ya respecto de las *causas,* ya respecto de los *efectos*. *La normativa*

Las causas de nulidad de la sociedad constituida se fijan de modo restrictivo. Mientras que el acto constitutivo antes de la inscripción puede ser declarado nulo por cualquier violación de normas imperativas (art. 1418), la nulidad de la sociedad inscrita puede ser pronunciada *sólo* si concurre una de las tres causas siguientes: 1) falta de estipulación del acto constitutivo en la forma del acto público (en particular, cuando el acto constitutivo esté redactado sin observancia de las reglas prescritas para la formación del acto público); 2) ilicitud del objeto social (cuando la correspondiente cláusula estatutaria sea contraria a normas imperativas, al orden público o a las buenas costumbres); 3) falta en el acto constitutivo de cualquier indicación relativa a la denominación de la sociedad, a las aportaciones, al montante del capital social o al objeto social (art. 2332.1). Las causas de nulidad de la sociedad inscrita tienen carácter *taxativo*: cualquier otro vicio del procedimiento de constitución distinto no puede dar lugar a la nulidad de la sociedad inscrita en el registro de empresas (v. el art. 223-*quater*, 2, disp. att.). La taxatividad de las causas de nulidad se refiere a la *nulidad de la sociedad*: no impide la declaración de nulidad, incluso tras la inscripción, de cláusulas individuales del acto constitutivo (pero la nulidad parcial no puede extenderse a la sociedad). *... las causas taxativas de nulidad*

Asimismo, todas las causas de nulidad de la sociedad inscrita —a diferencia de las causas de nulidad del contrato (art. 1423)— pueden ser *eliminadas* antes de que recaiga sentencia declarativa de nulidad, en tanto en cuanto «se dé publicidad de tal eliminación con inscripción en el registro de empresas». Cuando ello ocurra «la nulidad no puede ser declarada» (art.

2332.5). La eliminación de la causa de nulidad puede requerir, según el caso, una modificación estatutaria decidida por mayoría de la junta (como en los casos del art. 2332.1, 2º y 3º) o la repetición del acto con las formalidades prescritas por la ley (como en el caso del art. 2332.1, n. 1).

… los efectos de la nulidad

Los efectos de la sentencia declarativa de nulidad de la sociedad son regulados, a fin de asegurar que la eliminación del tráfico jurídico de la organización social viciada se realice de conformidad con técnicas que respeten los distintos intereses involucrados en la actividad desarrollada hasta ese momento. Mientras que la nulidad del acto constitutivo antes de la inscripción —según las reglas ordinarias contractuales— determina la ineficacia originaria y definitiva del acto (la sentencia que la declara tiene naturaleza declarativa), la declaración de nulidad de la sociedad inscrita produce efectos análogos a los de una *causa de disolución* y abre el procedimiento de liquidación (art. 2484: v. §§185 y ss.): la sociedad nula es una sociedad perfectamente existente, no sólo para el pasado, sino también para el futuro, hasta la finalización del procedimiento de liquidación. De hecho, la sentencia que pronuncia la nulidad de la sociedad «no prejuzga la eficacia de los actos realizados en nombre de ésta tras la inscripción en el registro de empresas» (art. 2332.2), ni modifica la posición de los socios, quienes «no son liberados de la obligación de aportar a la sociedad hasta que los acreedores queden satisfechos» (art. 2332.3). La declaración de nulidad, en otras palabras, es irretroactiva y produce sólo la disolución de la sociedad: «la sentencia que declara la nulidad *nombra a los liquidadores*» (art. 2332.4).

Capítulo IX

Modificaciones estatutarias y derecho de separación

Roberto Rosapepe

Sumario: 156. Premisa. 157. Competencia y procedimiento. 158. El control y la eficacia del acuerdo. 159. Las operaciones sobre el capital social: el aumento de capital. 160. El derecho de opción. 161. La reducción «real» del capital. 162. La reducción por pérdidas. 163. Reducción del capital por debajo del límite legal y a cero. 164. El derecho de separación. Las causas de separación en la s.p.a. 165. Las causas de separación en la s.r.l. 166. El derecho de separación en los grupos de sociedades. 167. El ejercicio del derecho de separación. 168. La liquidación de las acciones en la s.p.a. 169. La liquidación de la cuota en la s.r.l.

156. PREMISA

Acto constitutivo y estatutos están destinados, como se ha visto en el §147, a regular las relaciones entre socios y a dictar las reglas organizativas de la sociedad. Durante el desarrollo de la actividad de empresa prevista en el objeto social surge, a menudo, la exigencia de cambiar el modelo originario. Se impone, así, la necesidad de modificar el contrato (o acto unilateral en caso de sociedad unipersonal), eliminando algunas cláusulas, insertando otras o aportando modificaciones a las preexistentes. Los arts. 2436 y ss., para la s.p.a., 2460 para la comanditaria por acciones, y 2480 y ss. para la s.r.l., establecen la regulación de las modificaciones de los estatutos y el acto constitutivo.

Se suele precisar que, en las sociedades de capital, no todo cambio de la versión originaria del contrato da lugar a una modificación porque, a diferencia de las sociedades personalistas, no se considera tal, el cambio de las personas de los socios (ni de los sujetos encargados de la administración y del control). Puede subrayarse que a las modificaciones del aspecto subjetivo del contrato de sociedad no se les aplica el procedimiento establecido en los artículos mencionados, que sólo conciernen a las modificaciones objetivas (denominación, sede, objeto, capital, reglas organizativas).

Modificaciones subjetivas y objetivas

Antes de pasar a describir la regulación, hemos de hacer una observación preliminar impuesta por la diversa terminología usada por el legislador. Mientras que en la s.p.a., el código civil hace referencia únicamente a los estatutos y no al acto constitutivo, en las restantes disposiciones mencionadas (arts. 2460 y 2480) se habla de acto constitutivo.

Ello merece una explicación, al menos respecto de la s.r.l. En la s.p.a. se distingue entre acto constitutivo y estatutos y, estos últimos, aun pudiendo constar en documento separado, son parte integrante del primero (v. art. 2328, últ. párr.). En la s.r.l., por el contrario, no se mencionan los estatutos, aunque, como hemos visto en §120, no puede excluirse que las partes los utilicen para regular la organización de la sociedad.

El hecho que se hable de acto constitutivo en el art. 2460 en sede de sociedad comanditaria por acciones no puede ser explicado sino como un defecto de coordinación de las normas introducidas por la reciente reforma, visto que se hace un reenvío a las disposiciones en sede de s.p.a.

157. COMPETENCIA Y PROCEDIMIENTO

Competencia   La competencia para acordar las modificaciones de los estatutos de la sociedad por acciones se atribuye a la junta extraordinaria por el art. 2365. Asimismo, en la s.r.l. también corresponde a la junta dicha competencia y el acta de la misma debe ser redactada por notario (art. 2480, que reenvía al art. 2436).

Existen, sin embargo, algunas excepciones a la competencia de la junta. Puede ser delegado a los administradores el acuerdo en relación con el aumento de capital (*cfr.* art. 2443) o su reducción (sólo en el caso de que la sociedad haya emitido acciones sin valor nominal y en los límites fijados por el último párrafo del art. 2446). También puede ser el tribunal quien, ante la inercia de la sociedad, reduzca el capital social (*cfr.* arts. 2446.2 y 2482-*bis*, 4). Otras posibles derogaciones a la competencia de la junta extraordinaria son previstas en el art. 2365.2, como se ha recordado en §79.

A propósito de la s.r.l., son necesarias algunas precisiones. En el precedente §127 han sido examinadas las modalidades de los acuerdos de los socios. Éstos, en la nueva regulación de la s.r.l., pueden ser, tanto el fruto de decisiones no colegiales de los socios como de decisiones colegiales de la junta, esto es, reguladas por el art. 2479-*bis*. Las modificaciones del acto constitutivo, sin embargo, pueden ser adoptadas —hay que subrayarlo— únicamente mediante acuerdo de la junta. El art. 2480 dispone que éstas «son acordadas por los socios según el art. 2479-*bis*», repitiendo lo establecido por el art. 2479.4, que impone el procedimiento colegial de formación de la voluntad del ente cuando, entre otros extremos, se discuta sobre las modificaciones del acto constitutivo o sobre operaciones que comporten una modificación sustancial del objeto social determinado en el acto constitutivo, o una modificación relevante de los derechos de los socios (art. 2479.2, 4º y 5º). El espacio para la delegación en los administradores de los acuerdos modificativos del acto constitutivo queda reducido a los supuestos del aumento (*cfr.* art. 2481) y de la reducción obligatoria del capital (*cfr.* art. 2482-*bis*, último párrafo, que reenvía al último párrafo del art. 2446).

Son dos las razones que han inducido al legislador a actuar en este sentido. La primera va referida al intento de reservar a la junta las decisiones que «alteran la estructura de la sociedad y la posición de los socios significativamente» (como se dice en la *Relazione*). Y ello, en la convicción de que el método colegial da mayor garantía de información a los socios, de profundizar en la discusión y de valorar la importancia de los asuntos que se examinan. La segunda se refiere al hecho de que las decisiones de modificación del acto constitutivo deben ser sometidas a control para poder ser inscritas en el registro de empresas, de igual forma que en la constitución de la sociedad. Y puesto que ello ocurre con las modalidades del art. 2436 y, sobre todo, con el acta notarial, no se puede prescindir del acuerdo en junta.

Una ulterior nota característica de la s.r.l. se deriva del hecho de que, al contrario que en la s.p.a., no se distingue entre junta ordinaria y extraordinaria, de modo que las normas anteriormente citadas se refieren a la junta en general sin más precisión.

En síntesis, se podrá decir que para la s.r.l. será la junta quien decida las modificaciones del acto constitutivo con las modalidades prescritas —en cuanto a convocatoria, desarrollo de la junta y adopción de acuerdos— por el art. 2479-*bis* y por las eventuales disposiciones contenidas en el acto constitutivo, así como por la adaptación de las reglas dictadas por el art. 2436

Procecimiento y quórum

para la s.p.a., en relación con el procedimiento para la inscripción del acuerdo en el registro de empresas y para la determinación del momento en que el acuerdo produce efecto. A falta de otra previsión del acto constitutivo, para sus modificaciones será necesario el voto favorable de una mayoría de socios que representen al menos la mitad del capital social (v. el art. 2479-*bis*, 3).

La junta extraordinaria de la s.p.a., por el contrario, como ya ha sido expuesto en el §81, está regularmente constituida y puede adoptar acuerdos con los quórum previstos en los arts. 2368 y 2369.

158. EL CONTROL Y LA EFICACIA DEL ACUERDO

El control notarial

El art. 2436 prevé que la determinación de las condiciones establecidas por la ley para la inscripción del acuerdo en el registro de empresas se realizará por el notario que redacte el acta, *no preventivamente*, como sucede en relación con la redacción del acto constitutivo de la sociedad (v. §151), *sino sucesivamente*, después de que la junta haya concluido. Siguiendo la orientación de la Corte de Casación en relación con la función desarrollada por el notario cuando redacta el acta de las juntas de las sociedades de capital, el legislador acoge la siguiente solución: durante el desarrollo de la reunión el notario está obligado a redactar los acuerdos y no puede negarse a hacerlo, salvo que no hubiese podido comprobar su ilicitud por la lectura del orden del día.

Sin perjuicio del supuesto mencionado, el notario debe redactar el acta de la junta y, sólo después, ejercita el control de los límites expuestos en el §151. La ley, en efecto, le impone exigir la inscripción en el registro de empresas en el plazo de treinta días desde que comprobó el cumplimiento de las condiciones establecidas por la ley.

El eventual control judicial

Cuando el control concluya de forma negativa, el notario debe comunicarlo a los administradores inmediatamente, esto es, no más tarde del plazo de treinta días previsto por el art. 2436.1, y éstos pueden optar entre la nueva convocatoria de la junta para la adopción de los oportunos acuerdos —de los acuerdos que según el notario puedan ser inscritos en el registro de empresas—, y el recurso al tribunal para que ordene la inscripción en el registro de empresas.

La elección de los administradores ha de hacerse en el plazo de treinta días. Su falta determina que, según el art. 2436.4 «el acuerdo sea definitivamente ineficaz». La letra de la norma, hemos de subrayarlo, no deja espacio a la iniciativa de sujetos distintos de los administradores.

Si los administradores disidentes de la opinión del notario deciden solicitar al tribunal la inscripción del acuerdo en el registro de empresas, se da paso el control judicial. Es, por tanto, el tribunal, quien ejercita el control tras oír al Ministerio Fiscal. La resolución, que adopta la forma de decreto, puede ser impugnada en el plazo de treinta días desde la comunicación siendo susceptible de recurso ante el tribunal de apelación.

Éste es, en brevísima síntesis, el procedimiento que, tras la adopción del acuerdo de modificación estatutaria, conduce a su inscripción en el registro de empresas. Hay que añadir que el sistema se completa, por un lado, con algunas disposiciones introducidas en la ley notarial que prevén sanciones especiales para el notario que haya depositado, para su inscripción, acuerdos sociales que no cumplan manifiestamente las condiciones establecidas por la ley. Por otro lado, con la prescripción sancionada en el art. 2436 según la cual, cada vez que se adopta una modificación, el texto íntegro de los estatutos en su versión final debe ser depositado en el registro de empresas. Y ello, a fin de facilitar el conocimiento de los estatutos vigentes de la sociedad.

El acuerdo comienza a producir efectos desde el momento de la inscripción en el registro de empresas. Lo subraya, expresamente, el art. 2436.5, pero se deduce también del art. 2436.3, que dispone la ineficacia *definitiva* del acuerdo en caso de que los administradores no adopten alguna de las actuaciones previstas.

La eficacia del acuerdo

Existen las siguientes excepciones a la regla enunciada, en las cuales, ni siquiera tras la inscripción, puede considerarse que el acuerdo es plenamente eficaz. Se trata de los acuerdos: *(a)* que *perjudican los derechos de determinadas categorías de acciones*, las cuales, según el art. 2376 deben ser aprobados también por la junta especial de las acciones afectadas (v. §57); *(b)* de *reducción «efectiva» del capital* mediante liberación de los socios de la obligación de desembolsar los dividendos pasivos o reembolso del capital a los socios (incluso tras la separación), los cuales, según el art. 2445.3 pueden ser ejecutados sólo tras el transcurso del plazo de noventa días desde la inscripción, siempre que durante el mismo ningún acreedor social anterior a la inscripción se haya opuesto; *(c)* de *revocación del estado de liquidación* (art. 2487-*ter*); *(d)* de *transformación heterogénea*, de *fusión* y de *escisión* (arts. 2500-*novies*, 2503 y 2506-*ter*, último párrafo: v. §§174 y 180 y ss.).

159. LAS OPERACIONES SOBRE EL CAPITAL SOCIAL: EL AUMENTO DE CAPITAL

En el precedente §37 hemos aclarado en qué consiste el aumento de capital social y nos hemos detenido en la distinción entre aumento gratuito y oneroso.

Aumento gratuito

En esta sede hemos de subrayar que, en el sentido del art. 2442 para la s.p.a. y del art. 2481-*ter* para la s.r.l., la sociedad puede imputar a capital «las reservas y otros fondos del balance en cuanto sean disponibles». En ambos casos, el valor proporcional de la participación del socio respecto del capital social no cambia. Véase, en efecto, el art. 2442.2 y 3, según el cual la sociedad puede asignar gratuitamente a los socios las *acciones de nueva emisión,* en proporción a las poseídas por cada uno, o puede *aumentar el valor nominal de las acciones* en circulación, y el art. 2481-*ter*, 2 que precisa, para la s.r.l., que la *cuota de participación* de cada socio (como fracción de capital) queda invariable.

Las acciones de nueva emisión asignadas, en su caso, a los socios deben tener, asimismo, las *mismas características* que las acciones en circulación, de modo que no se lleve a cabo la modificación de la posición de los socios. Una derogación de tal principio se da en el caso de *asignación de beneficios a los trabajadores* dependientes de la sociedad, con emisión gratuita de categorías especiales de acciones (art. 2349.1). La operación se basa en el aumento gratuito del capital social mediante el traspaso de beneficios o reservas disponibles a capital, en virtud del cual las nuevas acciones se atribuyen a los trabajadores en lugar de a los socios. La excepción concierne, tanto al perfil *subjetivo* de los beneficiarios (trabajadores en lugar de accionistas) como al *objetivo* de las acciones emitidas (que pueden ser distintas de las acciones en circulación: v. §58).

Aumento oneroso

Sólo en el caso del aumento de capital oneroso, por tanto, la finalidad perseguida es la de procurar a la sociedad nueva medios de financiación. El art. 2438 establece que la sociedad *no puede realizar* un aumento de capital si las acciones previamente emitidas no están íntegramente desembolsadas. Si ello ocurre a pesar de la prohibición, los administradores responden por los daños causados a los socios o a terceros, sin perjuicio de las obligaciones adquiridas por los nuevos suscriptores de las acciones.

El art. 2481.2 dicta una regla análoga para la s.r.l., con alcance menos amplio. En efecto, no se prevé la responsabilidad de los administradores, aunque gran parte de la doctrina considera que se aplica en cualquier caso.

El aumento de capital se decide en junta (extraordinaria en la s.p.a.). Tanto en la s.p.a. como en la s.r.l., sin embargo, se permite atribuir a los administradores la posibilidad de aumentar el capital social con una regulación contenida, respectivamente, en los arts. 2443 y 2481, que se caracteriza, de nuevo, por el amplio espacio atribuido a la autonomía contractual en el segundo caso. La delegación a los administradores

En la s.p.a., la delegación puede ser concedida hasta una cantidad determinada y por un periodo máximo de cinco años desde la inscripción de la sociedad en el registro de empresas, o desde la fecha del acuerdo si se han modificado los estatutos. A los administradores se les puede atribuir el poder de adoptar el acuerdo del art. 2441.4 y 5 (que prevén la exclusión del derecho de opción en caso de aportaciones *in natura* o cuando el interés de la sociedad lo exija). En tal caso, es necesario, sin embargo, que los criterios a los que los administradores deben atenerse estén determinados.

En la s.r.l., no obstante, el acto constitutivo debe determinar los límites y modalidades de ejercicio de la delegación.

Simultáneamente a la suscripción de las acciones o participaciones de nueva emisión, los socios deben desembolsar el veinticinco por ciento del valor nominal de las acciones o participaciones suscritas y la prima completa, si se ha previsto (art. 2439 para la s.p.a. y art. 2481-*bis*, 4 para la s.r.l.). La regla no es aplicable a la sociedad unipersonal, en la que el único socio deberá efectuar el desembolso completo del valor nominal, so pena de la pérdida del beneficio de la responsabilidad limitada (v. §§50 y 121). En la s.r.l. existe la posibilidad de sustituir el desembolso por una póliza de seguro o una garantía bancaria (v. §122). El desembolso de las aportaciones en dinero

La aportación
de bienes
in natura y
créditos

En sede de aumento de capital social, tanto en la s.p.a., como en la s.r.l., se pueden aportar bienes *in natura* y créditos. En tal caso, valdrán las reglas examinadas para la fase constitutiva y, por tanto, la obligación de la total liberación de las acciones o participaciones en el momento de la suscripción (v. §§49, 122 y 150). Las aportaciones deben ser objeto de valoración según el procedimiento descrito por el art. 2343 para la s.p.a. (v. §153). Una regla análoga se aplica a la s.r.l., en la que ha de seguirse el dictado del art. 2465, aunque el legislador haya omitido la remisión (*cfr.* el art. 2481-*bis*, 4; v. §§122 y 153). Es más, en este caso se permite, también en sede de aumento de capital, aportar prestaciones de obra o servicios en las condiciones establecidas por el art. 2464.6.

Inescindibilidad
del aumento

Puede ocurrir que el aumento de capital no sea suscrito íntegramente. Hay que establecer, en tal caso, si el mismo se realiza o no, o si sólo se realiza por la parte suscrita. En relación a la alternativa entre la escindibilidad o la inescindibilidad del aumento de capital, el legislador ha optado por la segunda porque, tanto en la regulación de la s.p.a. (art. 2439.2) como de la s.r.l. (art. 2481-*bis*,3), está previsto que, a falta de suscripción íntegra, el capital se aumentará en la medida suscrita, sólo si el acuerdo lo ha previsto expresamente. Consecuentemente, el aumento es inescindible, salvo que la junta acuerde lo contrario.

Certificación
de los
administradores

Una vez transcurrido el plazo para la suscripción de las acciones o participaciones de nueva emisión previsto por el acuerdo de la junta de aumento de capital, los administradores deben inscribir el certificado de suscripción del aumento en el registro de empresas en el plazo de treinta días (arts. 2444 y 2481-*bis*, último párrafo), así como depositar el texto actualizado de los estatutos, o del acto constitutivo que adapte la nueva cifra del capital social (art. 2436.6). Hasta que la inscripción de dicha certificación en el registro de empresas no se produzca, el aumento de capital no podrá ser mencionado en los actos de la sociedad (*cfr.* art. 2444.2, que se considera aplicable también a la s.r.l.).

160. EL DERECHO DE SUSCRIPCIÓN PREFERENTE

Naturaleza y
función

A fin de evitar la llamada dilución de la participación del socio, esto es, que como consecuencia del aumento de capital resulte alterada la relación entre participaciones de los socios y cifra del capital y que, consiguientemente, se vean afectados tanto los derechos administrativos como los patrimoniales, el art. 2441 para la s.p.a. y el art. 2481-*bis* para la s.r.l. atribuyen a los socios, y en el caso de la s.p.a. a los poseedores de obligaciones convertibles en acciones, el *derecho de suscripción preferente sobre las acciones o participaciones de nueva emisión.* Se trata del derecho de ser preferido respecto a terceros en la *suscripción* de las nuevas acciones o participaciones (así como de las obligaciones convertibles en acciones), *en medida proporcional a las acciones o participaciones ya poseídas* (o, teniendo en cuenta el tipo de cambio, a las obligaciones convertibles).

A falta del derecho de suscripción preferente, los socios podrían ser sacrificados, ya sea bajo el aspecto de los intereses administrativos porque no pueden mantener el mismo «peso» porcentual en la compañía, ya bajo el patrimonial, pues la emisión de nuevas acciones podría realizarse a un precio inferior a su valor «real» (que tenga en cuenta el valor efectivo del patrimonio social), aunque fuese superior al valor «nominal» (v. §55), favoreciendo a los terceros suscriptores en perjuicio de los antiguos socios. A través del derecho de suscripción preferente, no obstante, los socios tienen la siguiente alternativa: *(i)* suscribir las acciones proporcionalmente reservadas, aprovechando los eventuales beneficios derivados del precio de emisión determinado por la junta; o *(ii)* vender el derecho de suscripción preferente, transmisible por naturaleza de forma separada de las acciones, compensando con lo obtenido la eventual pérdida del valor «real» de las viejas acciones.

En la regulación de la s.r.l. no se habla expresamente de derecho de suscripción preferente sino de derecho de asunción (art. 2481-*bis*, 2). Sin embargo, no puede dudarse de que se trata de una institución análoga, aunque regulada menos pormenorizadamente.

A fin de permitir el ejercicio del derecho, tras haber sido acordado el aumento de capital, los administradores de la s.p.a. deben depositar en el registro de empresas «la oferta de suscripción preferente», esto es, el documento que contiene las condiciones para la suscripción de las nuevas acciones. En la s.r.l., de forma más simple, los términos y modalidades de ejercicio se extraen del acuerdo de aumento, pero sigue siendo necesaria una comunicación a los socios que indique que el capital puede ser suscrito. Quienes tengan derecho deben ejercitar la opción en el plazo concedido, que no puede ser inferior a treinta días (plazo reducido a la mitad para las s.p.a. cotizadas, según el art. 134.1 TUF).

La oferta de opción

Colocación
de acciones o
participaciones
no suscritas tras
el derecho de
opción

Puede suceder que no todos los socios ejerciten el derecho de suscripción preferente, o que algunos de ellos no lo ejerciten por entero. Hay que establecer, por ello, la regla para la colocación de acciones o participaciones no suscritas. La regulación en este punto es diversa según se trate de s.p.a. no cotizadas, de s.p.a. cotizadas o de s.r.l.

S.p.a. no
cotizada

En el primer caso (s.p.a. no cotizadas), los socios tienen derecho de preferencia sobre las acciones no suscritas, a condición de que hayan manifestado la intención de asumir también las acciones no suscritas simultáneamente al ejercicio del derecho de suscripción preferente. Hay que subrayar que la función de la preferencia es distinta de la del derecho de suscripción preferente. Aquí no se discute la posibilidad de mantener inalterada la cuota de participación, sino la posibilidad de *reforzarla*. Es muy controvertido el modo en que han de ser distribuidas estas acciones entre quienes ejerciten la preferencia. Entre las distintas soluciones posibles, las más razonables son las que reparten las acciones en proporción al número de títulos solicitados en preferencia o a la cantidad de títulos en base a los cuales se ha ejercitado el derecho de suscripción preferente.

S.p.a. cotizada

En las s.p.a. cotizadas, sin embargo, el derecho de preferencia no es reconocido a los socios, los cuales, si quieren reforzar su propia participación, pueden adquirir los títulos en el mercado. En efecto, el art. 2441.3 impone a los administradores el deber de ofrecer en el mercado regulado, por cuenta de la sociedad, los derechos de suscripción preferente no ejercidos durante, al menos, cinco sesiones en el mes sucesivo a la finalización del plazo para el ejercicio del derecho por parte de los titulares.

En la s.r.l., en fin, la elección en relación con las modalidades de asignación de las cuotas no asumidas corresponde, únicamente, a los socios, ya que el art. 2481-*bis*.2, dispone que el acuerdo del aumento del capital social «puede *incluso* permitir, regulando las modalidades, que la parte del aumento que no sea suscrito por uno o más socios sea suscrita por otros socios o terceros». El derecho de preferencia, por tanto, no viene reconocido *tout court* a los socios, sino sólo si está previsto en el acuerdo de aumento de capital.

La exclusión
del derecho de
opción en la
s.p.a.

Hay algunos casos, asimismo, en que el derecho de suscripción preferente no corresponde a los socios: esto es, queda excluido o limitado a una parte del aumento de capital. En este punto la regulación también diverge entre las s.p.a. cotizadas, no cotizadas y las s.r.l.

Partiendo del examen de la s.p.a., hemos de decir que el derecho de suscripción preferente queda excluido *ex lege* cuando las acciones de nueva emisión deban ser liberadas mediante aportaciones *in natura* (art. 2441.4). Es fácil explicar la razón. Si la sociedad tiene interés en la adquisición de un determinado bien y ello puede hacerse a través de su aportación (porque el titular no quiere cederlo sino a cambio de convertirse en socio), el interés de la sociedad no puede sino prevalecer sobre el de los socios. Es necesario, no obstante, que haya un efectivo interés en tal sentido. Tanto es así que los administradores tienen la obligación de elaborar un informe sobre la propuesta de aumento y las razones de la aportación *in natura* (art. 2441.6).

... en caso de aportación *in natura*

La exclusión del derecho de suscripción preferente más discutida es la prevista en el art. 2441.5, según el cual el acuerdo de aumento puede excluir o limitar dicho derecho «cuando el interés de la sociedad lo exija» a condición de que el acuerdo sea aprobado, aun en segunda convocatoria, por los socios que representen más de la mitad del capital social. Incluso en este caso, debe tratarse de un interés concreto y efectivo, como confirma el hecho de que los administradores están obligados a ilustrar con un informe «las razones de la exclusión o limitación». Es controvertido, asimismo, establecer qué relación ha de existir entre el interés social y la exclusión del derecho de suscripción preferente: si ésta ha de ser indispensable y necesaria para la obtención del interés social, o puede ser más preferible o conveniente que otras soluciones alternativas.

... cuando lo exige el interés social

En los dos casos examinados, los administradores deben elaborar un informe sobre las razones de la exclusión del derecho de suscripción preferente. El informe debe detenerse también sobre otro elemento, esto es, el *precio de emisión* de las acciones, indicando los criterios seguidos en su determinación. Ello es así porque, cuando el derecho de suscripción preferente se excluye según el art. 2441.4 ó 5, *es obligatorio emitir las acciones con prima*. De tal modo, al socio al que se priva de su derecho hay que garantizarle el mantenimiento del valor de la propia participación, porque los terceros están obligados a aportar una cantidad tal que garantice que la relación entre participación al capital y patrimonio no cambia. Los criterios a que se debe hacer referencia para la determinación de la prima se señalan en el art. 2441.6 que, entre otros, impone al colegio sindical la expresión de su parecer sobre la adecuación del precio de emisión.

El informe de los administradores y la prima

Es oportuno resaltar la importancia del acuerdo de exclusión o limitación del derecho de suscripción preferente. En efecto, el perjuicio que éste puede causar a las decisiones de los socios hace que: *(i)* sean impuestas a los administradores especiales *obligaciones informativas*, como se deriva del art. 2441.4 y 6; *(ii)* que en el caso más controvertido (el del art. 2441.5), el acuerdo sea adoptado por una *mayoría especial* (más de la mitad del capital social); *(iii)* que las acciones de nueva emisión sean emitidas con una prima, al efecto antes indicado.

La oferta a los trabajadores

Tales medidas de tutela no vienen impuestas enteramente en el tercer supuesto de exclusión del derecho de suscripción preferente, cuando la sociedad acuerda *ofrecer las acciones de nueva emisión a los propios trabajadores, o a los trabajadores de sociedades controladas o controlantes*. En tal caso, no son necesarios los informes de los administradores ni la prima. Además, si la exclusión se limita a una cuarta parte de las acciones de nueva emisión, el acuerdo puede ser adoptado con las mayorías ordinarias requeridas para la junta extraordinaria. Si, por el contrario, se supera dicho umbral en punto a las acciones de nueva emisión será necesario de nuevo el voto favorable de más de la mitad del capital social (art. 2441.8).

La opción indirecta

No constituye exclusión o limitación del derecho de suscripción preferente la llamada *suscripción indirecta*. Se trata del caso en que las acciones de nueva emisión son suscritas por determinados sujetos (bancos, entidades o sociedades financieras sometidas al control de la Consob, u otros sujetos autorizados para la colocación de instrumentos financieros, a los que no les es reconocido el derecho de voto durante todo el periodo que posean las acciones) con la obligación, no obstante, de ofrecerlas a los socios con las modalidades prescritas por el art. 2441.1, 2 y 3 (v. art. 2441.7)

La exclusión del derecho de opción en las s.p.a. cotizadas

En la regulación de las sociedades cotizadas rigen las siguientes reglas. Ante todo, existe una ulterior causa de exclusión del derecho de suscripción preferente que no opera *ex lege*, sino sólo si se prevé estatutariamente. Es posible que se prevea la facultad de excluir el derecho de suscripción preferente «en los límites del diez por ciento del capital social preexistente, a condición de que el precio de emisión corresponda al valor de mercado de las acciones y ello sea confirmado por el informe de la sociedad encargada de la auditoría» (art. 2441.4). La tutela de los accionistas de minoría es, por un lado, confiada al límite cuantitativo previsto en la disposición y, por otro, a la condición de emisión al valor de mercado.

El art. 134 TUF prevé otras particularidades: por un lado, extiende la regulación del art. 2441.8, también a la oferta de acciones a trabajadores de sociedades controladas o controlantes y, por otro, no requiere, a tal fin, la mayoría reforzada ni siquiera para ofertas superiores a una cuarta parte de las acciones de nueva emisión a condición de que el aumento no exceda del uno por ciento del capital social.

Por el contrario, la exclusión del derecho de suscripción preferente no se permite usualmente en la s.r.l. Existe, no obstante, una excepción, puesto que se permite que el acto constitutivo (v. art. 2481-*bis*, 1) prevea que «el aumento de capital pueda ser realizado mediante oferta de participaciones de nueva emisión a terceros». En tal caso, como se verá a continuación (§165), los socios ausentes, los que se abstienen y los disidentes, tienen el derecho de separarse de la sociedad. Se atribuye, por tanto, una amplia intervención a la autonomía privada, atendiendo que el acto constitutivo puede remitirse a los casos de exclusión regulados en la s.p.a. y prever otros distintos. La previsión estatutaria será oportuna para permitir, entre otros supuestos, la exclusión o limitación en caso de suscripción del aumento de capital por un tercero mediante la aportación de bienes *in natura* (a salvo el derecho de separación de los socios que no consienten).

La exclusión del derecho de opción en la s.r.l.

La exclusión o limitación del derecho de suscripción preferente no se permite, sin embargo, en los casos en que la s.r.l. quede obligada a acordar la reducción del capital social por pérdidas (art. 2482-*quater* y v. §163).

Antes de cerrar esta materia hay que recordar que es frecuente en la práctica la emisión por parte de la sociedad de *warrants* para la suscripción de las acciones de nueva emisión. Se trata de documentos que tienen naturaleza de títulos de crédito emitidos por la sociedad y atribuyen el derecho de suscribir acciones u obligaciones de nueva emisión. Al titular del *warrant* le corresponde el derecho (derivado de una verdadera opción contractual y no legal, como la regulada en el art. 2441) de suscribir los títulos, al que se contrapone la obligación de la sociedad de emitirlos. De tal modo, la sociedad podrá introducir en el mercado los *warrants* no optados por los socios y estos últimos podrán disfrutar de un plazo más amplio para valorar la posibilidad de suscribirlos.

Los warrants

161. LA REDUCCIÓN «REAL» DEL CAPITAL

Los distintos supuestos en que puede ocurrir la reducción del capital social han sido examinados en el §37. Restringiendo ahora el examen a las modalidades según las cuales se procede a la reducción, se puede empezar recordando que, en derogación del principio según el cual las aportaciones de capital no pueden ser restituidas a los socios, se permite a la sociedad reducir el capital social «ya sea mediante liberación de los socios de la obligación de los dividendos pasivos debidos, ya mediante el reembolso del capital a los socios». Así lo expone el art. 2445 para la s.p.a., y análogamente el art. 2482 para la s.r.l.

Los motivos de la reducción

La reducción real no está necesariamente ligada al presupuesto de la exuberancia del capital social respecto del objeto, como ocurría en el texto anterior. No por ello, se podrá acordar la reducción sin razón efectiva. El art. 2445.2 impone, de hecho, que el anuncio de convocatoria de la junta indique las razones y las modalidades de la reducción, aclarando que debe haber una exigencia efectiva que induzca a la sociedad en tal sentido y que debe ser expresada.

Existe, no obstante, una diferencia respecto de la s.r.l., en la que el art. 2482 no requiere que sean precisadas las razones de la reducción. Lo que no significa, sin embargo, que los socios no hayan de ser informados. A falta de información, el acuerdo sería inválido según el art. 2479-*ter*.3.

Los límites

La reducción real puede ser acordada con tal de que sean respetados algunos límites. Ante todo, el requisito del capital social mínimo indicado en el art. 2327 para la s.p.a. y en el art. 2463 para la s.r.l.; en segundo lugar, y en sede de s.p.a., la relación entre el importe de las obligaciones emitidas y la cifra del capital social establecida por el art. 2412 debe ser respetada. Según éste precepto, la sociedad no puede emitir obligaciones por importe superior al doble del capital social, de la reserva legal y de las reservas disponibles (v. §65).

En consecuencia, si se han emitido obligaciones, la reducción no podrá realizarse si «respecto de la cifra de las obligaciones todavía en circulación no se respeta el límite del mismo artículo» (art. 2413.1). En fin, el art. 2445.2 establece que ésta «debe efectuarse con modalidades tales que las acciones propias eventualmente poseídas después de la reducción no excedan de la décima parte del capital social» (v. §62).

Es oportuno subrayar que la reducción del capital no podrá en ningún caso ir contra el principio de igualdad de tratamiento entre socios. En la s.p.a., precisamente para evitar que ello ocurra, cuando se proceda al reembolso a los socios del capital conferido por su valor nominal y a la anulación de las correspondientes acciones, pueden ser atribuidas a los poseedores de las acciones reembolsadas accione de disfrute (v. §58). Al accionista —cuya aportación haya sido reembolsada al valor nominal— se le garantiza la participación y eventual plusvalía patrimonial y beneficios residuales (art. 2353).

La reducción sólo puede ser realizada tras el plazo de noventa días desde la inscripción del acuerdo en el registro de empresas, concedido a los acreedores para formular oposición. El legislador pretende, así, tutelar a los acreedores que consideren sufrir un perjuicio por el acuerdo. No todos los acreedores están, no obstante, legitimados para oponerse: pueden hacerlo sólo aquéllos cuyo crédito haya nacido antes de la inscripción del acuerdo en el registro de empresas. A pesar de la oposición, el tribunal puede autorizar la ejecución de la reducción cuando considere que el peligro del perjuicio reclamado por los acreedores oponentes es infundado o cuando la sociedad ha prestado una garantía adecuada (arts. 2445 y 2482). *La eficacia de la reducción*

162. LA REDUCCIÓN POR PÉRDIDAS

En el desarrollo de la actividad puede ocurrir que la sociedad sufra pérdidas. Cuando la medida de las pérdidas sea tal que el valor del patrimonio neto resulte inferior al del capital social y supere un umbral establecido por el legislador, este último ha de ser reducido. Se tendrá en tal caso una reducción nominal del capital social (v. §37). La regulación se establece por los arts. 2446 y 2447 para la s.p.a. y por los arts. 2482-*bis*, 2482-*ter* y 2482-*quater* para la s.r.l., con disposiciones en gran parte coincidentes.

El límite fijado por el legislador para hacer operativa la regulación de la reducción obligatoria del capital por pérdidas es de un tercio. Esto es, si las pérdidas no superan dicho límite, la sociedad no tiene que reducir su capital. Nada impide, sin embargo, que sea adoptado un acuerdo en tal sentido, por ejemplo, a fin de permitir la distribución de beneficios que *El límite del tercio del capital* estaría prohibida de otro modo según el art. 2433.3, para la s.p.a. y por el art. 2478-*bis*.5 para la s.r.l.

La convocatoria de la junta

Si, por tanto, se verifican pérdidas que, teniendo en cuenta las reservas asentadas en el patrimonio neto, son superiores a un tercio del capital, los administradores (o bien, en la s.p.a., el consejo de gestión y, en caso de inactividad de los dos primeros, el colegio sindical o el consejo de vigilancia) «deben, *sin demora*, convocar la junta para que actúe en consecuencia» (arts. 2446 y 2482-*bis*) y someter a su examen un informe «sobre la situación patrimonial de la sociedad con las observaciones del colegio sindical o del comité para el control de la gestión» (art. 2446). En la s.r.l., las observaciones serán realizadas por el colegio sindical o el auditor.

El informe —que debe tener el contenido de un verdadero balance—, y las observaciones, deben ser depositados en el domicilio social en los ocho días anteriores que preceden a la junta para permitir a los socios su examen. El acto constitutivo de la s.r.l. puede, sin embargo, derogar esta disposición (art. 2482-*bis*. 2). En cualquier caso, en la junta, los administradores deben «dar cuenta de los hechos relevantes ocurridos tras la redacción del informe» (arts. 2446.1 y 2482-*bis*. 3).

La remisión el ejercicio sucesivo

En esta fase, la reducción del capital no es todavía obligatoria. La junta puede acordar, de hecho, esperar al resultado del ejercicio sucesivo. No obstante, si al cierre de dicho ejercicio, la pérdida no ha disminuido a menos de un tercio del capital social, la junta ordinaria (o, el consejo de vigilancia) que aprueba el balance no puede desvincularse de la obligación de reducir el capital «en proporción a las pérdidas sufridas». El legislador considera, evidentemente, que si las pérdidas son consecuencia de contracciones normales de los resultados de la actividad, destinados a recuperarse en breve, no es necesario adecuar el capital al valor del patrimonio neto. Si, por el contrario, la situación económica no mejora, la reducción no puede ser pospuesta. Tanto es así que, si no se acuerda por la junta, los órganos de administración y de control —en la s.r.l., la iniciativa puede venir de cualquier interesado (v. art. 2482-*bis*.5)— deben dirigirse al tribunal para que reduzca el capital social en medida equivalente a las pérdidas resultantes del balance.

La intervención del tribunal

Tanto en la s.p.a. como en la s.r.l., el tribunal dicta un decreto que debe ser inscrito en el registro de empresas por los administradores y puede ser impugnado en el plazo de treinta días desde su inscripción con posible recurso ante el tribunal de apelación. En la s.r.l., sin embargo, no procede la actuación del Ministerio Fiscal, prescrita por el art. 2446 para la s.p.a.

En fin, se concede la posibilidad de delegar al consejo de administración la reducción del capital social (v. art. 2446, últ. párrafo, al que remite el último párrafo del art. 2482-*bis*). Para la s.p.a., por el contrario, ello se permite, únicamente, cuando las acciones emitidas por la sociedad no tengan valor nominal (v. §55). La norma hace referencia al consejo de administración pero debe entenderse que la delegación puede ser prevista también en el caso, bastante frecuente, de administrador único, y cuando la sociedad haya optado por el sistema dualista, en el que el órgano delegado será el consejo de gestión. *La delegación a los administradores*

163. REDUCCIÓN DEL CAPITAL POR DEBAJO DEL LÍMITE LEGAL Y A CERO

Puede suceder que la pérdida no sólo sea superior al tercio del capital social, sino que deje su valor por debajo del mínimo legal. En este caso, no está previsto el amplio plazo concedido a la sociedad para decidir si se reduce o no el capital. La sociedad no puede esperar los resultados del ejercicio sucesivo, sino que debe proceder, bien a la reducción del capital y a su simultáneo aumento para dejar la cifra por encima del mínimo legal, o bien a la transformación (v. arts. 2447 y 2482-*ter*). A falta de estos acuerdos, la sociedad debe disolverse (v. art. 2484.4). *Reducción por debajo del límite legal*

Los administradores, o el consejo de gestión en la sociedad por acciones, y los órganos de control si los anteriores no lo hacen, deben convocar la junta general *sin demora*.

La obligación de convocar la junta y de adoptar los correspondientes acuerdos nace también cuando la pérdida haya dejado el valor del capital social a cero, esto es, cuando como consecuencia de las pérdidas, el capital no sólo haya quedado por debajo del mínimo legal sino que haya desaparecido completamente.

En este caso, la doctrina ha debatido sobre si el acuerdo de reconstitución del capital puede ser adoptado por mayoría o si es necesario el consentimiento unánime de todos los socios. Ha prevalecido la primera solución, *Pérdida total del capital social* que se basa en el hecho —entre otros— de que la reducción del capital por debajo del mínimo legal y la pérdida total del mismo (que no es más que un caso de reducción), no conllevan automáticamente la disolución de la sociedad porque el art. 2484.4 permite la adopción de los procedimientos previstos en los arts. 2447 y 2482-*ter*.

En esta fase, el derecho de suscripción preferente adquiere un importante papel, pues permite a los socios que lo deseen mantener la propia participación en la sociedad. Ello viene confirmado por el hecho de que el art. 2481-*bis,* para la s.r.l., no permite excluirlo. El legislador ha querido, de esta forma, impedir las maniobras, muy difundidas en la práctica, que aprovechando la reducción del capital y, en su caso, la precaria situación patrimonial de los socios minoritarios, persiguen en realidad disminuir o eliminar las participaciones. Ello se confirma en el art. 2482-*quater*, según el cual «en todos los casos de reducción del capital por pérdidas queda excluida cualquier modificación de las cuotas de participación y de los derechos que correspondan a los socios».

Es distinto el caso de la s.p.a., en la que falta una disposición análoga y la doctrina está dividida entre quienes niegan que el derecho de suscripción preferente pueda ser excluido y quienes propugnan la solución contraria. En los últimos tiempos, la jurisprudencia, tradicionalmente orientada en la primera dirección, parece admitir que este derecho puede ser suprimido sólo bajo determinadas condiciones.

164. EL DERECHO DE SEPARACIÓN. LAS CAUSAS DE SEPARACIÓN EN LA S.P.A.

Naturaleza y función

El derecho de separación consiste en una declaración del socio que da lugar a la liquidación de la parte del socio que lo ejerce.

Su regulación constituye una de las innovaciones más significativas de la reciente reforma del Derecho de sociedades porque la institución ha sido completamente renovada, no sólo con la previsión de numerosos supuestos en los que este derecho corresponde a los socios, sino con la prescripción detallada de las modalidades de ejercicio y del procedimiento de liquidación de la cuota y, en fin, con una regulación que deja a menudo un amplio espacio a la autonomía estatutaria.

La razón de esta incisiva reforma se puede buscar en el intento de reforzar la posición del socio en presencia de cambios significativos de la sociedad, pues en ello consiste la mayoría de las causas legales de separación, así como las estatutarias cuando la ley las permita. Ello se realiza, por un lado, facilitando la salida del socio y, por otro, con una normativa dirigida a permitirle obtener la desinversión de la participación por un valor que dé adecuada cuenta de los cambios de la situación patrimonial de la sociedad que se han producido en el tiempo. La separación, sin embargo, se facilita, sobre todo, en las sociedades cerradas en las que —en ausencia de un mercado de las participaciones— es difícil obtener la salida de la sociedad vendiendo la propia participación. En los casos en que la venta es más fácil, como ocurre en las sociedades cotizadas en mercados regulados, el legislador ve menos favorablemente la separación.

Tienen derecho a separarse de la sociedad únicamente los socios «que no hayan participado en la aprobación» de los acuerdos mencionados en el art. 2437. La expresión utilizada por la disposición citada permite superar las dudas en relación a la posibilidad de separarse del socio que, no habiendo votado contra el acuerdo, sólo se abstuvo. En síntesis, el socio ausente, el que se abstiene y el disidente pueden separarse de la sociedad (v., no obstante, el art. 34, d.lgs. 5/2003, que se refiere únicamente a los socios ausentes o disidentes). *[Legitimación para el ejercicio del derecho]*

Debe señalarse que la separación no debe ser ejercitada necesariamente respecto de la íntegra participación social. El art. 2437, que reza «para todas o parte de las acciones», reconoce a los socios la posibilidad de limitar el ejercicio del derecho a una fracción de la participación. Se permite, con ello, reducir el riesgo de la inversión sin renunciar del todo a ella. *[Separación total y parcial]*

Los acuerdos que hacen nacer el derecho de separación se contemplan en el art. 2437. Dichas causas no son exhaustivas ya que, por una parte, existen otros supuestos que generan el derecho de separación (además, la reforma atribuye a la autonomía estatutaria una discreta posibilidad de intervención en la delimitación de dichas causas), y, por otra, en ocasiones, la operatividad de dichas causas puede ser excluida (las indicadas en el segundo párrafo), y por último, porque las sociedades «cerradas» pueden añadir otras. *[Las causas de separación]*

Desde este punto de vista, las causas de separación pueden clasificarse en tres tipos: (a) las previstas por la ley de forma *inderogable*; (b) las previstas por la ley, pero *derogables*; *(c)* las *estatutarias*, admitidas sólo en las sociedades «cerradas» (v. §49). La limitación se explica por la intención del legislador de evitar, en las sociedades con acciones difundidas entre el público, las dificultades que provocarían, como se lee en la *Relazione*, «separaciones fáciles y difundidas».

Casusas inderogables

Las causas *inderogables* de separación indicadas en el primer párrafo del art. 2437 pueden clasificarse, a su vez, entre aquéllas que inciden sólo indirectamente sobre la situación subjetiva del socio, porque conciernen más directamente a la sociedad, y aquéllas que afectan a los derechos propios del socio y, en particular, al mismo derecho de separación y a los otros derechos de voto o de participación.

... derivadas de modificaciones de la estructura organizativa

Las del primer tipo son las siguientes:

a) la modificación del objeto social, cuando conlleve un cambio significativo de la actividad de la sociedad. Por tanto, no cualquier modificación, sino sólo aquéllas que incidan sobre la misma empresa ejercitada por la sociedad, previendo una actividad que altere sustancialmente la inicialmente prevista.

b) la transformación de la sociedad. Esto es, el cambio del tipo previamente elegido o la transformación en uno de los supuestos del art. 250-*septies* (transformación heterogénea).

c) el traslado del domicilio social al extranjero.

d) la revocación del estado de liquidación. El acuerdo de retrotraer la sociedad a la situación en que se encontraba antes de verificarse la causa de disolución indicada en el art. 2484 o eventualmente prevista por la ley, eliminando dicha causa de disolución (v. art. 2487-*ter*).

e) la introducción o supresión, en los estatutos o en el acto constitutivo, de cláusulas compromisorias (art. 34 d.lgs 5/2003, no aplicable a las sociedades «abiertas»).

f) el acuerdo que comporte la exclusión de la cotización para las sociedades cotizadas (art. 2437-*quinquies*). Es el caso, por ejemplo, de que se haya acordado una fusión o escisión por la que una sociedad cotizada sea absorbida por una sociedad no cotizada. Incluso en este caso, la separación puede ser ejercitada total o parcialmente. Ante el silencio del legislador, parece ir en dicho sentido la consideración de que cuando rige una regla distinta ha sido expresamente prevista (v. art. 2497-*quater*, b).

Pertenecen, por el contrario, al segundo tipo:

g) la supresión de algunas causas de separación previstas por el art. 2437.2 (prórroga del plazo e introducción o remoción de restricciones a la circulación de las acciones) o por los estatutos. El legislador pretende otorgar el derecho de separación al accionista que vea cambiar las posibilidades de salir de la misma originariamente previstas (será suficiente la eliminación de una sola causa para hacer nacer el derecho).

h) la modificación de los criterios de determinación del valor de la cuota de liquidación en caso de ejercicio de separación. También aquí se trata de modificaciones que inciden directamente sobre el derecho de separación, influyendo, no sobre las causas, sino sobre los criterios de liquidación con el efecto de alterar las expectativas del socio.

i) las modificaciones de las cláusulas relativas al derecho de voto o de participación. Se recordará que el art. 2351 atribuye a los estatutos la posibilidad de prever que se prive a determinadas categorías de acciones del derecho de voto o tengan el voto limitado a determinados asuntos, etc. Toda modificación que incida sobre estas previsiones estatutarias, o que las introduzca, podrá dar lugar al derecho de separación. Igualmente, el haber insertado reglas que afecten a los derechos de participación y, en primer lugar, al derecho a participar del resultado, comportará la posibilidad de la separación.

j) la revisión de la valoración que dé lugar a la atribución de un valor inferior en más de un quinto al valor asignado al tiempo de la aportación de los bienes distintos del dinero (art. 2343, último párrafo). Aquí es necesario señalar que la disposición, ya examinada en sede de constitución de s.p.a. (v. §153), no se prevé expresamente en sede de s.r.l., lo que plantea graves problemas interpretativos y posibles disparidades significativas de tratamiento entre el socio de s.p.a. y s.r.l.

En fin, está prevista otra causa inderogable de separación en el art. 2437.3, en todos los casos en que la sociedad lo sea *por tiempo indeterminado* (v. §149). En tal caso, el socio podrá separarse en cualquier momento con un plazo de preaviso establecido por la ley en ciento ochenta días y que sólo puede ser ampliado en los estatutos hasta el máximo de un año.

Las causas de separación *derogables*, esto es, que se aplican en tanto no se disponga lo contrario en los estatutos, aparecen enumeradas en el art. 2437.2:

... derivadas de modificaciones de los derechos de los socios

... y en caso de sociedades por tiempo indeterminado

Causas derogables

a) la prórroga del plazo de duración de la sociedad.

b) la introducción o la eliminación de restricciones a la circulación de las acciones (v. §61).

165. LAS CAUSAS DE SEPARACIÓN EN LA S.R.L.

La regulación del derecho de separación en la s.r.l. es mucho menos estricta que la de la s.p.a., como confirma el hecho de que está contenida en una sola disposición: el art. 2473. También en esta sede, el legislador parece valorar la función de desinversión de la participación teniendo en cuenta, evidentemente, las dificultades del socio que sufre las decisiones de la mayoría no compartidas, para vender su cuota.

Lo que caracteriza a la norma examinada es, sobre todo, el amplio espacio dejado a la autonomía contractual ya que es el acto constitutivo el que «determina cuando el socio puede separarse de la sociedad y las correspondientes modalidades» (art. 2473.1).

Causas
inderogables No es que no existan límites a dicha autonomía, puesto que están previstas las siguientes causas de separación (no sólo en el art. 2473, sino también en el art. 2469):

a) la modificación del objeto social, para la cual no se precisa, como sucede en el art. 2437, que se trate de una modificación significativa. No obstante, parece claro que en el caso examinado también ha de tratarse de un cambio de relieve, como ocurre en el caso señalado *infra* sub g).

b) el cambio del tipo: la transformación de la sociedad (art. 2500-*sexies* y 2500-*septies*).

c) la fusión o escisión de la sociedad.

d) la revocación del estado de liquidación (art. 2487-*ter*).

e) el traslado del domcilio al extranjero.

f) la eliminación de una o más causas de separación, previstas por el acto constitutivo.

g) «la realización de operaciones que comporten una modificación sustancial del objeto de la sociedad determinado en el acto constitutivo». Puede pensarse, por ejemplo, en el caso del art. 2361.1 (asunción de participaciones en otras empresas que dé lugar a una modificación sustancial del objeto social).

h) «la realización de operaciones que impliquen una modificación sustancial de los derechos atribuidos a los socios» según el art. 2468 (derechos concernientes a la administración o a la participación en los resultados).

i) cuando la sociedad lo sea a tiempo determinado, en cuyo caso la regulación, a pesar de que las normas han sido formuladas en manera ligeramente diferente, es un reflejo de la regulación de la s.p.a. (arts. 2473, 2 y 2473, 3).

j) cuando el acto constitutivo prevea causas limitativas de la circulación de las participaciones. La regulación del art. 2469.2 se caracteriza por ser más detallada que la del art. 2355-*bis*. Las cláusulas que pueden dar lugar al derecho de separación son aquéllas que: *(i)* prevean la intransmisibilidad de las participaciones; *(ii)* subordinen la transmisión al visto bueno de órganos sociales, socios o terceros; *(iii)* impongan condiciones o límites «que impiden, en el caso concreto, la transmisión por causa de muerte». Hay que subrayar, no obstante, que sólo en el primer caso (intransmisibilidad de la participación) el derecho de separación es atribuido al socio *tout court,* sin ninguna limitación. En el segundo y tercero, por el contrario, la separación corresponde al socio cuando la cláusula no prevea condiciones ni límites para el visto bueno, y cuando la imposición de condiciones y límites sea tal que impida, «en el caso concreto», la transmisión por causa de muerte. Al subrayar, por tanto, que la presencia de la cláusula más recurrente en la práctica, la que prevé el derecho de preferencia a favor de los socios, no dará lugar al derecho de separación si no se ha previsto en el acto constitutivo, hemos de señalar que cuando el acto constitutivo, a la estela del art. 2469, prevea la intransmisibilidad de la participación en caso de muerte del socio, no puede hablarse de separación de los herederos, a los que corresponde únicamente la liquidación de la participación del *de cuius*. Para confirmar el amplio espacio atribuido a la autonomía contractual, y en consideración de la especial relevancia que pueden tener las relaciones personales entre socios en la s.r.l., hemos de destacar que el art. 2469 permite al acto constitutivo establecer un plazo, no superior a dos años desde la constitución de la sociedad o desde la suscripción de la participación, antes del cual el derecho de separación derivado de la previsión de cláusulas limitativas de la participación no puede ser ejercido.

l) en caso de exclusión del derecho de asunción preferente en sede de aumento de capital social, cuando lo permitan los estatutos (art. 2481-*bis*).

m) vale, en fin, para la s.r.l., la cláusula de separación prevista por el citado art. 34, d.lgs. 5/2003 (introducción o supresión de cláusulas compromisorias).

166. EL DERECHO DE SEPARACIÓN EN LOS GRUPOS DE SOCIEDADES

Existen otros supuestos de separación que, junto a los regulados en sede de s.p.a. y s.r.l., operan en los grupos de sociedades. También esta parte de la reforma tiene un contenido novedoso y ha sido específicamente examinada (§§136 y ss.). En esta sede, hemos de dar cuenta del hecho de que, por las mismas razones que se da al socio la facultad de separarse de la sociedad cuando la situación originaria que lo había inducido a formar parte de la misma cambie sensiblemente, se le reconoce la misma posibilidad cuando la sociedad forme parte de un grupo y las condiciones de la inversión sean modificadas como consecuencia de decisiones de la controlante o del comportamiento de sus administradores.

La regulación del derecho de separación, en este caso, es distinta de la examinada hasta este momento, sobre todo en relación con las causas que legitiman su ejercicio. En esta sede tiene menor relevancia el hecho de que el socio haya concurrido a la adopción del acuerdo, visto que se trata de acuerdos tomados por una sociedad de la que no es socio e, incluso, la previsión de causas de separación derivadas de supuestos del todo distintos a la adopción de acuerdos de junta.

Causas de separación

Las causas que pueden dar lugar al derecho de separación son las siguientes:

a) cuando la sociedad controlante decida: *(i)* «una transformación que implica el cambio de su fin social». Ello ocurre cuando la sociedad acuerda, en el sentido del art. 2500-*septies*, la transformación heterogénea, a saber, cuando la sociedad de capital se transforma en consorcio, sociedad consorcial, sociedad cooperativa, comunidad de empresa, asociación no reconocida o fundación; *(ii)* «una modificación de su objeto que permite el ejercicio de actividades que alteren en modo sensible y directo las condiciones económicas y patrimoniales de la sociedad sujeta a dirección y coordinación»;

b) en el caso de que el socio haya obtenido una sentencia ejecutiva de condena de los sujetos indicados en el art. 2497 al resarcimiento del daño. En tal caso, es obvio el vínculo entre el perjuicio sufrido por el socio y el derecho que le es atribuido a la separación, sólo por entero y no por una fracción de su participación. La *Relazione* no ofrece aclaraciones respecto de esta limitación, observando sólo que, en este caso, la causa de separación es «de evidente justificación». El importante conflicto con los *managers* de la controlante debe haber inducido al legislador a considerar que una separación parcial no tiene sentido. Si la norma está dirigida a ampliar la tutela del socio de la sociedad controlada, habría sido más coherente dejar al socio la opción de ejercitar el derecho de separación y la posibilidad de hacerlo de forma plena o parcial. Es pues oportuno resaltar que la norma requiere una sentencia firme, la cual podrá obtenerse tras la conclusión del juicio de primera instancia favorable al socio.

c) en los casos de entrada o salida de la sociedad en el grupo. La separación puede ser ejercitada sólo si concurren las siguientes condiciones: *(i)* ante todo, la sociedad sujeta al control no debe estar entre las que tienen acciones cotizadas en mercados regulados   pues como se ha visto   la separación es vista con poco favor por razones comprensibles y, por otra parte, la transmisibilidad es más fácil, lo que constituye una alternativa válida; *(ii)* cuando de la entrada o salida del grupo se derive una alteración de las condiciones de riesgo de la inversión, siempre que no se promueva una oferta pública de adquisición, en presencia de la cual ya se le permite al socio enajenar su participación, por lo que no habría razón de atribuirle también un derecho de separación.

Si bien el art. 2497-*quater* no se pronuncia expresamente sobre el asunto, no puede dudarse de que, en este caso, la separación podrá ser total o parcial. Se deduce del hecho de que el apartado b) del artículo citado se preocupa de precisar que, en el supuesto mencionado, la separación puede

Separación total y parcial

ser ejercitada sólo por la totalidad de la participación. En los otros casos, por tanto, la separación puede ser parcial.

167. EL EJERCICIO DEL DERECHO DE SEPARACIÓN

El legislador regula las modalidades de ejercicio del derecho de separación sólo en la s.p.a., pues en sede de s.r.l. se remite completamente a las previsiones estatutarias. Todo lo que se diga, por tanto, valdrá para la s.p.a. pero puede extenderse a la s.r.l., si el acto constitutivo remite a la regulación de la s.p.a. o, a falta de remisión, a través del recurso a la interpretación analógica cuando ello sea posible.

Plazo para el ejercicio del derecho de separación

Al examinar las causas de separación se ha visto que, en gran parte de los casos, éstas dependen del hecho de que la sociedad haya adoptado uno de los acuerdos previstos como causa de separación por la ley o los estatutos, cuando ello sea posible (esto es, en el caso de sociedades «cerradas»). La separación puede depender también de un hecho distinto de un acuerdo, tal y como se ha mencionado a propósito de las sociedades sujetas a actividades de dirección y coordinación (art. 2497-*quater*, b. y c.), o por razón de previsión estatutaria en las sociedades citadas.

De ello se deriva que el plazo para el ejercicio del derecho cambia según la separación derive de un acuerdo de modificación de los estatutos o de un hecho distinto. En el primer caso, el socio deberá ejercitarlo en los quince días siguientes a la inscripción del acuerdo en el registro de empresas. En el segundo, por el contrario, en el plazo de treinta días desde el momento en que el socio conozca la circunstancia que ha hecho nacer el derecho. No parece aventurado pensar que, en este segundo caso, podrán surgir problemas en la determinación del *dies a quo* para el ejercicio del derecho. Se prevé un plazo más amplio (noventa días) en el art. 34, d.lgs. 5/2003 para la separación derivada de la introducción o supresión de cláusulas compromisorias.

Revocación del acuerdo

Existe una ulterior diferencia entre los dos supuestos. En el primero (separación por acuerdo modificativo de los estatutos o del acto constitutivo), puede suceder que la sociedad vuelva sobre sus propios pasos y revoque el acuerdo que habría permitido al socio separarse de la sociedad, o que se acuerde la liquidación de la sociedad. Al acuerdo de revocación o liquidación, que debe ser adoptado en los noventa días siguientes, los arts. 2437-*bis* para la s.p.a. y el art. 2473 para la s.r.l. le atribuyen eficacia retroactiva en relación con el derecho de separación, precisando que éste no podrá ser ejercitado y pierde eficacia cuando el socio ya se haya beneficiado.

Esta solución, que había sido propuesta por la doctrina en el sistema pre-vigente, parece reforzar la opinión de que no se pierde la cualidad de socio por el sólo hecho de haber comunicado la separación a la sociedad y que, por el contrario, ésta sólo se produce tras la liquidación de la participación.

La separación debe ser comunicada por escrito a la sociedad con carta certificada, que debe ser enviada en el plazo señalado para el ejercicio del derecho. No parece que pueda excluirse el uso de instrumentos alternativos de comunicación que den las mismas garantías, esto es, hagan prueba del envío de la comunicación.

Al ejercicio del derecho de separación va unida la intransmisibilidad de las acciones y la obligación para el socio de depositarlas en la sociedad, según el art. 2437-*bis*, 2.

168. LA LIQUIDACIÓN DE LAS ACCIONES EN LA S.P.A.

El socio que ha hecho uso del derecho de separación tiene derecho a la liquidación de su participación social. Ello se realiza según una regulación que es mucho más detallada en la s.p.a. que en la s.r.l. Las disposiciones que tratan de la materia son los arts. 2437-*ter* y 2437-*quater* para la prime-ra, y el art. 2473 para la segunda.

La competencia para determinar el valor de las acciones se atribuye a los administradores, quienes deben obtener la opinión de los síndicos y del sujeto encargado de la auditoría de la sociedad, teniendo en cuenta la «consistencia patrimonial» de la sociedad y «sus perspectivas de rentabili-dad», así como el eventual valor de mercado de las acciones. Estos criterios no son exclusivos porque se somete a los estatutos la posibilidad de dictar otros, siguiendo, en cualquier caso, unas reglas dadas por el legislador. De-berán, en efecto, estar expresamente indicadas, las partidas del activo y del pasivo del balance que pueden ser rectificadas respecto de los valores re-sultantes del balance, los criterios según los cuales la rectificación debe ser

Criterios de liquidación

realizada y, en fin, otros eventuales «elementos susceptibles de valoración patrimonial a tener en consideración» (art. 2437-*ter*, 4).

Para las sociedades cotizadas, en cambio, se hace exclusiva referencia a un dato objetivo: la «media aritmética de los precios de cierre en los seis meses que preceden a la publicación o a la recepción del aviso de convocatoria de la junta cuyo acuerdo legitima la separación» (art. 2437-*ter*, 3). Existen otros supuestos en que la separación no deriva de la adopción de un acuerdo, como se ha visto a propósito del art. 2497-*quater*, en los que el *dies a quo* del plazo semestral no podrá referirse sino al hecho que da lugar a la separación y no al acuerdo.

Existe, por tanto, la exigencia de determinar el valor de las acciones con referencia al periodo en el que la separación ha sido ejercitada. Se pretende, con ello, que el valor de las acciones corresponda al valor que tienen en el momento de la separación, a fin de no mortificar las expectativas del socio y de crear una alternativa eficaz a la venta de la participación. El art. 2437-*ter*.5 reconoce al socio el derecho de conocer la determinación del valor de las acciones en los quince días precedentes a la fecha fijada para la junta. A pesar de que no se diga expresamente, parece claro que los administradores deben elaborar un documento que contenga, no sólo el valor de las acciones, sino también los datos contables que, sobre la base de una situación patrimonial actualizada, han dado lugar al resultado. El socio tiene derecho de acceso a dicho documento y a obtener copia del mismo, sufragando su coste.

Oposición a la liquidación La determinación del valor de las acciones obtenida por los administradores no es vinculante para el socio, que puede discutirla. En tal caso, queda sometida a la valoración de un experto que habrá de ser nombrado por el presidente del tribunal en el plazo de noventa días desde el ejercicio de la separación. El art. 2437-*ter* reenvía al art. 1349.1 a fin de determinar las modalidades de desarrollo del encargo.

Reembolso de las acciones Llegados, en fin, a la determinación del valor de las acciones, se abre la fase final del procedimiento, regulada por el art. 2437-*quater*. El reembolso de las acciones al socio que se separa se realiza, sobre todo, a través de la venta de las mismas mediante oferta, primero a los socios y, en caso de falta de ejercicio total o parcial de su derecho de suscripción preferente, a terceros.

Los administradores deben, en primer lugar, ofrecer las acciones del socio que se separa a los otros socios —y a los eventuales poseedores de obligaciones convertibles— en proporción al número de las acciones ya poseídas. Los socios y poseedores de obligaciones convertibles tienen derecho de preferencia sobre las eventuales acciones no optadas siempre que lo soliciten en el momento del ejercicio del derecho de suscripción preferente. La oferta de las acciones en suscripción debe ser depositada en el registro de empresas en los quince días siguientes a la determinación del valor de las acciones. Ésta debe indicar el plazo para el ejercicio del derecho, que no podrá ser inferior a treinta días desde la fecha del depósito.

Las acciones que, en todo o en parte, no sean colocadas entre los socios, pueden ser vendidas a terceros; si las acciones están cotizadas en mercados regulados deben ser ofrecidas en los mismos mercados.

Sólo cuando no haya sido posible atribuir las acciones a los socios o a los terceros en el plazo de ciento ochenta días desde la comunicación de la separación (así, con formulación no del todo correcta, el art. 2437-*quater*, 5), se da lugar al reembolso con cargo al patrimonio social. Aquí hemos de distinguir según haya o no beneficios o reservas disponibles (el art. 2437-*quater*, 5 menciona sólo las reservas disponibles pero es evidente que deben tenerse en cuenta también los beneficios).

En el primer caso, la sociedad, utilizando los beneficios o reservas disponibles, adquiere las acciones del socio que se separa en derogación de los límites dictados por la ley para la adquisición de acciones propias (para las cuales v. §62 y art. 2357).

En el segundo caso, en cambio, los administradores deben convocar la junta extraordinaria que puede acordar la reducción del capital o la disolución de la sociedad. A la disolución podrá llegarse, asimismo, cuando los acreedores se hayan opuesto al acuerdo de reducción del capital social.

La regulación detallada se aplica también en el caso de que los estatutos contemplen, para la sociedad o los socios, un poder de rescate sobre acciones o categorías de acciones (art. 2437-*sexies*: v. §58).

169. LA LIQUIDACIÓN DE LA CUOTA EN LA S.R.L.

Un procedimiento bastante menos estricto es el previsto para la s.r.l. en dos disposiciones (art. 2473.3 y 4), redactadas de forma poco clara. Al socio se le reconoce el derecho de obtener el reembolso de la participación, en proporción al valor del patrimonio social, cuya cifra se determina sobre la base del valor de mercado del mismo en el momento en que ha sido ejercitado el derecho de separación. Ante el absoluto silencio del legislador sobre este punto, debe entenderse que corresponde a los administradores la labor de realizar dicha determinación según criterios que no pueden ser distintos de los existentes en sede de s.p.a. También aquí, en caso de desacuerdo entre el socio y la sociedad, se prevé la intervención de un experto nombrado por el presidente del tribunal que deberá realizar la tarea, de conformidad con los criterios dictados por el art. 1349.1.

La liquidación de la cuota se llevará a cabo en los ciento ochenta días siguientes a la comunicación a la sociedad.

A diferencia de lo previsto para la s.p.a., queda excluido que la sociedad pueda adquirir las participaciones del socio que se separa, puesto que el art. 2474 prohíbe las operaciones sobre las propias participaciones (§124). Podrán, por tanto, adquirirlas los restantes socios en proporción a las cuotas respectivas, o uno o más terceros, en tanto en cuanto exista consenso de todos los socios. A falta de éstos, el reembolso se realizará con cargo a las respectivas reservas disponibles, en cuyo caso, vista la prohibición de adquisición de participaciones propias para la sociedad, la cuota del socio que se separa terminará por acrecer a las de los otros socios en proporción a la respectiva participación del capital. Como última solución, a falta de reservas disponibles, existe la posibilidad de reducir el capital o, cuando esto no sea posible, la de disolver la sociedad.

Capítulo X
Transformación, fusión y escisión

Fabrizio Guerrera

170. LA TRANSFORMACIÓN: NOCIÓN Y CARACTERES

La transformación es una modificación del acto constitutivo mediante la que se cambia el «tipo» de sociedad y, con éste, la adecuación de la estructura organizativa a las exigencias de la empresa o de los socios, sin que ello determine la extinción y la constitución de un nuevo sujeto colectivo.

La transformación no representa, por tanto, un fenómeno de tipo novatorio, ni produce un efecto sucesorio o traslativo ya que «el ente transformado» mantiene la propia identidad jurídica, conserva los derechos y obligaciones de los que es titular y «prosigue en todas las relaciones, incluso procesales, del ente que ha efectuado la transformación» (art. 2498). La transformación deja inalterados, por tanto, todos los elementos de la sociedad que no estén necesariamente ligados al tipo societario modificado. Precisamente, en la «continuidad de las relaciones jurídicas» se halla el rasgo característico de todo supuesto de transformación, incluidas las heterogéneas, las cuales —como se verá— tienen un impacto mayor pues inciden, además de en la estructura, en el fin y la subjetividad de la organización colectiva. *La continuidad de las relaciones jurídicas*

La regulación de los arts. 2498 a 2500-*novies* se preocupa de regular los límites a la transformación, el contenido, la publicidad, la eficacia y la *La regulación* invalidez del acto. Asimismo, contempla los distintos supuestos posibles de transformación. Tales disposiciones pueden subdividirse en dos grupos: el primero comprende las normas de carácter general (arts. 2498 a 2500-*bis*), en cuanto tales aplicables a cualquier tipo de transformación. El segundo grupo regula analíticamente los distintos supuestos (transformación de sociedades personalistas: arts. 2500-*ter* a 2500-*quinquies*, transformación de sociedades de capital: 2500-*sexies*; transformación heterogénea *de* y *en* sociedades de capital arts. 2500-*septies* a 2500-*novies*).

171. LA REGULACIÓN GENERAL DE LA TRANSFORMA-CIÓN

Tras haber fijado, en el plano de los efectos, el principio fundamental de la «continuidad de las relaciones jurídicas» (art. 2498), el legislador establece en el art. 2499 que «se puede dar lugar a la transformación incluso en pendencia de procedimiento concursal, siempre que no haya incompatibilidad con la finalidad o el estado del mismo».

Los límites de aplicación

A la luz de tal previsión, se debe considerar completamente legítimo el acuerdo de transformación de una sociedad en estado de liquidación, quizás adoptado con el fin de limitar los costes de gestión, incluso a falta de una «revocación» expresa del mismo (v. §191) y, por tanto, superada la línea jurisprudencial contraria a este tipo de operaciones que postulaba la falta de idoneidad de la junta de la sociedad en liquidación para asumir dicha decisión.

La norma, sin embargo, pone dos límites a la transformación en pendencia de un procedimiento concursal. El primero viene dado por la finalidad del procedimiento, cuya realización responde al interés de los acreedores y al interés público; el segundo, por el estado del mismo, que puede presentarse en modo avanzado, de modo que excluir la transformación puede responder a intereses merecedores de tutela. Se trata, en este caso, de un límite «flexible» que se realizaría en sede de control sobre la legitimidad y validez del acuerdo.

Por lo que respecta a las sociedades sujetas a un procedimiento concursal, el discurso es más complejo. Sin embargo, debe observarse, en general, que el tenor de los arts. 124 y 160 l. fall. —allí donde prefiguran la posibilidad de que la finalidad satisfactoria del procedimiento concursal se consiga a través de mecanismos más complejos, como el pago reducido o retrasado de los acreedores sociales, implicando la total «reestructuración» de la sociedad— permite una lectura más liberal en orden a la compatibilidad con la quiebra y con los procedimientos de carácter liquidatorio de la transformación y, en general, de las operaciones y modificaciones estatutarias que producen *modificaciones subjetivas* u *objetivas* de la organización.

Hay que recordar que la doctrina mayoritaria pone un ulterior límite a la transformación de la sociedad por acciones en otra sociedad de tipo «inferior», con referencia al supuesto en que ésta haya emitido obligaciones, ya que comportaría la asunción de una apariencia jurídica y una estructura organizativa inconciliable con la continuidad de la relación con los obligacionistas. De ello deriva la nulidad del acuerdo de transformación adoptado en pendencia del empréstito.

La transformación de cualquier sociedad o ente *en* una sociedad de capital, así como la *de* una sociedad de capital en otra organización colectiva debe constar en *escritura pública*.

El régimen formal

Tal requisito es obligatorio, tanto para la transformación en s.p.a., en s.a.p.a. o en s.r.l. (arts. 2500 y 2500-*octies*), debiéndose cumplir las mismas formalidades previstas para la constitución de los correspondientes tipos de sociedad, como para la transformación de sociedades de capital en sociedades de personas (art. 2500-*sexies*) y para la transformación «heterogénea» *de* sociedad de capital (art. 2500-*septies*) que deriva de un acuerdo que es competencia de la junta extraordinaria y cuya acta debe ser redactada por notario (art. 2375. 2).

La escritura de transformación queda sujeta a la normativa de forma y contenido prevista para el tipo adoptado y a las respectivas prescripciones de publicidad, así como a las formalidades requeridas para la cesación del ente que se transforma (art. 2500. 2). El art. 2500. 3 establece, con alcance general aplicable a cualquier supuesto de transformación (con la excepción para las transformaciones heterogéneas, para las que opera el plazo del art. 2500-*novies*), que «la transformación tiene efecto desde la última publicación del apartado precedente». Asimismo, el efecto *constitutivo* de la publicidad de la escritura de transformación viene diferido al cumplimiento de las ulteriores formalidades necesarias, a la estela de la normativa del ente transformado.

La invalidez   El art. 2500-*bis* regula expresamente la invalidez de la transformación, disponiendo que, una vez llevada a cabo la publicidad en el correspondiente registro de empresas, no cabe declarar la ineficacia de la escritura de transformación. Queda a salvo, en cualquier caso, el derecho al resarcimiento de los daños que eventualmente corresponda a los participantes del ente transformado y a los terceros afectados por la transformación. Ésta se enmarca en la reciente tendencia legislativa a salvaguardar la estabilidad de los efectos de los actos societarios y, sobre todo, de los acuerdos de contenido organizativo —como la transformación, la fusión y la escisión, el aumento y reducción del capital social, la emisión de obligaciones— que inciden de forma relevante en la estructura societaria: todo ello, relegando la tutela de los intereses eventualmente perjudicados por la operación, desde el plano «real» de la invalidez al «obligatorio» de la responsabilidad (v. §181). Por otra parte, si la estructura societaria derivada de la transformación estuviese viciada por graves vicios de forma o contenido comprendidos en la previsión taxativa del art. 2332, podría igualmente declararse la nulidad de la escritura con efectos *ex nunc* y el simultáneo nombramiento de los liquidadores (v. §155).

172. LA TRANSFORMACIÓN DE SOCIEDADES PERSO-NALISTAS

El acuerdo de   Inspirado en la exigencia de simplificación de los procesos decisionales
transformación   y en el *favor* por la transformación de sociedades de personas en sociedades de capital, el art. 2500-*ter*, 1 establece que, salvo disposición en contrario del contrato social, la transformación se adopta con el voto a favor de la mayoría de socios determinada según la parte atribuida a cada uno en los resultados. Se trata de una norma dispositiva que introduce, sin embargo, una derogación importante al principio establecido en el art. 2252, que exige la unanimidad para las modificaciones del acto constitutivo. No parece, por otra parte, que haya que afirmar, por ello, la necesidad del llamado método asambleario en las sociedades personalistas, de modo que el quórum necesario para adoptar la transformación podrá ser obtenido mediante la colecta de los votos por separado.

La tutela de los intereses del socio que no ha concurrido al acuerdo queda confiada al derecho de separación expresamente reconocido por la ley con previsión inderogable en este caso. Sin embargo, el art. 2500-*ter*, 1 no impide a los socios prever *expresamente* —en el momento de la constitución de la sociedad o con una modificación sucesiva— que la transformación de la sociedad deba ser adoptada con el consentimiento de todos los socios (v. §18).

El acuerdo de transformación debe constar en *escritura pública* que contenga las indicaciones previstas por la ley para la constitución de la sociedad correspondiente al tipo elegido. La escritura de transformación en sociedad de capital, junto a los estatutos, queda sujeta al control intrínseco de legalidad llevado a cabo por el notario(v. §151) y a la inscripción en el registro de empresas. A resultas de dicha inscripción, la sociedad adquiere la personalidad jurídica.

El régimen formal y de publicidad

El capital social previsto por la escritura de transformación no podrá ser inferior al mínimo legal previsto (v. §36). A fin de garantizar la efectiva formación, la sociedad personalista transformada debe elaborar un informe jurado de valoración, según el art. 2342 para la s.p.a. y del art. 2465 para la s.r.l., del que debe resultar el valor del patrimonio que hay que imputar a capital de la sociedad transformada.

El capital de la sociedad resultante de la transformación debe ser determinado sobre la base de los «valores actuales» de los elementos del activo y del pasivo. Ello no significa que todo el «patrimonio neto» deba ser necesariamente imputado a capital, pudiendo ser destinado a la constitución de reservas. En cualquier caso, dicho «valor» representa el techo máximo del capital social. Cuando el patrimonio de la sociedad transformada no sea suficiente para alcanzar el capital mínimo legal, será necesario que los socios se obliguen a efectuar nuevas aportaciones en dinero, el veinticinco por ciento al menos de cuya cifra debe ser depositado en la caja social.

La formación del capital

Al procedimiento de transformación se le aplica la regulación contenida en el art. 2343 en materia de aportaciones *in natura*, comprendida la obligación de los administradores y los síndicos de controlar, en los seis meses siguientes a la transformación, las valoraciones contenidas en el informe (v. §153).

Asimismo, es aplicable, dentro de los límites de su compatibilidad, el art. 2343.4, según el cual, si el valor de los bienes o créditos aportados resulta inferior en más de una quinta parte al valor por el que ha sido realizada la aportación, la sociedad debe reducir el capital proporcionalmente, anulando las acciones no desembolsadas si fuese necesario.

Las cuotas de los socios

A resultas de la transformación, todo socio tiene derecho a la asignación de un número de acciones o de una cuota proporcional a su participación, salvo que la proporción deba cambiar a causa de la necesidad de capitalizar la aportación de industria del socio (art. 2500-*quater*).

Antes de la reforma, puesto que en las sociedades de capital las prestaciones de obra y servicios no podían ser objeto de aportación (prohibición confirmada ahora por el art. 2342.5), el supuesto suscitaba notables problemas hermenéuticos. El art. 2500-*quater*.2 establece ahora que el socio aportante de industria tiene derecho —sin necesidad de una nueva aportación— a la asignación de un número de acciones o de una cuota determinada de forma correspondiente a la participación que el acto constitutivo le reconocía precedentemente a la transformación; o, a falta de dicha determinación, de acuerdo con los socios; o, en defecto de acuerdo, determinada por el juez según equidad. En estos casos, las acciones o cuotas asignadas a los restantes socios deben reducirse proporcionalmente, de modo que la cifra total del capital social encuentra su límite máximo en el valor del patrimonio neto estimado.

Responsabilidad de los socios

La transformación en sociedad de capital no libera a los socios ilimitadamente responsables por las obligaciones sociales nacidas entes de la transformación si no resulta que los acreedores sociales han consentido a la misma (art. 2500. 3 y art. 2500-*quinquies*). La transformación vale sólo para el futuro, no pudiendo perjudicar los derechos adquiridos por los acreedores sociales sin su adhesión (sin perjuicio de los derechos de los acreedores sociales; por otra parte, la quiebra por extensión de los socios ilimitadamente responsables puede ser declarada sólo en el año siguiente a la transformación: art. 147. 2 l. fall.). Para facilitar la transformación, el art. 2500-*quinquies*. 2 prevé, sin embargo, que el consentimiento para la liberación de los socios ilimitadamente responsables se presume, si los acreedores, a quienes se ha comunicado fehacientemente el acuerdo de transformación, no manifiestan su expresa oposición en el plazo de sesenta días desde la recepción de la comunicación.

173. LA TRANSFORMACIÓN DE SOCIEDADES DE CAPITAL

El art. 2500-*sexies* dicta una regulación orgánica de la transformación «regresiva» de s.p.a. y s.a.p.a. en s.r.l. o de estas sociedades en sociedades personalistas, supuesto que es también mencionado en los arts. 2447 y 2482-*ter*, en sede de reducción del capital por pérdidas y en el art. 2369.5 que fija el quórum de la junta extraordinaria en segunda convocatoria. La disposición no se ocupa, por el contrario, de las transformaciones homogéneas «progresivas» de s.r.l. en sociedad por acciones, que ha sido regulada por la disciplina transitoria (art. 223-*bis* disp. att.) a fin de facilitar el paso al tipo superior.

El art. 2500-*sexies*,1 establece que «salvo disposición en contrario de los estatutos, el acuerdo de transformación de sociedades de capital en sociedades personalistas se adoptará con las mayorías previstas para las modificaciones de los estatutos» y que «se requiere el consentimiento de los socios que, a resultas de la transformación, asumen responsabilidad ilimitada». Éstos responden, de todas formas, por las obligaciones sociales nacidas con anterioridad a la transformación (art. 2500-*sexies*, 4). Acuerdo por mayoría y consentimiento de los socios

Por otra parte, a fin de tutelar el interés de los socios a conocer las razones económicas y técnicas de la operación, el art. 2500-*sexies*, 2 obliga a los administradores a redactar un informe que ilustre las motivaciones y los aspectos de la transformación. El documento debe quedar depositado en la sede social durante los treinta días previos a la junta convocada para acordar la transformación, de modo que los socios puedan acceder a él y obtener copia (art. 2500-*sexies*, 2). La disposición se inscribe en la tendencia legislativa para reforzar la información societaria «interna», en cuanto resulta dirigida a permitir el consciente y ponderado ejercicio del derecho de voto por los socios en la junta y, en caso de disenso, del derecho de impugnación del acuerdo o del derecho de separación. Información de los socios

El art. 2500-*sexies*, 3, establece la regla por la que «todo socio tiene derecho a la asignación de una participación proporcional al valor de su cuota o de sus acciones».

174. LAS TRANSFORMACIONES HETEROGÉNEAS

Los arts. 2500-*septies* a 2500-*novies* regulan las transformaciones llamadas heterogéneas *de* sociedades de capital *en* fundación, asociación, cooperativa, sociedad consorcial, consorcio y comunidad de empresa, así como las de éstos entes (excepto las cooperativas, a las que se aplican los arts. 2545-*decies* y *undecies*) *en* sociedad de capital. Se trata de modificaciones radicales del contrato asociativo, cuya admisibilidad era puesta en duda tradicionalmente, puesto que inciden en la *causa* o en el *modelo organizativo* originariamente elegido por los participantes.

Ámbito de aplicación de la institución El legislador de la reforma ha concebido la transformación como una institución de alcance general, como tal aplicable, asimismo, a las transformaciones definidas anteriormente como «atípicas», hoy denominadas, con mayor precisión, «heterogéneas». Se ha tenido en cuenta, así, por un lado, la evolución de la jurisprudencia que ya consideraba lícitas algunas transformaciones de sociedades en entes no societarios (sobre todo consorcios) y, por otro lado, la opinión de la doctrina que desde hace tiempo viene subrayando la tendencial neutralidad (desde el punto de vista causal) de los esquemas asociativos.

Se ha pretendido valorar la autonomía privada, de conformidad con los principios constitucionales de la libertad de asociación (art. 18 Cost.) y de iniciativa económica (art. 41 Cost.). Hoy se reconoce la más amplia libertad de elección del instrumento negocial idóneo para realizar los fines de naturaleza «colectiva», de los ofrecidos por el legislador y ello, *también a través de una modificación sucesiva* que no respete el límite de la compatibilidad con la causa típica del contrato asociativo originariamente elegido. La transformación es admitida, no sólo entre sociedades y/o entes asociativos con distinta connotación causal, sino también entre organizaciones sin estructura asociativa (fundaciones) y entidades colectivas no organizadas (comunidad de empresa).

Límites operativos La transformación «heterogénea» es regulada sólo en los puntos en que concierne a una sociedad de capital, como ente transformando o resultante de la transformación (arts. 2500-*septies* y 2500-*octies*). Asimismo, a fin de tutelar la fe pública, se ha dictado una disposición transitoria (art. 223-*octies* disp. att.) que permite la transformación en sociedad de capital de las asociaciones y de las fundaciones constituidas antes de la entrada en vigor de las nuevas disposiciones, sólo cuando ésta no conlleve el alejamiento respecto de los fines originarios de los fondos o de los valores creados con contribuciones de terceros o en virtud de regímenes fiscales especiales (siempre que, en este último caso, se hayan satisfecho los correspondientes impuestos).

175. TRANSFORMACIÓN HETEROGÉNEA DE SOCIEDADES DE CAPITAL

El art. 2500-*septies* dispone expresamente que la s.p.a., la s.a.p.a. y la s.r.l. pueden transformarse en consorcios, fundación, asociación, cooperativa, sociedad consorcial, y comunidad de empresa (entes causalmente «heterogéneos» respecto de la sociedad de capital) con la *continuidad* de todas las relaciones jurídicas existentes. La falta de previsión de la posibilidad de transformación «directa» de una sociedad de capital en una asociación reconocida depende, por el contrario, de la necesidad de coordinar los efectos de la modificación estatutaria con el procedimiento para la adquisición de la personalidad jurídica (art. 1 d.p.r. 361/2000) de la asociación resultante de la transformación.

Tipos de transformación

Para la validez del acuerdo de transformación, se ha de respetar el procedimiento del art. 2500-*sexies*, 2 que garantiza la información previa a la junta de los socios, a través de la redacción y el depósito de un informe ilustrativo de los administradores y obtener el voto favorable de los dos tercios de quienes tengan tal derecho.

El régimen de responsabilidad

Se requiere expresamente, además, el consentimiento de los socios que asuman eventualmente en el nuevo ente la responsabilidad ilimitada. Por ejemplo, si la sociedad de capital se transforma en una s.n.c. consorcial será necesario el consentimiento de todos los socios; si se transforma, en cambio, en una asociación no reconocida será necesario el consentimiento de aquél que asuma la presidencia o la dirección, según el art. 38.2. Los socios que, a resultas de la transformación, asumen responsabilidad ilimitada responden, en cualquier modo, ilimitadamente también por las obligaciones nacidas antes de la transformación (art. 3500-*sexies*, último párrafo).

El art. 2500-*septies* dispone, en fin, que el acuerdo de *transformación en fundación* produce los efectos que el código civil liga al acto de fundación o a la voluntad del fundador. El acuerdo de la junta que tiene por objeto la transformación produce, en otros términos, los mismos efectos que el acto (unilateral) de constitución de la fundación, asegurando, sin embargo, la continuidad de las relaciones jurídicas activas, pasivas y procesales en que la sociedad de capital era parte.

Mediante la voluntad expresada en junta, los socios llevan a cabo un acto de dotación que puede ser caracterizado como acto de liberalidad. Éstos, por tanto, no podrán «participar» en la fundación derivada de la transformación (que no tiene estructura asociativa) sino, como mucho, asumir en ésta el cargo de administradores. A esta transformación no le es aplicable, por tanto, el art. 2500-*sexies*.3, en base al cual todo socio tiene el derecho a la asignación de una participación proporcional al valor de su cuota o sus acciones.

Un tratamiento separado merece la *transformación* de sociedades de capital en *comunidad de empresa*, en virtud de la cual la organización colectiva personificada está destinada a desaparecer, dejando el puesto a una situación de mera copropiedad, sin subjetividad y sometida a un régimen distinto de administración y disponibilidad de los bienes comunes, en cuanto responde a las reglas generales del derecho privado.

A resultas de tal «transformación», desaparece el vínculo de destinación del patrimonio común a la actividad de empresa que nace del contrato de sociedad. No deberán ser determinadas, por tanto, las participaciones de los socios en el ente transformado, según el art. 2500-*quater*, sino más bien las cuotas de propiedad indivisa de cada uno de los socios en la comunidad de empresa. Las relaciones jurídicas y, en concreto, las pasivas correspondientes a la sociedad se transfieren, por efecto de la transformación, a todos los socios comuneros, quienes, según el art. 2500-*sexies*, último párrafo, responderán ilimitada y solidariamente (art. 1294) de las deudas sociales nacidas con anterioridad a la transformación.

Tal procedimiento podría ser utilizado por los socios para extinguir la sociedad de capital y atribuirse directamente los bienes sociales *in natura, pro quota*, sin pasar por el trámite de la disolución anticipada y de la liquidación de la sociedad, hasta ahora considerada obligatoria e ineludible, para la tutela de los acreedores sociales (v. §185). El ente transformando está destinado a extinguirse, a resultas de su «directa» cancelación del registro de empresas (arts. 2495 y 2500). Sucesivamente a dicha «transformación», la situación de copropiedad podría permanecer, quizás, en vista del arrendamiento de la empresa a otro empresario, o ser eliminada con un simple acto de división, en virtud del cual todo socio obtendrá la propiedad exclusiva de algunas ramas o divisiones empresariales.

Asimismo, los acreedores sociales resultan adecuadamente tutelados —además de por la continuidad de las relaciones jurídicas (art. 2498) y la responsabilidad personal ilimitada— gracias al remedio prestado por el art. 2500-*novies,* que les atribuye, en todos los casos de transformación heterogénea, un derecho de «oposición» regulado en los mismos términos del art. 2445.4 en materia de reducción del capital social (v. §161 y 176). La tutela de los acreedores sociales, por tanto, es más flexible respecto del procedimiento de liquidación, ya que no se aplica el art. 2280 («los liquidadores no pueden repartir entre los socios, ni siquiera parcialmente, los bienes sociales hasta que no se pague a los acreedores de la sociedad o no sea separada la suma necesaria para hacerlo»), sino que les corresponde a ellos la iniciativa de la oposición dirigida a paralizar el procedimiento de transformación alegando el perjuicio patrimonial sufrido.

> La tutela de los acreedores sociales

La norma examinada no menciona, por el contrario, la posibilidad de transformar la sociedad de capital (con socio único) en empresa individual. Esta operación —considerada inadmisible bajo la precedente regulación, a causa de la imposibilidad de suprimir la fase de liquidación— debería resultar practicable tras la reforma pues no existen diferencias de relevancia, desde el punto de vista de la tutela de los acreedores y de los terceros, entre las situaciones jurídicas (comunión o propiedad exclusiva de la hacienda) que derivan, en uno y otro caso, de la transformación.

176. TRANSFORMACIÓN HETEROGÉNEA EN SOCIEDAD DE CAPITAL

El legislador admite expresamente, sólo respecto de las sociedades de capital, la operación inversa de la considerada *supra,* esto es, la transformación «heterogénea» *en* sociedad de capital. El art. 2500-*octies,* establece de hecho que los consorcios, fundaciones, asociaciones reconocidas, sociedades consorciales, y comunidades de empresa pueden transformarse en s.p.a., en s.a.p.a. o en s.r.l. Esta disposición regula también las modalidades de adopción del acuerdo de transformación para cada uno de los entes indicados.

El régimen del acto de transformación

En los *consorcios* el acuerdo de transformación debe ser adoptado con el voto favorable de la mayoría absoluta de los consorciados: incluso en tal caso, el legislador manifiesta el propio *favor* por el acuerdo de transformación, derogando el art. 2607, según el cual las modificaciones del contrato consorcial no pueden ser adoptadas sin el consentimiento de todos los consorciados.

En las *comunidades de empresa* el acuerdo de transformación debe ser adoptado por unanimidad, considerándose que el destino de los bienes a la sociedad resultante tiene alcance distinto y más relevante que «los actos que exceden la ordinaria administración», que el art. 1108 somete a la mayoría.

En las *sociedades consorciales* y en las *asociaciones,* el acuerdo de transformación debe ser adoptado con la mayoría requerida por la ley o el acto constitutivo para la disolución anticipada.

Límites a la transformación de las asociaciones

El art. 2500-*octies*.3, prevé, sin embargo, que la transformación de asociaciones (reconocidas) en sociedad de capital puede ser excluida por el acto constitutivo o, en relación con determinadas operaciones, por la ley. Con tal disposición, por tanto, se somete a la autonomía privada la elección de prohibir expresamente que un ente nacido para la consecución de fines ideales pueda posteriormente sustituirlos por una causa lucrativa.

El capital social de la sociedad resultante de la transformación debe estar dividido en partes iguales entre los asociados, salvo que exista un acuerdo distinto entre ellos. A fin de evitar que la transformación se convierta en un instrumento para la elusión de la normativa que establece disposiciones a favor de las o.n.l.u.s o, peor, de fraude en perjuicio de la generalidad (interés general), se establece una expresa prohibición de transformación en sociedad de capital para las asociaciones que hayan recibido subvenciones públicas o bien liberalidades y donativos del público. Una análoga previsión antielusiva se halla presente también en materia de cooperativas (art. 2545-*decies*).

La transformación de *fundaciones* en sociedad de capital ha de ser dispuesta por la autoridad gubernativa, a propuesta del órgano competente (art. 2500-*octies*.4). Las acciones o cuotas de la nueva sociedad de capital deben ser asignadas según las disposiciones del acto de fundación o, a falta de éste, del art. 31. Dichas cuotas sociales deberían ser atribuidas, por tanto, a otros entes con fines análogos respecto de los perseguidos por la fundación transformada. La transformación de las fundaciones

La transformación de la fundación prevista por el art. 2500-*octies* debe ser distinta de la regulada por el art. 28, pues se trata de supuestos diferentes. La transformación prevista en el art. 28 no concierne a la estructura y la organización del ente, sino que afecta al cambio de la finalidad originaria en cuanto que ésta haya sido alcanzada, devenida imposible o sea de escasa utilidad o inalcanzable por insuficiencia del patrimonio social; constituye, sustancialmente, un instrumento alternativo a la extinción del ente. Por el contrario, la transformación del art. 2500-*octies* no realiza un simple cambio de objeto, sino que modifica la *causa* del negocio constitutivo, de ideal a lucrativa, incluso antes de determinar una variación de la estructura y organización del ente.

En cualquier caso, a todas las transformaciones heterogéneas les son aplicables las disposiciones generales en materia de transformación, esto es, los arts. 2498 a 2500-*bis*. El acto de transformación (escritura) queda sometido a la regulación del tipo societario capitalista adoptado (habrá que respetar, en concreto, las disposiciones dirigidas a tutelar la efectiva formación del capital en la medida mínima prevista por el legislador) y a las correspondientes formas de publicidad, así como a la publicidad requerida para la cancelación del ente que se transforma. En el caso de transformación *de* asociación reconocida o fundación, el acto de transformación deberá ser, por tanto, inscrito en el correspondiente registro de las personas jurídicas.

A todas las transformaciones heterogéneas les es aplicable el art. 2500-*novies* que regula el derecho de «oposición» de los acreedores del ente transformado. En derogación de cuanto dispuesto por el art. 2500.3, la transformación heterogénea tiene efecto tras el plazo de sesenta días desde la última publicación prevista en dicho artículo, salvo que conste el consentimiento de los acreedores o el pago a los acreedores que no hayan consentido y siempre que, durante dicho plazo, ningún acreedor anterior a la inscripción se haya opuesto. Oposición de los acreedores

Se aplica, en este caso, la regulación del art. 2445 en sede de reducción del capital, a la que se reenvía también en sede de fusión (v. §180). El tribunal, en efecto, cuando considere que las razones sobre el perjuicio sufrido por causa de la operación son infundadas, así como cuando se preste a favor de los acreedores garantía idónea, podrá disponer que la transformación tenga lugar a pesar de la oposición.

177. LA FUSIÓN: NOCIÓN, CARACTERES Y ÁMBITO DE APLICACIÓN

La fusión entre varias sociedades puede realizarse mediante la constitución de una nueva sociedad o mediante la incorporación en una sociedad de otra u otras (art. 2501).

Tipos de fusión

En el primer caso (fusión «propia» o «en sentido estricto»), todas las sociedades participantes en la operación se extinguen y de su integración nace una nueva sociedad, cuyas acciones o participaciones se distribuyen entre los socios de las extinguidas, sobre la base de un determinado «tipo de canje», calculado sobre sus respectivas situaciones patrimoniales efectivas. En el segundo caso (fusión «por incorporación»), una de las sociedades participantes (llamada absorbente), sobrevive y engloba a todas las demás que se extinguen (llamadas absorbidas). Los socios de estas últimas reciben, a cambio de la participación ostentada, las acciones o participaciones de la sociedad absorbente según el tipo de canje.

Ello no ocurre cuando la sociedad absorbente posee la totalidad de las cuotas de la absorbida (llamada fusión impropia), en cuyo caso se aplica un procedimiento simplificado (art. 2505, v. §182). Este supuesto se enmarca en el ámbito de las fusiones entre sociedades vinculadas por una relación de control, que se dirigen a reestructurar el «grupo» y plantean particulares problemas de regulación (§§141 y ss.). Es también posible que sea la sociedad participada la que incorpore a la controlante: en este caso se habla de fusión «inversa».

Efectos modificativos y sucesorios

La doctrina observa en la operación de fusión una modificación del acto constitutivo, subrayando que se dirige, esencialmente, a permitir la reorganización de la estructura societaria mediante la recíproca integración de las sociedades participantes en vista de un desarrollo ulterior de la actividad social. La jurisprudencia tiende, sobre todo, a describir la operación en términos de sucesión universal entre entes, a la luz de lo dispuesto en el art. 2504-*bis*, en base al cual «la sociedad que resulta de la fusión o la absorbente asumen los derechos y obligaciones de las sociedades participantes en la fusión, prosiguiendo con todas las relaciones, incluso procesales, anteriores a la fusión». Sin embargo, bien mirado no existe ningún contraste inconciliable entre estas dos: una es proclive a destacar la voluntad de modificación de la relación expresada por los acuerdos y por el acto (escritura) de fusión; la otra resalta los efectos legales producidos por la operación en las situaciones jurídicas subjetivas de las que forma parte la sociedad participante.

Más bien, hemos de precisar que la fusión se perfecciona con la conclusión de un procedimiento complejo articulado en distintas fases (redacción del proyecto de fusión, acuerdo de fusión, acto de fusión), siendo que cada una de ellas engloba la competencia de varios órganos sociales, no tiene asignados plazos precisos y se sujeta a prescripciones rigurosas de forma y publicidad, para la tutela de los múltiples intereses afectados por la operación.

El art. 2501.2 establece que no pueden participar en la fusión las sociedades en liquidación que hayan iniciado la distribución del activo. No hay una prohibición expresa para las sociedades sometidas a procedimientos concursales (v. §171), de modo que es ya posible recurrir a esta operación en el ámbito de las soluciones acordadas para la crisis o insolvencia de la empresa societaria, sobre todo con la finalidad de saneamiento y reestructuración (cfr. arts. 124 y 160 l. fall., allí donde se refieren a «operaciones extraordinarias»).

El ámbito de aplicación de la institución

Por lo que se refiere a las sociedades en liquidación, la prohibición debe considerarse operativa desde el momento en que ha sido aprobado el balance final de liquidación (art. 2493), ya que tras el mismo incumbe a los liquidadores la obligación de solicitar la cancelación de la sociedad en el registro de empresas y el derecho de los socios a la cuota de liquidación deviene intangible, aunque no hayan recibido todavía ningún bien. La fusión podría tener una finalidad meramente liquidadora dirigida a optimizar los resultados y, por ello, no ir acompañada de la «revocación» del estado de liquidación (art. 2487-*ter*).

La revocación debe ser acordada previamente, cuando la fusión está —como ocurre normalmente— destinada a permitir retomar, en una nueva forma, la actividad económica de la sociedad. En tal caso, se plantea el problema de coordinar la operación con la regla de la eficacia diferida de la revocación establecida por el art. 2487-*ter*.2 en garantía de los acreedores (§191).

La fusión transformación

Se debe considerar que pueden participar en operaciones de fusión con sociedades los consorcios, asociaciones, fundaciones y en general todos los entes no societarios, a pesar de la diversidad causal. Al mismo tiempo, debe admitirse —en los límites indicados en la ley— la posibilidad de una fusión entre sociedades lucrativas y sociedades cooperativas. Dado que las fusiones entre sociedades de tipo distinto o entre sociedades y entes no societarios comportan al mismo tiempo una transformación, este tipo de operaciones queda sujeto también a las normas sobre transformaciones «heterogéneas» (art. 2500-*septies* y 2500-*octies*: v. §§175 y 176).

178. FUSIÓN COMO CONSECUENCIA DE ADQUISICIÓN CON ENDEUDAMIENTO

El art. 2501-*bis* establece que «en el caso de fusión entre sociedades, una de las cuales haya contraído deudas para adquirir el control de la otra, cuando por efecto de la fusión el patrimonio de esta última constituye garantía genérica o fuente de reembolso de dichas deudas», se aplica una regulación particular. La reforma ha reconocido, en principio, la admisibilidad del llamado *merger leveraged buy out*, figura de origen anglo-americano conocida desde hace tiempo en la práctica (e igualmente controvertida), dictando una regulación parcial.

Estructura de la operación

Con dicha locución se definen una serie de operaciones jurídicas y financieras, dirigidas a la adquisición del control de una sociedad llamada *target* por parte de otra sociedad, generalmente constituida para la ocasión (*newco*), la cual recurre a fuentes externas de financiación; una vez obtenida una participación mayoritaria, la *newco* procede a la incorporación de la *target*, adquiriendo el patrimonio completo con la consecuencia de que el endeudamiento grava el patrimonio de la sociedad *target,* confundido, tras la fusión, con el de la controlante. La deuda contraída para la adquisición viene pagada, de hecho, con lo obtenido por la enajenación de algunas ramas de empresa de la *target* o destinando a dicho fin los futuros beneficios de la empresa, o mediante la utilización directa del líquido existente en el patrimonio de la *target* y de las correspondientes reservas.

El legislador considera que la operación de «fusión tras adquisición con endeudamiento» puede ser admitida por válidas justificaciones económicas, financieras y empresariales: en tal caso, no habría razón para reputarla *a priori* ilegítima o «en fraude de ley» (art. 1344 y 1418), como se afirmaba, en cambio, anteriormente, a la luz del art. 2358, a fin de tutelar a los socios minoritarios y a los acreedores de la sociedad controlada, sobre cuyo patrimonio se desplaza la carga de las deudas asumidas para la adquisición del control. *El tratamiento legislativo*

La nueva regulación no se ocupa de la fase «inicial» de la operación y, en concreto, no fija con precisión los presupuestos (entidad, características y destino de la financiación) en presencia de los cuales ha de aplicarse. La ley se preocupa, esencialmente, de tutelar a los socios y acreedores en el plano de la información previa a la junta, imponiendo que la documentación sobre la que habrá de adoptarse el acuerdo de fusión contenga todos los elementos adecuados para permitir una ponderada valoración de las razones y de las modalidades de la operación. Ello, a fin de facilitar, por un lado, el ejercicio del derecho de voto y del derecho de impugnación del acuerdo de la junta (art. 2377), eventualmente viciado por conflicto de interés (art. 2373) y/o abuso de mayoría (*cfr.* §§86 y 87), por parte de los socios llamados externos y, por otro lado, el ejercicio del derecho de oposición (art. 2503) por parte de los acreedores sociales.

El art. 2501-*bis* establece de hecho que: *(i)* el proyecto de fusión debe indicar los recursos financieros previstos para la satisfacción de las obligaciones de la sociedad resultante de la fusión, *(ii)* el informe de los administradores del art. 2501-*quinquies* debe indicar las razones que justifican la operación y contener un plan económico y financiero con indicación de la fuente de los recursos financieros, y la descripción de los objetivos que se pretende alcanzar, *(iii)* el informe de los expertos del art. 2501-*sexies* debe atestiguar la razonabilidad de las indicaciones contenidas en el proyecto de fusión. La finalidad de dicha regulación es, evidentemente, la de poner de manifiesto el riesgo de que el endeudamiento pueda minar el equilibrio económico-financiero de la sociedad resultante de la fusión.

A fin de hacer la operación todavía más transparente y controlable, se establece que el proyecto debe ir acompañado de un informe suplementario elaborado por la sociedad de auditoría encargada de la revisión contable obligatoria de la sociedad *target,* y/o de la sociedad adquirente. Además, no se aplican al *merger leveraged buy-out* las simplificaciones del procedimiento previstas en los arts. 2505 y 2505-*bis* para la incorporación de sociedades enteramente participadas o participadas al noventa por ciento.

179. EL PROYECTO DE FUSIÓN Y OTROS DOCUMENTOS PREPARATORIOS

El proyecto de fusión

El procedimiento de fusión se inicia con un acuerdo del órgano de administración de las sociedades participantes, al que corresponde la elaboración del llamado proyecto de fusión, que comprende en un único documento todos los datos fundamentales de la operación.

El contenido de dicho documento está determinado de modo detallado en el art. 2501-*ter*, donde se hallan indicados estos elementos (tipo, razón social y sede de las sociedades participantes; acto constitutivo de la sociedad resultante de la fusión o de la absorbente; tipo de canje y eventual compensación en metálico; modalidades de asignación de las acciones o participaciones, comienzo de los efectos de la fusión; tratamiento eventualmente reservado a ciertas categorías de socios y titulares de derechos especiales distintos de las acciones; tratamiento eventualmente reservado a los administradores) que integran el llamado contenido legal y que no pueden faltar, so pena de invalidez del procedimiento. El proyecto de fusión puede contener, además, otras indicaciones accesorias dirigidas a especificar algunos elementos o a regular determinados efectos de la fusión. Las acciones o participaciones a asignar como «contrapartida» a los socios de las sociedades participantes pueden derivar de un específico aumento de capital acordado *ad hoc* por la absorbente, pero también es posible utilizar a tal fin «acciones propias» poseídas por la misma según el art. 2357 y ss., o acciones o participaciones pertenecientes a socios dispuestos a reducir la propia participación.

El proyecto de fusión no sólo debe ser depositado, junto con los restantes documentos que se indicarán más adelante, en el domicilio de cada una de las sociedades participantes (art. 2501-*septies*), a fin de la sucesiva adopción del acuerdo de fusión, sino que queda sometido también a publicidad legal, mediante la inscripción en el registro de empresas del lugar del domicilio de las sociedades participantes en la fusión. Entre la inscripción del proyecto y la fecha fijada para el acuerdo en relación con la fusión debe transcurrir al menos un mes, salvo que los socios renuncien unánimemente a dicho plazo (art. 2501-*ter*, 3 y 4).

El legislador permite, siquiera dentro de límites muy estrictos, la modificación del proyecto de fusión tras su depósito en el registro de empresas.

La modificabilidad del proyecto de fusión

El art. 2502.2 dispone que «el acuerdo de fusión» puede aportar al proyecto sólo aquellas modificaciones que no incidan en los derechos de los socios o terceros. El poder de modificación corresponde a la junta en las sociedades de capital o en las que tienen estructura corporativa. Sin embargo, este poder no puede afectar a elementos ligados a la posición subjetiva de los socios (por ejemplo, el tipo de canje, las modalidades de asignación de las acciones o participaciones) o de los terceros o de los acreedores (por ejemplo, la sociedad participante y el «tipo» de la sociedad resultante de la fusión) respecto de la sociedad post-fusión, sino sólo aspectos formales, objetivos y «neutrales» (por ejemplo, una modificación de los estatutos sociales de escasa relevancia organizativa). Si, por el contrario, se pretende aportar al proyecto de fusión una modificación sustancial, ello no puede hacerse a menos que se inicie de nuevo el procedimiento.

El proyecto de fusión debe indicar el tipo de canje con el que se establecen los cocientes de sustitución de las acciones o participaciones de las sociedades destinadas a extinguirse por efecto de la fusión con las acciones o participaciones de la sociedad absorbente o resultante de la fusión, atribuidas a los socios en proporción a la participación originariamente ostentada. Éste manifiesta, en definitiva, la medida de la participación «unificada» de los socios de cada sociedad participante. La determinación de tal relación, por otra parte, no se efectúa sobre la base únicamente del «valor contable» del patrimonio neto de las sociedades participantes en la fusión sino que debe tener en cuenta el «valor efectivo» de tales patrimonios (valorando, por tanto, también el fondo de comercio) y surge, generalmente, de la ne-

El tipo de canje

gociación preliminar entre los accionistas de control y los administradores de las sociedades.

Para el caso de que no sea posible asignar a los socios de las incorporadas un número entero de acciones o cuotas, el proyecto de fusión debe indicar, junto al tipo de cambio, la compensación dineraria por el menor valor de la participación en la sociedad resultante de la fusión respecto de la ostentada en la sociedad extinguida. Tal compensación no puede superar el diez por ciento del valor nominal de las acciones o participaciones asignadas (art. 2501-*ter*, 2) a fin de evitar que la operación se resuelva en una adquisición forzosa de las cuotas de los socios y que pueda entrar en conflicto con las obligaciones de indisponibilidad del patrimonio. Sin embargo, este límite desaparece en las fusiones en que no participen sociedades por acciones (art. 2505-*quater*) que están sujetas a un procedimiento simplificado (§182).

Situación patrimonial e informe de los administradores

El art. 2501-*quater* establece, además, que los administradores de las sociedades participantes en la fusión deben elaborar un *estado patrimonial*, observando las normas sobre el balance de ejercicio, referido a una fecha no posterior a los cuatro meses antes de la fecha de depósito del proyecto de fusión en el domicilio social. Ésta puede ser sustituida por el balance de ejercicio (ya aprobado anteriormente o presentado simultáneamente para su aprobación), si no han transcurrido más de seis meses entre el cierre del ejercicio y el depósito. El documento contable sirve, ante todo, al órgano de administración para la elaboración del proyecto y la fijación del tipo de cambio, pero es importante, asimismo, para la tutela informativa de los intereses de los socios y acreedores de las sociedades participantes.

Además de la situación patrimonial, los administradores deben elaborar un *informe* que «ilustre y justifique» los motivos jurídico-económicos de la operación, y que indique los criterios de determinación del tipo de canje (art. 2501-*quinquies*), con referencia al valor —como se ha dicho, «efectivo»— del patrimonio neto de la sociedad resultante de la fusión, señalando, asimismo, las eventuales dificultades de valoración. La importancia de tal documento, a los fines de la información societaria «interna» y «externa», es evidente y constituye la base necesaria, ya sea para la adopción de una decisión plenamente consciente, ya para la constatación de la validez sustancial del acuerdo. En lo que atañe a la sociedad cotizada, se aplica la normativa más detallada y rigurosa del art. 70 del *Regolamento Emittenti*, aprobado por del. Consob n. 11971 de 1999 y correspondientes anexos 3A y 3B.

Por lo que respecta a las sociedades con acciones cotizadas, resulta de aplicación la detallada y rigurosa disciplina informativa del art. 7 *Reg. Emittenti* y los Alegatos 3ª y 3B. El art. 117-bis T.U.F. establece que las operaciones de fusión en las que una sociedad con *acciones no cotizadas* se incorpora a una sociedad con acciones cotizadas se sujetan a la norma del art. 113 T.U.F. (que exige la publicación del«proyecto de cotización»), cuando los activos de la segunda resulten significativamente inferiores a la actividad de la sociedad incorporada. La finalidad de la norma, introducida por la l. 262/2005, es evitar la elusión de la normativa sobre información al público en los supuestos en que la sociedad cotizada incorpore otra sociedad cuya actividad prevalezca sobre la misma, modificando sustancialmente la composición del patrimonio y las características de la actividad y, con ello, el perfil riesgo-rendimiento de las propias acciones negociadas en un mercado regulado.

El art. 2501-*sexies* prevé, asimismo, la necesidad de un *informe sobre la adecuación del tipo de canje*, elaborada por uno o más expertos, elegidos entre los sujetos del art. 2409-*bis* (auditor contable o sociedad de auditoría) en los que se deben indicar el método o métodos seguidos para la determinación del tipo de canje propuesto, los valores resultantes de la aplicación de cada uno de ellos y las eventuales dificultades de valoración. El nombramiento de los expertos debe ser realizado por el tribunal del lugar del domicilio de la sociedad absorbente o resultante de la fusión, si se trata de una sociedad por acciones. Las sociedades participantes, aunque sean «cotizadas» (art. 158 TUF, nuevo texto), pueden solicitar conjuntamente el nombramiento de uno o más expertos comunes. En lo que concierne a las sociedades cotizadas, el experto debe ser designado, en cualquier caso, de entre las sociedades de auditoría.

El informe sobre la adecuación del tipo de canje

Tal informe debe contener, asimismo, un juicio sobre la adecuación de los métodos seguidos y sobre la importancia relativa atribuida a cada uno de éstos en la determinación del cociente adoptado. La ilustración de estos métodos no vincula en ningún modo a las sociedades participantes, pero permite a los socios una valoración crítica y adecuadamente fundada acerca de las condiciones de la operación. La jurisprudencia admite, aún dentro de ciertos límites, la fiscalización del tipo de canje y, en cualquier caso, el experto responde de los daños causados a las sociedades participantes, a los socios y a terceros, además de estar sujeto a las sanciones previstas por el art. 64 c.p.c. para el consultor técnico de oficio (art. 2501-*sexies*, 6).

Estimación pericial ex art. 2343

En los casos de absorción de una sociedad personal o, en general, de fusión heterogénea entre sociedades de personas y sociedades de capital, ha de elaborarse una estimación pericial a la estela del art. 2343 (§§53 y 153). Por razones de simplificación del procedimiento, la labor de redacción de este informe se atribuye, según la normativa en materia de aportaciones de bienes *in natura* y de créditos y a fin de garantizar la efectiva formación del capital de la sociedad naciente de la fusión, a los mismos expertos encargados del informe sobre la adecuación del tipo de canje (art. 2501-*sexies*, último párrafo).

La publicidad de los actos preparatorios

Las situaciones patrimoniales de las sociedades participantes, el informe de los administradores y el informe de los expertos, además del proyecto de fusión y los balances de los últimos tres ejercicios, han de quedar depositados en los domicilios de las sociedades participantes en la fusión durante los treinta días que preceden a la junta que ha de pronunciarse sobre la misma, salvo que los socios unánimemente renuncien a este plazo (art. 2501-*septies*). Éstos tienen derecho de acceso a dichos documentos y a obtener copias gratuitas de los mismos.

180. EL ACUERDO DE FUSIÓN

Una vez cumplidas las formalidades *supra* descritas, el proyecto de fusión debe ser sometido a la aprobación de las sociedades participantes según las reglas procedimentales para cada una. En ello consiste el contenido legal típico del «acuerdo de fusión» del art. 2502. Si una de las sociedades participantes aporta modificaciones al proyecto (en los límites ilustrados en el §179), las otras sociedades deberán aprobar naturalmente el proyecto de fusión de acuerdo al nuevo texto, cuando sea necesario, con un acuerdo complementario.

Acuerdos de fusión

Para las sociedades de personas, la ley prevé la posibilidad de adoptar el acuerdo de fusión por la mayoría de socios determinada según la parte atribuida a cada uno en los beneficios, derogando lo dispuesto en el art. 2252 y sin necesidad de una previa modificación del acto constitutivo. Queda a salvo, sin embargo, el derecho de separación del socio disidente.

Para las sociedades de capital, sin embargo, el acuerdo de fusión debe ser adoptado según las normas previstas para la modificación del acto constitutivo o de los estatutos y, por tanto, con acuerdo de la junta extraordinaria. Si la operación acordada por una sociedad cotizada implica la asignación de acciones no cotizadas, los accionistas disidentes tienen derecho de separación, según el art. 2437-*quinquies* (§164).

El procedimiento de fusión debe tener en consideración, además, en las sociedades por acciones, la presencia de poseedores de obligaciones ordinarias y convertibles (v. §§64 y 70), según lo previsto en el art. 2503-*bis*. Los obligacionistas pueden oponerse, según el art. 2503, salvo cuando la fusión haya sido aprobada por la correspondiente asamblea en los términos del art. 2415. Éstos pueden emplear dicho remedio sólo *uti singuli* y en ausencia de un acuerdo colectivo conforme que tiene un efecto preclusivo de la oposición.

La tutela de los obligacionistas

En lo que concierne a los titulares de obligaciones convertibles, el art. 2503-*bis*.2 impone la publicación de un «*Avviso*» en la *Gazzeta Ufficiale*, al menos noventa días antes de la inscripción del proyecto de fusión en el registro de empresas: y ello, a fin de informarles del contenido del proyecto de fusión y de permitir la conversión anticipada de las obligaciones en acciones en el plazo de un mes desde la publicación del *Avviso*. A los obligacionistas que no hayan ejercitado la facultad de conversión se les deben garantizar «derechos equivalentes» a los que les corresponden sobre los títulos de la sociedad participante en la fusión, siempre que la modificación de sus derechos no haya sido aprobada por la correspondiente junta.

Si la sociedad resultante de la fusión es distinta de la s.p.a. o de la s.a.p.a., la operación no puede ser realizada si no es tras la extinción anticipada del préstamo obligacional o la conversión del mismo en un préstamo ordinario, lo que requiere el consentimiento (según algunos unánime) de los obligacionistas, puesto que no se trata de una simple «modificación de las condiciones» del préstamo. Es frecuente, sin embargo, la inserción de las llamadas cláusulas de rescate en la regulación de los préstamos con las cuales la sociedad emisora se reserva la facultad de la extinción anticipada.

El *acuerdo* de fusión de las sociedades de capital y de las sociedades cooperativas, dado que constituye una modificación estatutaria, debe ser

Control y publicidad

sometido al control notarial de legalidad, según el art. 2436; no es así, por el contrario, en las sociedades personalistas, a menos que la sociedad resultante de la fusión (transformación) sea una sociedad de capital o una sociedad cooperativa (art. 2502-*bis*).

Posteriormente, el acuerdo de fusión debe ser depositado para su inscripción en el registro de empresas del domicilio de las sociedades participantes junto con los documentos del art. 2501-*septies*.

Oposición de los acreedores

En los dos meses posteriores al cumplimiento de tales formalidades, los acreedores cuyos créditos hayan nacido antes de la inscripción del proyecto de fusión en el registro de empresas prevista en el art. 2501-*ter*.3 (v. §179) pueden ejercer el derecho de oposición, iniciando un proceso judicial ordinario frente a la sociedad. En tal caso, se aplica el art. 2445, dictado en sede de reducción de capital (v. §161), y el tribunal, no obstante la oposición, podrá disponer que la fusión tenga lugar igualmente, si considera que el peligro de perjuicio es infundado o si la sociedad presta una adecuada garantía al oponente. La fusión no podrá, por tanto, ser realizada antes de dicho plazo, salvo que conste el consentimiento de los acreedores «anteriores», el pago de los acreedores disidentes, o el depósito de las correspondientes sumas en una entidad financiera.

El interés tutelado es el de la conservación de la garantía patrimonial, que podría quedar comprometida por la fusión con otra sociedad en situación de grave desequilibrio patrimonial o financiero o sujeta a riesgo de pasivos sobrevenidos. El art. 2503, sin embargo, llega a sacrificarlo cuando el informe del art. 2501-*sexies* sea redactado para todas las sociedades por una misma sociedad de auditoría que confirme, bajo su propia responsabilidad, que la situación patrimonial y financiera de las participantes en la fusión no hace necesarias garantías para la tutela de dichos acreedores.

181. EL ACTO DE FUSIÓN Y SUS EFECTOS

El procedimiento de fusión concluye con la estipulación de la escritura pública de fusión (art. 2504) en la que intervienen los representantes legales de las sociedades participantes.

La obligación de los órganos de administración en esta fase tiene carácter esencialmente *ejecutivo* de los acuerdos adoptados por las sociedades, cuyo contenido no pueden modificar. Se considera, sin embargo, que los administradores de las sociedades participantes conservan un margen, siquiera estrecho, de discrecionalidad de gestión, pudiendo (e, incluso, debiendo) abstenerse de proceder a la fusión ante cambios excepcionales sobrevenidos de las circunstancias y condiciones de la operación.

Conclusión del acto y la publicidad

Tras la estipulación, la escritura de fusión debe ser depositada —por el notario otorgante o los administradores de la sociedad resultante— para su inscripción en el registro de empresas de los domicilios de las sociedades participantes y la absorbente o resultante de la fusión. El art. 2504.3 precisa que este último cumplimiento no puede preceder al depósito relativo a las otras sociedades participantes en la fusión: lo que se explica a la luz del hecho de que, según el art. 2504-*bis*.2, los efectos de la fusión comienzan tras la última de las inscripciones prescritas en el art. 2504 y que la ejecución de las formalidades de publicidad sirve para sanar eventuales vicios de la operación, según el art. 2504-*quater*.

El efecto legal fundamental de la fusión es el sucesorio «universal». La sociedad que resulta de la fusión (o la sociedad absorbente) asume derechos y obligaciones de las sociedades participantes, las cuales se extinguen (con la excepción de la sociedad absorbente) y prosigue en todas sus relaciones anteriores a la fusión (art. 2504-*bis*.1): también en las procesales, con la consecuencia de que ya no determina la interrupción de los juicios en curso (art. 300 c.p.c.).

El efecto de la fusión

La fusión produce efectos *erga omnes* —como se decía—, a partir del momento en que la escritura de fusión se deposita para su inscripción en el registro de empresas del domicilio de la sociedad absorbente o resultante de la fusión. En la fusión por incorporación, sin embargo, tales efectos pueden ser post-datados respecto de este momento, mediante la inclusión de un «plazo inicial»: ello a diferencia de la fusión por constitución, en la que la formación inicial del capital social y la exigencia de asegurar la imputación de la responsabilidad patrimonial, se oponen a la postergación de la eficacia de la fusión.

Mientras que no es posible —por motivos de tutela de la confianza y de la certeza del tráfico jurídico— retrotraer los efectos «reales» de la fusión, se admite la inserción en la escritura de fusión ya sea: *(i)* de cláusulas llamadas

Las cláusulas de retroactividad

de retroactividad contable, en virtud de las cuales las operaciones de las sociedades participantes pueden ser imputadas al balance de la absorbente o resultante de la fusión desde una fecha anterior a la de la inscripción de la escritura, *(ii)* de cláusulas de comienzo de la percepción de los beneficios, con las cuales se anticipa el momento desde el que las acciones o participaciones asignadas en sustitución de las de la sociedad que se extingue por efecto de la fusión dan derecho a participar en los resultados de la absorbente o resultante de la fusión (art. 2504-*bis*.3 y 2501-*ter*, núms. 5 y 6).

El balance postfusión

El legislador establece, asimismo, en el art. 2504-*bis*.4, que en el primer balance de la sociedad tras la fusión, las partidas del activo y del pasivo deben calcularse conforme a los valores resultantes de las escrituras contables en la fecha de eficacia de la fusión misma; que el eventual «retroceso» de la fusión (derivado de la diferencia entre el valor contable de la participación ostentada en la absorbida y el valor del patrimonio neto transferido a la absorbente) deba ser imputado a los elementos del pasivo y del activo de las participantes y, para la diferencia, en el fondo de comercio, respetando las condiciones previstas en el art. 2426, n.6, y que, por el contrario, el eventual «avance» deba ser inscrito en una partida *ad hoc* del patrimonio neto o (cuando se deba a la previsión de eventos económicos desfavorables) entre los fondos para riesgos y cargas.

Fusión y transformación de sociedades de personas

Cuando la sociedad absorbente o resultante de la fusión sea una sociedad «abierta», deben incorporarse al balance de ejercicio además los documentos contables que indiquen los valores atribuidos al activo y pasivo de las sociedades participantes en la fusión y el informe del art. 2501-*sexies*.

Por lo que se refiere a las fusiones que conllevan una modificación del tipo societario, se ha introducido una norma similar a la existente en sede de transformación (art. 2500-*quinquies*: v. §172), según la cual, en el caso de fusión realizada mediante una nueva sociedad de capital o mediante la incorporación en una sociedad de capital, los socios que tengan responsabilidad ilimitada no quedan liberados de sus respectivas obligaciones sociales anteriores a la fecha de eficacia de la operación, si no resulta que los acreedores han dado su consentimiento (art. 2504-*bis*, último párrafo).

Fusión y regulación de las acciones propias

El art. 2504-*ter*, a fin de evitar que la fusión pueda transgredir o eludir la prohibición de suscripción de acciones propias (art. 2357-*quater*), establece que la sociedad absorbente y la sociedad resultante de la fusión no pueden asignar acciones o participaciones en sustitución de las de las sociedades incorporadas o participantes poseídas por las mismas sociedades, aún a través de sociedades fiduciarias o personas interpuestas.

Una vez cumplidas todas las formalidades de publicidad prescritas en el art. 2504, no es posible declarar la ineficacia de la escritura de fusión, aunque queda a salvo el derecho de resarcimiento que corresponde a los socios y terceros afectados por la operación.

Invalidez de la fusión y publicidad sanatoria

La previsión del art. 2504-*quater* constituye el arquetipo de la moderna tendencia legislativa a salvaguardar la estabilidad de las modificaciones estructurales de la sociedad, postergando la tutela de los intereses eventualmente perjudicados por la operación desde el punto de vista «real» de la ineficacia, al plano «obligatorio» de la responsabilidad (v. §§87 y 171). Ésta da lugar, por otra parte, a ciertas dudas interpretativas, ya sea en relación con los sujetos pasivos a los que puede ser imputada la obligación resarcitoria (la sociedad resultante, los miembros de los órganos de administración y de control, el socio de control), ya sea en relación con la coordinación entre el remedio de la impugnación de los acuerdos de fusión y el ejercicio de la acción (individual) de responsabilidad. A falta de un procedimiento cautelar que suspenda los efectos de los acuerdos de fusión o que inhiba la inscripción de la escritura de fusión en el registro de empresas, se verificará inevitablemente el efecto «sanador» de la publicidad.

Por otro lado, siempre que la estructura societaria naciente de la fusión resulte viciada por graves vicios de forma o contenido, comprendidos en la enumeración taxativa del art. 2332, debería declararse igualmente la nulidad del acto (escritura) con efectos *ex nunc* y el simultáneo nombramiento de los liquidadores.

182. EL PROCEDIMIENTO ABREVIADO DE FUSIÓN

El legislador prevé una regulación simplificada del procedimiento de fusión en algunos supuestos en los que el cumplimiento de determinadas formalidades puede ser salvado, sin peligro para los intereses afectados por la operación.

El art. 2505 dispone que para la absorción de una sociedad en otra que ya posee todas las acciones o participaciones, no es necesario determinar

Absorción de sociedad enteramente poseída

en el proyecto de fusión en tipo de cambio, las modalidades de asignación de las acciones o participaciones y el plazo para participar de los resultados. No se ha de depositar el informe del órgano de administración ni el de los expertos en la forma prescrita por los arts. 2501-*quinquies* y *sexies*. La posesión de la totalidad del capital social excluye, en efecto, la presencia de socios de minoría, por así decirlo, «externos» al grupo de control y, por ello, necesitados de tutela especial desde el punto de vista sustancial y de la información.

La ley permite, asimismo, aunque subordinadamente a la previsión de una cláusula de los estatutos o del acto constitutivo, que la fusión sea acordada por los *órganos de administración* de las sociedades participantes y no por los socios. Se efectúa, así, una traslación de competencia del órgano asambleario, institucionalmente llamado a acordar las modificaciones organizativas de las sociedades, al órgano de administración, que incide de forma relevante sobre la estructura de poder de la controlante (-absorbente).

La tutela de los socios de minoría

El problema es la tutela de los socios de minoría de la sociedad absorbente, que quedan excluidos en la decisión de la fusión (art. 2502). Ahora bien, precisamente en relación con esta exigencia, el art. 2505.2 impone que se respeten, de todos modos, las disposiciones del art. 2501-*ter* sobre la formación y publicidad del proyecto de fusión y (exclusivamente para la sociedad absorbente) del art. 2501-*septies*, sobre las obligaciones de información societaria «interna». A ello ha de añadirse que los socios que representen al menos el cinco por ciento del capital de la sociedad absorbente pueden solicitar, en cualquier caso, que el acuerdo sea adoptado de conformidad con las reglas ordinarias de atribución de competencias (art. 2505.3).

Absorción de sociedad poseída al 90 por ciento

La nueva normativa contempla, asimismo, el supuesto de la fusión por incorporación de sociedad poseída, al menos, al noventa por ciento por la sociedad absorbente (art. 2505-*bis*).

En este caso no se requiere el informe de los expertos, siempre que a los socios minoritarios se les otorgue la posibilidad de salir de la sociedad, evitando así sufrir la aplicación de un tipo de canje desfavorable, que podría conllevar una disminución del valor económico y corporativo de su participación social. La tutela de *exit* se realiza, en este caso, no mediante un verdadero y propio derecho de separación, sino atribuyendo a éstos el «derecho de hacer adquirir sus acciones o participaciones a la sociedad absorbente», que parece poder reconducirse a la figura de la opción de venta (el llamado *put*) frente a la sociedad por un precio determinado *a la estela* de los criterios previstos para la separación. También en este caso, por otra parte, el legislador permite —siempre de forma subordinada a la existencia de previsión estatutaria— derogar la competencia de la junta de la absorbente, previendo que el acuerdo de fusión pueda ser adoptado por el órgano de administración.

Hay que decir, finalmente, que para las fusiones en las que no participen sociedades con capital representado por acciones (s.p.a., s.a.p.a. y sociedades cooperativas por acciones), el art. 2505-*quater* dispone simplificaciones procedimentales importantes, en derogación de la regulación ordinaria.

Otras simplificaciones procedimentales

Tales derogaciones conciernen, en síntesis: *(i)* a la posibilidad de proceder a la fusión, incluso para las sociedades en liquidación que hayan iniciado la distribución del activo, *(ii)* a la posibilidad de prever compensaciones en dinero superiores al diez por ciento de las cuotas asignadas, *(iii)* a la posibilidad de omitir el informe de expertos con el consentimiento de todos los socios de las sociedades participantes en la operación, *(iv)* la reducción de los plazos prescritos para la realización de las distintas fases de la operación.

183. LA ESCISIÓN: NOCIÓN Y CARACTERES

La escisión consiste en la transferencia (la nueva ley prefiere hablar de «asignación») de activo y pasivo de la sociedad «escindida» a una o más sociedades preexistentes o de nueva creación previendo, generalmente, la atribución a los socios de la primera de las acciones o participaciones de las sociedades «beneficiarias», en proporción al valor del patrimonio neto asignado.

La operación de escisión, según el art. 2506.1, puede asumir dos formas distintas. Se habla de escisión «total» (o «propia») cuando la sociedad escindida asigna *su entero patrimonio* a favor de dos o más sociedades preexistentes o de nueva creación y simultáneamente se extingue, dando lugar a un fenómeno de disolución (—extinción) «sin liquidación» (art. 2506.3). Se

Formas de escisión

habla, por el contrario, de escisión «parcial» cuando la sociedad escindida transfiere *sólo una parte de su patrimonio* a favor de una o más sociedades preexistentes o de nueva creación y, por tanto, sobrevive a la operación.

La escisión puede, por tanto, dar lugar a la constitución unilateral de una nueva sociedad y, por cuanto se dirá a continuación, esta última puede también tener naturaleza «unipersonal». Además, puede conllevar el cambio del tipo de la sociedad escindida (escisión llamada heterogénea): en cuyo caso hay que aplicar la regulación de la transformación (art. 2500-*septies* y 2500-*octies*, §§170 y ss).

Escisión y
segregación

Las operaciones de escisión parcial se distinguen netamente de las llamadas segregaciones que consisten en la aportación de una rama de empresa u otros establecimientos a favor de otra sociedad, a cambio de la suscripción o adquisición de las acciones emitidas por ésta, o de sus participaciones. En estas operaciones, las participaciones en la sociedad «receptora» son adquiridas, de hecho, por la sociedad «aportante» y quedan sometidas, por ello, a las reglas de administración del patrimonio social, cuando en la escisión las acciones o participaciones de las beneficiarias están destinadas —al menos en teoría— a ser adquiridas directamente por los socios de la sociedad escindida, en proporción a la participación poseída.

Compensación
en dinero y
derecho de
enajenación

El art. 2506.2 permite, sin embargo, también para la escisión, la previsión de una compensación en dinero siempre que no sea superior al diez por ciento del valor nominal de las acciones o participaciones atribuidas, y contempla además la posibilidad de que, con el consentimiento unánime de los socios, a algunos de ellos no se les atribuyan acciones de una de las sociedades beneficiarias, sino acciones de la sociedad escindida. Ello debería facilitar el camino para alcanzar acuerdos internos entre socios. A ello ha de añadirse que el legislador de la reforma ha suprimido el derecho del socio de optar por la *participación proporcional* en todas las sociedades participantes en la operación y en su lugar ha introducido una técnica de tutela más flexible en el art. 2406-*bis*.4.

En el caso de que el proyecto prevea una atribución «no proporcional» de las acciones o participaciones de las sociedades beneficiarias, debe ser concedida al socio disidente la facultad de enajenar la propia cuota a favor de determinados sujetos, indicados previamente en el mismo proyecto, por una cantidad determinada *a la estela* de los criterios previstos para la separación (art.2437-*ter*). La nueva regulación pone, por tanto, al socio frente a una alternativa bien precisa y definitiva: o sale de la sociedad, ejercitando la opción de venta que se le ha de conceder, o se queda en el ente societario resultante de la escisión en las condiciones establecidas en el proyecto.

En lo que concierne a la naturaleza de la operación de escisión, pueden proponerse —siquiera en parte— las consideraciones ya desarrolladas en sede de fusión, dadas las evidentes afinidades estructurales. Se trata, en efecto, de una modificación del acto constitutivo dirigida a realizar una profunda reorganización de las sociedades participantes y se acompaña, en la escisión «parcial», de efectos traslativos especiales; y en la escisión «total» por un efecto sucesorio sujeto a reglas especiales.

> Estructura y efectos de la operación

Parece por tanto correcto definir la escisión como «fusión a la inversa» sólo cuando comporta la *extinción de la sociedad escindida* como consecuencia de la constitución, por acto unilateral, de nuevas sociedades o de la asignación de la totalidad del patrimonio a favor de sociedades preexistentes, las cuales deberán acordar, eventualmente, un aumento de capital (escisión *total*). No, evidentemente, cuando la sociedad escindida sobrevive a la operación (escisión *parcial*).

184. EL PROCEDIMIENTO DE ESCISIÓN

El procedimiento de escisión calca el procedimiento de fusión en la estructura y en la articulación, y se regula en los arts. 2506-*bis* y 2506-*ter* por virtud de las remisiones (parciales o totales) a las disposiciones en sede de fusión. Conviene, por tanto, concentrar la atención sobre los elementos que diferencian al procedimiento de escisión respecto del de fusión, remitiendo para los restantes a lo expuesto anteriormente.

El primer y más importante aspecto distintivo concierne al *contenido* del proyecto de escisión, que debe comprender —además de los datos indicados en el art. 2501-*ter*- la descripción exacta de los elementos patrimoniales que hay que transferir o asignar a cada una de las sociedades beneficiarias y de la eventual compensación dineraria. A propósito, hay que señalar que la atribución de la escindida en favor de las beneficiarias puede tener por objeto, ya sea bienes determinados, ya sea un conjunto de bienes en sentido funcional, ya sea una parte del patrimonio individualizada de otra manera. En nuestro ordenamiento, la escisión no comporta

> El proyecto de escisión

necesariamente la transferencia de ramas de empresa a las que pertenezcan los correspondientes créditos, deudas y relaciones contractuales (art. 2558, 2559 y 2560), sino que puede concernir también a activos y pasivos ajenos a los complejos empresariales eventualmente transferidos.

Elementos del activo y del pasivo

El art. 2506-*bis*.2 y 3 dicta pues una regulación *supletoria* del «destino» de los elementos del activo y del pasivo, para los supuestos en que el proyecto de escisión no prevea nada al respecto.

En relación con los primeros, se establece que, en caso de escisión total, éstos deben ser repartidos entre las sociedades beneficiarias en proporción a la cuota del patrimonio neto transferido a cada una de ellas y que, en caso de escisión parcial, sigan siendo propiedad de la sociedad escindida. En relación con los elementos del pasivo se impone —para mayor garantía de los acreedores— la regla de la responsabilidad solidaria: en caso de escisión total, de todas las beneficiarias y, en caso de escisión parcial, de la sociedad transferente y las beneficiarias.

El informe de los administradores

En lo que se refiere a la plenitud de la documentación preparatoria del acuerdo de escisión, el art. 2506-*ter*.2 precisa que el informe del órgano de administración —además del contenido indicado en el art. 2501-*quinquies*- debe ilustrar los criterios de distribución de las acciones o participaciones de las sociedades beneficiarias e indicar el valor efectivo del patrimonio neto asignado a éstas y el que, en su caso, permanece en la sociedad escindida. A propósito, debe observarse que en las operaciones de escisión hay que proceder, normalmente, a la determinación de tantos tipos de canje como sociedades beneficiarias; la excepción la constituye la escisión parcial con transferencia a favor de una sola beneficiaria (aquí el tipo de cambio es único).

Informe sobre el canje y valoración estimativa

El informe de los expertos sobre la adecuación del tipo de canje (art. 2501-*sexies*) puede ser omitido, en caso de escisión (total o parcial), mediante la constitución de una o varias nuevas sociedades siempre que no se prevean criterios de atribución de las acciones o participaciones distintos del proporcional (art. 2506-*ter*.3), ya que en este caso los socios de la sociedad escindida mantienen invariada su participación en las sociedades resultantes de la escisión y quedan a salvo de cualquier perjuicio patrimonial.

Asimismo, el reenvío limitado al art. 2501-*sexies* hace que el art. 2343, en sede de valoración de aportaciones *in natura*, encuentre aplicación sólo cuando la sociedad que se escinde sea una sociedad de personas y la transferencia resulte en beneficio de una sociedad de capital. Ello es así, dado que la efectividad del capital de las sociedades personalistas se protege de modo menos riguroso que en las sociedades por acciones y de responsabilidad limitada (piénsese en la regulación del balance y de las operaciones sobre el capital), y hay, asimismo, que asegurar la cobertura real en las sociedades beneficiarias.

Con el consentimiento unánime de los socios y de los poseedores de otros instrumentos financieros que dan derecho de voto en las sociedades participantes en la escisión, el órgano de administración puede ser, sin embargo, exonerado de la predisposición de la situación patrimonial, del informe explicativo y del informe de los expertos (art. 2506-*ter*.4). Ello conlleva una simplificación notable del procedimiento en las operaciones que conciernen a sociedades con pocos socios.

Hay que señalar, asimismo, que el art. 2506-*ter*.5, reenviando al art. 2505 hace ahora aplicables a la escisión las simplificaciones previstas en él, en relación con el procedimiento de fusión por incorporación de sociedades enteramente poseídas.

Al depósito de los actos en la sede social ha de seguir el «acuerdo» de aprobación del proyecto de escisión por parte de todas las sociedades participantes, simultáneamente al cual deberán adoptarse también las eventuales operaciones de aumento y reducción del capital *ad hoc* de la operación misma.

El acuerdo de escisión

A este respecto, hemos de distinguir la posición de la sociedad escindida de las sociedades beneficiarias. Respecto de la primera, en caso de escisión total, dado que existirá disolución y extinción sin previa liquidación, no habrá que proceder a modificar el capital; en caso de escisión parcial, la sociedad escindida deberá, en cambio, reducir el capital en medida proporcional al valor de las actividades patrimoniales transferidas a las beneficiarias, salvo que existan reservas disponibles para ser utilizadas a tal fin. En relación con las sociedades beneficiarias —si son preexistentes— se hará necesario un aumento de capital con emisión de nuevas acciones o asignación de participaciones a los socios de la sociedad escindida, en base al tipo de canje, a menos que éstas no ostenten en su patrimonio acciones propias en medida suficiente para satisfacer el derecho de los socios de la sociedad escindida.

Forma y estructura del acto de escisión

Tras la aprobación del o de los acuerdos de escisión, los órganos de administración de las mismas deben estipular en forma pública la escritura de escisión. Ésta presenta una estructura *plurilateral* en caso de transferencia del patrimonio a favor de sociedades preexistentes, estructura *unilateral* en caso de asignación del patrimonio exclusivamente a favor de sociedades de nueva constitución, que tienen origen, precisamente, en el acto de escisión total o parcial, que modifica el contrato social, fraccionando la originaria unidad de la organización y del sujeto colectivo.

Efectos de la escisión y responsabilidad

La regulación de la escisión no remite al art. 2504-*bis* que impone la regla descrita *supra* (v. §177) de la sucesión universal entre entes. Las sociedades beneficiarias subentran, de hecho, en los derechos, obligaciones y relaciones pertenecientes a la sociedad escindida, no indiscriminadamente sino de forma singular y en los términos establecidos por el proyecto de escisión. Ello, no obstante, por lo que se refiere al pasivo, el art. 2506-*quater*.3 establece —prescindiendo de las previsiones negociales— que cada sociedad deviene, por efecto de la escisión, solidariamente responsable de las deudas de la sociedad escindida que no hayan sido satisfechas por la sociedad a la que corresponden «en los límites del valor efectivo del patrimonio neto a ella asignado».

Asimismo, cuando la escisión afecta a la circulación de un conjunto productivo, se plantea el problema de la aplicación, al menos por vía analógica, de algunas normas en materia de transmisión de empresa y, en particular, de aquéllas que conciernen a la prohibición de competencia del enajenante y el subingreso del adquirente en las relaciones contractuales en curso (art. 2557 y 2558).

Publicidad de la escisión

La escisión, según el art. 2506-*quater*, produce efectos desde la última de las inscripciones del acto de escisión en el registro de empresas en que están inscritas las sociedades beneficiarias. También para la escisión se puede establecer una fecha de eficacia posterior a este momento, indicando un plazo «inicial», salvo para los supuestos de constitución de sociedades nuevas, en que la formación inicial del capital social y la exigencia de asegurar la imputación de la responsabilidad patrimonial obstan a la postergación de la eficacia de la escisión.

Cualquiera de las sociedades beneficiarias puede cumplir con las formalidades de publicidad relativas a la sociedad escindida (art. 2506-*quater*.2), además de esta última, naturalmente, cuando sobreviva a la operación.

Una vez cumplidas, el acto de escisión no puede ser invalidado (art. 2504-*quater*, al que reenvía el art. 2506-*ter*), quedando a salvo el derecho de los sujetos perjudicados a exigir responsabilidades a la estela de lo previsto en sede de fusión (art. 2504-*quater*, v. §181).

Capítulo XI
Disolución y liquidación

Andrea Paciello

185. OBJETO Y SIGNIFICADO DE LA REGULACIÓN

Los arts. 2484 y siguientes regulan el momento conclusivo de la vida de las sociedades de capital: la disolución y la fase de liquidación representan los pasos indispensables para que el conjunto de la inversión de los socios a título de capital de riesgo pueda ser realizado.

La función e inderogabilidad del procedimiento de liquidación hallan su justificación histórica en la autonomía patrimonial perfecta y en la consiguiente exigencia de asegurar la plena tutela a los acreedores, cuya garantía está constituida exclusivamente por el patrimonio social. La liquidez adquirida con la enajenación de los activos de la sociedad deberá ser utilizada —en aplicación del principio según el cual el socio es postergado respecto de los acreedores sociales— ante todo, para pagar íntegramente a los acreedores, de modo que los socios sólo podrán ser remunerados con el activo residual proporcionalmente a la parte del capital social poseída, salvo disposición en contra de los estatutos (art. 2350.1 y 2468.2).

Como se verá, por otra parte, la entera fase está regulada sobre el presupuesto de que el interés predominante, a pesar de estar filtrado por el principio de la prioritaria satisfacción de los acreedores, es el de los socios, a quienes se reconoce —a diferencia de lo que, en apariencia, permite el legislador para la s.p.a. en la fase activa y a pesar de que la responsabilidad del órgano de gestión se regula de forma análoga— un amplio poder de intervención en la gestión liquidatoria, dirigida a realizar el máximo valor

La completa
desinversión

posible a través de la enajenación del conjunto del patrimonio, antes destinado a desarrollar una función productiva generadora de riqueza.

186. LAS CAUSAS DE DISOLUCIÓN

La sociedad se disuelve tras la verificación de uno de los siguientes eventos (art. 2484.1): (1) el transcurso del plazo de duración de la sociedad;
(2) la consecución del objeto social o la imposibilidad sobrevenida de alcanzarlo, salvo que la junta convocada inmediatamente al efecto acuerde
las oportunas modificaciones estatutarias; (3) imposibilidad de funcionamiento o la continua inactividad de la junta; (4) la reducción del capital
social por debajo del mínimo legal, salvo lo dispuesto en los artículos 2447
y 2482-*ter*; (5) la oposición exitosa de los acreedores a la reducción del
capital adoptada para el reembolso de las acciones de los socios en los supuestos previstos en los art. 2437-*quater* y 2437; (6) la verificación de las
restantes causas previstas por el acto constitutivo y los estatutos.

El art. 2484.2 dispone, asimismo, que la sociedad se disuelve en los restantes supuestos previstos por la ley y que en tal caso se aplica la regulación
«general» en cuanto sea compatible.

El transcurso del plazo

La previsión de un plazo de duración es una decisión relativa a la organización societaria que incumbe a la iniciativa privada y delimita, siquiera
indirectamente, el grado de riesgo de la inversión programado por los socios en aquella específica actividad económica. Se comprende, por tanto,
la razón por la cual la expiración del plazo produce la disolución y los consiguientes efectos legales y por qué la ley, siquiera con norma derogable,
reconoce a los socios que no hayan concurrido a acordar la prórroga del
plazo originariamente previsto el derecho de separación. Derecho, por otra
parte, que corresponde a *todos* los socios en el caso de que la sociedad lo sea
por tiempo indeterminado y no tenga acciones cotizadas en un mercado
regulado (v. §164).

La disolución voluntaria

El principio de libertad de iniciativa económica justifica, tanto la previsión de la disolución anticipada como la facultad de insertar en los estatutos ulteriores causas de disolución. La sociedad, por tanto, es libre de
decidir cuándo ha de concluir la actividad económica activando la fase de
la liquidación: en las sociedades que no recurren al mercado de capital de

riesgo, el poder de la mayoría está sujeto sólo a los quórum más elevados previstos para los acuerdos de especial relevancia (art. 2369.5 sobre el cual v. §81), no siendo el mérito del acuerdo de disolución anticipada censurable, en principio.

Aunque agrupados bajo el mismo mecanismo procedimental, los supuestos de imposibilidad sobrevenida del objeto y de su consecución asumen funciones diversas: la disolución derivada de imposibilidad sobrevenida de realizar el objeto social, que debe ser absoluta y definitiva, puede hallar justificación en el interés del ordenamiento en eliminar del mercado a la empresa cuya actividad no se pueda útilmente realizar. En el caso de consecución del objeto social, por el contrario, la disolución se fundamenta en el agotamiento de la función económica respecto de la actividad originariamente programada. Así, el legislador selecciona, graduándolos, los intereses en juego, mostrando su *favor* hacia la conservación del ente. El efecto disolutivo, de hecho, podrá ser impedido mediante un acuerdo de la junta extraordinaria, convocada con prontitud por los administradores, que deberá modificar el objeto social, o adoptar otras medidas necesarias para restablecer la consecución del objeto. *Imposibilidad del objeto*

En cuanto a las pérdidas que disminuyan el capital social en la medida prevista en el art. 2447 por debajo del mínimo legal, la disolución se justifica con la función de selección tipológica del capital mínimo en las sociedades de capital lucrativas. También en este caso está previsto el remedio descrito precedentemente: para evitar que se produzca la disolución, la junta puede acordar, sin tardanza, ya sea determinadas operaciones sobre el capital (reducción e inmediato aumento al mínimo legal), ya sea la transformación (previa reducción del capital) y, en fin, fusiones o escisiones por las que las pérdidas resulten absorbidas o devengan irrelevantes *ex* art. 2447. *Reducción del capital*

En el plano estrictamente conceptual, las causas de disolución hasta ahora recordadas parecen reconducibles a un desinterés en la continuación de la empresa, en la mayor parte de las ocasiones debido a la obtención de resultados económicos inferiores a los esperados, a lo que se añade la valoración de la no conveniencia de aportar nuevos recursos financieros.

Incluso los supuestos de imposibilidad de funcionamiento de la junta o de una continuada inactividad son representativos de un desinterés del socio: en el caso de la inactividad continuada de la junta, este desinterés *Disfunciones de la junta* puede ser incluso presupuesto, mientras que el hecho de que la junta se reúna sin ser capaz de adoptar acuerdos hay que imputarlo generalmente a un conflicto entre socios y, por tanto, a la incapacidad de hacer prevalecer el interés común o de buscar directrices comunes para realizarlo. La falta de inclusión de la imposibilidad de funcionamiento del órgano de administración, que puede producir mayores consecuencias sobre el funcionamiento del ente, no puede hacer pensar que su parálisis sea irrelevante, sino que dicho supuesto —cuando no se sobreponga a la situación examinada— es reconducible a la imposibilidad de conseguir el objeto social.

Volviendo al funcionamiento de la junta, hay que subrayar que hoy es más marcada, si bien sólo en las s.p.a. (art. 2369.4), la distinción entre acuerdos llamados necesarios y acuerdos cuya falta de adopción no debería producir efectos relevantes sobre la organización, donde más probablemente se confirma la orientación que limitaba la aplicación de la norma examinada a la falta de adopción de los acuerdos de nombramiento de los órganos sociales y de aprobación del balance de ejercicio. Así, el art. 2484.1, n. 3, no excluye una valoración del caso concreto y, por tanto, la relevancia de la falta de adopción de otro acuerdo que incida en el funcionamiento del organismo societario.

Posibles consecuencias de la separación

La disolución puede además producirse como consecuencia *extrema* del procedimiento derivado del ejercicio del derecho de separación. Ello ocurre únicamente en presencia de las siguientes condiciones: *(a)* que el reembolso de la participación no se lleve a cabo con la adquisición por los otros socios o, subsidiariamente, por parte de terceros; *(b)* que no haya beneficios o reservas disponibles suficientes para satisfacer lo debido a los socios separados, incluso mediante adquisición, para la s.p.a., de las propias acciones. En ausencia de tales presupuestos, la alternativa se plantea entre la reducción del capital ligada al reembolso de la cuota o la disolución voluntaria, hipótesis esta última que no supone una *causa* de disolución distinta (siendo la sociedad libre de acordar el cese de la actividad en cualquier momento: art. 2484.1 n. 6), sino que produce un efecto prohibitivo del reembolso al socio separado. Asimismo, si los acreedores se han opuesto con éxito a la reducción del capital (v. la remisión a los art. 2445 y 2482), la sociedad se disuelve. Debemos precisar que el legislador, por tanto, no ha pretendido incluir tal supuesto en la enumeración del primer apartado del art. 2484, puesto que queda incluido en la fórmula del apartado segundo (las restantes causas previstas por la ley), si se cumplen las condiciones expuestas la disolución se califica como «necesaria» y asume las connotaciones de un supuesto de disolución autónoma.

Tal previsión resulta de difícil adecuación con el *favor* general hacia la conservación de la empresa en el mercado. No convence la observación de que la falta de adquisición de la participación implica un escaso interés de los socios por la continuación de la iniciativa y que este desinterés, junto con la ausencia de reservas disponibles, sería indicativo de una empresa ineficiente. Frente a ello, puede argumentarse que, precisamente, la falta de acuerdo de disolución anticipada prueba el *interés* en la continuación de la empresa y que, por tanto, no es coherente deducir la disolución del resultado negativo de los intentos de venta de la cuota, disolución que podría (al menos en los casos en que la separación es ejercitada para una parte de las acciones poseídas) resultar contradictoria con el mismo interés del socio separado.

En fin, el art. 2484.2 dispone que para las restantes causas de disolución previstas por la ley que completan la enumeración del párrafo primero, los arts. 2485 y siguientes se aplican *en cuanto sean compatibles*. Las otras causas legales

La referencia a la compatibilidad parece justificarse, sobre todo, ante procedimientos de liquidación regulados por reglas concursales. Sin embargo, la norma no señala entre las restantes causas de disolución la declaración de quiebra, rompiendo con la tradición, y atacando la coherencia sistemática del modelo de regulación societaria, a la vista de que la quiebra es causa de disolución para la s.n.c. y la s.a.s. Tal elección, por otra parte compartible —no habiendo razón de ligar la ejecución especial con la resolución de las vicisitudes patrimoniales de los socios, ajenas al ámbito de la quiebra— conserva una función práctica, únicamente, para los supuestos en los que la ley liga la disolución al procedimiento que abre la liquidación administrativa forzosa. De cualquier forma, no se plantea ningún problema real de compatibilidad de las reglas procedimentales, siendo por el contrario una cuestión de *prevalencia* de la ley especial. La *compatibilidad*, en cambio, incumbe al aspecto de la organización: el funcionamiento del ente y los poderes residuales de autodeterminación, materia objeto de los art. 2488 y 2499, en los que —en el primero de forma general, en el segundo en relación con la transformación— la compatibilidad es el límite de aquella autodeterminación.

187. LOS EFECTOS DE LA DISOLUCIÓN Y APERTURA DE LA LIQUIDACIÓN

Los efectos   Se ha dicho que la disolución de la sociedad no determina su extinción, sino sólo el inicio de la fase llamada de liquidación, en el curso de la cual se ha de proceder al pago de los acreedores con los fondos realizados con la cesión de los activos de la empresa y al reparto del eventual valor residual entre los socios. Ello, sin embargo, no es un efecto inmediato a la verificación de la causa de disolución, sino de la inscripción en el registro de empresas del acto que determina la disolución, o del acuerdo que la dispone. La única consecuencia inmediata tras la producción de la causa de disolución es la obligación para los administradores de desarrollar una actividad estrictamente conservadora del patrimonio social (art. 2486). Para asegurar una correcta información sobre un cambio de tal relevancia, se obliga a los administradores a instar con prontitud la disolución y proceder a la inscripción en el registro de empresas del correspondiente acto, so pena de su responsabilidad frente a la sociedad, los socios, los acreedores y terceros, por los daños derivados del incumplimiento. Tal exigencia queda, asimismo, asegurada por la legitimación de los socios, administradores y síndicos, individualmente, para proponer al tribunal que declare la disolución (art. 2485.1).

Nombramiento y liquidación de los liquidadores   El nombramiento de los liquidadores (art. 2487), cuando no lo dispongan los estatutos, corresponde a la junta que adoptará el acuerdo con las mayorías reforzadas previstas para la modificación de los estatutos o del acto constitutivo, a tal fin convocada por los administradores tras la determinación de la causa de disolución. En su defecto, el tribunal procederá a la disolución que, sobre todo en el caso previsto en el art. 2484.1, n. 3, será requerida dos veces: la primera, por la convocatoria de la junta, la segunda por el nombramiento de los liquidadores en caso de falta de adopción del acuerdo. En cuanto a la revocación del cargo, puede producirse sin justa causa por acuerdo de la junta o puede ser dispuesta por el tribunal cuando subsista una justa causa, a petición de los socios, de los síndicos y del Ministerio Fiscal (art. 2487.4).

Junto a la publicidad del nombramiento y revocación de los liquidadores, el art. 2487-*bis*.2, impone añadir a la denominación social la indicación del estado de liquidación: una obligación que refuerza lo dispuesto de forma general por el art. 2250.3, según el cual, «tras la disolución (…) se debe indicar expresamente en los actos y la correspondencia que la sociedad está en liquidación» (v. asimismo §32).

Con el nombramiento de los liquidadores se abre el procedimiento de liquidación, que todavía se coloca en el ámbito de la actividad de empresa, siquiera como fase terminal, pues la ley reconoce (art. 2487.1.c) la posibilidad de una *continuación temporal*, incluso de las ramas de empresa, con tal de que esté dirigida a la mejor realización del activo. La empresa puede, por tanto, continuar hasta cuando la misma sea cedida a terceros, en su conjunto o por ramas individuales. De ello derivan una serie de reglas que afectan, además de al aspecto estricto de gestión, al funcionamiento del organismo societario, a la información contable y a la posibilidad misma de revocar la liquidación y reanudar la actividad productiva.

Empresa y liquidación

188. LOS PODERES DE GESTIÓN DE LOS ADMINISTRADORES

En cuanto a la gestión del patrimonio, hay que distinguir los poderes y los deberes de los administradores y la correspondiente regulación dictada para los liquidadores. Éstos, cuyo cargo comienza con la inscripción en el registro de empresas de la aceptación de su nombramiento, deben llevar a cabo, únicamente, los actos indispensables para preservar el patrimonio que se les deberá entregar. La violación de tal obligación trae consigo su responsabilidad por el daño causado a la sociedad, a los socios, a los acreedores sociales y a terceros (art. 2486).

La gestión conservativa

El art. 2487.1.a, dispone que la junta, salvo, como hemos recordado, que la materia sea regulada por los estatutos, determinará las reglas de funcionamiento del órgano liquidatorio y sus competencias. Ello significa que la junta tiene el poder de delimitar los deberes de los liquidadores en relación con la estrategia de realización del patrimonio, valorando incluso si es oportuna la continuación provisional de la actividad de la empresa. El art. 2489 dispone, asimismo, salvo que los estatutos o el acuerdo de nombramiento establezcan otra cosa, que los liquidadores pueden llevar a cabo todos los actos útiles para la liquidación. Éstos, al cumplir su deber, deben actuar con la diligencia que corresponde a la naturaleza del cargo,

Poderes de los liquidadores

pues responden de los daños provocados por la falta del comportamiento debido en relación al específico contexto de gestión.

La regulación se completa con el art. 2491, que autoriza a los liquidadores a requerir los pagos todavía debidos por los socios, si los fondos disponibles son insuficientes para satisfacer a los acreedores, así como a solicitar cualquier suma ulterior necesaria a los socios colectivos, en los límites del art. 2461.2 y al único socio accionista o al único socio de la s.r.l., en los casos de responsabilidad ilimitada por las obligaciones sociales. La norma, además, prohíbe repartir entre los socios el resultado de la liquidación, si en el balance no luce la existencia de disponibilidad financiera suficiente para garantizar la satisfacción íntegra e inmediata de los acreedores sociales. Naturalmente, los liquidadores que incumplen tal deber serán responsables, a título resarcitorio, frente a los acreedores mismos.

189. LA INFORMACIÓN CONTABLE DURANTE LA LIQUIDACIÓN

El balance   Según el art. 2490, los liquidadores deben elaborar el balance de ejercicio y someterlo a la aprobación de los socios. En el supuesto de que la información contable durante la fase de liquidación asuma funciones y satisfaga finalidades distintas del balance de ejercicio de sociedades en funcionamiento, deberán aplicarse los criterios enunciados en el art. 2426 a través de un juicio de compatibilidad, teniendo en cuenta el estado en que se encuentre el procedimiento de liquidación. Se trata, por tanto, sin perjuicio de la obligación de ofrecer una imagen clara, veraz y correcta de la situación patrimonial, económica y financiera, según lo dispuesto por el art. 2423 (v. §44), en primer lugar, de decidir si los principios de redacción enunciados por el art. 2423-*bis* son aplicables de forma íntegra y, sucesivamente, si adoptar o no los criterios de valoración previstos por el art. 2426. A fin de asegurar una completa información, la nota adjunta debe indicar, tanto los criterios de valoración utilizados como las razones que justifican su elección técnica, mientras que el informe de gestión debe ilustrar la marcha de la liquidación, las perspectivas y la duración previsible del procedimiento, así como las estrategias y los objetivos perseguidos, a fin de permitir a los socios la verificación de la adecuación respecto de la materialización del patrimonio social.

Si existe continuación de la empresa, el art. 2490.5 impone distinguir los apartados del balance relativos a la gestión productiva e indicar en el informe las perspectivas de la continuación, reforzando la necesidad de que la nota adjunta indique y razone la adopción de los criterios de valoración. La norma, por tanto, requiere una especie de doble contabilidad, cargando a la sociedad los correspondientes costes administrativos. Más que requerir una comparación de tal carga con los beneficios en términos de transparencia y calidad de la información, la posibilidad del ejercicio de empresa dirigido todavía a producir riqueza y la obligación de separar este resultado del obtenido por la gestión liquidatoria, no elude los problemas relativos a la valoración de compatibilidad que los liquidadores deben realizar en cumplimiento de los art. 2423-*bis* y siguientes. Este deber, particularmente delicado, teniendo en cuenta la contemporánea doble gestión: conservativo-liquidatoria para la parte de patrimonio no afectada por la continuación de la actividad, y dinámica, aunque siempre desde la perspectiva de la enajenación de la empresa, que se mantiene temporalmente productiva para una mayor valoración.

Continuación de la actividad

Todavía más compleja es la regulación de la redacción del primer balance de ejercicio sucesivo a la apertura de liquidación, puesto que el segmento temporal que tal instrumento contable debe representar se caracteriza por una gestión desarrollada por sujetos distintos y dotados de poderes diferentes (los administradores primero, los liquidadores después), de la que deriva la exigencia de anudar las diferentes fases y de homogeneizar los datos de síntesis contenidos en el balance.

Rendición de cuentas de los liquidadores y primer balance de liquidación

Si bien se trata de una gestión sólo parcialmente imputable a los liquidadores, a éstos les corresponde la redacción de dicho balance, indicando en la nota adjunta las razones de las variaciones en los criterios de valoración respecto del último balance aprobado y las consecuencias sobre la situación económica y patrimonial. Asimismo, puesto que entre el último balance aprobado y el primero de liquidación existe un periodo de gestión ordinaria de funcionamiento, otro de gestión conservadora desarrollada siempre por los administradores y un último de gestión liquidatoria, es obligado adjuntar al balance la situación de las cuentas en la fecha de efecto de la disolución y la rendición de cuentas sobre la gestión del periodo que transcurre entre el inicio del ejercicio sucesivo al del balance aprobado y el nombramiento de los liquidadores (art. 2487-*bis*.3).

Dicha regulación necesita de ulteriores consideraciones explicativas. Si se comparte el criterio de que la situación de las cuentas cumple la función de evidenciar las variaciones del patrimonio debidas a actos realizados antes y después de la declaración de la producción de la causa de disolución, se debería aceptar la tesis que considera a tal documento un balance de verificación idóneo para conocer los elementos que componen el patrimonio social. La rendición de cuentas, por el contrario, es un verdadero y propio balance, que no produce, sin embargo, los efectos jurídicos ulteriores respecto de los que, en su caso, se vinculan a la responsabilidad de los administradores. De hecho, tal documento contable —del mismo modo que la situación de las cuentas— es un documento meramente interno que asume una función informativa para los socios exclusivamente. Ambos documentos no se adjuntan al balance en sentido propio y no están sujetos a depósito en el registro de empresas, de otro modo no se explicaría la obligación de los liquidadores de completar dicho documento con eventuales observaciones y menos la obligación de dar continuidad a los balances de periodo, ligando su gestión a la de los administradores.

En fin, hemos de subrayar que incluso la rendición de cuentas de los administradores, al menos para la parte de la gestión sucesiva a la verificación de la causa de disolución, ha de ser redactada utilizando criterios distintos de los utilizados para un balance de funcionamiento: si se aplica correctamente, al menos en la mayor parte de las ocasiones, el modelo previsto en los art. 2423-*bis* y siguientes debería imponer a los administradores la no aplicación del principio de la presunción de la *continuación de la actividad* (art. 2423-*bis*, 1, n. 1: v. § 44) ya en el último balance de ejercicio en virtud de la valoración necesariamente prospectiva que éste requiere y de adecuar a dicho momento el conjunto completo de las valoraciones.

190. LA ORGANIZACIÓN INTERNA

Régimen de administración y control La organización societaria permanece incólume durante la fase de la liquidación: las normas dictadas para el funcionamiento de la junta o para los acuerdos de los socios en la s.r.l., y las relativas al órgano de administración y de control siguen aplicándose dentro de los límites de compatibilidad (art. 2488). Hemos de subrayar, sin embargo, que a fin de contener los costes administrativos de un organismo que ya no es funcional para la producción de riqueza, al determinar las modalidades de funcionamiento de la liquidación se tenderá a adoptar regímenes menos complejos y a optar por un órgano de gestión unipersonal.

En la s.p.a. con sistema tradicional (v. §§94, 102) y en la s.r.l. cesan los administradores pero siguen en funciones, tanto la junta como el colegio sindical. Es bastante incierta, por el contrario, la reconstrucción sistemática si la sociedad adopta el sistema dualista (v. §§105, 106) o el monista (v. §107): decididamente, es poco realista una liquidación dirigida, según el art. 2409-*sexies* y siguientes, por liquidadores «operativos» y por liquidadores «independientes», por lo que se impone la integración del precepto con el art. 2487, debiéndose proceder, simultáneamente al nombramiento de los liquidadores, así como al nombramiento del órgano de control. Menores dificultades teóricas —y también menores ventajas prácticas— existen en la conservación del sistema dualista, salvo valorar si el paso a la fase de liquidación puede privar al consejo de vigilancia de algunas competencias típicas (aprobación del balance: v. el art. 2490.1; revocación del órgano de gestión regulada por el art. 2487, último párrafo).

En cuanto a la junta, el artículo examinado plantea sólo el problema de la compatibilidad de los acuerdos sin *contenido liquidatorio típico*, cuya relevancia aplicativa todavía es reducida. Dando por descontada la admisibilidad de fusiones y escisiones con el límite, únicamente para las sociedades por acciones, de que no se haya comenzado el reparto del activo (art. 2501.2, 2505-*quater* y 2506, último párrafo), también la transformación, expresamente permitida a las sociedades sometidas a procedimiento concursal si es compatible con la naturaleza y el estado del mismo (art. 2499), hay que considerarla admisible siempre que la sociedad se encuentre en liquidación. La compatibilidad con la fase terminal de la empresa del acuerdo modificativo del objeto social puede ser discutida, pero habrá que valorarla caso por caso, a menos —como se verá en el párrafo siguiente— de que sea funcional a la revocación del estado de liquidación. *La junta*

Con las cautelas impuestas por la exigencia de valorar el caso concreto, son compatibles con la fase examinada, teniendo en cuenta el *Operaciones sobre el capital* posible ejercicio temporal de la empresa, tanto el acuerdo de aumento oneroso de capital como el de reducción del capital por pérdidas respecto del cual sólo cabe subrayar que menoscaba la vertiente sancionadora aplicable a las sociedades en funcionamiento normal. La reducción real del capital, por el contrario, más que plantear un problema de compatibilidad afecta a la oportunidad de la operación: dando por descontada la tutela predispuesta con carácter general por los arts. 2445 y 2482, se aplicará el art. 2491 y la correspondiente regulación prevista en el art. 2495.2.

191. LA REVOCACIÓN DE LA LIQUIDACIÓN

Entre los poderes expresamente reconocidos a la sociedad en liquidación se encuentra el de recuperar la plena operatividad, no sometido, a diferencia de lo que sucede para las fusiones y escisiones en que participen s.p.a. o s.a.p.a. (art. 2501.2 sobre el cual v. §177), a límite alguno en relación con la fase en que se encuentre el procedimiento. Para las s.p.a. que no recurren al mercado de capital de riesgo, la junta, con las mayorías reforzadas exigidas por el art. 2369.5, puede acordar la revocación de la liquidación a condición de que la causa de disolución que la ha causado, o cualquier otra, que se haya producido con posterioridad, haya sido eliminada (art. 2487-*ter*.1).

Los efectos   Sin embargo, tal operación se considera merecedora de una mayor tutela tanto para los acreedores sociales como para los socios que no consientan el acuerdo, a los que se les reconoce el derecho de separación. A fin de proteger a los acreedores actuales (también, por tanto, a los que han llegado a serlo durante la fase de liquidación), el acuerdo tiene efecto pasados 60 días desde su inscripción en el registro de empresas, salvo que haya habido consentimiento de los acreedores o satisfacción de aquéllos que no consintieron; además, debido a la suposición, no del todo compartible, de que la recuperación de la actividad puede comportar un daño, se reconoce a los acreedores el derecho de oposición que paraliza los efectos de la revocación, a menos que el tribunal autorice la ejecución del acuerdo, al entender infundado el peligro de perjuicio o por requerir la prestación por parte de la sociedad de una garantía adecuada.

192. LA CONCLUSIÓN DE LA LIQUIDACIÓN

Al término de su mandato, y satisfechos íntegramente los acreedores sociales, los liquidadores deben elaborar el balance final y el plan de reparto del activo residual entre los socios: el balance, acompañado del informe del órgano de control y del auditor, debe ser depositado en el registro de empresas (art. 2492). Los socios tienen noventa días para impugnar dicho balance, con recurso ante el tribunal y frente a los liquidadores, y, tras el juicio, la decisión es oponible también a los socios que no han intervenido (art. 2493). *Balance final y plan de reparto*

Si no existen reclamaciones, el balance se entiende aprobado y los liquidadores, una vez llevada a cabo la distribución material del activo resultante, quedan liberados frente a los socios. Para facilitar la aprobación del balance final y el reparto entre los socios, la ley atribuye a la aceptación pacífica, sin reservas, del pago el significado de aprobación del balance. El art. 2494, también dirigido a facilitar la conclusión de las operaciones, dispone que, si existen socios que no perciben lo que les corresponde, los liquidadores deben depositar las sumas correspondientes en un banco, indicando el nombre del socio beneficiario o, en el caso de acciones al portador, el número de acciones.

La sociedad se extingue con la cancelación en el registro de empresas efectuada a petición de los liquidadores tras la liquidación. Sin embargo, la extinción no impide a los acreedores actuar frente a los socios dentro del límite de la cuantía por éstos percibida y, a título resarcitorio, frente a los liquidadores, si la falta de pago se debe a su culpa en el caso de que, sabiendo o debiendo saber la existencia de una deuda, no han procedido a su extinción o a apartar la suma correspondiente antes de realizar el reparto entre los socios (art. 2495.2). La acción de los acreedores, si se plantea dentro del año desde la cancelación, podrá ser ejercitada notificando el acto en el último domicilio de la sociedad. Siguiendo una jurisprudencia de relieve constitucional, el art. 10.1 l. fall. dispone que la quiebra de la sociedad no puede ser declarada pasado un año desde su cancelación en el registro de las empresas, siempre que la insolvencia se haya manifestado antes de la cancelación o en el año sucesivo. Queda a salvo, pero sólo para los supuestos de cancelación de oficio, la posibilidad (reconocida exclusivamente a los acreedores y al Ministerio público) de *Cancelación del registro de empresas y extinción de la sociedad* demostrar que el efectivo cese de la actividad de empresa es posterior a la cancelación del registro de empresas a fin de iniciar el plazo anual en una fecha sucesiva (v. §32).

A las relaciones activas no definidas, puesto que el sujeto a quien habrían de imputarse desaparece, se aplican las normas sobre la comunidad de bienes (art. 1100 y siguientes) y, a instancia del socio individual, las relativas a la división de los bienes comunes.

Cancelación sin liquidación

El último párrafo del art. 2490 prevé que, si durante tres ejercicios consecutivos no se deposita el balance anual de liquidación, la sociedad queda cancelada de oficio por el propio registro de empresas. Mientras nada se dice de la posición de los socios, a los acreedores se les reconoce la tutela prevista por el art. 2495 dictado, no obstante, para el supuesto de que haya existido liquidación. De tal modo, la función de «depuración» de las sociedades abandonadas que por razones de interés público son consideradas ya extinguidas, se realiza en detrimento de los acreedores a quienes no se les concede poder alguno para impedir tan drástica consecuencia, a diferencia de lo previsto en el art. 2545-*octiesdecies*, último párrafo, para las sociedades cooperativas. Hemos de observar, por otra parte, que la salvaguarda de este interés general se confía a la legitimación del Ministerio Fiscal para solicitar la revocación de los liquidadores que no hayan redactado ni depositado los balances (y no los balances de *tres* ejercicios, sino incluso de *uno solo*, si tal omisión representa una justa causa de revocación), procediéndose a su sustitución incluso antes de verificarse la condición que impone la cancelación de oficio. Más problemático es, por el contrario, el caso en que la falta de depósito deriva de la imposibilidad de llevar a cabo la reunión de la junta por desinterés de los socios. A pesar de querer considerar tal circunstancia indicativa del abandono de la sociedad que justifica el procedimiento del registro y, al mismo tiempo, a querer infravalorar la tesis de que de la falta de aprobación del balance debida a la inercia de la junta no se deduce la desaparición de la obligación del depósito en el registro de empresas, queda el hecho de que el desinterés de los socios, al menos en la mayor parte de las ocasiones, es consecuencia de la imposibilidad de la realización útil debida al exceso del pasivo en relación con el activo, que por tanto requiere la apertura del correspondiente procedimiento concursal.

De aplicación para todas las sociedades, el art. 118 i.f. l. fall. establece un nuevo supuesto de cancelación de oficio, imponiendo al curador la obligación de pedir al encargado del registro de empresas la cancelación de la sociedad en el caso de que la quiebra haya concluido por falta de activos distribuibles o de activos útiles en caso de liquidación concursal. Tratándose de circunstancias en que la situación del patrimonio hace razonable la cancelación de oficio, pese a que la quiebra ya no es causa de disolución de las sociedades de capital, la norma acaba por sacrificar la posición de los acreedores no íntegramente satisfechos, a los que queda vetada la reanudación de las acciones individuales contra la sociedad.

Cuarta parte
Las sociedades cooperativas

Capítulo XII
Las sociedades cooperativas

Andrea Paciello

Sumario: 193. Sociedades cooperativas con finalidad mutualista. 194. Los caracteres tipológicos: el principio de puerta abierta y el principio democrático. 195. La estructura organizativa. 196. Los órganos sociales. 197. La estructura financiera. 198. La actividad y el destino del resultado. 199. La baja del socio.

193. SOCIEDADES COOPERATIVAS CON FINALIDAD MUTUALISTA

Las cooperativas son sociedades de capital variable con finalidad mutualista (art. 2411). El legislador ha acogido, siquiera implícitamente, la noción de *mutualidad* entendida como el fin dirigido a proporcionar, en condiciones más ventajosas que las del mercado, bienes, servicios u ocasiones de trabajo a los miembros de la organización. En las cooperativas, por tanto, la actividad económica se ejerce con el fin de satisfacer una necesidad particular de los socios y permitir la realización del interés común, distinto de la remuneración de la inversión efectuada. Por tal razón, de conformidad con un precepto constitucional (art. 45 Const.), se reconoce una especial relevancia social a las cooperativas, que desarrollan una actividad sin finalidad especulativa tendente a satisfacer necesidades, para lo que se les permite gozar de un estatuto «de favor» al que va ligada la prohibición de usar la indicación «cooperativa» para las sociedades que no tienen finalidad mutualista.

El fin mutualista

Tal cosa, sin embargo, no significa que la cooperativa deba desarrollar la propia actividad sólo en relación con los socios. El art. 2521 permite, de hecho, que la actividad pueda ser destinada también a terceros, pero a tal fin exige una *expresa* previsión del acto constitutivo: la relación entre las prestaciones otorgadas a los socios y las operaciones con terceros determinará, junto a otros elementos, la posibilidad de calificar la cooperativa como de mutualidad predominante.

La actividad con terceros no socios

... y en
Sociedad
cooperativa
europea

Idéntica normativa está prevista por el art. 4 del Reglamento CE de 22 de julio 2003, n. 1435/2003, que contiene el estatuto de la Sociedad Cooperativa europea. En la remisión a las consideraciones generales desarrolladas en relación con la SE (v. §115), para esta nueva forma organizativa de naturaleza transnacional, hemos de destacar la mayor homogeneidad de los principios inspiradores de la normativa nacional y de la comunitaria: en el plano funcional se reconoce que la actividad está dirigida a la ventaja recíproca de los socios, mientras que desde el punto de vista estructural se destaca la relevancia prevalente de la persona respecto del valor de la participación.

... y en las
mutuas
aseguradoras

El lazo de unión entre cualidad de socio y relación mutualista es todavía más nítido en las mutuas, a las que se aplica la regulación especial prevista para el sector asegurador y, en vía residual, la regulación dictada para las cooperativas, y que permiten a los socios realizar el beneficio mutualista aplicándoles una prima del seguro más beneficiosa. De hecho, el art. 2546.3 establece que, para adquirir la cualidad de socio es necesario (a salvo cuanto establece el art. 2548.1) asegurarse, y que dicha condición se pierde con la terminación del contrato de seguro. Otras características del tipo se indican en el art. 2548 que permite la constitución de fondos de garantía para el pago de las indemnizaciones con aportaciones de los asegurados o de terceros, atribuyendo también a estos últimos la calidad de socios y, en su caso, más votos, pero no más de cinco, en relación con la cifra de la aportación.

Mutualidad
predominante
y no
predominante

La posibilidad de que la cooperativa dirija su actividad también a terceros está en la base de la distinción entre cooperativas *de mutualidad predominante* y «otras» cooperativas. La ley califica la mutualidad predominante a través de parámetros fundados: *(i)* sobre los resultados de la actividad realizada, *(ii)* sobre los resultados de la actividad desarrollada y *(iii)* sobre la imputación de tales resultados. Pertenecen a dicha categoría las cooperativas que *predominantemente*: *(i)* desarrollan su actividad a favor de los socios, consumidores o usuarios de bienes y servicios; *(ii)* se sirven, para el desarrollo de su actividad, de las prestaciones de trabajo de los socios, comprendidas las demás formas de trabajo inherente a la relación mutualista; *(iii)* y de las aportaciones de bienes y servicios de los socios.

La distinción entre cooperativas de mutualidad predominante y otras cooperativas no plantea un problema de calificación del supuesto de hecho, sino que se manifiesta sólo desde el plano de los beneficios fiscales que la ley reconoce a las primeras. En lo que se refiere a los aspectos publicitarios, el art. 2515 obliga a las cooperativas de mutualidad predominante a inscribirse en la correspondiente sección del registro del Ministerio de las actividades productivas, condicionando a esta inscripción el acceso a los beneficios fiscales. En dicho registro, pero en distinta sección, habrán de inscribirse, asimismo, las otras cooperativas. Según el art. 2515, las cooperativas de mutualidad predominante deben indicar en los actos y correspondencia el número de inscripción en el registro.

Todas las cooperativas quedan sometidas al control de la autoridad de vigilancia (art. 2545-*quaterdecies*), llamada tradicionalmente a asegurar el correcto funcionamiento de la gestión y restablecer las condiciones de legalidad a través de la sustitución del órgano de gestión por un comisario a quien se pueden atribuir, respecto de determinados actos, también los poderes de la junta, previa aprobación de la autoridad gubernativa necesaria para que la decisión sea eficaz (art. 2545-*sexiesdecies*), al que se añade el control judicial (art. 2545-*quinquiesdecies*). Hemos de precisar que las dos regulaciones tienen alcance distinto pues los hechos previstos por el art. 2409 se refieren a graves irregularidades cometidas por administradores y síndicos en la gestión, al menos idóneas, potencialmente, para causar daños, mientras que el control de la autoridad de vigilancia se extiende a cualquier irregularidad de funcionamiento y plantea la exigencia de coordinar los procedimientos, evitando un ejercicio concurrente de poderes. A tal fin la ley recurre al principio de la prevención, que ha de referirse a la adopción de procedimientos y no a la pendencia de los mismos. Así, mientras el tribunal deberá *siempre* tener presente a la autoridad de vigilancia y declarar improcedente el recurso si ya ha sido nombrado un inspector o un comisario por la autoridad de vigilancia debido a los mismos hechos, el procedimiento para llegar a la gestión del comisario deberá ser *suspendido* si el tribunal ha nombrado un inspector o un administrador judicial por los mismos hechos. Ello deja entrever una preferencia, que indica una prevalencia, por el procedimiento administrativo, en la medida en que la obligación de notificación a la autoridad de vigilancia equivale a permitirle el nombramiento de un inspector, paralizando así el procedimiento judicial y atribuirse el procedimiento.

La vigilancia gubernativa

La valoración del intercambio sociedad-socios, dirigido a realizar el interés económico de los cooperativistas, se verifica en el precepto que im-

La relación mutualista

pone la indicación en el acto constitutivo de las reglas para el desarrollo de la actividad mutualista, y en la posibilidad de elaborar un *reglamento* que regule dichas relaciones. Este último documento disfruta de una fuerza vinculante distinta según se integre en el acto constitutivo o se formule como acto autónomo, redactado por los administradores y aprobado por la asamblea con las mayorías previstas para los acuerdos extraordinarios (art. 2521). Puesto que el fin mutualista supone la continuidad de las relaciones entre la sociedad y los socios, fundadas sobre un título negocial autónomo y distinto del societario, el reglamento representa el instrumento para definir las obligaciones que la sociedad asume para hacer posible la satisfacción del interés económico de los socios cooperativistas, y donde son individualizadas y reguladas también las obligaciones que recaen sobre éstos. En efecto, el fin mutualista y, por tanto, el mismo beneficio para los socios, puede realizarse sólo a través de un intercambio entre éstos y la sociedad: la sociedad deberá dotarse de una organización idónea para ofrecer bienes, servicios u ocasiones de trabajo, en condiciones más beneficiosas que las practicadas en el mercado y los socios deben contratar con la sociedad dichas prestaciones, ya sea porque de otro modo no podrían obtener ningún beneficio mutualista, ya porque su inercia terminaría por hacer nula la eficiencia gestora de la empresa que en el futuro no sería capaz de asegurar idénticas condiciones de favor. El art. 2516 acoge el principio de *igualdad de trato* «en la constitución y en la ejecución de las relaciones mutualistas», en las que la cooperativa no sólo deberá aplicar iguales condiciones en relación con las relaciones individuales (y, por tanto, deberá ser idéntico el contenido negocial) sino que también deberá permitir a todos los socios la oportunidad de contratar, asegurándoles igualdad de condiciones.

El retorno   La relevancia del intercambio mutualista y del consiguiente beneficio económico para los socios, queda atestiguada por el hecho de que el acto constitutivo debe indicar no sólo las reglas para el reparto de los beneficios sino también los criterios para el reparto del retorno. Este se integra por los excedentes patrimoniales de los que la cooperativa se beneficia gracias al intercambio mutualista y su distribución a los socios constituye la concesión del valor real mutualista, generalmente reconocido en proporción a la cantidad y calidad de los intercambios realizados por cada socio con la sociedad y no, como sucede con los beneficios, en proporción a las aportaciones realizadas. Puede decirse, por tanto, que el retorno constituye sólo una *modalidad*, una técnica a la que recurren las cooperativas para satisfacer el interés económico de los socios al beneficio mutualista.

194. LOS CARACTERES TIPOLÓGICOS: EL PRINCIPIO DE PUERTA ABIERTA Y EL PRINCIPIO DEMOCRÁTICO

También la sociedad cooperativa está dotada de un capital, igual al valor de las aportaciones realizadas o prometidas por los socios. Sin embargo, el capital no está determinado por una cifra preestablecida, pues se caracteriza por su *variabilidad* en el sentido de que la ampliación de la sociedad consiguiente a la aceptación de nuevos socios «no conlleva la modificación del acto constitutivo» (art. 2524.2). Más allá de dicha especificidad, el capital asume las mismas funciones que se le asignan en las sociedades de capital lucrativas, en las que es análoga la exigencia de disponer una regulación idónea para tutelar su efectividad e integridad.

El capital variable

A la característica del capital variable se liga el llamado principio de «puerta abierta». El carácter abierto de la cooperativa se reconoce por los art. 2527 y 2528, el primero de los cuales —completando cuanto ya estaba previsto en el art. 2521— requiere que en el acto constitutivo, en coherencia con el fin mutualista y con la actividad desarrollada, se establezcan los requisitos para la admisión de los socios y el correspondiente procedimiento. Puesto que el interés económico de los socios consiste en obtener el beneficio mutualista, éstos han de ser capaces de beneficiarse de las prestaciones ofrecidas: ello explica porqué el objeto de la sociedad debe ser compatible con los requisitos subjetivos, e idóneo para satisfacer los intereses y necesidades económicas de los socios.

El principio de la «puerta abierta»

Igualmente sensible a la vocación de estructura tendencialmente abierta de la cooperativa, y en particular de las cooperativas de trabajo, es la disposición (art. 2527, último párrafo) que permite al acto constitutivo prever una inserción gradual, favoreciendo una especie de aprendizaje, de formación profesional, de los socios —cuyos derechos y obligaciones deberán ser determinados por la sociedad— que serán inscritos en una «sección» especial del libro de socios y que no podrán ser más de un tercio del número total de socios cooperativistas. El acto constitutivo deberá, asimismo, establecer el periodo de tiempo, no superior a cinco años, en el que podrán ser admitidos a gozar en plenitud de los derechos reconocidos a los llamados socios ordinarios.

La admisión de nuevos socios

El art. 2528 asigna a los administradores la competencia de decidir sobre las solicitudes de admisión, en el convencimiento de que tal decisión tiene valor y consecuencias referidas específicamente a la gestión, obligándoles, tanto a indicar las razones del rechazo de la solicitud —que ha de comunicarse al interesado— como a ilustrar en el informe de gestión las decisiones adoptadas respecto de la ampliación de la base social. En caso de rechazo de la solicitud, el solicitante puede «recurrir» a la asamblea en el plazo de sesenta días. La asamblea, cuando no sea convocada al efecto por los administradores, decidirá sobre la cuestión en la primera reunión. En cualquier caso, tratándose de una decisión de gestión, el eventual acuerdo de admisión no produce más efecto que el reenvío de la cuestión de nuevo a los administradores, si bien sería preferible atribuir efecto vinculante al acuerdo de la asamblea.

La especial relevancia del respeto de los procedimientos de admisión de nuevos socios queda confirmada por la previsión de que, en caso de irregularidad, se reconoce a la autoridad de vigilancia el poder de desconfiar de la sociedad y, si no se adecua, de revocar a administradores y síndicos, confiando la gestión a un comisario (art. 2545-*sexiesdecies*).

El principio democrático

Un aspecto calificador ulterior está constituido por el principio del *voto por cabeza,* según el cual «cada socio cooperativista tiene un voto, cualquiera que sea el valor de la cuota o el número de acciones poseídas» (art. 2538.2). Tal principio es confirmado, y no derogado, por la previsión de un «peso» mayor para el socio, persona jurídica, con el límite de cinco votos y de la décima parte de los votos en la asamblea de las cooperativas consorciales (art. 2538.3 y 4).

El llamado principio democrático encuentra plena aplicación merced a otros institutos, dirigidos a favorecer la participación activa de los socios en la gestión de la empresa y la representación de los miembros minoritarios. Además de lo previsto por el art. 2538.6, que permite el ejercicio del voto por correspondencia o con «otros» medios de telecomunicación, se confirma la posibilidad para el socio de hacerse representar en la asamblea, con una original atención para el socio empresario individual (art. 2539) y, sobre todo, se prevé el desarrollo de asambleas separadas obligatorias si la cooperativa tiene más de tres mil socios y ejerce, en más de una provincia, la propia actividad, o desarrolla varias gestiones mutualistas y los socios son más de quinientos (art. 2540, sobre el cual v. §196). El segundo aspecto al que se hacía referencia, el de la representatividad de todos los socios, y también de la tutela de las minorías, se incluye en el art. 2540, según el cual los delegados en la asamblea general deben, proporcionalmente, representar a las minorías expresadas en asambleas separadas (párrafo 3) y todos los socios no delegados pueden asistir a la asamblea general, con la consiguiente posibilidad de información directa del desarrollo de los trabajos (párrafo 4).

195. LA ESTRUCTURA ORGANIZATIVA

La regulación del modelo organizativo de la sociedad cooperativa viene confiada a normas especiales pero, según el art. 2519, se le aplican, en vía supletoria, las disposiciones sobre la s.p.a. en cuanto sean compatibles. Sin embargo, se reconoce una cierta autonomía al acto constitutivo en la elección del *régimen supletorio*. La sociedad cooperativa podrá someterse, siempre de acuerdo con los límites de compatibilidad, a las normas previstas para la s.r.l. a condición de que: *(i)* los socios no sean más de veinte o *(ii)* el valor total de las partidas del activo no supere el millón de euros.

Límites a la elección del modelo organizativo

Se ha visto con anterioridad cual es la diferencia tipológica entre s.p.a. y s.r.l. (v. sobretodo §8), de modo que sólo procede recordar la fuerte connotación personalista que la segunda puede asumir, y que ésta se presenta particularmente idónea para una empresa de reducida base social (v. §119). En la cooperativa, el parámetro dimensional y la asimilación a una empresa de modestas dimensiones son los efectos naturales del número de socios, de modo que, desde esta perspectiva, puede tener justificación el uso alternativo del parámetro económico-cuantitativo antes mencionado.

El número de socios asume, por tanto, una especial importancia: no sólo han de ser al menos nueve los socios fundadores para constituir una cooperativa (art. 2522.1, que excluye el caso de que una ley especial requiera un número más elevado) y es necesario, como se ha señalado, que los socios sean a lo sumo veinte para escoger el régimen supletorio de la s.r.l., sino que también se dispone que cuando los socios sean al menos

El número de socios

tres y menos de nueve (con tal de que todos sean personas físicas y, si la sociedad desarrolla actividad agrícola, también sociedades simples), la sociedad *debe* adoptar la estructura de la s.r.l., en sustitución del modelo organizativo de la *pequeña sociedad cooperativa* de la l. 266/1997 (art. 111-*septies* disp. att.).

Modificaciones
del acto
constitutivo Prescindiendo del régimen supletorio, elegido o impuesto, las modificaciones estatutarias y del acto constitutivo deben derivar de un acuerdo de la asamblea, al que se aplica el art. 2346 (art. 2545-*novies*, v. §§156 y ss.), otorgarse en escritura pública, sometida a control notarial de legalidad y, si es el caso, judicial, e inscribirse en el registro de empresas.

Operaciones
sobre el capital Entre las modificaciones del acto constitutivo, merecen una atención especial las que inciden en el capital que, como se ha visto, en las cooperativas se caracteriza por su variabilidad. La ausencia de un valor predeterminado no impide el aumento o reducción: los art. 2545-*quinquies* y *sexies*, contemplan la regulación del aumento nominal o gratuito y el art. 2524.3 y 4., para el caso de aumento real u oneroso, de un lado remite a la regulación dictada para las s.p.a., de otro reconoce el derecho de suscripción preferente a los antiguos socios que pueden mantener intacto el perfil societario, permitiendo su exclusión o limitación previa autorización de la asamblea a propuesta motivada de los administradores. Se trata de una elección coherente con el *favor* general hacia una mayor solidez financiera de la cooperativa que no traiciona el principio de «puerta abierta», funcional al incremento de la base social para el desarrollo de la empresa mutualista.

Respecto de la reducción de capital, la admisibilidad de la reducción real, no ligada formalmente al requisito de la exuberancia, será valorada respecto del caso concreto (§161), mientras que, a propósito de la reducción por pérdidas, ha de subrayarse que la disolución (art. 2545-*duodecies*) se produce sólo cuando exista *pérdida íntegra* del capital; ello, sin embargo, no excluye que la existencia de pérdidas consistentes no pueda determinar la disolución de la sociedad por la imposibilidad sobrevenida de alcanzar el objeto social (art. 2484.1 n.2). En cuanto al supuesto de la reducción *ex* art. 2446, aun queriendo realzar el elemento de la variabilidad del capital, a fin de sostener que la presencia de pérdidas que disminuyan el valor por debajo de un tercio no trae consigo la obligación de reducción, permanece intacta la exigencia de informar a los socios: los administradores deben convocar inmediatamente la asamblea y poner a su disposición los documentos contables solicitados para que acuerde las decisiones oportunas.

196. LOS ÓRGANOS SOCIALES

La sociedad cooperativa, al estar dotada de personalidad jurídica, opera a través de órganos según la normativa propia de la estructura elegida, particularmente en el reparto de competencias, los procedimientos decisorios y el régimen de invalidez de los acuerdos. Sobre la base de la remisión a lo explicado en sede de s.p.a. (§78 y ss.) y de la s.r.l. (§§126 y ss.), se señalan sólo las peculiaridades propias del tipo examinado.

Entre las especificidades de la asamblea, la principal es la representada —sin perjuicio de las excepciones que se dirán— por el principio *una persona, un voto* (v. §194), pero asume también relevancia la posibilidad de delegar la representación en la asamblea en otro socio (art. 2539.1), o familiar (en el caso del art. 2539.2), y la circunstancia de que sólo los inscritos con tres meses de antelación en el libro de socios tienen derecho al voto. Esta última norma está dirigida a evitar maniobras de los administradores para influir en la marcha de la reunión, por lo que ha de excluirse cuando los nuevos socios hayan entrado como consecuencia de un aumento de capital oneroso del art. 2524.4. *La asamblea de socios*

En cuanto al procedimiento, el acto constitutivo (art. 2521.3 n.9) puede derogar las normas en sede de convocatoria de la asamblea siempre que se garantice a los socios una adecuada información (principio confirmado por la regulación de la nulidad de los acuerdos del art. 2379.3) y siempre debe, por el contrario, determinar las mayorías, calculadas sobre la base de los votos que correspondan a los socios, para la constitución y validez de los acuerdos. Como hemos señalado, se confirma (art. 2538.6) la posibilidad —no sólo característica del modelo examinado— del voto por correspondencia, con una especial regulación que reconoce la posibilidad de modificar en asamblea las propuestas sobre las que ha sido emitido el voto «postal», quedando dichos votos, sin embargo, neutralizados a los fines del quórum constitutivo.

El procedimiento de adopción de acuerdos en las cooperativas con acciones no cotizadas está caracterizado por una progresiva formación de la *Asambleas separadas* voluntad social: en las condiciones establecidas por el art. 2540 o, cuando esté previsto en el acto constitutivo, sólo sobre ciertas materias, hay que convocar asambleas separadas cuyos trabajos terminarán con el nombramiento de los delegados socios que votarán en la asamblea general. La relevancia procedimental para favorecer la más amplia participación en la vida de la sociedad queda confirmada por la imposibilidad de impugnar los acuerdos de las juntas separadas. Los socios ausentes o disidentes podrán impugnar los acuerdos de la junta general sólo si han sido adoptados sin las mayorías necesarias por causa de los votos determinantes de los delegados de las juntas separadas irregularmente celebradas: siempre dentro de los límites de la compatibilidad, el art. 2377 (o, en caso de cooperativa no por acciones, el art. 2479-*ter*) se aplicará a la impugnación del acuerdo de la junta general por parte de los legitimados a concurrir a su formación.

Asimismo, están previstas asambleas especiales de categoría en caso de emisión de instrumentos financieros privados del derecho de voto (art. 2541) que decidirán: (1) sobre la aprobación de los acuerdos de la asamblea «general» que perjudiquen a los derechos especiales de estas categorías; (2) sobre el ejercicio de los derechos que les sean atribuidos según el art. 2526; (3) sobre el nombramiento y revocación de los representantes comunes de cada categoría y sobre la acción de responsabilidad frente a ellos; (4) sobre la constitución de un fondo para los gastos necesarios para la tutela de los intereses comunes, y sobre la correspondiente rendición de cuentas; (5) sobre los controversias con la sociedad y las correspondientes transacciones y renuncias; (6) sobre los otros objetos de interés común a cada categoría de instrumentos financieros.

El representante común de los pertenecientes a las categorías de titulares de instrumentos financieros tiene la obligación de proteger los intereses comunes frente a la sociedad, puede consultar el libro de socios y el libro de reuniones y de los acuerdos de la asamblea, y tiene el derecho de asistir a las reuniones de las juntas e impugnar sus acuerdos.

Por lo que se refiere al órgano de gestión, el nombramiento corresponde a la asamblea, con la excepción de los primeros administradores (art. 2521.3, n. 12) y de la designación de una minoría de los mismos reservada por el acto constitutivo al Estado o a entes públicos (art. 2542). También en las cooperativas el sistema de administración debe ser indicado en el acto constitutivo (art. 2521.3, n.10) y también aquí la omisión no afecta a

Asambleas especiales (margen)

Los administradores (margen)

la válida constitución de la sociedad, sino que implica la aplicación del llamado sistema tradicional en las cooperativas s.p.a. y del previsto en el art. 2475 en las cooperativas s.r.l. El art. 2544 establece que, cualquiera que sea el sistema de administración adoptado (v. §92), además de las materias indicadas en el art. 2381 (o en el art. 2475, último párrafo), no podrán ser atribuidas, ni al comité ejecutivo ni a los administradores, las funciones relativas a la admisión, separación o exclusión de socios así como «las decisiones que afectan a las relaciones mutualistas con los socios», expresión, esta última, excesivamente genérica que planteará no pocos problemas de aplicación.

La norma por la que la *mayoría de los administradores* deben ser elegidos de entre los socios o las personas indicadas por las personas jurídicas socias viene a garantizar que la cooperativa privilegie la actividad mutualista y lleve a cabo los actos de gestión necesarios para satisfacer el interés al beneficio económico de los socios cooperativistas. También se permite que el nombramiento de los administradores dé lugar a la representatividad de las componentes individuales, en proporción al interés de cada una de ellas en la actividad social (art. 2542.2 y 3). Tal diseño se completa con el precepto que reconoce a los poseedores de instrumentos financieros el derecho a elegir hasta un tercio de los administradores al que se une, en caso de sistema monista, la prohibición de delegar en ellos facultades operativas y de formar parte del comité ejecutivo.

Merece una atención particular el sistema dualista: el mencionado límite cuantitativo se aplica al nombramiento de los miembros del consejo de vigilancia y del consejo de gestión (art. 2544.2). La derogación del principio de que el consejo de gestión es nombrado por el consejo de vigilancia (art. 2409-*novies*.3 y 2409-*terdecies*.1) puede justificarse como un *favor* hacia quien suscriba instrumentos financieros para un control más directo de su inversión, aunque no reúna la condición de socio (v. §197). El art. 2544.2, asimismo, impone que *todos* los miembros del consejo de vigilancia elegidos por los socios sean elegidos de entre los socios cooperativistas, o de entre las personas indicadas por los socios personas jurídicas. Tales normas de «adaptación» plantean un serio problema de reconstrucción de la regulación aplicable que podría desmotivar la adopción del sistema examinado: a mero título de ejemplo, queda sin resolver la cuestión de la revocación de los miembros del consejo de gestión nombrados por los titulares de instrumentos financieros respecto de la competencia general del consejo de vigilancia privado del poder de nombramiento. Asimismo, resultará difícil respetar la regla que requiere la inscripción en el registro de los auditores de cuentas de al menos un miembro del consejo de vigilancia cuando todos sus componentes deban ser elegidos de entre los socios cooperativistas. Parece, por el contrario, superado el potencial conflicto en el plano de la compatibilidad entre la necesaria presencia de miembros del consejo de vigilancia elegidos de entre los socios y la existencia de una relación de naturaleza patrimonial que comprometa su independencia, gracias a la modificación aportada por el art. 13 d.lgs. 310/2004 al art. 2409-*duodecies*.10.a.

El control sobre la gestión La normativa no contiene previsiones expresas acerca de la *función de control* y, más bien, debe señalarse que el art. 2543.2 toma en consideración sólo el modelo tradicional, cuando prevé la posibilidad para los poseedores de instrumentos financieros participativos de tomar parte en la elección del colegio sindical hasta el límite de un tercio de sus componentes y de establecer, en el acto constitutivo, una «medición» del voto para tal nombramiento calculada según la participación del votante o de sus intercambios mutualistas. En el modelo tradicional, el control de la gestión y el control contable se confían, respectivamente, al colegio sindical y al auditor, con la excepción de la facultad de atribuir ambas funciones al colegio sindical en los límites y condiciones del art. 2409-*bis* (v. §94).

Siempre en referencia al modelo tradicional de administración y control, el párrafo 1 parece eximir de la obligación de contar con el colegio sindical, tanto a las cooperativas s.r.l. como a las de estructura accionarial que no superen los límites previstos en el art. 2477.2 y 3, a condición de que la sociedad no haya emitido instrumentos financieros no participativos, en cuyo caso el órgano de control resulta obligatorio con independencia de tales parámetros. Para las cooperativas por acciones que queden sujetas al control contable del auditor externo, tal elección conlleva múltiples consecuencias negativas, pues elimina dicha función indispensable para garantizar, tanto el equilibrio de las componentes de la sociedad como los flujos adecuados de información en el interior de la empresa.

Derecho de información de los socios En las cooperativas de estructura accionarial, el socio tiene un derecho de inspección limitado (art. 2422) y un derecho de información predominantemente filtrado por el órgano de control. El art. 2545-*bis* atribuye, en efecto, a una minoría cualificada el derecho de examinar los libros de reuniones y de acuerdos del consejo de administración y de los del comité ejecutivo a través de un representante nombrado por los socios, que podrá ser asistido por un profesional de su confianza. A las cooperativas s.r.l. se aplica, en cambio, el art. 2476.2 que reconoce a cada socio que no participe en la administración, y aunque exista un órgano cualificado de control, un derecho mucho más amplio, puesto que puede acceder —personalmente o delegando en un profesional— a todos los libros sociales y a los documentos relativos a la administración (v. §135).

197. LA ESTRUCTURA FINANCIERA

La cooperativa está dotada de autonomía patrimonial perfecta: de las obligaciones sociales responde exclusivamente la sociedad con su patrimonio (art. 2518). Dicho régimen contribuye a definir su posición en el mercado de crédito, paralelo y complementario al de la recogida pública de los recursos financieros necesarios para garantizar la eficiencia de la gestión. A este respecto, se ha señalado que el fin no especulativo de la actividad mutualista se mueve hacia la satisfacción de necesidades de los socios, a través de prestaciones concedidas en condiciones más ventajosas que las del mercado. Tal cosa, por tanto, se realiza más allá de la remuneración de la inversión efectuada y, por consiguiente, se prescinde de o, cuando menos, quedan notablemente redimensionados los instrumentos capitalistas reconducibles a una relación poder-riesgo.

La inversión mutualista

Ya sea para cada acción o para cada cuota, el art. 2525.1 modificado por el art. 27 d.lgs. 310/2004, fija un límite mínimo equivalente a veinticinco euros, mientras que sólo para las primeras establece un límite máximo de quinientos euros, estableciendo, asimismo, que salvo disposición legal en contrario, ningún socio persona física puede poseer una cuota o acciones por valor superior a cien mil euros. En las cooperativas con más de quinientos socios, el límite máximo de valor poseído puede ser elevado al 2 por ciento del capital social con expresa previsión del acto constitutivo (art. 2525.3): en caso de superar dicho límite, los administradores podrán enajenar o rescatar las acciones excedentes por cuenta del socio, destinando los derechos patrimoniales resultantes a reservas indisponibles. La ausencia

Los límites cuantitativos

de una *obligación* de enajenación para reconducir la propia participación a los límites establecidos queda equilibrada por la necesaria permanencia en la sociedad de los derechos patrimoniales, lo que vacía *de facto* el interés a superar dicho límite. Por el contrario, los límites indicados no se aplican en caso de aportación no dineraria en los supuestos previstos en los art. 2545-*quinquies* y 2545-*sexies,* a los socios personas físicas y a los suscriptores de instrumentos financieros dotados de derechos de administración.

Socios
cooperadores
y socios
financiadores Hasta aquí la regulación de los títulos participativos en el capital de riesgo no parece presentar dificultades especiales de sistematización: aunque el legislador menciona sólo las acciones, con remisión expresa en el último párrafo del art. 2525, no hay duda de que esta remisión ha de referirse también al capital social representado por cuotas en la cooperativa s.r.l. Sin embargo, en el art. 2525.4, que señala las excepciones a los límites de la participación de cada socio, se alude a los suscriptores de instrumentos financieros dotados de derechos administrativos que son, por tanto, considerados socios. En tal sentido se enmarca, asimismo, la remisión (art. 2526.3) a los arts. 2437 y siguientes, esto es, al derecho de separación, institución colocada bajo la tutela de los miembros de la organización societaria. De ello se deduce que son dos los tipos de sujetos que participan en el capital de riesgo, individualizados según un criterio funcional: los *socios cooperativistas* y los *socios financiadores*, interesados, respectivamente, en la prestación mutualista, y en remunerar, con una lógica capitalista, la inversión efectuada en una actividad mutualista. Obviamente, nada excluye que el socio asuma las dos posiciones.

Los restantes
instrumentos
financieros Si evidente es la *ratio* de incentivar la inversión en sociedades necesitadas fisiológicamente de recursos financieros según las reglas de las aportaciones al capital, más complejo es el trabajo de sistematizar las restantes categorías de instrumentos financieros señalados en el art. 2426 (v. §64 y 71). Además de los tipos antes señalados, el acto constitutivo puede configurar otros: sobre todo, la financiación que, aún vinculándose al riesgo de empresa, no permite una participación general en las decisiones de la gestión social. En la cooperativa de estructura accionarial, los financiadores externos pueden tener títulos participativos (en el riesgo de empresa) pero sin derecho de voto, pudiendo ser su aportación de obra o servicio o poseer títulos de deuda (l. 448/1998). En las cooperativas s.r.l., por el contrario, la cobertura representada por los instrumentos financieros que no participan del riesgo de empresa podrá realizarse sólo mediante la oferta a inversores institucionales que, según el art. 111-*octies* disp. att., son los fondos mutualistas y los fondos de pensiones constituidos por sociedades cooperativas, así como el Foncooper, constituido a la estela de la l. 49/1985. Sigue siendo incierto si a dicha categoría puede unirse la emisión de títulos de deuda (art. 2483) donde, al contrario que en el primer supuesto, en caso de circulación del título, la persona que lo ha transferido responde de la solvencia de la sociedad frente a los adquirentes distintos de los socios e inversores institucionales (v. §92).

La regulación de los instrumentos financieros (art. 2526) conjuga el interés de quien financia la empresa con la vocación mutualista, la tutela de los socios cooperativistas y los vínculos predispuestos por las cooperativas de mutualidad predominante. En cuanto al derecho de voto reconocido a los socios financiadores, está limitado a un tercio de los votos en la asamblea, asegurando que el acuerdo no se sustraiga a los socios portadores del interés al intercambio mutualista. La exigencia de que la apertura al mercado de capital no desnaturalice el modelo, encuentra una manifestación ulterior en la regla que permite que el acto constitutivo limite la circulación de los instrumentos financieros participativos en razón de los derechos *administrativos* incorporados en el título: aunque la norma se refiere también a los derechos patrimoniales, no hay razón para extender tal limitación, que acabaría por incidir sobre su atractivo, a los instrumentos financieros privados de cualquier capacidad de incidir en la gestión.

La regulación de los instrumentos financieros

198. LA ACTIVIDAD Y EL DESTINO DEL RESULTADO

Actividad y destino del resultado son dos momentos que concurren para calificar las cooperativas de mutualidad predominante. Ya se ha señalado que uno de los requisitos es el desarrollo de la actividad, *predominantemente*, en favor de los socios (así el art. 2512) a quienes se equiparan, en las cooperativas de consumo, los consumidores o usuarios de bienes o servicios. Es deber del órgano de gestión y del colegio sindical, documentar, en la nota adjunta, el respeto del carácter predominante y dejar constancia de que los intercambios realizados con los socios superan al menos el cincuenta por ciento del total de las operaciones. Dicho porcentaje se verifica

Los criterios de la predominancia

(i) en las cooperativas de consumo, respecto de las ganancias por las ventas de los bienes o la prestación de servicios, *(ii)* en las cooperativas de trabajo, respecto del coste del trabajo, comprendiendo cualquier prestación laboral inherente a la relación mutualista (art. 25 d. lgs. 310/2004) y *(iii)* en las cooperativas de producción y/o transformación, respecto del coste de la producción por servicios recibidos o bienes conferidos (art. 2513). Lo que cuenta es el respeto del umbral del cincuenta por ciento de los intercambios realizados en conjunto, y las remisiones a las técnicas para representar el carácter predominante de la actividad mutualista han de entenderse como meramente indicativas.

Hay que subrayar, por otra parte, que tal parámetro afecta a aspectos de naturaleza de gestión cuya verificación puede realizarse sólo *ex post* y tomando como referencia los resultados obtenidos gracias a la actividad desarrollada en un intervalo de tiempo suficientemente amplio como para ser significativo: por la misma razón, ha de tomarse en cuenta sólo la actividad típica, excluyendo los resultados de las operaciones llamadas extraordinarias.

Asimismo, según el art. 2514, hay algunos límites que el acto constitutivo debe respetar en razón del destino del resultado de la gestión. En concreto, debe preverse la prohibición de: distribuir dividendos por encima del interés legal del dinero (actualmente al 5,50 por ciento), aumentado en dos puntos y medio respecto del capital efectivamente aportado; de remunerar los instrumentos financieros ofrecidos a los socios cooperativistas en medida superior a dos puntos respecto del límite máximo previsto para los dividendos; de distribuir *durante societate* las reservas entre los socios cooperativistas. Además, en caso de disolución, deberá establecerse la obligación de devolución del entero patrimonio, deducido sólo el capital y los dividendos vencidos a los fondos para la promoción y desarrollo del cooperativismo.

El ordenamiento pone, por tanto, un techo a la remuneración del capital de riesgo, desincentivando el interés capitalista de los socios, ya sea a través de la formación obligatoria de reservas (indisponibles), que acaban por aumentar la autofinanciación, gracias a la prohibición de distribución entre los socios cooperativistas, y la obligación de devolución del patrimonio a los fondos mutualistas, ya sea mediante la previsión de límites a la remuneración de la inversión a través del pago de dividendos, que para las cooperativas de mutualidad predominante se deja a la libre determinación de los socios pero que deben ser establecidos en el acto constitutivo.

Según el art. 2545-*octies*, se pierde la mutualidad predominante cuando, durante dos ejercicios consecutivos, se incumple la condición del art. 2513 o se modifican las cláusulas del acto constitutivo insertadas a la estela del art. 2514. En el primer caso, se trata de la falta de respeto de la relación legalmente relevante para gozar de beneficios fiscales que los administradores y los síndicos deben introducir en los informes del balance de ejercicio.

La pérdida del requisito de predominancia

Cuando se verifican estas circunstancias, es obligación de los administradores elaborar un balance (extraordinario), someterlo a la aprobación de una sociedad de auditoría y notificarlo, en el plazo de sesenta días desde su aprobación, al Ministerio de las Actividades Productivas, que deberá proceder a la cancelación de la sociedad de la sección de cooperativas de mutualidad predominante e inscribirla en la otra. Dicho balance es necesario para determinar el valor efectivo del activo patrimonial a fin de individualizar, con una separación que afecta a la normativa aplicable, la parte del patrimonio disponible para ser destinado a los socios y la que, a pesar de la pérdida de la mutualidad predominante, continuará siendo sometida al régimen de absoluta indisponibilidad y será devuelta, al término de las operaciones de liquidación, o en caso de transformación en sociedad lucrativa o consorcio (art. 2545-*decies*), a los fondos mutualistas para la promoción y el desarrollo del cooperativismo (art. 2545-*undecies*). El permitir a la cooperativa retener la porción del neto indisponible, aún tras el cambio de uno de los aspectos que la caracteriza, se justifica en cuanto que la tasa de reorganización no supere el umbral de la mutualidad, conservando aquella función social que justifica su razón de ser.

En cuanto a las cooperativas de mutualidad no predominante, hay que recordar que pueden transformarse en sociedades lucrativas, consorcios o en sociedades consorciales, sólo si en el año anterior han estado sometidas a la revisión de una autoridad de vigilancia, o los administradores han solicitado, al menos noventa días antes del acuerdo, a la autoridad de vigilancia, proceder a la revisión (art. 2545-*undecies*.3, introducido por el art. 32 d.lgs. 310/2004). El acuerdo, por razón de su importancia, debe ser adoptado con el voto favorable de, al menos, la mitad de socios. Dicha mayoría que «atrae la atención sobre la importancia del acuerdo a adoptar», se esta-

La transformación heterogénea

blece en relación con el número total de socios. Los administradores tienen la obligación de adjuntar, a la propuesta de acuerdo, un informe jurado de un experto designado por el tribunal que atestigüe el valor efectivo del patrimonio de la sociedad e ilustre las razones y resultados esperados de la transformación. Los socios, al acordar la transformación, pueden conservar en la empresa sólo el capital aportado y revalorizado, y los «dividendos todavía no distribuidos» y, en su caso, el valor residual necesario para alcanzar el capital mínimo del tipo resultante de la transformación. Literalmente, parecería que todo el patrimonio restante deba ser devuelto a la llamada mutualidad de sistema. Sin embargo, si se considera que la función de la norma es impedir que las cuotas formadas gracias a una normativa fiscal de favor puedan quedarse en la empresa, cuyo objetivo ahora ha cambiado, en lugar de ser devueltas a la mutualidad externa, se debe concluir que sólo las reservas indisponibles, que también las «otras» cooperativas pueden haber constituido, deban ser destinadas a fondos mutualistas para la promoción y el desarrollo del cooperativismo.

Las reservas   En relación con el destino del resultado, los arts. 2545-*ter* a 2545-*quinquies* acogen una regulación común a todas las cooperativas: en concreto, en la primera norma se definen como indisponibles las reservas que por disposición de ley o de los estatutos no pueden ser repartidas entre los socios, ni siquiera en caso de disolución. Tales reservas pueden ser formadas también por cooperativas de mutualidad no predominante y pueden ser utilizadas sólo para la cobertura de las pérdidas a condición, sin embargo, de que se hayan utilizado ya las reservas para los aumentos de capital o para ser repartidas entre los socios al término de la liquidación de la sociedad.

La regulación de las reservas disponibles   El art. 2545-*quater*.1, impone destinar el 30 por ciento de los beneficios netos resultantes del balance de ejercicio a reserva legal, sin prever un límite máximo a su asiento en dicha partida (como dispone el art. 2430). Tal reserva ha de ser calificada como indisponible *ex lege* sólo en las cooperativas de mutualidad predominantes puesto que la l. 311/2004 (ley financiera de 2005) confiere a las cooperativas la exención fiscal sobre el 30 por ciento de los beneficios netos a condición de que se asienten en una reserva indisponible por expresa previsión estatutaria. Se comprende, así, la razón por la que las cooperativas que con fecha de 1 de enero de 2004 no hayan acogido en los estatutos cláusulas conformes al art. 14 d.p.r. 601/1973, y, por tanto, se caractericen por ser de mutualidad no predominante deberán

—en derogación del art. 2545-*quater*- destinar a reserva legal sólo el 20 por ciento de los beneficios netos anuales (art. 223-*quinquiesdecies* disp. att.). En fin, todas las cooperativas deben proceder anualmente a la devolución a los fondos mutualistas de una parte de los beneficios netos calculada sobre un porcentaje establecido por ley (párrafo 2), de forma que la asamblea será libre de decidir el destino, con los límites cuantitativos ya indicados, sólo sobre la cantidad resultante.

El art. 2545-*quater*, último párrafo, admite expresamente las reservas facultativas (v. §38): reservas estatutarias y reservas voluntarias, todas ellas subsumibles en la categoría de reservas disponibles que, según el art. 2514, también pueden constituir las cooperativas de mutualidad predominante, con el límite, en lo que respecta a su distribución, de que los beneficiarios exclusivos sean los socios financiadores.

La mencionada infracapitalización casi fisiológica de las cooperativas, ha llevado a configurar un modelo de regulación idóneo para conservar en la empresa una parte de la riqueza producida, facilitando la autofinanciación mediante un incentivo fiscal reservado a la mutualidad predominante. A ello se debe añadir el art. 2545-*quinquies*.3, según el cual, en las cooperativas no cotizadas, si el acto constitutivo lo prevé, la asamblea puede asignar a los socios las reservas disponibles a través de: *(a)* la emisión de los instrumentos financieros del art. 2526; *(b)* el aumento proporcional de las cuotas suscritas y desembolsadas, o la emisión de nuevas acciones, incluso derogando los límites de valor establecidos por el art. 2525, siempre que no superen el límite del 20 por ciento del valor originario. Se pretende con ello que no se escape el valor realizado, recurriendo a soluciones que realicen a la vez el interés de los socios a la remuneración, satisfecho por el incremento del valor de la participación.

Más significativa es la regulación del art. 2545-*quinquies*.2 que establece —para las cooperativas no cotizadas— que se pueden distribuir dividendos, adquirir las propias acciones o asignar a los socios las reservas disponibles, si la relación entre el patrimonio neto y el total endeudamiento de la sociedad es superior a una cuarta parte. El legislador, en efecto, no sólo dispensa una especial atención a la situación financiera de la empresa, sino que impone, cuando la relación entre patrimonio neto y endeudamiento total sea inferior a una cuarta parte —por tanto, en caso de que el desequilibrio financiero supere el umbral considerado alarmante— la conservación de los valores para el desarrollo de la actividad. La norma contiene una cláusula de salvamento genéricamente dirigida a los poseedores de instrumentos financieros; parece, sin embargo, que concierne únicamente a los títulos que no atribuyen la cualidad de socio financiador, quedando la prohibición referida a los socios *tout court*.

En fin, el art. 2545-*quinquies*.4, con anómalo planteamiento sistemático, dispone que las reservas disponibles correspondientes al socio en caso de disolución de la relación, *pueden* ser asignadas si los estatutos no disponen otra cosa, a través de la emisión de instrumentos financieros libremente transferibles, y *deben* serlo cuando la relación entre el patrimonio neto y el endeudamiento total de la sociedad sea inferior a una cuarta parte. En tal caso, en lugar de proceder al pago de la cuota de liquidación, la sociedad puede convertir parcialmente el crédito del socio en títulos que siguen vinculando al socio «*separado*» en el riesgo de empresa, incluso cuando se quiera entender la impuesta transmisibilidad de los títulos como funcional para asegurar su más fácil monetarización, asistida por la garantía de poder enajenar los títulos en el mercado.

La gestión mutualista

En cuanto a la gestión mutualista que aspira a realizar una ventaja económica al socio cooperativista, el art. 2545 prevé que, en el informe sobre la gestión o en el que elabore el colegio sindical, deben indicarse, específicamente, los criterios seguidos en el ejercicio de la actividad para la obtención de aquel objetivo. En esencia, se reconoce el papel estratégico de la gestión de servicio (v. §193), que comporta la obligación de exponer, según el dictado del art. 2423, la situación patrimonial, económica y financiera de una empresa llamada a repartir valor, además de a crearlo. Incluso por tal razón, el art. 2545-*sexies*.2 impone la obligación de incluir separadamente en el balance los datos que conciernen a la gestión mutualista y, por tanto, las operaciones concluidas con los socios, y distinguir también las distintas actividades dirigidas a obtener el beneficio de los socios.

La regulación de los beneficios

El reparto del retorno (v. §193) debe efectuarse siguiendo el criterio de la proporcionalidad respecto de la cantidad y calidad de los intercambios mutualistas, y el art. 2545-*sexies*.3 subordina su asignación a los socios cooperativistas, igual que el dividendo, a un acuerdo expreso: la asamblea, soberana para determinar su destino, puede también calificar el retorno (el ahorro de gastos o la mayor remuneración) como inversión en capital de riesgo en las formas del incremento del valor de las participaciones, o a través de la emisión de instrumentos financieros. Si bien tal poder es coherente con una regulación de la imputación del resultado mutualista que coincide absolutamente con la prevista para el destino de los dividendos, no se puede escapar la carga obstaculizadora, respecto del interés mutualista, insita en el consentimiento de que los beneficios del socio cooperativista puedan ser sometidos a las reglas capitalistas de la inversión. Tampoco sirve para justificar esta elección la exigencia de incentivar la formación de una estructura financiera sólida, por más que nos parezca compartible.

En fin, el sistema no parece impedir, la entrega directa, parcial o integra de la ventaja mutualista, opción que ha de considerarse totalmente conforme al fin perseguido —bien entendido que ventaja económica directa y retorno representan técnicas distintas de un fenómeno unitario— cuyo uso será dosificado por los administradores de conformidad con las exigencias y con los vínculos financieros de la empresa.

199. LA BAJA DEL SOCIO

En el ámbito de la baja del socio, confluyen una pluralidad de fenómenos (v. §§61, 164 y 185): la circulación de la participación, la separación, la exclusión y, en fin, el procedimiento de liquidación dirigido a realizar la desinversión total.

El art. 2530 subordina la eficacia de la transferencia de la participación a la autorización de los administradores, llamados a verificar el cumplimiento por el adquirente propuesto de los «requisitos previstos para convertirse en socio». El silencio de los administradores, pasado el plazo de sesenta días desde la solicitud del socio enajenante, comporta la asunción implícita y, consiguientemente, la obligación de inscribir al adquirente en el libro de socios. Es, asimismo, obligatorio para los administradores motivar el rechazo de la solicitud, reconociendo al adquirente el recurso a la tutela judicial.

La circulación de la participación social

Asimismo, el último párrafo del art. 2530 manifiesta el punto de equilibrio entre el interés de la empresa a decidir qué sujetos admitir en la estructura organizativa y el del socio individual a enajenar la participación, reconociendo al socio el derecho de separación *ad nutum*, transcurridos

dos años desde el ingreso en la sociedad, siempre que el acto constitutivo prohíba la cesión de las participaciones o acciones.

La separación   Según el art. 2532.1, el socio cooperativista puede ejercitar el derecho de separación en los caso establecidos por la ley o por el acto constitutivo, pero está excluida la separación parcial (no obstante, con la adquisición de acciones propias puede obtenerse un resultado equivalente: art. 2529), que puede ser justificada únicamente desde una lógica estrictamente capitalista (v. §164). Si el interés a la prestación mutualista, fundado sobre el intercambio, deja de existir, no existe tampoco razón de mantener con vida la relación social: la disolución del vínculo societario tiene lugar desde la comunicación de que se ha aceptado la separación, mientras que las obligaciones recíprocas al intercambio mutualista cesarán si la separación se comunica tres meses antes del cierre del ejercicio social en curso, desde tal fecha o, en caso contrario, con el cierre del ejercicio siguiente. La excepción son las cooperativas de trabajo, para las que el art. 9 l. 30/2003, modificando la orientación de la l. 142/2000 en materia de tutela del trabajador, dispone que «la relación de trabajo se extingue con la separación o la exclusión del socio, acordadas respetando las previsiones estatutarias y de conformidad con los art. 2526 y 2527 del código civil».

La declaración del socio separado debe ser examinada por los administradores en sesenta días, y surtirá efecto desde la comunicación de la aceptación de la solicitud. Al contrario, el socio —a quien los administradores deben comunicar inmediatamente la falta de los presupuestos de la separación— podrá manifestar su oposición ante el tribunal (art. 2532.2).

La exclusión del socio   Las hipótesis de exclusión y, por tanto, de la liquidación individual del vínculo social son muy amplias por la estrecha relación que une a la sociedad y los socios. Además de la falta de pago de las cuotas (art. 2531), el art. 2533 permite a la autonomía estatutaria prever hipótesis de exclusión y señala los casos de: *(a)* incumplimiento grave de las obligaciones legales, contractuales, derivadas del reglamento o de la relación mutualista; *(b)* falta o pérdida de los requisitos subjetivos, mientras los puntos *(c)* y *(d)* remiten a los casos previstos por los art. 2286 y 2288.1. Se trata, al menos en los casos *(a)* y *(b),* de supuestos en que ha disminuido sustancialmente la posibilidad de ofrecer al socio la ventaja mutualista por la pérdida de los requisitos personales, o ha desaparecido la relación, incluso fiduciaria, que permitía la reciprocidad de los intercambios y, por tanto, la realización de la gestión de servicio. Más estrechamente ligados a la relevancia «personal» de los socios, están los casos enunciados en las letras *(c)* y *(d)*: la primera concierne a modificaciones de la capacidad del socio de actuar o de cubrir determinados oficios, y a la imposibilidad para la sociedad de obtener las aportaciones *in natura* prometidas. En el segundo, se establece la exclusión del socio quebrado. La remisión al *caso*, y no a la regulación del art. 2288.1 en materia de exclusión de derecho, hace que la declaración de quiebra se someta a un acuerdo de los administradores, si el acto constitutivo no ha reservado tal competencia a la asamblea, sin que ello implique la automática disolución del vínculo. De todo ello se deduce, asimismo, el reconocimiento al socio de la plena tutela judicial contra el acuerdo de exclusión propia de todos los supuestos examinados.

Hemos de recordar que, en caso de muerte del socio, la sociedad deberá liquidar la cuota a los herederos y que el acto constitutivo puede permitir el subingreso de los herederos que cumplan los requisitos para la admisión (art. 2534). La regulación de la liquidación de la cuota del socio saliente, en caso de disolución particular del vínculo, es uniforme (y v., análogamente el art. 2289: §29) a pesar de reflejar la distinción entre cooperativas de mutualidad predominante y las demás cooperativas. En el primer caso, deberá reembolsarse al socio sólo el valor de la aportación y el sobreprecio eventualmente pagado, siempre que los estatutos no prevean lo contrario, y siempre que tal valor permanezca en el patrimonio y no haya sido imputado a capital; en el segundo, el valor será calculado sobre la base del balance de ejercicio del año en que se verifica la disolución: los criterios establecidos en el acto constitutivo, aplicables a pesar de la remisión del párrafo precedente al balance de ejercicio, deberían asumir la función de «diferenciar» tal liquidación de la liquidación de las sociedades lucrativas, comprimiendo el interés capitalista a recibir el valor efectivo de la participación (art. 2535).

La liquidación de la cuota

El art. 2545-*duodecies*, aun remitiendo a la regulación del art. 2484.1, establece que sólo la pérdida íntegra del capital social trae consigo la disolución de las sociedades cooperativas (v. §195). A tales casos, naturalmente, se añaden las causas de disolución previstas en disposiciones legales específicas: en especial, constituye causa de disolución peculiar de la cooperativa la falta del número mínimo de socios si en el plazo de un año no se consigue su reconstitución (art. 2522.3).

La disolución

La disolución
necesaria

Para asegurar la presencia en el mercado sólo de una empresa capaz de realizar la función social que se le reconoce y que funda la especial tutela, la autoridad de vigilancia tiene el poder de disolver la sociedad que no persiga o no pueda perseguir el fin mutualista; desde esta perspectiva, se acumulan, ya sea el caso (art. 2545-*septiesdecies*, último párrafo) de la falta de cumplimiento durante dos años consecutivos de actos de gestión, con una inercia sintomática de la imposibilidad de perseguir el fin mutualista, ya la falta de depósito del balance de ejercicio, siempre durante dos años consecutivos. Y, en efecto, aun reconociendo que esta última situación puede tener una autonomía parcial que implica un cierto grado de antijuridicidad suficiente para justificar la sanción de la disolución, la falta de depósito (y, por tanto, en su caso, la falta de redacción) del balance, es, siquiera instrumentalmente, reconducible *a la imposibilidad de verificar* si la sociedad persigue, y es capaz de realizar, el fin mutualista.

En todos los casos mencionados se está en presencia de una disolución sancionadora, en cuanto que la autoridad de vigilancia que la dispone pretende eliminar a la cooperativa del mercado, en su caso sin liquidación, puesto que, a resultas de la inscripción de la providencia sujeta a publicación en la *Gazzetta Ufficiale,* si no existe un patrimonio a liquidar, la sociedad será cancelada de todos modos en el registro de empresas.

El control
durante la fase
de liquidación

La particular exigencia de control de la empresa mutualista queda confirmada por el art. 2545-*octiesdecies* que reconoce el poder de la autoridad de vigilancia de sustituir a los liquidadores, o de solicitar la sustitución al tribunal en caso de nombramiento judicial (art. 2487.2), siempre que haya irregularidades en la gestión o un excesivo retraso en el desarrollo de la liquidación. A diferencia de cuanto sucede en las sociedades lucrativas, la liquidación rápida no es tanto interés de los socios sino la instancia general de reasignación de la parte indisponible del patrimonio neto a los fines mutualistas.

Con excepción del caso en que exista nombramiento judicial de los liquidadores, la autoridad de vigilancia deberá publicar en la *Gazzetta Ufficiale* la lista de las cooperativas en liquidación ordinaria que durante cinco ejercicios consecutivos no han depositado los balances. En el caso de que, tras treinta días desde la publicación, los acreedores, o quien tenga interés, no hayan solicitado motivadamente a la autoridad gubernativa la continuación de la liquidación, el encargado del registro de empresas deberá proceder a la cancelación de oficio.

Las cooperativas que llevan a cabo una actividad comercial, si son insolventes, quedan sujetas a quiebra o a liquidación forzosa administrativa de conformidad con el criterio de la prevención (art. 2545-*terdecies*). Ello significa que la apertura de uno de los dos procedimientos excluye el inicio del otro. La liquidación del patrimonio está regulada de acuerdo con la disciplina de la ejecución concursal, que presta atención de modo predominante, si bien no exclusivamente, a intereses externos a la empresa insolvente y a sus socios.

La liquidación concursal

ÍNDICE LEGISLATIVO

(las referencias son a los parágrafos)

ÍNDICE ANALÍTICO

(Las referencias son a los parágrafos)

OBRAS COEDITADAS POR TIRANT LO BLANCH CON EL DEPARTAMENTO DE DERECHO MERCANTIL «MANUEL BROSETA PONT»

Bataller, J., Boquera, J., Olavarría, J. (Coord.), *El contrato de seguro en la jurisprudencia del Tribunal Supremo,* **Col. Tirant lo Blanch Tratados, Valencia, 1999.**

González Castilla, Fco., *Representación de acciones por medio de anotaciones en cuenta,* Col. Tirant lo Blanch Monografías, nº 102, Valencia, 1999.

Ferrando Villalva, L., *La información comercial de las entidades de crédito. Estudio especial de los informes comerciales bancarios,* Col. Tirant lo Blanch, Monografías, nº 140, Valencia, 2000.

Cuenca García., A., *Los mercados secundarios oficiales de futuros y opciones en la Ley del Mercado de Valores,* Col. Tirant lo Blanch Monografías, nº 141, Valencia, 2000.

Immenga, Ulrich, *El mercado y el Derecho de Valores. Estudios de Derecho de la Competencia,* Col. Tirant lo Blanch, Monografías nº 210, Valencia, 2001.

Boquera, J., Bataller, J., Olavarría, J., (Coord.), *Comentarios a la Ley de Contrato de Seguro,* Col. Tirant lo Blanch, Tratados, Valencia, 2002.

Hernando Cebría, L., *La empresa como objeto de negocios jurídicos,* Col. Tirant lo Blanch, Monografías, nº 219, Valencia, 2002.

Boquera Matarredona, J., *El contrato de seguro de transporte de mercancías por carretera,* Col. Tirant lo Blanch, Monografías nº 238, Valencia, 2002.

Embid Irujo, J.M. (Coord.), *Las competencias de los órganos sociales en las sociedades de capital,* Col. Tirant lo Blanch, Monografías, nº 340, Valencia, 2005.

Hernando Cebriá, L., *El contrato de compraventa de empresa.* Col. Tirant lo Blanch, Monografías, nº 293, Valencia, 2005.

Olavarría Iglesia, J. (Coord.), *Comentarios a la Ley de Fundaciones,* Col. Tirant lo Blanch, Tratados, Valencia, 2008.

Guillén Carrrau, J., *Denominaciones geográficas de calidad. Estudio de su reconocimiento de la OMC, la UE y el Derecho español,* Col. Tirant lo Blanch, Monografias, nº 547, Valencia.